A mis estudiantes, con quienes he compartido tanto teatro a lo largo de los años.

ANTOLOGIA DEL TEATRO DEL SIGLO DE ORO

EDICION, ESTUDIO Y NOTAS
DE EUGENIO SUÁREZ-GALBÁN GUERRA

El retablo de Maese Pedro
Clásico Orígenes

EDITORIAL ORÍGENES

Primera edición: Orígenes, 1989.

Diseño Portada: Orígenes.
Cuidado de edición: Elisa Camacho Muñoz
© Editorial Orígenes, S.A.
Plaza de Tuy, 4. Telf.: 201 58 00. 28029-Madrid
Fotocomposición Fermar. S.A
C/ Sílfide N.º 10. 28022-MADRID
ISBN: 84-7825-008-5
Depósito Legal: M-38336-1989

INDICE

INTRODUCCIÓN

I. El Fenómeno Teatral

EL TEATRO COMO CONSTANTE UNIVERSAL

Si empezamos por distinguir entre teatro y texto, o espectáculo y drama, podremos apreciar en seguida y del todo que lo que hoy en día se entiende comunmente por el término teatro, es en realidad sólo una de múltiples manifestaciones de un fenómeno muy antiguo y muy extendido en la historia de los pueblos. Es más, sin temor a exagerar, podría hasta afirmarse que existe en el hombre y en la sociedad una especie de ''instinto'' teatral. Sucede, no obstante, que con el advenimiento de la edad moderna (entiéndase a partir del Renacimiento) esta energía histriónica empieza a canalizarse en Europa y encauzarse sobre las tablas de un escenario, al principio muy elemental, y con el tiempo, tan elaborado como los que podemos ver en una sala moderna hoy.

Dicho proceso, sin embargo, no implica la desaparición de aquellas formas teatrales más primitivas, las cuales son fácilmente constatables en la sociedad de hoy si mantenemos ese criterio abierto de lo teatral como algo no limitado a un escenario. El famoso carnaval de Río de Janeiro, o el de Tenerife y Cádiz, el *Mardi Gras* de Nueva Orleans, serían algunos ejemplos obvios de cómo el hombre actual se remite al pasado más remoto de la humanidad respondiendo como sus antepasados primitivos a deseos, prácticas y hasta necesidades que lo llevan a expresarse socialmente a través de una acción mimética. Todos conocemos de sobra el tópico del *Rain Dance* de los indios de las llanuras norteamericanas, tan repetido en las películas, pero, ¿cuántos nos detenemos a considerar que se trata de una ceremonia auténticamente teatral, donde los tambores representan el trueno, y las esquilas colgadas a los tobillos de los que bailan, el sonido de la lluvia que, a través de ese rito, se invoca mágicamente?

Pero no hay que ir tan lejos para documentar esta tendencia teatral de la sociedad humana. Nuestras vidas modernas, repetimos, están repletas de ejemplos muchas veces insospechados, sin que haga falta tampoco recurrir a los famosos carnavales: el *Walpurgis* germano, o el *Halloween* en Norteamérica, las procesiones religiosas y los desfiles patrióticos, las fiestas de mascaradas, el baile que en ciertos países se celebra al graduarse el estudiante de la escuela secundaria, y (un fenómeno con el cual está muy familiarizado la juventud actual) la discoteca, encierran ineludiblemente una determinada dosis teatral.

De modo que también hoy, inconscientemente como sea, el hombre en sociedad, como desde tiempos tribales, sigue buscando, y encontrando, en la actividad teatral sustituciones a la vida y sus misterios, ritualizados y consagrados precisamente a través de la mímica. Como en todo arte, al reproducir sintéticamente la existencia, deriva de ello un placer, un alivio, acaso una mayor comprensión de lo que le rodea. Por angustiosa que pueda parecer en su transformación teatral y artística la realidad, supone ya dicha escenificación el consuelo del dominio intelectual y emotivo de fuerzas antes más oscuras. En las tablas, en el escenario, es donde este proceso social cuaja más conscientemente, y de forma única y singular. Esta singularidad del teatro es lo que vendría a explicar su pervivencia hasta la fecha.

¿En qué radica esa particularidad del teatro como forma artística? Ciertamente, otras formas también cumplen con esa ley mágica del arte que nos permite poseer en un mayor grado intelectual y emotivo el mundo y la existencia.

Ya lo hemos dicho varias veces, al hablar del carácter social, colectivo, comunitario, de toda experiencia teatral. Contrario a otras manifestaciones —desde la poesía y narrativa hasta el cine— el destinatario del teatro no es el individuo, sino la sociedad. Lo mismo podría decirse de las otras formas también, pero no en un sentido inmediato. Y si bien se puede arguir que también en el cine es un grupo de gente el que en un determinado momento y espacio asiste conjuntamente a la obra, ello no obsta para seguir insistiendo en esa naturaleza eminentemente social del teatro en comparación incluso con esta otra forma que se dirige asimismo a un colectivo de personas, conforme pasamos ahora a comprobar.

TEATRO Y CINE

No sería exagerado afirmar que para muchos sorprende la pervivencia del teatro en la época del cine (fenómeno que en la actualidad se ve a su vez amenazado, o al menos modificado, por el vídeo, dicho sea de paso). Entre las profecías apocalípticas que a principios de nuestro siglo auguraban la desaparición de ciertas formas artísticas (siendo acaso la de Ortega respecto a la novela la más sonada, al menos en el mundo hispánico), no sería difícil encontrar algunas que condenaban el teatro al pasado y al olvido ante la avalancha del "arte del siglo veinte", o sea, el cine. Curiosamente, sin embargo, no dejaron las primitivas manifestaciones cinematográficas de mostrar su dependencia en el teatro, y la historia del cine sería incompleta sin aquellas películas mudas que eran ni más ni menos que un teatro filmado: la actuación, los trajes, el propio escenario, y hasta el texto que aparecía en la pantalla, delatan claramente un origen teatral. Tampoco hubo que esperar hasta la llegada del sonido para que cambiara esta situación. Ya antes, la amenaza más directa al teatro por parte del cine había quedado al menos aplazada por la revolución cinematográfica de D.W. Griffith (que podríamos resumir aquí recordando que para el gran cineasta norteamericano el cine se aproxima mucho más a la novela que a cualquier otro género literario). Y si bien es verdad que el teatro no ha renunciado en ocasiones a explotar las ventajas de la cámara —el uso de películas en el escenario— también lo es que cierto cine no ha renunciado a determinados ambientes, diálogos y actuaciones más propias del teatro (piénsese en el escenario fílmico de *Las amargas lágrimas de Petra von Kant* de Fassbinder, o en el diálogo y forma teatral de actuar de los personajes cinematográficos de Akira Kurosawa, tan ligado a la tradición teatral japonesa).

Por otro lado, tampoco está claro hoy que sea el cine el único, o acaso el mayor, responsable de la crisis teatral que se registra en tantos países. Parece ser que otros factores entran en juego, tales como el apoyo oficial, la calidad de las escuelas nacionales de teatro de donde salen actores, directores, escenógrafos, la orientación escolar y los teatros infantiles que estimulan la afición a temprana edad, etc. Ciertamente, el caso de Londres es aleccionador, con sus teatros que brindan una gran variedad a un público por lo general entusiasta y numeroso, que no deja de incluir espectadores que, a falta de buen teatro en sus propios países, pueden darse el lujo de viajar a Inglaterra para asistir a las funciones. La situación, además, puede variar repentinamente de un momento a otro, y en un corto período de tiempo, salas antes vacías carecen de entradas. No pretendemos aquí, ni muchísimo menos, agotar el tema, que hemos traído a colación simplemente para sugerir que el teatro tiene una serie de características peculiares que debieran garantizar su permanencia entre nosostros, ya que suplen de manera singular y única unos anhelos a nivel individual y social que otras formas artísticas no logran satisfacer de igual modo y a igual grado.

Ya queda apuntado que una de esas peculiaridades está relacionada con el carácter colectivo del teatro. Ir al teatro, en efecto, supone remitirse en cierto modo a aquella actitud primitiva que hacía que los pueblos se congregaran alrededor de un rito, y compartieran una misma experiencia. No hay que despreciar, pues, las propias condiciones físicas implícitas en la asistencia teatral, y que una comparación con el cine ponen de relieve al conducirnos a una situación contrastante. Entrar en una sala iluminada, a una hora determinada, y compartir en otro momento determinado (el del descanso entre actos) una conversación, usualmente con alguna bebida, y con el mismo público del que uno forma parte, es sin duda una situación social y sicológicamente distinta a entrar en una sala oscura, no necesariamente a una hora determinada (en el caso, desde luego, de una sesión contínua), y salir dos horas después sin el contacto humano y social que supone la experiencia teatral. Podría objetarse que hay piezas teatrales de un solo acto (a lo que alguien podría contestar, señalando lo "raro" esta de excepción de la regla de una función sin descanso), y que hay sesiones cinematográficas donde también se entra y se sale con las luces, lo que permite ver las caras de los demás sin ese aislamiento que produce inevitablemente la oscuridad, pero ello no acaba de igualar ambas experiencias desde esa perspectiva comunitaria. Y es que la gran diferencia entre una y otra radica en la misma naturaleza de cada una de estas dos formas artísticas.

Ahí donde el teatro ha intentado rivalizar con el cine, ha fracasado estrepitosamente. Sería absurdo negar que la camara aventaja al escenario, ya que aquella literalmente puede disponer del mundo, mientras que éste sólo de un espacio reducido. Dicho de otra forma, el espectáculo —esencia misma del teatro— no puede rivalizar con el espectáculo del mundo, mucho más variado, amplio y objetivamente interesante. Le corresponde al teatro, pues, no entrar en competencia con un medio infinitamente superior en cuanto a las posibilidades para reflejar la realidad, sino más bien y mejor ahondar en sus propias y peculiares posibilidades, radicalmente diferentes a las del cine. Resumiendo en una frase estas diferencias, si la tendencia inevitable del cine es hacia un obvio realismo, la del teatro presupone siempre la irrealidad de un escenario y unos actores que no son el mundo, la realidad, sino más bien una metáfora, un símbolo físico de ese mundo que la cámara presenta tal cual al espectador de cine.

Por sencilla que parezca la observación, las consecuencias son múltiples y bastante complejas. De pronto, esa ventaja de la cámara que puede incorporar la realidad directamente, se convierte en desventaja desde una perspectiva que toma en cuenta la creatividad del espectador. Evidentemente, la cámara inhibe hasta cierto punto nuestra capacidad imaginativa al darnos las cosas como son, donde el proceso teatral suele ser todo lo contrario: ese escenario tan inevitablemente limitado en este sentido, tiene que ser complementado por nuestra participación activa e imaginativa. En última instancia, surge aquí la gran diferencia entre leer y ver. Digamos que el teatro supone un punto intermedio entre la lectura de un texto, donde el lector tiene que recurrir constantemente a su creatividad, y la asistencia a una película, donde la cámara nos priva de esa libertad de poder imaginarnos el mundo que nos describe el texto (lo que, por supuesto, no significa que el cine sea incapaz de apelar a nuestra imaginación también, mediante imágenes visuales, símbolos, e incluso, el diálogo de los personajes).

De ahí que sea un error siempre aquel intento por parte de un director teatral de querer rivalizar con el realismo del cine. Y de ahí que en el teatro los actores siempre sean consciente y obviamente tales, exagerando sus papeles, si se quiere, actuando de manera siempre evidente, en contraste con la naturalidad que debe caracterizar al actor de cine.

Paradójicamente, ese escenario teatral lleno de figuras humanas a poca distancia del público, es menos real que una película filmada años atrás en un país lejano, hablando siempre, desde luego, desde una perspectiva artística. Por otro lado, la misma presencia real y humana de los actores teatrales nos revierte a ese carácter eminentemente colectivo y social del teatro. Y ello es así, no sólo porque dichos actores se pueden dirigir al público, mirarlo, acaso mezclarse con él, sino más que nada porque entre actor y público se establece una especie de complicidad humana, de la cual es incapaz la cámara, naturalmente: los actores piden al público que acepte el convencionalismo de la realidad, el tácito trato entre ellos y el espectador de que lo que se está presenciando en escena es una confabulación entre ambos grupos para crear entre todos —los que la actúan y los que la aceptan— una nueva realidad, inevitablemente distinta a la verdadera, pero, no obstante, la realidad de todos ahí presentes. En otras palabras, el trato social, tan vigente hoy en la época de cine y vídeo, como en los más remotos tiempos de la humanidad.

Pasemos ahora de lo universal y estructural, a lo histórico-nacional.

II. Antecedentes del Teatro del Siglo de Oro

EDAD MEDIA

Sólo nos ha llegado una obra teatral en español de la Edad Media, el *Auto de los Reyes Magos*. Aún así, no está completa, conservándose un fragmento de ciento cuarenta y siete versos divididos en cinco escenas. Puede fecharse hacia fines del siglo XII o principios del XIII. Pese a su técnica de gran sencillez, la obra no deja de encerrar una serie de valores que ha llevado a la crítica a especular en dos direcciones contrarias. Por un lado, hay quien opina que semejante acierto teatral sugiere que existía cierta tradición dramática de la que se debió nutrir el *Auto*, mientras otros sospechan que puede tratarse de una importación allende los Pirineos, donde parece haber existido una mayor tradición teatral medieval. Esta última teoría se ve respaldada por el hallazgo de un número considerable de dramas litúrgicos (escritos en latín) en lo que hoy es Cataluña, región cercana a Francia, e históricamente relacionada con ella en muchos sentidos. En otras partes de la Península el número de semejantes dramas es muy reducido, y hasta inexistente.

El drama litúrgico latino se dedicaba a representar obras cuyos temas respondían a los del calendario cristiano, siendo los de la Epifanía y la Resurrección los dos más destacados. Dentro del ciclo epifánico, existe un drama litúrgico latín —el *Ordo stellae*— que se ocupa del viaje de los Reyes Magos. Posiblemente, pues, nuestro *Auto de los Reyes Magos* provenga de una traducción, o recreación, de un tópico litúrgico de la época.

En realidad, el papel de la Iglesia, aun cuando en determinados momentos se opusiera a ciertas tendencias mundanas del teatro, tuvo una indudable importancia. A los dramas litúrgicos, hay que añadir el gran drama de la misa, así como las danzas y pequeñas piezas de carácter religioso que, tras la celebración de la misa, se llevaban a cabo en ciertas iglesias (usualmente en el trascoro, en el caso de una catedral). Por lo visto, llegaron a ser tan populares, que varios concilios medievales tuvieron que prohibir danzas dentro de la iglesia. Y aunque no sabemos qué exactamente significaban los "juegos de escarnio", que se mencionan en las *Partidas* de Alfonso el Sabio, parece ser que eran dramas que, olvidando tal vez un origen religioso, degeneraron en un teatro de carácter, no ya profano, sino grosero y hasta sacrílego.

Desde luego, tampoco hay que olvidar otras formas donde lo teatral ejerce una obvia importancia: así, los poemas dialogados (*Disputa del alma y del cuerpo*, por ejemplo) se basaban justamente en un ingrediente fundamental del drama, el diálogo, el cual iba acompañado de un histrionismo correspondiente. Lo mismo harían los juglares, quienes al cantar y recitar sus poemas, actuarían el contenido para infundir mayor sentido de intriga y emoción. Como tampoco debemos olvidar las fastuosas fiestas de ciertos señores poderosos, con sus bailes, y ambiente claramente teatrales.

Tocando su fin la Edad Media, aparece en el panorama teatral español la figura de GÓMEZ MANRIQUE (¿1412-1490?), tío del célebre autor de las *Coplas por la muerte de su padre don Rodrigo*. Su obra dramática se inscribe dentro de la tradición litúrgica, latina, sin que ello baste para poder afirmar (contra lo que opina cierta crítica) que existió a lo largo de la Edad Media en España una tradición teatral litúrgica en romance que llega a Gómez Manrique. De las dos piezas suyas que conocemos, es la *Representación del nacimiento de Nuestro Señor* indudablemente la más teatral. *Lamentaciones hechas para Semana Santa* se reduce a una serie de pasajes poéticos, difícilmente adaptables a las tablas teatrales desde el punto de vista del texto.

RENACIMIENTO

Con JUAN DEL ENCINA (1469-1529), llamado justamente el patriarca del teatro español, ya se puede hablar de un comienzo definitivo de nuestra historia teatral. La crítica suele dividir su obra en dos, y hasta tres, períodos: el primero vendría a ser una simple continuación del drama litúrgico y de los temas medievales; uno intermediario sería el momento de transición, durante el cual Encina comienza su evolución hacia el último período, donde ya alcanza un mundo plenamente renacentista, influído por la literatura italiana (pasó varios años en Roma). Probablemente sería más exacto pensar que ya desde un principio Encina asimilaba paulatina y muy progresivamente una mayor influencia del Renacimiento, como era de esperar de cualquier personalidad alerta. Lo cierto es que ya en algunas de sus primeras églogas, triunfa la temática mundana que, en años posteriores, le llevaría a un neopaganismo renacentista. Quizá pueda decirse que de la misma manera que sus pastores evolucionan desde un lenguaje rústico, procedente de una tradición realista-popular de le Edad Media, hasta alcanzar la lengua culta, refinada y plenamente renacentista de los cortesanos, también el ambiente religioso de esos pastores de las églogas navideñas se trocará en uno plenamente mundano. La huella del gran poeta latino Virgilio es manifiesta en este sentido en la obra de Encina, y no es casual que el español titulara sus piezas con el nombre de "églogas", al igual que su maestro clásico. La influencia de su teatro fue fundamental durante la primera mitad del siglo XVI, y ciertos temas y personajes reaparecerán en el teatro de Lope y sus discípulos, tales como el personaje fanfarrón, picaresco, holgazán, si bien es verdad que Encina lo modela, (aunque perfeccionándolo) sobre una tradición ya existente en la Edad Media.

Aunque carece de la importancia de Juan del Encina, cabe mencionar también la figura de LUCAS FERNÁNDEZ (1474?-1542), su contemporáneo, y, en cierto sentido, su discípulo. Tres de sus siete piezas que nos han llegado son de tema profano. Cultivó tanto el tema profano como el religioso, y en ambos casos, se puede advertir la influencia de Encina, cuya obra, de hecho, llegó a elogiar, pese a haber existido una rivalidad entre ambos, ya que en 1498 Fernández consiguió la plaza de cantor de la catedral de Salamanca, a la cual aspiraba también Encina. Su *Auto de la Pasión* sigue siendo su obra más lograda, y cierta crítica no vacila en considerarla un anticipo de la comedia de santo, tan en boga durante el Siglo de Oro.

Será el portugués bilingüe, GIL VICENTE (1465-1537?), en quien alcanzará su más alto grado la influencia de Juan del Encina, la cual Vicente transmuta en una obra original, rica y variada, al extremo de que habrá que esperar a la aparición de Lope de Vega para encontrar otro dramaturgo tan completo. Se conjetura que Vicente aprendió el castellano de sus lecturas de Juan del Encina y Lucas Fernández, a quien es posible haya conocido personalmente durante la estancia de este último en Portugal. Supera a ambos en variedad de temas, sensibilidad estética y altura lírica. Pues si bien al principio sus autos apenas se apartan del modelo establecido por Encina, con el tiempo va mostrando una independencia y criterio propio realmente asombrosos. Llegará a cultivar una multitud de temas y estilos, desde el satírico, al bucólico, al caballeresco, logrando un dominio de técnica y estilo que le convierten en una de las figuras capitales del teatro europeo del XVI. Sus personajes reflejan ya conflictos sicológicos que los acercan a los de Lope, con quien también comparte la habilidad de colocar en una gran altura lírica los temas y ambientes campesinos. Por otro lado, sus autos, en especial los *Autos dos quatro tempos* y la *Trilogía das barcas*, donde se aúnan fuentes tan diversas como la vida de Cristo, el personaje Caronte de la antigüedad clásica y la *Nave de los locos* de Sebastián Brant, se han visto como claros antecedentes de los autos alegóricos de Calderón. Su obra, escrita en castellano, portugués, y a veces en una mezcla de ambas lenguas, permanece como temprano anuncio de la grandeza que alcanzará unas décadas después el teatro del Siglo de Oro.

BARTOLOMÉ DE TORRES NAHARRO (¿1485-1524?) viene a cerrar el primer gran ciclo del teatro español. Como Gil Vicente y Lucas Fernández, se inició bajo el influjo de Juan del Encina, pero al pasar a Italia, donde residió la mayor parte de su vida, bebe directamente de fuentes latinas, así como de sus contemporáneos italianos. Es el primer preceptista del teatro español en el "Prohemio" de su *Propalladia*, título bajo el cual reune su obra poética y dramática. Ahí, entre otras cosas, aconseja la división clásica en cinco actos, un reducido número de interlocutores (entre seis y doce), y traza una diferenciación entre la comedia "a noticia" (basada en "cosa nota y vista en realidad de verdad") y comedia "a fantasía" ("cosa fantástica o fingida, que tenga color de verdad aunque no lo sea"). Así, para Torres Naharro, tanto el suceso histórico, como el imaginado, es válido como fondo dramático, siempre y cuando prevalezca un criterio de verosimilitud, actitud que le acerca tanto a ciertos dramaturgos del Siglo de Oro, como al autor del *Quijote*. También su obra teatral prefigura la de los dramaturgos posteriores, especialmente en lo que se refiere a la comedia de capa y espada y el tema del honor y de la venganza, del todo presente en su *Ymenea*.

Al cerrar este apartado, no podemos olvidar hacer mención de una obra que, aunque no propiamente teatral, tuvo enormes repercusiones para el drama y también el teatro, *La tragicomedia de Calixto y Melibea*, (1499), atribuída a Fernando de Rojas, y más conocida como *La Celestina*. Fueron muchos los que bebieron de su diálogo y ambientes teatrales en general, sin ir más lejos, el propio Torres Naharro en su obra recién mencionada, la *Ymenea*.

A manera de resumen, podemos decir que en el transcurso de unos cien años, entre los sesenta del siglo XV y la misma década del XVI, el teatro español evoluciona rápida y brillantemente, desde unas obras que continúan con cierta rusticidad y carácter primitivo el drama litúrgico medieval, a una variedad de temas y estilos ya plenamente renacentistas y modernos, ejemplificados por la excelencia en la obra de Gil Vicente.

LA GENERACION ANTERIOR A LOPE DE VEGA

Conforme ya hemos afirmado, no surgirá otro dramaturgo de la altura de Gil Vicente hasta aparecer Lope de Vega. La generación inmediatamente anterior al Fénix, sin embargo, representa un eslabón de suma importancia en la cadena histórico-teatral que culminará con el triunfo del primer gran teatro popular del Continente, igualado sólo por el teatro isabelino inglés.

Por lo pronto, será durante estos años de la segunda mitad del XVI cuando se agudiza la polémica teatro clásico opuesto a teatro popular, cuya solución a favor del último por parte de Lope en su "Arte nuevo de hacer comedias" (véase Apéndice) y en su obra misma fija las bases para el teatro moderno en Occidente. La actividad teatral va adquiriendo cada vez mayor auge: aumenta el número de teatros rodantes o ambulantes, pero también empiezan a aparecer los teatros fijos; aumenta asimismo el interés, y las innovaciones, en cuanto a la escenografía, los trajes, las tramoyas. Y aumenta también el público, debido, entre otras razones a determinados fenómenos demográficos que aseguran que ciudades como Madrid (y Londres, dicho sea de paso) se vean desbordadas en relativamente poco tiempo de unas multitudes sedientas de diversión. Como han señalado tanto los sociólogos de la literatura, como la crítica sociológica, las autoridades no tardaron en captar la importancia de un teatro que, a la vez que provee entretenimiento a gentes en gran parte ociosas, sirve asimismo como vehículo para transmitir ideologías y principios sociales y oficiales. De ahí que el Barroco, durante el cual alcanzará este proceso su mayor altura, sea considerado la primera época que ve establecerse una sociedad de masa dirigida. En este fenómeno, no deja de jugar una importancia considerable el teatro, como repetiremos después.

Aunque más conocido como prosista (especialmente por su *Patrañuelo*) el librero, editor y también autor dramático, JUAN DE TIMONEDA (¿-1583) debe figurar aquí como impulsor de formas que se remontan tanto a la comedia latina al estilo de Plauto (si bien no es el primero en hacerlo en España), como a la transformación del auto en una obra que, por su capacidad metafórica, simbólica y alegórica, cobra claramente un carácter precalderoniano, al igual que lo antes señalado en Gil Vicente. Primer editor de Lope de Rueda, como él, escribe teatro en prosa, novedad que facilita la entrada de un lenguaje y ambiente cada vez más populares.

De LOPE DE RUEDA (¿1505-1565) nos ocuparemos en el apartado individual que dedicamos a los autores antologados, ya que uno de sus pasos abre precisamente nuestra antología. Baste decir por el momento que representa algo así como una personalidad volcada totalmente hacia el teatro: dramaturgo, actor (casado con actriz) y dueño de una compañía teatral ambulante, refleja nítidamente la enorme afición teatral de la época, siendo su amor al teatro equiparable al del famoso dramaturgo, actor y director francés, Molière.

Dramaturgo desigual, capaz de conmovedoras escenas, pero también de graves fallos, allana, no obstante, JUAN DE LA CUEVA (¿1550-1610) el camino que conduce a Lope de Vega en más de un sentido. Por lo pronto, su explotación temática del *Romancero* y de los temas épico-medievales, tendrá larga continuación en Lope y sus discípulos. Asimismo, revela otra afinidad con el Fénix al alejarse de las leyes y unidades clásicas, reduciendo el número de actos a cuatro de los cinco que aconsejaba Torres Naharro, e introduciendo una gran variedad métrica, polimetría que igualmente caracterizaría a nuestro teatro clásico.

También CERVANTES (1547-1616) ha sido calificado de prelopista. Al formar parte de esta antología, su caso se planteará igualmente en el apartado que le corresponde, lo que nos brindará una oportunidad para dejar bien clara la originalidad extraordinaria de Lope de Vega, al contrastar las obras y dramaturgias de ambos. Adelantemos desde ahora, sin embargo, que en lo que al entremés respecta —modalidad del teatro cervantino que incluimos en nuestra antología— Cervantes está a la máxima altura del teatro de la época lopesca.

"Y ENTRÓ LUEGO EL MONSTRUO DE LA NATURALEZA": LA MONARQUÍA TEATRAL DE LOPE DE VEGA

Tradicionalmente, se ha hablado de dos ciclos dentro del teatro del Siglo de Oro, el de Lope y el de Calderón. La división puede resultar práctica ante el intento de la crítica de aclarar y precisar cuestiones y problemas (ya lo veremos en el apartado dedicado a Calderón). No obstante, conviene mantener siempre cierta flexibilidad, ya que no cabe dudar que Calderón y sus discípulos, o ciclo, no hacen realmente otra cosa que profundizar en aquello que ya está del todo latente en Lope y los suyos. Además, tampoco hay que olvidar que el Siglo de Oro puede fecharse ya a partir de mediados del XVI, en pleno Concilio de Trento (1545-1563), con cuyo cierre la cultura europea católica se mueve cada vez más hacia la Contrarreforma que, ya para finales de ese siglo y principios del XVII, ha triunfado definitivamente. De modo que puestos a considerar a fondo el tema, también los llamados prelopistas vendrían a formar un ciclo dentro del conjunto de ese teatro del Siglo de Oro, si bien sigue siendo verdad que no será hasta Lope y la Contrarreforma que ese cuerpo teatral alcanzará sus más gloriosas peculiaridades, constantes, y logros.

Vale la pena insistir en ese paso del Renacimiento al Barroco, o la Contrarreforma. No en vano la gran influencia de Platón cederá en la segunda mitad del XVI a la de Aristóteles, más apegado a la materia y a una visión menos ideal y espiritualista del mundo y del hombre. El arte ahora se aferrará a un realismo íntimamente relacionado con la intención religiosa de convencer y seducir al pueblo (cuidando siempre de no confundir nosotros el criterio de verosimilitud barroca con el del realismo y naturalismo científicos del siglo XIX). No otra cosa pretendía el Barroco con su esplendor y recursos abrumadores que impresionar para mejor indoctrinar. Al juzgarlo fuera de su contexto histórico, sucesivas generaciones, aceptando sin cuestionar el criterio neoclásico del XVIII, llegaron a menospreciar injustamente en muchos aspectos el arte del siglo XVII, aun cuando tenga que admitirse que no todas las objeciones de los neoclásicos carecían de razón. Ha sido precisamente en nuestro siglo cuando se ha venido a rescatar el Barroco de estos prejuicios, primero en Alemania, en pleno auge del Expresionismo, movimiento que obviamente se siente identificado en muchos sentidos con lo barroco, y después, en España, con la Generación del 27, especialmente con la celebración del tercer centenario de la muerte de Góngora. También en Inglaterra, y especialmente ahora a través de la llamada *Cambridge School of Calderón*, se renueva el interés por ese dramaturgo, así como por el teatro español del Siglo de Oro en general. Francia, cuna de la razón y del Neoclasicismo, ha tardado más en desprenderse de dichos prejuicios, que hoy, de hecho, quedan descalificados por las últimas visiones que enlazan el Barroco con el Neoclasicismo en más de un sentido.

España alcanza su plenitud artística justamente durante esta época barroca. Si puede decirse que Italia asume un papel culturalmente dirigente en el Renacimiento, otro tanto cabe afirmar de España durante la Contrarreforma, hasta que, hacia fines del XVII, la hegemonía comienza a trasladarse a Francia. No hace falta mencionar que es precisamente la presencia del teatro del Siglo de Oro uno de los mayores factores para avalar esa supremacía cultural española durante el Barroco.

Si hubiera que reducir a sus términos más sencillos la dramaturgia de ese teatro, se podría afirmar que el principio de libertad artística pasa ahora a un primer plano, en pleno contraste, pues, con las leyes de Aristóteles que los preceptistas tanto aconsejan, especialmente durante la segunda mitad del Renacimiento, como dijimos. En efecto, el "Arte nuevo" de Lope viene a ser un canto a la libertad artística, aunque siempre, desde luego, dentro de los límites que todo arte —como síntesis de la vida humana— tiene que respetar. La óptica de Lope así difiere de la de esos preceptistas oficiales: si ha de procurarse reflejar lo real y verdadero, lo verosímil y auténtico en el arte que llevó al Renacimiento tardío y al Barroco a fijarse más en Aristóteles que en Platón, Lope parece argüir que cualquier "congelación" de la vida en reglas y unidades, resta de dicho intento de reflejar la vida lo más fielmente posible. Por tanto, al imitar las acciones de los hombres, el tiempo puede extenderse todo lo necesario, la escena cambiar de un lugar a otro, los personajes de diferentes categorías pueden mezclarse en el escenario, y la acción dramática es asimismo susceptible de mezclar lo cómico con lo trágico. Sí conviene, no obstante, atenerse a ciertas condiciones que garantizan aquella síntesis de la vida que recién recordábamos como meta del arte. En este sentido, la división en tres jornadas resulta de lo más útil, ya que la primera sirve para exponer la trama, o "el caso", la segunda para enlazar los sucesos, y la última, para el desenlace, preferentemente rápido y procurando mantenerse en alta tensión siempre la intriga, pues a la catarsis del teatro clásico griego, opone Lope el de la intriga y suspensión.

Los temas, asimismo, gozan de igual libertad, y las fuentes son variadísimas: la épica medieval y el *Romancero*, la historia, universal y nacional, la literatura caballeresca, pastoril, religiosa (la *Biblia*, las vidas de santos, los misterios). Luego, el tema tampoco tiene por qué limitarse a uno, sino que la obra puede incorporar diferentes temas y tramas, técnica barroca que se aleja de la unidad de acción, naturalmente, aun cuando debe existir una relación entre los temas y las tramas, a modo de un espejo que se coloca directamente frente a otro, reflejándose así mutuamente.

Clave del éxito de Lope es su enorme comprensión respecto a su público y su pueblo. Arguye que los españoles de su época no son los espectadores de la antigüedad, y que, consiguientemente, el teatro español debe responder a las idiosincracias del pueblo español. Por eso, dentro de esta libertad, ciertos temas y personajes muy del gusto del pueblo español deben prevalecer. De ahí que se repitan determinadas figuras y temas: el labrador, el gracioso, la mujer honrada, el caballero, etc. Y, sobre todo, un tema que mueve y conmueve al público español de su época: la honra.

Si añadimos al tema de la honra, el de la monarquía y el catolicismo, tenemos una de las combinaciones más típicas del teatro del Siglo de Oro. Con lo cual, paradójicamente, viene a perder ese teatro una parte de la libertad que había logrado teóricamente al proclamarse en favor de la máxima libertad artística, puesto que en la práctica, como ya señalamos, ese teatro llegó a convertirse en un hábil medio de indoctrinación y propagandas tanto de las autoridades monárquicas como de la Iglesia. Ello no obsta para que veamos brillantes ejemplos de rebeldía, que, rayando en lo censurable por ese sistema autoritario, brindan profundas reflexiones sobre las bases de una sociedad que muchos, consciente o inconscientemente, llegaron a cuestionar, si no en su teoría socio-política, al menos en la práctica.

Finalmente, acierto igualmente extraordinario de Lope fue su don poético, y la incorporación de éste al drama como parte tan integrante de él, que los versos habían de acoplarse a las emociones de los personajes y a las situaciones peculiares de la escena. Polimetría que literalmente llegó a encantar al público, fascinado ya igualmente por el desarrollo de una intriga con la cual podía identificarse plenamente, y unos personajes conocidos a través de la leyenda, la historia o la propia vida real.

Como se podrá ver, mucho de lo que Lope llega a promulgar, estaba ya presente en los dramaturgos anteriores, y ya hemos tenido ocasión de señalar algún ejemplo en este sentido. Pero fue Lope el que percató la importancia, y hasta la necesidad, de sistematizar (por contradictoria que parezca aquí la palabra) esta dramaturgia.

Con lo cual, fija no sólo las bases de uno de los momentos más gloriosos del teatro europeo, el del Siglo de Oro español, sino asimismo del teatro moderno en general.

III. Criterio Editorial

En general, hemos modernizado la grafía para facilitar la lectura, aunque en ningún momento lo hemos hecho cuando perjudicara la rima, o cuando no lo admitía el número de sílabas exigidas por la versificación. No obstante, para preservar el sabor de una poesía en gran medida inspirada en el *Romancero* y en la poesía popular, hemos retenido una grafía más afín a la original en *Las mocedades del Cid*, al igual que en *La verdad sospechosa*, para poder brindar al estudiante en este último caso otro ejemplo de esa grafía más afín a la del Siglo de Oro. En cuanto a la puntuación, la hemos corregido sólo en aquellos casos en que lo exigía claramente el sentido.

La experiencia de haber enseñado el teatro del Siglo de Oro durante cerca de veinticinco años a estudiantes universitarios de diversos trasfondos culturales, ha repercutido inevitablemente a la hora de confeccionar la presente antología. Por lo pronto, la inaccesibilidad de un tomo verdaderamente representativo de dicho teatro, que incorpore no sólo comedias, sino asimismo formas tan populares y valiosas como son el paso, el entremés y el auto sacramental, nos ha llevado a incluir aquí estas variaciones teatrales, sin las cuales la visión de conjunto quedaría ciertamente truncada. Por otro lado, al tener siempre presente ahora también la variedad del estudiantado universitario al que destinamos esta antología, no hemos escatimado en el número de notas, pues no es lo mismo el contexto cultural y de lectura de un estudiante español que el de un universitario americano, o incluso, el de otros países europeos. Es más, aun dentro de la propia España puede variar considerablemente este contexto. Así, por ejemplo, ciertos vocablos que han caído en desuso en algunas regiones, siguen vigentes en otras. Por lo mismo, al alumno latinoamericano, así como al norteamericano que ha aprendido un español más afín al de Hispanoamérica, le puede resultar más familiar un giro o expresión, ya desaparecido del habla peninsular, que a un estudiante español.

Otro tanto puede ocurrir en cuanto a referencias mitológicas, históricas, geográficas, etc., acaso más conocidas algunas por un tipo de estudiantado que no necesitará así anotaciones que las expliquen, pero no por otros menos familiarizados con cualquier referencia determinada por esas mismas razones de contexto cultural. De modo que, para resumir, hemos preferido la amplitud a la parquedad al anotar para así alcanzar al más amplio y más variado público universitario posible.

Dada la inexactitud de fechas, así como la conveniencia de agrupar obras por autores, el orden de aparición de las obras no es estrictamente cronológico, aunque, a la postre, resulta que sí respeta bastante la cronología. La crítica no ha logrado aún fijar con precisión las fechas de algunas obras, de las cuales tenemos noticias a veces por el año de publicación en que primero aparecieron impresas en un tomo colectivo que no especifica fechas concretas para las obras individuales que incorpora. Y en cuanto a la fecha de estreno, determinarla puede ser aún más problemático, salvo en los casos en que existen documentos fidedignos que la hagan constar. Por lo general, ofrecemos la fecha de publicación, y en aquellos casos en que la fecha probable puede diferir bastante de la de imprenta, hemos preferido hacer un cómputo basado en varios críticos y especialistas, y fijar una fecha siempre aproximada, procurando elegir una fecha intermedia en cuanto a los dos extremos entre los que se mueven los especialistas. Aun cuando nos hayamos inclinado hacia los argumentos de cierto crítico determinado que nos han parecido lo suficientemente convincentes para fijar fecha definitiva, hemos optado por esa fecha aproximada basada en dicho cómputo, pues hay que reconocer que estudios de estilo y técnica literarios pueden resultar bastante resbaladizos a la hora de determinar dentro de un período de unos diez años el momento exacto de haberse escrito una obra.

Con frecuencia se repiten de una a otra obra las mismas notas, cuando ambas coinciden en hacer referencia a un mismo tema. Igualmente, puede darse el caso de dos obras que aludan a un mismo tema, pero con un énfasis o enfoque diferente (fenómeno común en cuanto a la mitología, donde puede existir más de una versión de un mismo mito). Preferimos repetir las notas cuando son de una extensión breve, y sólo en el caso de anotaciones algo extendidas remitimos al lector a una nota más elaborada en otra obra.

Finalmente, la introducción general, al igual que las palabras preliminares que dedicamos a cada autor y obra, no tienen otro propósito que el de ambientar en términos generales las obras, y proveer una información también general respecto a los autores, que el estudiante puede ampliar recurriendo a la bibliografía general que ofrecemos. De ninguna manera quieren nuestros comentarios prejuiciar, o de cualquier otra forma encauzar en términos concretos, la lectura del texto. Este desafío, con todas sus gratificaciones, queda reservado para el estudiante, quien, junto con su profesor y compañeros de aula, podrá así ejercer su creatividad y sensibilidad al participar en uno de los fenómenos dramáticos y teatrales más dinámicos y deslumbrantes de todos los tiempos.

EDICIONES CONSULTADAS

"Paso séptimo (Las aceitunas)":

Pasos, ed. de Fernando González Ollé y Vicente Tusón. Madrid: Cátedra, 1981.

El teatro anterior a Lope de Vega, ed. de Everett W. Hesse y Juan O. Valencia. Madrid: Ediciones Alcalá, 1971.

Obras (2 tomos), ed. de Emilio Cotarelo y Mori. Madrid: Real Academia Española, 1908.

"El Retablo de las maravillas":

Entremeses, ed. de Miguel Herrero García. Madrid: Clásicos Castellanos, 1945.

Comedias y entremeses (6 tomos), ed. de R. Schevill y A. Bonilla. Madrid: t. IV, Imprenta Bernardo Rodríguez, 1915.

Obras Completas, ed. de Angel Valbuena Prat. Madrid: Aguilar, 1960.

Entremeses, ed. de Jean Canavaggio. Madrid: Taurus, 1978.

Fuenteovejuna:

Fuenteovejuna, ed. de Américo Castro. Madrid: Clásicos Castellanos, 1935.

_____ , (dos comedias) (Lope y Cristobal de Monroy), ed. de F. López Estrada. Madrid: Cátedra, 1969.

Comedias escogidas (4 tomos), ed. de J.E. Hartzenbusch. Madrid: Biblioteca de Autores Españoles, t. XLI, 1910.

El caballero de Olmedo:

Ed. de Joseph Pérez. Madrid: Castalia, 1988.

Ed. de Francisco Rico. Madrid: Cátedra, 1981.

Comedias escogidas (4 tomos), ed. de J.E. Hartzenbusch. Madrid: Biblioteca de Autores Españoles, t. XXXIV, 1910.

El burlador de Sevilla y convidado de piedra.

El vergonzoso en palacio y _____ , ed. de Américo Castro. Madrid: Clásicos Castellanos, 1970.

Ed. de Joaquín Casalduero, Madrid: Cátedra, 1983.

Comedias, (2 tomos), ed. de E. Cotarelo y Mori. Madrid: Nueva Biblioteca de Autores Españoles, 1906-07.

Las mocedades del Cid:

Ed. de V. Said Armesto. Madrid: Clásicos Castellanos, 1945.

Siete comedias, ed. de R de Mesonero Romanos. Madrid: Biblioteca de Autores Españoles, 1857.

Ed. de I. Montiel: Madrid: Castilla, 1948.

La verdad sospechosa:

_____ . *Las paredes oyen*, ed. de Alfonso Reyes. Madrid: Clásicos Castellanos, 1970.

J.E. Hartzenbusch, *Comedias*. Madrid: Biblioteca de Autores Españoles, t. XX, 1866.

La vida es sueño:

Ed. de Ciriaco Morón. Madrid: Cátedra, 1978.

_____ . *El alcalde de Zalamea*, ed. de Augusto Cortina. Madrid: Clásicos Castellanos, 1964.

Ed. de José María Martín. Madrid: Castalia, 1983.

El médico de su honra:

Dramas de honor (2 tomos), ed. de Angel Valbuena Briones. Madrid: Clásicos Castellanos, 1956.

Ed. de C.A. Jones. Oxford: Clarendon Press, 1961.

Ed. de D.W. Cruickshank. Madrid: Castalia, 1981.

"El gran teatro del mundo":
Obras completas (3 tomos), ed. de Angel Valbuena Prat. Madrid: 1957.
_____ , *El gran mercado del mundo*, ed. de E. Frutos Cortés.
Madrid: Cátedra, 1981.
Ed. de Domingo Induráin. Madrid: Alhambra, 1981.

Del rey abajo, ninguno:
_____ . *Entre bobos anda el juego*, ed. de F. Ruiz Morcuende.
Madrid: Clásicos Castellanos, 1967.
Comedias escogidas, ed. de R. de Mesonero Romanos. Madrid: Biblioteca de Autores Españoles, T. LIV, 1908.

BIBLIOGRAFÍA

En su afán de ser orientadora sobre todo, y teniendo en cuenta la mayor accesibilidad de libros (opuesto a artículos de revistas), la bibliografía que ofrecemos se ciñe, pues, a libros, en los cuales, no obstante, abundan referencias bibliográficas a trabajos aparecidos en publicaciones periódicas que el estudiante interesado puede investigar. Hemos procurado asimismo ofrecer textos de fechas relativamente recientes que reflejan las últimas tendencias críticas, a la vez que recogen comentarios sobre las anteriores. En algunos casos, no obstante, se trata de reediciones (a veces puestas al día), ya que la vigencia general de la crítica que encierran sigue siendo considerable en muchos sentidos. Dentro de la bibliografía general, se observará que algún título es de carácter monográfico (el de Salomon, por ejemplo, o el de Bravo Villasante), pero su contenido abarca dimensiones mayores aplicables a todo el teatro del Siglo de Oro, o al menos, a gran parte de él, si no en cuanto al tema necesariamente, sí con respecto a los enfoques y las líneas generales de la crítica y los comentarios.

BIBLIOGRAFÍA SELECTA Y GENERAL

Charles Aubrun, *La comedia española, 1600-1680*. Madrid, 1968.

El teatro del siglo XVII, Madrid, 1988.

C. Bravo Villasante, *La mujer vestida de hombre en el teatro español* (Siglos XVI-XVII). Madrid, 1955.

Américo Castro, *De la edad conflictiva*. Madrid, 1961 (especialmente "El drama de la honra en la literatura dramática", cap. I).

J.M. Díez Borque, *Sociología de la comedia española del siglo XVII.* Madrid, 1976 (una muestra cabal de sociología teatral).

E.W. Hesse, *Análisis e interpretación de la comedia.* Madrid, 1968.

José Antonio Maravall, *Teatro y literatura en la sociedad barroca.* Madrid, 1972 (abarcadora visión del fenómeno literario-teatral desde múltiples perspectivas).

Ramón Menéndez Pidal, *De Cervantes y Lope de Vega* (contiene "Del honor en el teatro español"). Madrid, 1964.

E. Orozco Díaz, *El teatro y la teatralidad del Barroco.* Barcelona, 1969.

Hugo Albert Rennert, *The Spanish Stage in the Time of Lope de Vega.* Nueva York, 1963 (originalmente publicado en 1909, aún utilísimo para apreciar la escenografía y demás elementos teatrales de la época).

Noël Salomon, *Recherches sur le thème paysan dans la "comedia" au temps de Lope de Vega.* Burdeos, 1966.

Angel Valbuena Prat, *El teatro español en el Siglo de Oro.* Barcelona. 1969.

Bruce Wardropper, *Introducción al teatro religioso del Siglo de Oro.* Madrid, 1961.

E.M. Wilson y D. Moir, *Historia de la literatura española*, t. III, *Siglo de Oro: teatro (1492-1700).* Barcelona, 1974.

BIBLIOGRAFÍA DE AUTORES

Las introducciones y los estudios preliminares de las ediciones consultadas que se enumeran a continuación proveen ya una valiosa información, así como una bibliografía más detallada. Téngase en cuenta, además, que los libros citados en la bibliografía general dedican apartados a los autores y su obra, algunos muy extensos.

Lope de Rueda:

Falta aún en libro una obra reciente definitiva sobre este autor. Remitimos al estudiante a M. Ferrer Izquierdo, *Lope de Rueda. Estudio histórico-crítico de la vida de este autor.* Madrid, 1899, así como a E. Cotarelo y Mori, *Lope de Rueda y el teatro español de su época* en *Estudios de historia literaria de España.* Madrid, 1901, pp. 183-290. Véase también la introducción de Fernando González Ollé y Vicente Tusón, citada en "Ediciones consultadas".

Cervantes:

Amelia Agostini de Del Río, *El teatro cómico de Cervantes.* Madrid, 1965 (separata de la Real Academia Española).

Jean Canavaggio, *Cervantes, dramaturge: un théâtre a naître.* París, 1978. En breves páginas, además, cuenta este crítico la llamada al teatro por parte de Cervantes, en la excelente biografía *Cervantes*, París, 1986, pp. 126-132.

Joaquín Casalduero, *Sentido y forma del teatro de Cervantes.* Madrid, 1966.

R. Marrast, *Miguel de Cervantes, dramaturge.* París, 1957.

Lope de Vega:

Charles V. Aubrun, *El teatro de Lope de Vega.* Buenos Aires, 1962.

Joaquín de Entrambasaguas, *Estudios sobre Lope de Vega* (3 tomos). Madrid, 1946-1958.

José F. Montesinos, *Estudios sobre Lope de Vega.* México, 1951.

Karl Vossler, *Lope de Vega y su tiempo.* Madrid, 1961.

Alonso Zamora Vicente, *Lope de Vega.* Madrid, 1961.

Gabriel Téllez (Tirso de Molina):

Ivy L. McClelland, *Tirso de Molina: Studies in Dramatic Realism.* Liverpool, 1948.

Esmeralda Gijón Zapata, *El humor en Tirso de Molina.* Madrid, 1959.

Serge Manuel, *L'Universe dramatique de Tirso de Molina.* Poitiers, 1971.

R. Menéndez Pidal, "Sobre los Orígenes de *El convidado de piedra*" en *Estudios literarios*. Buenos Aires, 1938.

Karl Vossler, *Lecciones sobre Tirso de Molina*. Madrid, 1965.

Gerard E. Wade, "Introduction" a su edición de *El burlador de Sevilla y convidado de piedra* . Nueva York, 1969.

Guillén de Castro:

E. Juliá Martínez, "La métrica en las producciones dramáticas de Guillén de Castro", *Anales de la Universidad de Madrid*, III (1934), 62-71.

La Du, Robert R., "Honor and the King in the Comedias of Guillén de Castro" *Hispania*, XIV (1962), 211-217.

McBride, Charles A, "Los objetos materiales como objetos significativos en *Las mocedades del Cid*", *Nueva revista de filología hispánica*, XV (1961), 448-458.

Juan Ruiz de Alarcón:

Antonio Castro Leal, *Juan Ruiz de Alarcón, su vida y su obra*. México, 1943.

Ellen Claydon, *Juan Ruiz de Alarcón, Baroque Dramatist*. Chapel Hill, 1970.

Serge Denis, *Le langue de Juan Ruiz de Alarcón*. París, 1943.

Alva V. Ebersole, *El ambiente español visto por Juan Ruiz de Alarcón*. Valencia, 1959.

Calderón de la Barca:

Eugenio Frutos. *La filosofía de Calderón en sus obras*. Zaragoza, 1952.

Alexander Parker, *The Allegorical Drama of Calderón*. Londres, 1961.

N.D. Shergold y J.E. Varey, *Los autos sacramentales en Madrid en la época de Calderón,* 1637-1681. Madrid, 1961.

A.E. Sloman, *The Dramatic Craftsmanship of Calderón*. Oxford, 1958.

Angel Valbuena Prat, *Calderón*. Madrid, 1941.

Bruce Wardropper, ed. *Critical Essays on the Theatre of Calderon.* Nueva York, 1965.

Rojas Zorrilla:

Raymond R. McCurdy, *Francisco de Rojas Zorrilla and the Tragedy.* Albuquerque (Nuevo México), 1958.

_____ , *Francisco de Rojas Zorrilla.* Nueva York, 1968.

Julio Rodríguez Puértolas, "Alienación y realidad en Rojas Zorrilla", *De la Edad Media a la Edad Conflictiva.* Madrid, 1972, pp. 339-363.

LOPE DE RUEDA (¿1509-1565)

VIDA

Existen relativamente pocos datos sobre la vida de Lope de Rueda. Sabemos que nació en Sevilla, pero no la fecha exacta, aunque sí dentro del primer decenio del siglo XVI, probablemente en el año arriba dado. Según testimonio del propio Cervantes, Lope de Rueda tenía el oficio de batihoja, o encargado de preparar los panes de oro que se utilizaban en la pintura y encuadernaciones. No obstante, ya hacia 1545 estaría dedicándose al teatro, su verdadera vocación —obsesión más bien—, viajando por España con su propia compañía teatral, en la cual ejercía tanto como autor, como director y como actor. Se casó dos veces, la primera cerca de 1550 con una actriz, de la que sólo nos llega su nombre de pila, Mariana, y la segunda con una tal Rafaela Ángela, quien le dio una hija nacida en Sevilla en 1564, o sea muy poco antes de morir. En 1567, Juan de Timoneda publicaba sus obras en Valencia.

OBRA

Aunque es indudable que el mayor logro teatral del "gran Lope de Rueda" (como le llamara Cervantes en el prólogo a sus *Ocho comedias y ocho entremeses nuevos nunca representados*, radica en la expresión del elemento teatral y costumbrista, no hay que olvidar, por otro lado, que se trata de un dramaturgo culto, plenamente sumergido en las corrientes que llegaban del Renacimiento italiano. De hecho, algunas de sus obras llegaron a representarse en los palacios de la nobleza. Sus comedias, no obstante, carecían por lo general de una sólida estructura dramática, e, incluso, lo mejor de ellas parece apuntar ya hacia aquellos ingredientes que triunfarían de forma rotunda en sus pasos: la prosa viva y ligera (la mayoría de las comedias fueron escritas en prosa) que cuaja en un diálogo de corte realista y a la vez humorístico, dando a luz simultáneamente a una serie de personajes de gran comicidad. Con Lope de Rueda puede decirse que entra plenamente en el escenario nacional el pueblo, para no volver a dejarlo.

Dada la estructura del paso —pieza breve sin trama, de carácter humorístico, y que, más que ahondar en los personajes, reproduce ciertos tipos —es inevitable una tendencia hacia formas y temas sencillos, ya que la función del paso, tal como implica el mismo término, es la de *pasar* a otro asunto mayor. Servía así como especie de descanso o intermedio, y a veces también, se colocaba al principio y al final, para inyectar una nota humorística al comenzar o finalizar la función. Con el tiempo, el paso, entrado ya el siglo XVII, vendría a sustituirse mediante diversas formas, en realidad poco distanciadas entre sí, y por tanto, remitentes al propio género del paso en general, tales como el tono y la jácara, la loa, el entremés, el baile y la mojiganga. El humor, realizado a través de personajes picarescos o bobolicones, el diálogo realista, la pantomima (procedente de la *commedia dell'arte* italiana), música, baile, colorido, en fin, los mismos ingredientes que integran el paso de Lope de Rueda, vuelven a repetirse aquí. Como los pasos, estas otras manifestaciones podían intercalarse entre los actos (caso típico del entremés), o abrir y cerrar las funciones, dependiendo de la época y las tradiciones que se iban creando. No obstante, a partir del siglo XVIII, estas formas menores empiezan a decaer, hasta desaparecer, aun cuando pueda argüirse cierta continuidad a través de los sainetes de Ramón de la Cruz, en el propio siglo XVIII, o incluso, ver sus huellas en las obras humorísticas de los hermanos andaluces, Serafín y Alvaro Quintero, en nuestro siglo.

"PASO SÉPTIMO" (1567)

A continuación, reproducimos el paso más famoso de Lope de Rueda, "Paso séptimo", también llamado "de las aceitunas", o simplemente "Las aceitunas". Lo publicó por primera vez Juan de Timoneda, en 1567, junto con seis pasos más de Lope de Rueda en una recopilación titulada *El deleitoso*. Dentro de la sencillez general que hemos dicho caracteriza el paso, se advierte aquí un tema más profundo tras el humor: el choque entre la realidad y la fantasía, problema tan caro a Cervantes, por cierto, quien estructuraría su gran novela sobre el mismo asunto. Es más, el entremés cervantino que recogemos próximamente en esta antología, "El retablo de las maravillas", no deja de encararse asimismo con este problema a la vez tan español, tan barroco y tan universal, aunque lo hace de forma diferente a como se ve en este paso de Lope de Rueda.

PASO SEPTIMO

PERSONAS

TORUVIO, *simple, viejo*
MENCIGÜELA, *su hija*

ÁGUEDA DE TORUÉGANO,
su mujer
ALOJA, *vecino*

TORUVIO. ¡Válame Dios y qué tempestad ha hecho desdel requebrajo[1] del monte acá, que no parescía sino aquel cielo que se quería hundir y las nubes venir abajo! Pues decí agora: ¿qué os terná aparejado de comer la señora de mi mujer? ¡Así mala rabia la mate. ¡Oíslo! ¡Mochacha Mencigüela! ¿Si todos duermen en Zamora?[2] ¡Águeda de Toruégano! ¡Oíslo!

MENCIGÜELA. ¡Jesús, padre! ¿Y habéis nos de quebrar las puertas?

TORUVIO. ¡Mirá qué pico, mirá qué pico! ¿Y adónde está vuestra madre, señora?

MENCIGÜELA. Allá está en casa de la vecina, que le ha ido a ayudar a coser unas madejillas.

TORUVIO. ¡Malas madejillas vengan por ella y por vos! Andad y llamalda.

ÁGUEDA. Ya, ya, el de los misterios[3], ya viene de hacer una negra carguilla de leña, que no hay quien se averigüe[4] con él.

---

[1] *requebrajo:* resquebrajo, quebradura.
[2] *¡Si todos...:* frase proverbial ya en la época.
[3] *el de los misterios:* reservado en el habla; en vista de lo que ha dicho Toruvio ("qué pico") unas líneas antes, estas palabras de Águeda pueden ser irónicas, implicando todo lo contrario a su significado, o sea, que Toruvio también es "pico" o hablador.
[4] *averigüe:* en el sentido de entender o comprender.

TORUVIO.	Si carguilla de leña le paresce a la señora, juro al cielo de Dios que éramos yo y vuestro ahijado a cargalla y no podíamos.
ÁGUEDA.	Ya, noramaza[5] sea, marido, ¡y qué mojado que venís!
TORUVIO.	Vengo hecho una sopa dagua. Mujer, por vidavuestra, que me deis algo que cenar.
ÁGUEDA.	¿Yo qué diablos os tengo de dar, si no tengo cosa ninguna?
MENCIGÜELA.	¡Jesús, padre, y qué mojada que venía aquella leña!
TORUVIO.	Sí, después dirá tu madre ques el alba[6].
ÁGUEDA.	Corre, mochacha, adrézale[7] un par de huevos para que cene tu padre, y hazle luego la cama. Yos aseguro, marido, que nunca se os acordó de plantar aquel renuevo[8] de aceitunas que rogué que plantásedes.
TORUVIO.	Pues, ¿en qué me he detenido sino en plantalle como me rogastes?
ÁGUEDA.	Callad, marido; ¿y adónde lo plantastes?
TORUVIO.	Allí junto a la higuera breval[9], adonde, si se os acuerda, os di un beso.
MENCIGÜELA.	Padre bien puede entrar a cenar, que ya está adrezado todo.
ÁGUEDA.	Marido, ¿no sabéis qué he pensado? Que aquel renuevo de aceitunas que plantastes hoy, que de aquí a seis o siete años llevará cuatro o cinco hanegas de aceitunas, y que poniendo plantas acá y plantas acullá, de aquí a veinte y cinco o treinta años, ternéis un olivar hecho y drecho.[10]
TORUVIO.	Eso es la verdad, mujer, que no puede dejar de ser lindo.
ÁGUEDA.	Mirá, marido, ¿sabéis qué he pensado? Que yo cogeré la aceituna y vos la acarrearéis con el asnillo, y Mencigüela la venderá en la plaza. Y mira, mochacha, que te mando que no me des menos el celemín de a dos reales castellanos.
TORUVIO.	¿Cómo a dos reales castellanos? ¿No veis ques cargo de consciencia y nos llevará el amotazén[11] cadaldía[12]

---

[5] *noramaza:* en hora mala.

[6] *alba:* algo claro, obvio, como que la madre verá con naturalidad, y como si no fuera nada, el estado mojado de la leña y de su marido.

[7] *adrézale:* aderézale, prepárale.

[8] *renuevo:* nueva siembra o árbol nuevo.

[9] *higuera breval:* árbol mayor que la higuera, de hojas más grandes y más verdes, que da brevas e higos.

[10] *drecho:* derecho.

[11] *amotazén:* el que se encargaba de pesar el género en los mercados.

[12] *cadaldía:* cada día.

	la pena?, que basta pedir a catorce o quince dineros por celemín.
ÁGUEDA.	Callad, marido, ques el veduño[13] de la casta de los de Córdoba.
TORUVIO.	Pues, aunque sea de la casta de los de Córdoba, basta pedir lo que tengo dicho.
ÁGUEDA.	Ora no me quebréis la cabeza. Mira, mochaha, que te mando que no las des menos el celemín de a dos reales castellanos.
TORUVIO.	¿Cómo a dos reales castellanos? Ven acá, mochacha. ¿A cómo has de pedir?
MENCIGÜELA.	A como quisiéredes, padre.
TORUVIO.	A catorce o quince dineros.
MENCIGÜELA.	Así lo haré, padre.
ÁGUEDA.	¿Cómo "así lo haré, padre"? Ven acá, mochacha. ¿A cómo has de pedir?
MENCIGÜELA.	A cómo mandáredes, madre.
ÁGUEDA.	A dos reales castellanos.
TORUVIO.	¿Cómo a dos reales castellanos? Yos prometo que si no hacéis lo que yo os mando, que os tengo de dar más de doscientos correazos. ¿A cómo has de pedir?
MENCIGÜELA.	A como decís vos, padre.
TORUVIO.	A catorce o quince dineros.
MENCIGÜELA.	Así lo haré, padre.
ÁGUEDA.	¿Cómo "así lo hare, padre"? Tomá, tomá, hacé lo que yos mando.
TORUVIO.	Dejad la mochacha.
MENCIGÜELA.	¡Ay, madre! ¡Ay, padre, que me mata!
ALOJA.	¿Qués esto, vecinos? ¿Por qué maltratáis ansí la mochacha?
ÁGUEDA.	¡Ay, señor! ¡Este mal hombre que me quiere dar las cosas a menos precio, y quiere echar a perder mi casa! ¡Unas aceitunas que son como nueces!
TORUVIO.	Yo juro a los huesos de mi linaje que no son ni aun como piñones.
ÁGUEDA.	Sí son.
TORUVIO.	No son.
ALOJA.	Ora, señora vecina, háceme tamaño placer que os entréis allá dentro, que yo lo averiguaré todo.
ÁGUEDA.	Averigüe o póngase[14] todo del quebranto.
ALOJA.	Señor vecino, ¿qué son de las aceitunas? Sacaldas acá fuera; que yo las compraré, aunque sean veinte hanegas.
TORUVIO.	Que no, señor; que no es desa manera que vuesa mer-

---

[13] *veduño:* calidad de vid.

[14] *o póngase:* o perderemos todo, o iremos a la quiebra económica.

	ced se piensa; que no están las aceitunas aquí en casa, sino en la heredad[15.]
ALOJA.	Pues traeldas aquí, que yos las compraré todas al precio que justo fuere.
MENCIGÜELA.	A dos reales quiere mi madre que se venda el celemín.
ALOJA.	Cara cosa es ésa.
TORUVIO.	¿No le paresce a vuesa merced?
MENCIGÜELA.	Y mi padre a quince dineros.
ALOJA.	Tenga yo una muestra dellas.
TORUVIO.	¡Válame Dios, señor! ¡Vuesa merced no me quiere entender. Hoy he yo plantado un renuevo de aceitunas, y dice mi mujer que de aquí a seis o siete años llevará cuatro o cinco hanegas de aceitunas, y quella la cogería, y que yo la acarrease y la mochacha la vendiese, y que a fuerza de drecho había de pedir a dos reales por cada celemín; yo que no y ella que sí, y sobre esto ha sido la quistión[16.]
ALOJA.	¡Oh, qué graciosa quistión! ¡Nunca tal se ha visto! Las aceitunas no están plantadas, ¿y ha llevado la mochacha tarea sobre ellas?
MENCIGÜELA.	¿Qué le paresce, señor?
TORUVIO.	No llores, rapaza. La mochacha, señor, es como un oro. Ora andad, hija, y ponedme la mesa, que yos prometo de hacer un sayuelo de las primeras aceitunas que se vendieren.
ALOJA.	Ora andad, vecino, entraos allá a dentro y tened paz en vuestra mujer.
TORUVIO.	Adiós, señor.
ALOJA.	Ora por cierto, ¡qué cosas vemos en esta vida que ponen espanto! Las aceitunas no están plantadas, ya las habemos visto reñidas. Razón será que dé fin a mi embajada.

FIN

---

[15] *en la heredad:* en el campo.
[16] *quistión:* cuestión, o discusión.

MIGUEL DE CERVANTES SAAVEDRA (1547-1616)

VIDA

Nace en Alcalá de Henares, hijo de un cirujano que, por esa profesión, y por haber viajado mucho, algunos críticos sospechan era de origen judío converso, o cristiano nuevo, sin saberse nada definitivo al respecto, no obstante. Debido, pues, a esa mudanza de residencia, por parte del padre, la infancia y juventud de Cervantes transcurren en Valladolid, Sevilla y Madrid. En esta última fue discípulo de Juan López de Hoyos, sacerdote erasmista. 1569 lo encuentra de soldado en Italia, y dos años después, participa en la Batalla de Lepanto, de la cual saldrá con una mano inválida (no manco como se ha dicho). Durante su viaje de regreso a España en 1575, es apresada la nave en que viaja por los musulmanes, quienes lo llevan a Argelia, donde pasará cinco años como cautivo. Tras varios intentos de fuga, por fin es rescatado, regresando a España en 1580, y cuatro años después casa con doña Catalina de Salazar, tras haber tenido una hija natural con Ana Franca. No fue afortunado el matrimonio, y la pareja vivió separada bastante tiempo. Gana la vida como comisario de requisas para abastecer la Armada Invencible contra Inglaterra, lo cual le obliga a viajar mucho, especialmente por Andalucía. Conoció el interior de la cárcel más de una vez por pleitos y deudas, y también fue excomulgado por recaudar cereales pertenecientes a la Iglesia. Asimismo un crimen cometido frente a su casa de Valladolid donde residía entre 1603 y 1604, lo llevó brevemente a la cárcel de nuevo hasta que se probó su inocencia. La muerte lo encuentra en Madrid el 23 de abril de 1616.

Entre tantos disgustos que el destino le deparó a Cervantes (y que él, no obstante, supo traducir en obra literaria tan rica), no sería ciertamente el menor su fracaso como autor de comedias. Por mucho que intente disfrazar su dolor en su célebre prólogo, antes citado en nuestra introducción a sus *Ocho comedias y ocho entremeses nuevos nunca representados*, donde se atribuye alguna innovación no exacta (el haber sido el primero en reducir las comedias de cinco a tres jornadas), y donde llegará a defender tanto su obra teatral como su verso, su extraordinaria lucidez terminará por imponerse, hasta reconocer que "entró luego el monstruo de naturaleza, el gran Lope de Vega, y alzóse con la monarquía cómica".

Dentro de las posibles explicaciones por ese fracaso cervantino ante la comedia, dos parecen imponerse. En primer lugar, tardó Cervantes en darse cuenta de los tiempos teatrales que le tocaron vivir. Todavía en la primera parte del *Quijote* (1605, o sea, sólo cuatro años antes de que Lope escribiera su "Arte nuevo"), en el capítulo XLVIII, al discutir la preceptiva teatral y comentar sobre el teatro de su época, se aferra a principios clásicos, tachando de "espejo de disparates" (en vez de "espejo de la vida humana") la violación de las unidades clásicas. Su *Numancia*, obra principal de su primera época teatral (escrita en la década de los ochenta del XVI), a pesar de los elogios que puede haber suscitado por parte de cierta crítica, es un fiel reflejo del conflicto que sintió Cervantes entre la tradición clásica y el nuevo teatro que ya se vislumbraba como inevitablemente triunfante. Pues si bien puede hablarse aquí del tono altivo, de un fatalismo semejante al *moira* griego, y hasta de un error trágico, o ceguera intelectual por parte de Escipión que pueden interpretarse como reminiscencias de un teatro clásico, por otro lado, y distanciándose ahora de un criterio clásico, la acción transcurre en cuatro "jornadas", utilizando así Cervantes la terminología más novedosa y preferida por Torres Naharro, y reduciendo, además, el número de actos o jornadas de los clásicos de cinco a cuatro, número preferido ahora por Juan de la Cueva. Introduce, además, una subtrama de amor que —típico de la técnica de segunda trama barroca— refleja la trama principal, recurre tanto a la polimetría como a la alegoría (cumpliendo las figuras alegóricas el papel de coro griego), y sustituye la figura del héroe trágico con la del pueblo, muy afín también con el espíritu popular que caracteriza ya al teatro español de la época, y que en la *Fuenteovejuna* de Lope encontraría digna —e indudablemente más feliz— continuación.

Cervantes vacila, pues, donde Lope está plenamente convencido de que el nuevo teatro debe regirse por leyes propias de la época y de los gustos del público, aun cuando pueda ser cierto que en determinado verso del "Arte nuevo" Lope parece temer la crítica de los preceptistas clásicos, y habla con desprecio del "vulgo" (véase nuestro apéndice, versos 47-48). Además, la magia poética de Lope, que tanto encanto y belleza infunde a su teatro, está ausente en Cervantes, cuya *Numancia* con frecuencia confunde el tono alto con una retórica hueca. Finalmente, le falta también al autor del *Quijote* el fuerte dramatismo del Fénix, y muchas escenas de la *Numancia* (especialmente en la segunda jornada) pretenden sustituir la acción con el diálogo, para colmo retórico, más que poético, muchas veces, como hemos dicho.

Recapacita Cervantes, y al volver a escribir teatro durante su llamada segunda época, se muestra más flexible, asimilando y aceptando por fin las innovaciones lopescas. No es fácil fechar siempre con exactitud esta segunda etapa, pero, en general, podríamos decir que comienza con el siglo, y se extiende hasta unos dos o tres años antes de morir. Pese a esa aceptación del nuevo teatro, sin embargo, sigue siendo indudable que Cervantes nunca alcanzará en ninguna comedia particular la grandeza teatral de Lope. Limitaciones poéticas y dramáticas vuelven a perjudicarle. En efecto, aquel director teatral que Cervantes cita en el mencionado prólogo a sus comedias y entremeses parece haber tenido algo de razón al afirmarle que de su prosa podría esperarse mucho, "pero que del verso nada". Tampoco, como defiende el propio Cervantes ahí, hay que descartar todo valor de un plumazo, pero, en general, esa opinión resulta acertada.

Esto nos trae a la segunda de las dos razones que más convincentemente nos explican el fracaso cervantino frente a la comedia. Cuando abandona el verso, brilla en todo su esplendor la prosa del primer novelista moderno, y ello ocurre muy especialmente en los entremeses. Posiblemente también, el fuerte elemento satírico, humorístico y de observación y crítica social a que se presta el entremés, anime al máximo el genio cervantino, tan dado a una aguda penetración del ser humano en su contorno y problemática social. Paradójicamente, las restricciones temporales del entremés no parecen limitarle tanto como las del verso y el drama. Dentro de ese espacio reducido de tiempo, Cervantes, no obstante, puede dar rienda suelta a su compleja visión de las cosas, abarcables sin comparación a través de la prosa y la situación narrativa. Ese es su mundo, el de la más completa libertad para expresar las relaciones humanas, sin tener que encerrarse ni dentro de unas tablas teatrales, ni tampoco dentro de una métrica poética. Una vez más, su comedia *La Numancia* —y no es la única comedia suya que podríamos traer a colación —resulta ilustrativa en este sentido también: cuando se cuenta el número de personajes que aparecen ahí, es fácil apreciar cómo la fuerte inclinación que debió sentir Cervantes hacia la novela revienta literalmente los límites del teatro. En la novela caben un sinnúmero de personajes y acontecimientos, pero el teatro no puede ignorar sus límites de tiempo y espacio. El entremés brinda, es verdad, un solo acontecimiento, o mejor, una sola situación, pareciéndose así al relato o cuento, pero dentro de esta restricción dramática, brinda también la libertad de la prosa (si bien el entremés "La elección de los alcaldes de Daganzo" está en verso), y muy concretamente en el caso de Cervantes, esa mayor flexibilidad para describir y desvelar la sicología de los personajes a través de un diálogo espontáneo y natural, en contraste con la artificialidad que inevitablemente se introduce en el diálogo en verso, problema agravado si el dominio poético no logra contrarrestar esa artificialidad con la belleza poética.

En el apartado dedicado a Lope de Rueda, señalábamos las escasas diferencias de estilo y espíritu entre el paso y el entremés. Añadamos ahora que el propio Lope de Rueda al parecer llegó a usar indistintamente ambos términos; ni tampoco estaría de más citar aquellos versos de Rojas Villandrando (1572-1635?) del *Viaje entretenido* que vuelven a insistir en la íntima relación, y carácter de continuación, entre ambas formas:

> Y entre los pasos de veras
> mezclados otros de risa,
> que, porque iban entremedias
> de la farsa, les llamaron
> *entremeses* de comedias
> y todo aquesto iba en prosa
> más graciosa que discreta.

Conforme anunciamos antes al hablar de los prelopistas, nadie supera a Cervantes como escritor de entremeses. Los suyos suponen un indudable adelanto a los de Lope de Rueda, así como una muestra claramente superior a los de Quiñones de Benavente (¿1593?-1651), el máximo cultivador de la forma en lo que a su cantidad respecta, o, en ese caso, superior también a los satíricos entremeses del propio Quevedo (1580-1645). Y no es que sean despreciables, ni muchísimo menos, los entremeses de estos autores, sino que simplemente no alcanzan la altura de los de Cervantes en general. Porque a la gracia, el humor, la viva acción, la sátira y demás elementos que caracterizan el género, añade Cervantes la profundidad de su visión humana. Así, el entretenimiento se convierte en él en una constante meditación respecto a la condición del hombre, los mecanismos de la sociedad, los problemas planteados por la sicología y la filosofía, etc., aspectos acaso igualmente presentes en los demás, pero rara vez con igual profundidad.

"EL RETABLO DE LAS MARAVILLAS" (entre 1600 y 1610)

El entremés cervantino que hemos elegido, "El retablo de las maravillas", vuelve a comprobar esa mayor profundidad si lo comparamos con "El paso séptimo" de Lope de Rueda: al simple adelanto ilusorio de los acontecimientos y de la realidad que se da allí, aquí Cervantes incorpora tales temas como la relación entre vida y teatro, la farsa de un criterio colectivo falso sostenido por la sociedad a toda costa, aun a la de la verdad, la importancia de la fantasía en el hombre, además de incorporar una parodia literaria y varias críticas de los prejuicios y de determinadas costumbres sociales.

La fuente de este entremés, el "Enxiemplo XXII" de *El conde Lucanor* de don Juan Manuel (1282-1349?), donde se logra convencer a un rey que lleva un traje invisible, cuando en realidad va desnudo, sirve asimismo para apreciar del todo esa capacidad cervantina de ahondar y explotar al máximo las posibilidades de lo humano al incorporar tantas vertientes y contextos a ese contenido.

EL RETABLO[1] DE LAS MARAVILLAS

PERSONAS

CHANFALLA
CHIRINOS
EL GOBERNADOR
BENITO REPOLLO
JUAN CASTRADO
EL MÚSICO
GENTE

PECHO CAPACHO
JUANA CASTRADA
TERESA REPOLLO
EL AUTOR
LA AUTORA
Un FURRIER

Salen CHANFALLA *y la* CHIRINOS

CHANFALLA. No se te pasen de la memoria, Chirinos, mis advertimentos, principalmente los que te he dado para este nuevo embuste, que ha de salir tan a la luz como el pasado del llovista[2].

CHIRINOS. Chanfalla ilustre, lo que en mí fuere, tenlo como de molde, que tanta memoria tengo como entendimiento a quien se junta una voluntad de acertar a satisfacerte que excede a las demás potencias. Pero dime: ¿de qué sirve este Rabelín que hemos tomado? Nosotros dos solos, ¿no pudiéramos salir con esta empresa?

CHANFALLA. Habíamosle menester como el pan de la boca, para tocar en los espacios que tardaren en salir las figuras del

---

[1] El término es un préstamo a la literatura del campo de la pintura, donde abundan tablas pintadas, usualmente con escenas religiosas. Al colocarse en un altar, el retablo podía constar tanto de estas tablas, como de tallas, usualmente de madera también. El conjunto de esta decoración también recibe el nombre de retablo, pues. En cuanto al uso literario del vocablo, recuérdese cómo en el mismo *Quijote* Cervantes incluye el retablo de Maese Pedro, teatro de títeres, muy popular en la época.
En definitiva, lo que dijimos recién en la introducción a esta obra en cuanto al entremés y al paso, es aplicable asimismo al retablo, que viene a ser ni más ni menos que otro nombre para este género breve.

[2] *llovista:* obviamente se refiere a un truco anterior —y acaso conocido por la literatura oral y tradicional— al que vamos a presenciar aquí.

	retablo de las maravillas.
CHIRINOS.	Maravilla será si no nos apedrean por sólo el Rabelín, porque tan desventurada criaturilla no la he visto en todos los días de mi vida.

Sale el RABELÍN[3]

RABELIN.	¿Hase de hacer algo en este pueblo, señor autor[4]?Que yo me muero porque vuesa merced vea que no me tomó a carga cerrada.
CHIRINOS.	Cuatro cuerpos de los vuestros no harán un tercio, cuanto más una carga. Si no sois más gran músico que grande, medrados estamos.
RABELIN.	Ello dirá[5]; que en verdad que me han escrito para entrar en una compañía de partes, por chico que soy.
CHANFALLA.	Si os han de dar la parte a medida del cuerpo, casi será invisible. Chirinos, poco a poco estamos ya en el pueblo, y éstos que aquí vienen deben de ser, como lo son sin duda, el gobernador y los alcaldes. Salgámosles al encuentro y date un filo a la lengua en la piedra de la adulación; pero no despuntes de aguda.

Salen el GOBERNADOR, BENITO REPOLLO, *alcalde;* JUAN CASTRADO, *regidor, y* PEDRO CAPACHO[6], *escribano*

CHANFALLA.	Beso a vuesas mercedes las manos. ¿Quién de vuesas mercedes es el gobernador de este pueblo?
GOBERNADOR.	Yo soy el gobernador. ¿Qué es lo que queréis, buen hombre?
CHANFALLA.	A tener yo dos onzas de entendimiento, hubiera echado de ver que esa peripatética[7] y anchurosa presencia no podía ser de otro que del dignísimo gobernador de este honrado pueblo, que, con venirlo a ser de las Algarrobillas[8], lo deseche vuesa merced.
CHIRINOS.	En vida de la señora y de los señoritos, si es que el señor gobernador los tiene.

---

[3] *Rabelín:* el que toca el rabel. Obsérvese que el diminutivo del vocablo es el que le da el nombre al personaje, probablemente por ser de corta estatura.

[4] *autor:* ya bien el director, ya bien el empresario que montaba la obra, y no el que la escribía, aunque podía darse el caso de que aquellos ejercieran también de autores en el sentido moderno.

[5] *Ello dirá:* frase proverbial, equivalente a "ya veremos".

[6] Repárese en el significado de los apellidos.

[7] *peripatética:* que sigue las doctrinas y el pensamiento de Aristóteles (384-322 a.C.); aquí, obviamente, es un disparate en boca de Chanfalla.

[8] *Algarrobillas:* pueblo en la provincia de Cáceres, conocido por la calidad de sus jamones.

CAPACHO.	No es casado el señor gobernador.
CHIRINOS.	Para cuando lo sea, que no se perderá nada.
GOBERNADOR.	Y bien: ¿qué es lo que queréis, hombre honrado?
CHIRINOS.	Honrados días viva vuesa merced, que así nos honra. En fin: la encina da bellotas; el pero, peras; la parra, uvas, y el honrado, honra, sin poder hacer otra cosa.
BENITO.	Sentencia cicerionianca, sin quitar ni poner un punto.
CAPACHO.	*Ciceroniana* quiso decir el señor alcalde Benito Repollo.
BENITO.	Siempre quiero decir lo que es mejor, sino que las más veces no acierto. En fin, buen hombre: ¿qué queréis?
CHANFALLA.	Yo, señores míos, soy Montiel, el que trae el retablo de las maravillas. Hanme enviado a llamar de la corte los señores cofrades de los hospitales, porque no hay autor de comedias en ella, y perecen los·hospitales,[9] y con mi idea se remediará todo.
GOBERNADOR.	Y ¿qué quiere decir "retablo de las maravillas"?
CHANFALLA.	Por las maravillosas cosas que en él se enseñan y muestran, viene a ser llamado retablo de las maravillas; el cual fabricó y compuso el sabio Tontonelo, debajo de tales paralelos, rumbos, astros y estrellas, con tales puntos, caracteres y observaciones, que ninguno puede ver las cosas que en él se muestran que tenga alguna raza de confeso[10], o no sea habido y procreado de sus padres de legítimo matrimonio; y el que fuere contagiado destas dos tan usadas[11] enfermedades, despídase de ver las cosas jamás vistas ni oídas de mi retablo.
BENITO.	Ahora echo de ver que cada día se ven en el mundo cosas nuevas. ¿Y qué? ¿Se llamaba Tontonelo el sabio que el retablo compuso?
CHIRINOS.	Tontonelo se llamaba, nacido en la ciudad de Tontonela; hombre de quien hay fama que le llegaba la barba a la cintura.
BENITO.	Por la mayor parte, los hombres de grandes barbas son sabihondos.
GOBERNADOR.	Señor regidor Juan Castrado: yo determino, debajo de

[9] *hospitales:* los hospitales recababan fondos a través de los teatros que pertenecían a alguna cofradía.

[10] *confeso:* converso, judío o moro convertido al cristianismo, conversión en muchos casos sospechosa, dadas las presiones sociales para que los miembros de la casta no cristiana abrazaran el cristianismo. En vista del mayor aislamiento social de los moros, el número de conversos o confesos judíos era más frecuente, y cuando no se especifica la casta, suele aludirse con este término a los judíos que aceptaban el bautismo.

[11] *tan usadas:* interesante comentario que da a entender que la cantidad de conversos en aquella España era considerable, y ciertamente más de la que admitían los que no se querían reconocer como tales. El propio Cervantes, según ciertos críticos, pudo haber sido converso de judío.

	su buen parecer, que esta noche se despose la señora Teresa Castrada, su hija, de quien yo soy padrino, y, en regocijo de la fiesta, quiero que el señor Montiel muestre en vuestra casa su retablo.
JUAN.	Eso tengo yo por servir al señor gobernador, con cuyo parecer me convengo, entablo y arrimo, aunque haya otra cosa en contrario.
CHIRINOS.	La cosa que hay en contrario es que, si no se nos paga primero nuestro trabajo, así verán las figuras como por el cerro de Úbeda[12]. ¿Y vuesas mercedes, señores justicias, tienen conciencia y alma en esos cuerpos? ¡Bueno sería que entrase esta noche todo el pueblo en casa del señor Juan Castrado, o como es su gracia[13], y viese lo contenido en el tal retablo, y mañana, cuando quisiésemos mostrarle al pueblo, no hubiese anima que le viese! No, señores; no, señores; *ante omnia*[14], nos han de pagar lo que fuere justo.
BENITO.	Señora autora, aquí no os ha de pagar ninguna Antona ni ningún Antoño; el señor regidor Juan Castrado os pagará más que honradamente, y si no, el Concejo. ¡Bien conocéis el lugar, por cierto! Aquí, hermana, no aguardamos a que ninguna Antona pague por nosotros.
CAPACHO.	¡Pecador de mí, señor Benito Repollo, y qué lejos da del blanco! No dice la señora autora que pague ninguna Antona, sino que le paguen adelantado y ante todas las cosas, que eso quiere decir *ante omnia*.
BENITO.	Mirad, escribano Pedro Capacho: haced vos que me hablen a derechas, que yo entenderé a pie llano. Vos, que sois leído y escribido[15], podéis entender esas algarabías[16] de allende, que yo no.
JUAN.	Ahora bien: ¿contentarse ha el señor autor con que yo le dé adelantados media docena de ducados? Y más, que se tendrá cuidado que no entre gente del pueblo esta noche en mi casa.
CHANFALLA.	Soy contento, porque yo me fío de la diligencia de vuesa merced y de su buen término.

---

[12] *cerro de Úbeda:* frase proverbial. Todavía se usa, aunque en el plural, para significar una digresión, aunque aquí se refiere más bien a algo inalcanzable o imposible.

[13] *gracia:* apellido.

[14] *ante omnia:* ante todo.

[15] *escribido:* aún admitido por la Real Academia para describir personal culta, aunque por usual con sentido irónico, como es el caso aquí, por cuanto Benito queda como persona pedante.

[16] *algarabías:* término despectivo con el que se describía la lengua árabe.

JUAN.	Pues véngase conmigo. Recibirá el dinero, y verá mi casa y la comodidad que hay en ella para mostrar ese retablo.
CHANFALLA.	Vamos, y no se les pase de las mientes las calidades que han de tener los que se atrevieren a mirar el maravilloso retablo.
BENITO.	A mi cargo queda eso, y séle decir que, por mi parte, pueda ir seguro a juicio, pues tengo el padre alcalde; cuatro dedos de enjundia de cristiano viejo rancioso tengo sobre los cuatro costados de mi linaje: ¡miren si veré el tal retablo!
CAPACHO.	Todos le pensamos ver, señor Benito Repollo.
JUAN.	No nacimos todos acá en las malvas[17], señor Pedro Capacho.
GOBERNADOR.	Todo será menester, según voy viendo, señores alcalde, regidor y escribano.
JUAN.	Vamos, autor, y manos a la obra, que Juan Castrado me llamo, hijo de Antón Castrado y de Juana Macha; y no digo más en abono y seguro que podré ponerme cara a cara y a pie quedo delante del referido retablo.
CHIRINOS.	¡Dios lo haga! *(Entranse* JUAN CASTRADO y CHANFALLA
GOBERNADOR.	Señora autora, ¿qué poetas se usan ahora en la corte de fama y rumbo, especialmente de los llamados cómicos? Porque yo tengo mis puntas y collar de poeta, y pícome de la farándula y carátula;[18] veinte y dos comedias tengo, todas nuevas, que se ven las unas a las otras, y estoy aguardando coyuntura para ir a la corte y enriquecer con ellas media docena de autores.
CHIRINOS.	A lo que vuesa merced, señor gobernador, me pregunta de los poetas, no le sabré responder, poque hay tantos,[19] que quitan el sol, y todos piensan que son famosos: los poetas cómicos son los ordinarios y que siempre se usan, y así, no hay para qué nombrarlos. Pero dígame vuesa merced, por su vida: ¿cómo es su buena gracia? ¿Cómo se llama?
GOBERNADOR.	A mí, señora autora, me llaman el licenciado Gomecillos.
CHIRINOS.	¡Válame Dios, y que vuesa merced es el señor licencia-

---

[17] *malvas*: pobreza o humildad de condición, pero aquí en sentido peyorativo.

[18] *farándula y carátula*: términos teatrales, mediante los cuales el personaje quiere dar a entender que sabe de teatro.

[19] *porque hay tantos*: burla cervantina en cuanto a la calidad y pretensiones de los poetas de su época.

	do Gomecillos,[20] el que compuso aquellas coplas tan famosas de "Lucifer estaba malo" y "Tómale mal de fuera"!
GOBERNADOR.	Malas lenguas hubo que me quisieron ahijar estas coplas, y así fueron mías como del Gran Turco. Las que yo compuse, y no lo quiero negar, fueron aquellas que trataron del diluvio de Sevilla;[21] que, puesto que los poetas son ladrones[22] unos de otros, nunca me precié de hurtar nada a nadie: con mis versos me ayude Dios, y hurte el que quisiere.

Vuelve CHANFALLA

CHANFALLA.	Señores, vuesas mercedes vengan, que todo está a punto, y no falta más que comenzar.
CHIRINOS.	¿Está ya el dinero *in corbona*?[23]
CHANFALLA.	Y aun entre las telas del corazón.
CHIRINOS.	Pues doite por aviso, Chanfalla, que el gobernador es poeta.
CHANFALLA.	¿Poeta? ¡Cuerpo del mundo! Pues dale por engañado, porque todos los de humor semejante son hechos a la mazacona;[24] gente descuidada, crédula y no nada maliciosa.
BENITO.	Vamos, autor, que me saltan los pies por ver esas maravillas.

Entranse todos. Salen JUANA CASTRADA *y* TERESA REPOLLA, *labradoras; la una, como desposada, que es la* CASTRADA

CASTRADA.	Aquí te puedes sentar, Teresa Repolla amiga, que tendremos el retablo enfrente; y pues sabes las condicio-

---

[20] Podría estarse refiriendo aquí a un tal Gómez de Quevedo.

[21] En 1597, hubo una inundación en Sevilla, que es probablemente el diluvio a que se refiere aquí el texto.

[22] *los poetas son ladrones:* ¿escribió Cervantes este entremés antes de enterarse de que un tal Gómez de Avellaneda iba a utilizar su primera parte del *Quijote* para escribir un *Quijote* apócrifo? Si aceptamos que el diluvio aquí mencionado es, en efecto, el de 1597, sólo podemos pensar que fue escrito después de esa fecha. Hay críticos (Valbuena Prat, por ejemplo, en su edición de *Obras completas* de Cervantes, Madrid, Aguilar, 1960 pp. 579 y 582) que consideran que la madurez y el estilo del *Retablo* lo podrían situar cerca de 1610. Esta fecha podría aún ser prematura en cuanto al conocimiento por parte de Cervantes de que otro explotaba su obra (el *Quijote* apócrifo aparece en 1614, mientras que la segunda parte cervantina sale un año después). Pero es posible que Cervantes se haya enterado antes — por boca de algún amigo, en alguna tertulia— que ya ese proyecto apócrifo andaba en marcha, y que aquí esté aludiendo a él, si bien, en última instancia, todo queda en pura conjetura, naturalmente.

[23] *in corbona:* en mano, guardado, en lugar seguro.

[24] *a la mazacona:* a la ligera, "a la buena de Dios" diríamos hoy.

	nes que han de tener los miradores del retablo, no te descuides, que sería gran desgracia.
TERESA.	Ya sabes, Juana Castrada, que soy tu prima, y no digo más. Tan cierto tuviera yo el Cielo como tengo cierto ver todo aquello que el retablo mostrare. Por el siglo de mi madre, que me sacase los mismos ojos de mi cara si alguna desgracia aconteciese. ¡Bonita soy yo para eso!
CASTRADA.	Sosiégate, prima, que toda la gente viene.

Salen el GOBERNADOR, BENITO REPOLLO, JUAN CASTRADO, PEDRO CAPACHO, *el* AUTOR, *y la* AUTORA, *el* MÚSICO, *y otra gente del pueblo, y un* SOBRINO *de* BENITO, *que ha de ser aquel gentilhombre que baila*

CHANFALLA.	Siéntense todos. El retablo ha de estar detrás de este repostero[25], y la autora también, y aquí el músico.
BENITO.	¿Músico es éste? Métanlo también detrás del repostero; que, a trueco de no verle, daré por bien empleado el no oírle.
CHANFALLA.	No tiene vuesa merced razón, señor alcalde Repollo, de descontentarse del músico, que en verdad es muy buen cristiano, y hidalgo de solar conocido.
GOBERNADOR.	Calidades son bien necesarias para ser buen músico.
BENITO.	De solar bien podrá ser; mas de sonar[26] abrenuncio.[27]
RABELÍN.	Eso se merece el bellaco que se viene a sonar delante de...
GOBERNADOR.	Quédese esta razón en el *de* del señor Rabel, y en el *tan* del alcalde, que será proceder en infinito, y el señor Montiel comience su obra.
BENITO.	¡Poca balumba trae el autor para tan gran retablo!
JUAN.	Todo debe ser una maravilla.
CHANFALLA.	¡Atención, señores, que comienzo! ¡Oh tú, quienquiera que fuiste, que fabricaste este retablo con tan maravilloso artificio, que alcanzó renombre de las maravillas por virtud que en él se encierra! Te conjuro, apremio y mando que luego incontinente[28] muestres a estos señores algunas de tus maravillosas maravillas, para que se regocijen y tomen placer sin escándalo alguno ¡Ea!, que ya veo que has otorgado mi petición, pues por aquella parte asoma la figura del valentísimo Sansón, abrazado a sus columnas del templo, para

---

[25] *repostero:* paño cuadrado o en forma rectangular, con emblemas.
[26] *solar...sonar:*apréciese otro de los muchos juegos de palabras cervantinos, basado en la relación "músico"-"sonar" (instrumento).
[27] *Abrenuncio:* renuncio, no acepto.
[28] *incontinente:* al instante.

	derribarle por el suelo y tomar venganza de sus enemigos. ¡Tente, valeroso caballero, tente, por la gracia de Dios Padre! ¡No hagas tal desaguisado, porque no cojas debajo y hagas tortilla tanta y tan noble gente como aquí se ha juntado!
BENITO.	¡Téngase, cuerpo de tal, conmigo! ¡Bueno sería que, en lugar de habernos venido a holgar, quedásemos aquí hechos plasta! ¡Téngase, señor Sansón, pesia a mis males, que se lo ruegan buenos!
CAPACHO.	¿Veisle vos, Castrado?
JUAN.	¡Pues no lo había de ver! ¿Tengo yo los ojos en el colodrillo?[29]
GOBERNADOR.	*(Aparte.)* ¡Milagroso caso es éste! Así veo yo a Sansón ahora, como al Gran Turco; pues en verdad que me tengo por legítimo y cristiano viejo.
CHIRINOS.	¡Guárdate, hombre, que sale el mismo toro que mató al ganapán de Salamanca! ¡Échate, hombre! ¡Échate, hombre! ¡Dios te libre! ¡Dios te libre!
CHANFALLA.	Échense todos... ¡Échense todos! Húchoho, húchoho, húchoho! *(Échanse todos y alborótanse.)*
BENITO.	¡El diablo lleva en el cuerpo el torillo! Sus partes tiene de hosco y de bragado. Si no me tiendo, me lleva de vuelo.
JUAN.	Señor autor, haga, si puede, que no salgan figuras que nos alboroten. Y no lo digo por mí, sino por estas mochachas, que no les ha quedado gota de sangre en el cuerpo, de la ferocidad del toro.
CASTRADA.	¡Y cómo padre! ¡No pienso volver en mí en tres días!
JUAN.	No fueras tú mi hija, y no lo vieras.
GOBERNADOR.	*(Aparte.)* Basta; que todos ven lo que yo no veo; pero al fin habré de decir que lo veo, por la negra honrilla.
CHIRINOS.	Esa manada[30] de ratones que allá va desciende por línea recta de aquellos que se criaron en el Arca de Noé; de ellos son blancos, de ellos albarazados, de ellos jaspeados y de ellos azules, y, finalmente, todos son ratones.
CASTRADA.	¡Jesús!... ¡Ay de mí!... Téngame, que me arrojaré por aquella ventana. ¡Ratones! ¡Desdichada! Amiga, apriétate las faldas, y mira no te muerdan. ¡Y monta[31] que son pocos! Por el siglo de mi abuela, que pasan de

---

[29] *colodrillo:* parte posterior de la cabeza.

[30] *Esa manada...* obvia burla, a través de la genealogía de los ratones, del examen de sangre que se llevaba a cabo en la época para determinar si las personas tenían o no parentesco judío o moro.

[31] *monta:* hoy diríamos ''anda''.

milenta[32].

TERESA.	Yo sí soy la desdichada, por que se me entran sin reparo ninguno. Un ratón morenico me tiene asida de una rodilla. Socorro venga del Cielo, pues en la Tierra me falta.
BENITO.	Aun bien que tengo gregüescos[33]; que no hay ratón que se me entre, por pequeño que sea.
CHANFALLA.	Esta agua que con tanta prisa se deja descolgar de las nubes es de la fuente que da origen y principio al río Jordán. Toda mujer a quien tocare en el rostro, se le volverá como de plata bruñida, y a los hombres se les volverán las barbas como de oro.
CASTRADA.	¿Oyes, amiga? Descubre el rostro, pues ves lo que te importa. ¡Oh, qué licor tan sabroso! ¡Cúbrase, padre, no se moje!
JUAN.	Todos nos cubrimos, hija.
BENITO.	Por las espaldas me ha calado el agua hasta la canal maestra[34].
CAPACHO.	¡Yo estoy más seco que un esparto!
GOBERNADOR.	*(Aparte.)* ¿Qué diablos puede ser esto, que aún no me ha tocado una gota donde todos se ahogan? ¿Mas si viniera yo a ser el bastardo entre tantos legítimos?
BENITO.	Y aun peor cincuenta veces.
CHIRINOS.	Allá van hasta dos docenas de leones rampantes y de osos colmeneros. Todo viviente se guarde, que aunque fantásticos, no dejarán de dar alguna pesadumbre, y aun de hacer las fuerzas de Hércules con espadas desenvainadas.
BENITO.	Quítenme de allí aquel músico; si no, voto a Dios que me vaya sin ver más figuras. ¡Válgate el diablo por músico aduendero, y que hace de menudear sin cítola[35] y sin son!
RABELÍN.	Señor alcalde, no tome conmigo la hincha,[36] que yo toco como Dios ha servido de enseñarme.
BENITO.	¡Dios te había de enseñar, sabandija! Métete tras la manta;[37] si no, por Dios que te arrojo este banco.
RABELÍN.	El diablo creo que me ha traído a este pueblo.

---

[32] *milenta:* vocablo formado de mil y del final de las decenas "enta" ("noventa", por ejemplo), dando así mil-enta.

[33] *gregüescos:* anchos calzones, muy de moda en la época.

[34] *canal maestra:* el recto.

[35] *cítola:* pequeña tabla de madera que cuando deja de sonar indica que el molino se ha parado.

[36] *hincha:* enemistad, odio.

[37] *manta:* se refiere al repostero.

CAPACHO.	¡Fresca es el agua del santo río Jordán! Y aunque me cubrí lo que pude, todavía me alcanzó un poco en los bigotes, y apostaré que los tengo rubios como un oro.
JUAN.	¡Ea, señor autor, cuerpo de nosla[38]!, ¿y ahora nos quiere llenar la casa de osos y de leones?
BENITO.	¡Mirad qué ruiseñores y calandrias nos envía Tontonelo, sino leones y dragones! Señor autor, o salgan figuras más apacibles, o aquí nos contentamos con las vistas, y Dios le guíe, y no pare más en el pueblo un momento.
CASTRADA.	Señor Benito Repollo, deje salir ese oso y leones, siquiera por nosotras, y recibiremos mucho contento.
JUAN.	Pues, hija, ¿de antes te espantabas de los ratones, y ahora pides osos y leones?
CASTRADA.	Todo lo nuevo aplace, señor padre.
CHIRINOS.	Esa doncella que ahora se muestra tan galana y tan compuesta es la llamada Herodías[39] cuyo baile alcanzó en premio la cabeza del Precursor de la vida. Si hay quien la ayude a bailar, verán maravillas.
BENITO.	Esta sí, ¡cuerpo del mundo!, que es figura hermosa, apacible y reluciente. ¡Hideputa, y cómo que se vuelve la mochacha! Sobrino Repollo, tú, que sabes de achaques de castañetas, ayúdala, y será la fiesta de cuatro capas[40].
SOBRINO.	Que me place, tío Benito Repollo. *(Tocan la zarabanda).*[41]
CAPACHO.	¡Toma mi abuelo si es antiguo el baile de la zarabanda y de la chacona!
BENITO.	¡Ea!, sobrino, ténselas tiesas[42] a esa bellaca judía. Pero si ésta es judía, ¿cómo ve estas maravillas?
CHANFALLA.	Todas las reglas tienen excepción, señor alcalde.

Suena una trompeta o corneta dentro de la escena y sale un FURRIER[43] *de compañías*

---

[38] *nosla:* no figura esta palabra en la Real Academia y los diccionarios hoy: debe ser una variante de "cuerpo de nos" para indicar enojo o sorpresa.

[39] Se refiere aquí Cervantes a la hija de Herodías (dándole así el mismo nombre que el de la madre). En cierta ocasión, Herodías bailó tan bien, que el rey Herodes le dijo le daría lo que pidiera. La hija, al consultar a la madre respecto de qué pedir, recibió por respuesta que exigiera la cabeza de San Juan Bautista, ya que éste le había advertido al marido de Herodías que no le era lícito tener por mujer a la mujer de su hermano. (véase *San Marcos*, VI, 14-29). El "Precursor", pues, es el propio Bautista, y no Jesús, según afirman ciertas ediciones de esta obra.

[40] *cuatro capas:* alusión a la práctica litúrgica de calificar la calidad de una ceremonia o rito por el número de canónigos que la celebran, vestidos con sus respectivas capas.

[41] *zarabanda:* baile popular de la época, al igual que la chacona, mencionada en seguida.

[42] *ténselas tiesas:* mantenerse firme ante alguien o algo.

[43] *Furrier:* oficial a cargo de las provisiones de los soldados y de la caballería.

FURRIER.	¿Quién es aquí el señor gobernador?
GOBERNADOR.	Yo soy. ¿Qué manda vuesa merced?
FURRIER.	Que luego al punto mande hacer alojamiento para treinta hombres de armas que llegarán aquí dentro de media hora, y aun antes, que ya suena la trompeta. Y adiós.
BENITO.	Yo apostaré que los envía el sabio Tontonelo.
CHANFALLA.	No hay tal: que ésta es una compañía de caballos que estaba alojada dos leguas de aquí.
BENITO.	Ahora yo conozco bien a Tontonelo, y sé que vos y él sois unos grandísimos bellacos, no perdonando al músico; y mirad que os mando que mandéis a Tontonelo no tenga atrevimiento de enviar estos hombres de armas, que le haré dar doscientos azotes en las espaldas, que se vean unos a otros.
CHANFALLA.	Digo, señor alcalde, que no los envía Tontonelo.
BENITO.	Digo que los envía Tontonelo, como ha enviado las otras sabandijas[44] que yo he visto.
CAPACHO.	Todos las habemos visto, señor Benito Repollo.
BENITO.	No digo yo que no, señor Pedro Capacho. ¡No toques más, músico de entresueños,[45] que te romperé la cabeza!

Vuelve el FURRIER

FURRIER.	¡Ea!, ¿está ya hecho el alojamiento? Que ya están los caballos en el pueblo.
BENITO.	Qué, ¿todavía ha salido con la suya Tontonelo? ¡Pues si yo voto a tal, autor de humos y de embelecos, que me lo habéis de pagar!
CHANFALLA.	Séanme testigos que me amenaza el alcalde.
CHIRINOS.	Séanme testigos que dice el alcalde que lo manda su majestad, lo manda el sabio Tontonelo.
BENITO.	¡Atontonelada te vean mis ojos, plegue a Dios todopoderoso!
GOBERNADOR.	Yo para mí tengo que verdaderamente estos hombres de armas no deben de ser de burlas.
FURRIER.	¿De burlas habían de ser, señor gobernador? ¿Está en su seso?
JUAN.	Bien pudieran ser atontonelados, como esas cosas que habemos visto aquí. Por vida del autor, que haga salir otra vez a la doncella Herodías, porque vea este señor

---

[44] *sabandijas:* forma despectiva de referirse a los soldados.
[45] *entresueños:* alusión al tamaño pequeño del músico.

51

	lo que nunca ha visto; quizá con esto le cohecharemos para que se vaya presto del lugar.
CHANFALLA.	Eso en buena hora, y veisla aquí a do vuelve y hace de señas a su bailadora a que de nuevo le ayude.
SOBRINO.	Por mí no quedará, por cierto.
BENITO.	Eso sí, sobrino; cánsala, cánsala: vueltas y más vueltas. ¡Vive Dios, que es un azogue la muchacha! ¡Al hoyo, al hoyo; a ello, a ello!
FURRIER.	¿Está loca esta gente? ¿Qué diablos de doncella es ésta, y qué baile, y qué Tontonelo?
CAPACHO.	¿Luego no ve la doncella Herodiana el señor furrier?
FURRIER.	¡Qué diablos de doncella tengo de ver!
CAPACHO.	Basta; de *ex illis*[46] es.
GOBERNADOR.	De *ex illis* es, de *ex illis* es.
JUAN.	De ellos es, de ellos es el señor furrier; de ellos es.
FURRIER.	¡Soy de la mala puta que los parió! ¡Y por Dios vivo que si echo la mano a la espada, que los haga salir por las ventanas, que no por la puerta!
CAPACHO.	Basta; de *ex illis* es.
BENITO.	Basta; de ellos es, pues no ve nada.
FURRIER.	Canalla barretina[47]: ¡si otra vez me dicen que soy de ellos, no les dejaré hueso sano!
BENITO.	Nunca los confesos ni bastardos fueron valientes, y por eso no podemos dejar de decir: de ellos es, de ellos es.
FURRIER.	¡Cuerpo de Dios con los villanos! ¡Esperad! *(Mete mano a la espada y acuchíllase con todos, y el* ALCALDE *aporrea al* RABELLEJO, *y la* CHIRINOS *descuelga la manta y dice:)*[48]
CHIRINOS.	El diablo ha sido la trompeta y la venida de los hombres de armas; parece que los llamaron con campanilla.
CHANFALLA.	El suceso ha sido extraordinario; la virtud del retablo se queda en su punto, y mañana lo podemos mostrar al pueblo, y nosotros mismos podemos cantar el triunfo de esta batalla diciendo. "¡Viva Chirinos y Chanfalla!"

FIN

---

[46] *ex illis:* "de ellos". Otra alusión bíblica, pues esas mismas palabras dijo la criada de Caifás a San Pedro cuando negó a Cristo.

[47] *barretina:* alusión a la gorra que usaban los judíos.

[48] Típico final caótico y humorístico, en el cual, se ve la obsesión barroca de la confusión entre sueño y vida, arte y realidad.

Lope Felix De Vega Carpio (1562-1635)

Vida

Nace en Madrid, hijo de bordador. Niño precoz, escribe poesía a muy corta edad, aunque su afirmación de que escribió una comedia a los doce años probablemente forma parte de una leyenda en torno a su figura que el propio Lope cultivó. En 1583, participa en una expedición naval contra la isla portuguesa de Terceira, y cinco años después, en la de la Armada Invencible contra Inglaterra. Por estos años, empieza a estrenar comedias en los corrales madrileños. La actividad literaria y amorosa caracterizarán su vida: en 1587 es condenado a destierro de ocho años fuera de Madrid, y dos más fuera de Castilla, por unos escritos que dirigió contra la familia de Ana Osorio, actriz, hija de representante teatral, y a la sazón, casada con un actor a la vez que mantenía relaciones con Lope, a quien se oponían los padres de la dama. El mismo año que comienza su destierro, rapta a quien sería su primera esposa, Isabel de Urbina, y en seguida se presenta de voluntario para ir en la Armada Invencible. Pasó parte del exilio en Valencia, y en 1590, es permitido regresar a Castilla, y va a Alba de Tormes como secretario del Duque de Alba. Cuando regresa a Madrid en 1595, levantado para ese entonces el destierro, es ya viudo, habiendo sobrevivido asimismo a dos hijas muertas a temprana edad. No cesan amoríos y escándalos: Antonia Trillo, Juana de Guardo (segunda esposa), Micaela de Luján (actriz y también casada con actor), Jerónima de Burgos, y aún después de ordenarse sacerdote, Marta de Nevares, son algunas de las mujeres con quien sostuvo relaciones, llevándolas a veces a sus versos y novelas. Como es de suponerse, tuvo varios hijos, siendo Carlos Félix (por Juana de Guardo) al parecer el más querido por Lope. Llegó a sostener dos casas, una con su segunda esposa, y simultáneamente con Micaela de Luján, de quien nació, entre otros, la futura Sor Marcela de San Félix, de la orden de las Trinitarias Descalzas. En 1610, tras vivir varios años en Toledo, se traslada definitivamente a Madrid. El éxito vendrá acompañado de una serie de tragedias: Marta de Nevares se volverá ciega y loca (Lope nunca la abandonó); en 1634, un año antes de morir Lope, murió ahogado su hijo Lope Félix, y su hija, Antonia Clara, sería raptada y abandonada. A pesar de llevar una vida tan turbulenta y agitada, Lope dejó atrás una copiosa producción, no sólo teatral, sino igualmente poética y novelesca.

OBRA

Tras los comentarios ya presentados anteriormente en la introducción general sobre Lope y su significado tan totalizador para la estética y técnica del teatro del Siglo de Oro, resta ahora concretar ciertos aspectos de su vida y obra que complementan una apreciación —breve como tenga que ser forzosamente— de su enorme producción teatral.

En primer lugar, el mismo número de obras escritas, o atribuídas a Lope es de por sí significativo. Parece haber sido Juan Pérez de Montalbán (1602-1638) el fundador de la leyenda de que Lope llegó a escribir 1800 comedias y unos cuatrocientos autos sacramentales. Es difícil precisar el número real, pero la mayoría de los críticos lo fijan alrededor de trescientas quince comedias definitivamente suyas, otras treinta parecen, en efecto, ser suyas, y unas ciento cincuenta más atribuídas a él presentan graves problemas a la hora de afirmar su paternidad. Más problemáticos aún de confirmar resultan quizá los autos sacramentales, ya que la comunidad de temas y estilos religiosos dificulta en grado mayor la autoría.

Repárese en que el concepto moderno del *copywright* empieza a fijarse justamente en estos años. Don Juan Manuel, al parecer, fue el primer escritor español que guardó celosamente su manuscrito en un convento, revelando así conciencia individual respecto a la obra artística. Su coetáneo, sin embargo, Juan Ruiz, Arcipreste de Hita (¿-1350?), al final de su *Libro de buen amor* le da permiso al lector para añadir o quitar, enmendar o hacer lo que le parezca con los versos.

A medida que avanza el Renacimiento, va triunfando aquella visión individual del primero, hasta considerarse la obra intelectual y artística propiedad privada de una persona, en claro contraste con la visión colectiva medieval que considera el arte expresión de un grupo, más que de una personalidad definitiva (de ahí que las catedrales medievales abunden de verdaderas obras en las fachadas, los coros y los altares, especialmente en lo que a la escultura se refiere, sin saberse quién fue el artista; y otro tanto ocurre con la literatura, en su mayor parte anónima). El proceso iniciado por don Juan Manuel fue largo y lento, y todavía en época de Lope, dos novelas famosas —el *Quijote* de Cervantes, y el *Guzman de Alfarache* de Mateo Alemán (1547-161?) —ven segundas partes apócrifas, si bien ninguno de sendos autores apócrifos se atreve a firmar sus obras, sino que usan seudónimos.

No se crea que estamos cayendo en una digresión, pues si sometemos ahora el caso de Lope a ese fenómeno conocido hoy como los derechos de autor, veremos que el Fénix cambió radicalmente su postura, cambio que podría encerrar reveladoras perspectivas en cuanto a Lope y su arte. En efecto, la crítica ha señalado que hacia finales de la segunda década del XVII, Lope empieza a firmar sus obras. Antes las escribía, se representaban, y los originales, eran adaptados por otros directores, o corregidos, enmendados, y truncados por otros dramaturgos, muy al estilo de lo que vimos en el Arcipreste de Hita. O simplemente desaparecían.

¿A qué se debe este cambio? Evidentemente, no se debe descartar un móvil económico: Lope se da cuenta de que otros se aprovechan monetariamente de su labor, y decide poner paro a este abuso, y beneficiarse él, cuya situación económica, por cierto, no fue siempre holgada, dado su temperamento algo romántico y bohemio. Por otro lado, tampoco debe descartarse la posibilidad de que en la madurez, más seguro ahora del valor de su dramaturgia, Lope reclamara para su arte nuevo una firma que asegurara su fama en la posteridad. Porque, aunque algún crítico haya negado que Lope, al despreciar, al menos aparentemente, al vulgo, o público popular en unos versos del "Arte nuevo" (vuelva a verse nuestro apéndice, vs. 47-48), ni lo despreciaba de veras, ni tampoco menospreciaba su dramaturgia, otros arguyen que ven en ello cierta inseguridad por parte del Fénix, y quizá hasta cierto complejo de inferioridad ante los preceptistas aristotélicos que aún gozaban de tanto prestigio entre la intelectualidad. Posiblemente, pues, con el tiempo llegara Lope a cobrar mayor seguridad frente a su dramaturgia. En todo caso, sea lo que fuere, el hecho es que Lope seguirá ese "nuevo" camino que explica otros dos hechos fundamentales en cuanto a su obra, a saber, su gran cantidad así como su gran popularidad.

El primero de estos puede traducirse en rapidez de producción: se dice que llegó Lope a componer dramas en veinticuatro horas, que llegó a utilizar equipos de composición de sus piezas, limitándose él a organizar y reelaborar la obra entera, fenómeno este de la producción en masa, dicho sea de paso, que se registra por primera vez justo durante el Barroco (piénsese en Rubens, cuyos asistentes fraguaban básicamente muchos de sus cuadros que él simplemente terminaba y retocaba, si se quiere encontrar una contrapartida en este sentido a Lope en la pintura). Luego, lo que más nos interesa destacar en cuanto a esa rapidez de producción, son las inevitables consecuencias del peligro de improvisación, o descuido en determinadas obras y momentos. He ahí una de las diferencias fundamentales entre Lope y Calderón, mucho más profundo, pero también más pausado, reflexivo, y más semejante así al genio de Shakespeare. Es verdad, sin embargo, que esa rapidez lopesca está a veces íntimamente relacionada con su concepción espontánea de la creación dramática, con el resultado ahora de frescura y fluidez que tanto caracterizan sus mejores obras.

También es verdad que esa espontaneidad es uno de los factores que sedujo por completo al pueblo. Dicho de otra manera, es indivisible ese carácter popular de la rapidez con que componía Lope una obra, y que le llevó a escribir tan voluminosamente. En ese carácter espontáneo de su producción teatral radica tanto la magia de su poesía, como lo humano de sus caracterizaciones, como el desarrollo intrigante de sus tramas que, a falta de reflexión y profundidad en determinados casos, proveen el encanto de una obra que transcurre ante los ojos del público con suma gracia y naturalidad.

FUENTEOVEJUNA (1619)

La obra que estamos a punto de leer, *Fuenteovejuna*, puede calificarse de verdaderamente representativa en cuanto a la dramaturgia lopesca. Como en la *Numancia* cervantina, pero sin los inconvenientes antes señalados en el apartado dedicado a Cervantes, el pueblo es aquí el verdadero protagonista. Mucho se ha hablado del espíritu democrático reflejado en *Fuenteovejuna*, de la alabanza de la vida sencilla de los campesinos, del valor de todo un pueblo que se resiste a traicionar su espíritu de solidaridad en contra del abuso y las injusticias del Comendador. No lo negamos, pero sí advertimos de lo que venimos hablando aquí, o sea, de un descuido de Lope que, a fin y al cabo, modifica tanto —y hasta bastante— dicha visión democrática del drama. Ya lo desvelaremos en nuestras anotaciones y en su debido momento, confiando no obstante en que el lector podrá adelantarse a nosotros al leer la obra.

Por lo demás, no se desperdicie la caracterización femenina que registra esta obra. Gran amante, conocedor de la sicología femenina, Lope en sus obras parece rendir un bello homenaje a la mujer, llena de entereza, de dignidad, de valentía y de independencia, características de las que no siempre gozan sus personajes masculinos, hablando siempre, por supuesto, en términos generales. En esta obra, desde luego, las mujeres quedan definitivamente mejor paradas que los hombres, hablando, otra vez, en términos generales.

Finalmente, *Fuenteovejuna* resume asimismo la maestría poéticodramática de Lope, brindando una variedad de versos que van desde el más intrincado estilo barroco, al profundo lirismo de que era capaz el Fénix, quien, además de extraordinario dramaturgo, es uno de los poetas principales en lengua española.

FUENTEOVEJUNA[1]

PERSONAS

La reina ISABEL *de Castilla.*
El rey FERNANDO *de Aragón.*
RODRIGO TÉLLEZ GIRÓN,
Maestre de la Orden de Calatrava.
FERNÁN GÓMEZ DE GUZMÁN,
Comendador mayor.
DON MANRIQUE.
Un JUEZ.
Dos REGIDORES *de* CIUDAD REAL
ORTUÑO
FLORES
Criados del Comendador.
ESTEBAN
ALONSO
Alcaldes de Fuenteovejuna.

Otro REGIDOR *de* FUENTEOVEJUNA
Labradoras.
LAURENCIA
JACINTA
PASCUALA
Labradores.
JUAN ROJO
FRONDOSO
MENGO
BARRILDO
LEONELO, Licenciado en derecho.
CIMBRANOS, Soldado.
Un MUCHACHO.
Músicos.

Época: 1476.[2]

ACTO PRIMERO

Habitación del Maestre[3] de Calatrava en Almagro.[4]

Salen el COMENDADOR,[5] FLORES *y* ORTUÑO, *criados.*

COMENDADOR.	¿Sabe el maestre que estoy en la villa?
FLORES.	Ya lo sabe.
ORTUÑO.	Está, con la edad, más grave.
COMEND.	Y ¿sabe también que soy
	Fernán Gómez de Guzmán?

5

---

[1] Nombre real del pueblo en la provincia de Córdoba donde suceden los hechos dramáticos (y reales, como veremos en otra nota pronto). Lope no desperdiciará el conceptismo que encierra el nombre, como también veremos.

[2] En efecto, Lope basó esta comedia sobre hechos reales acaecidos durante la disputa por el trono entre Juana la Beltraneja, hija de Enrique IV el Impotente, y la hermana de éste, Isabel, cuyo triunfo la llevaría al poder junto a Fernando de Aragón, inaugurando así el reinado de los Reyes Católicos.

[3] Superior de una orden militar, en este caso, la de Calatrava, fundada en el siglo XII.

[4] Pueblo de la provincia de Ciudad Real.

[5] Caballero en posición de mando dentro de una orden militar.

FLORES.	Es muchacho, no te asombre.
COMEND.	Cuando no sepa mi nombre
	¿no le sabrá el que me dan
	de comendador mayor?
ORTUÑO.	No falta quien le aconseje 10
	que de ser cortés se aleje.
COMEND.	Conquistará poco amor.
	Es llave la cortesía
	para abrir la voluntad;
	y para la enemistad 15
	la necia descortesía.
ORTUÑO.	Si supiese un descortés
	cómo lo aborrecen todos
	—y querrían de mil modos
	poner la boca a sus pies—, 20
	antes que serlo ninguno,
	se dejaría morir.
FLORES.	¡Qué cansado es de sufrir!
	¡Qué áspero y qué importuno!
	Llaman la descortesía 25
	necedad en los iguales,
	porque es entre desiguales
	linaje de tiranía.
	Aquí no te toca nada:
	que un muchacho aún no ha llegado 30
	a saber qué es ser amado.
COMEND.	La obligación de la espada
	que se ciñó, el mismo día
	que la cruz de Calatrava[6]
	le cubrió el pecho, bastaba 35
	para aprender cortesía.
FLORES.	Si te han puesto mal con él,
	presto lo conocerás.
ORTUÑO.	Vuélvete, si en duda estás.
COMEND.	Quiero ver lo que hay en él. 40

Sale el MAESTRE DE CALATRAVA *y acompañamiento.*

MAESTRE.	Perdonad, por vida mía,
	Fernán Gómez de Guzmán;
	que agora nueva me dan
	que en la villa estáis.
COMENDADOR.	Tenía 45

---

[6] *la cruz de Calatrava:* iba bordada en rojo sobre el pecho.

	muy justa queja de vos;	
	que el amor y la crianza	
	me daban más confianza,	
	por ser, cual somos los dos,	
	vos maestre en Calatrava,	
	y yo vuestro comendador	50
	y muy vuestro servidor.	
MAESTRE.	Seguro, Fernando, estaba	
	de vuestra buena venida.	
	Quiero volveros a dar	
	los brazos.	
COMENDADOR.	Debéisme honrar;	55
	que he puesto por vos la vida	
	entre diferencias tantas,	
	hasta suplir vuestra edad	
	el pontífice.[7]	
MAESTRE.	Es verdad.	
	Y por las señales santas	60
	que a los dos cruzan el pecho,	
	que os lo pago en estimaros	
	y como a mi padre honraros.	
COMEND.	De vos estoy satisfecho.	
MAESTRE.	¿Qué hay de guerra[8] por allá?	65
COMEN.	Estad atento, y sabréis	
	la obligación que tenéis.	
MAESTRE.	Decid que ya lo estoy, ya.	
COMEN.	Gran maestre, don Rodrigo	
	Téllez Girón, que a tan alto	70
	lugar os trajo el valor	
	de aquel vuestro padre claro,	
	que, de ocho años, en vos	
	renunció su maestrazgo,	
	que después por más seguro	75
	juraron y confirmaron	
	reyes y comendadores,	
	dando el pontífice santo	
	Pío[9] segundo sus bulas	
	y después las suyas Paulo[10]	80
	para que don Juan Pacheco,	
	gran maestre de Santiago,	

---

[7] Debido a su corta edad, fue necesario recurrir a una licencia de parte del pontífice para que el Maestre pudiera ingresar en la Orden.

[8] *guerra:* alusión a la mencionada disputa entre Juana e Isabel que terminó en una guerra civil. A continuación, el Comendador esbozará dicha contienda.

[9] *Pío:* Pío II, papa entre 1458 y 1464.

[10] *Paulo:* Paulo II, papa entre 1467 y 1471.

fuese vuestro coadjutor:
ya que es muerto, y que os han dado
el gobierno sólo a vos,   85
aunque de tan pocos años,
advertid que es honra vuestra
seguir en aqueste caso
la parte de vuestros deudos;
porque, muerto Enrique cuarto[11],   90
quieren que al rey don Alonso[12]
de Portugal, que ha heredado,
por su mujer, a Castilla,
obedezcan sus vasallos;
que aunque pretende lo mismo   95
por Isabel don Fernando[13],
gran príncipe de Aragón,
no con derecho tan claro
a vuestros deudos, que, a fin,
no presumen que hay engaño   100
en la sucesión de Juana[14],
a quien vuestro primo hermano
tiene agora en su poder.
Y así, vengo a aconsejaros
que juntéis los caballeros   105
de Calatrava en Almagro,
y a Ciudad Real toméis,
que divide como paso
a Andalucía y Castilla,
para mirarlos a entrambos.   110
Poca gente es menester,
porque tienen por soldados
solamente sus vecinos
y algunos pocos hidalgos,
que defienden a Isabel   115
y llaman rey a Fernando.
Será bien que deis asombro,
Rodrigo, aunque niño, a cuantos
dicen que es grande esa cruz
para vuestros hombros flacos.   120
Mirad los condes de Urueña,
de quien venís, que mostrando
os están desde la fama

---

[11] *Enrique cuarto:* reinó entre 1454 y 1474, como rey de Castilla.
[12] *Alonso:* Alfonso V, conocido como el Africano, rey de Portugal entre 1438-1481.
[13] *por Isabel don Fernando:* véase nota 2.
[14] *Juana:* se dudaba que fuera hija de Enrique IV en determinados círculos.

los laureles que ganaron;
los marqueses de Villena,   125
y otros capitanes, tantos,
que las alas de la fama
apenas pueden llevarlos.
Sacad esa blanca espada;
que habéis de hacer, peleando,   130
tan roja como la cruz;
porque no podré llamaros
maestre de la cruz roja
que tenéis al pecho, en tanto
que tenéis blanca la espada;   135
que una al pecho y otra al lado,
entrambas han de ser rojas;
y vos, Girón soberano,
capa del templo inmortal
de vuestros claros pasados.   140

MAESTRE.   Fernán Gómez, estad cierto
que en esta parcialidad,
porque veo que es verdad,
con mis deudos me concierto.

Y si importa, como paso   145
a Ciudad Real mi intento,
veréis que como violento
rayo sus muros abraso.

No porque es muerto mi tío
piensen de mis pocos años   150
los propios y los extraños
que murió con él mi brío.

Sacaré la blanca espada
para que quede su luz
de la color[15] de la cruz,   155
de roja sangre bañada.
Vos ¿adónde residís?
¿Tenéis algunos soldados?

COMEND.   Pocos, pero mis criados;
que si dellos os servís,   160
    pelearán como leones.
Ya veis que en Fuenteovejuna
hay gente humilde, y alguna
no enseñada en escuadrones,
    sino en campos y labranzas.   165

MAESTRE.   ¿Allí residís?

---

[15] *la color:* hoy, el color.

COMEND.	Allí

de mi encomienda escogí
casa entre aquestas mudanzas.
    Vuestra gente se registre;
que no quedará vasallo. 170

MAESTRE.   Hoy me veréis a caballo,
poner la lanza en el ristre.

Vanse.

Plaza de Fuenteovejuna.

Salen PASCUALA *y* LAURENCIA.

PASCUALA.   ¡Más que nunca acá volviera!

LAURENCIA.   Pues a la he[16] que pensé
que cuando te lo conté 175
más pesadumbre te diera.

LAURENCIA.   ¡Plega[17] al cielo que jamás
le vea en Fuenteovejuna!

PASCUALA.   Yo, Laurencia, he visto alguna
tan brava, y pienso que más; 180
y tenía el corazón
brando[18] como una manteca.

LAURENCIA.   Pues ¿hay encina tan seca
como esta mi condición?

PASCUALA.   Anda ya; que nadie diga: 185
de esta agua no beberé.[19]

LAURENCIA.   ¡Voto al sol que lo diré,
aunque el mundo me desdiga!
    ¿A qué efeto fuera bueno
querer a Fernando yo? 190
¿Casárame con él?

PASCUALA.   No.

LAURENCIA.   Luego la infamia condeno.
    ¡Cuántas mozas en la villa,
del Comendador fiadas,
andan ya descalabradas! 195

PASCUALA.   Tendré yo por maravilla
que te escapes de su mano.

LAURENCIA.   Pues en vano es lo que ves,

---

[16] *a la he:* a la fe.
[17] *Plega:* Plazca.
[18] *brando:* blando.
[19] *de esta......beberé:* refrán contra el exceso de confianza.

porque ha que me sigue un mes,
y todo, Pascuala, en vano.   200
　　Aquel Flores, su alcahuete,
y Ortuño, aquel socarrón,
me mostraron un jubón,
una sarta y un copete.
　　Dijéronme tantas cosas   205
de Fernando, su señor,
que me pusieron temor;
mas no serán poderosas
　　para contrastar mi pecho.

PASCUALA.　　¿Donde te hablaron?

LAURENCIA.　　　　　　　　Allá   210
en el arroyo, y habrá
seis días.

PASCUALA.　　　　　　Y yo sospecho
que te han de engañar, Laurencia.

LAURENCIA.　　¿A mí?

PASCUALA.　　　　　　Que no, sino al cura.

LAURENCIA.　　Soy, aunque polla, muy dura   215
yo para su reverencia.
　　Pardiez[20], más precio poner,
Pascuala, de madrugada,
un pedazo de lunada
al huego para comer,   220
　　con tanto zalacatón
de una rosca que yo amaso,
y hurtar a mi madre un vaso
del pegado cangilón,
　　y más precio al mediodía   225
ver la vaca entre las coles
haciendo mil caracoles
con espumosa armonía;
　　y concertar, si el camino
me ha llegado a causar pena,   230
casar una berenjena
con otro tanto tocino;
　　y después un pasatarde,
mientras la cena se aliña,
de una cuerda de mi viña,   235
que Dios de pedrisco guarde;
　　y cenar un salpicón

---

[20] *Pardiez:* Por Dios. Este diálogo entre Pascuala y Laurencia recuerda el título del influyente libro de Antonio Guevara (1480-1545), *Menosprecio de corte y alabanza de aldea*, el cual pone de relieve las ventajas de la vida campestre sobre la de la corte, o ciudad.

con su aceite y su pimienta,
y irme a la cama contenta,
y al "inducas tentación"   240
    rezalle mis devociones,
que cuantas raposerías,
con su amor y sus porfías,
tienen estos bellacones;
    porque todo su cuidado,   245
después de darnos disgusto,
es anochecer con gusto
y amanecer con enfado.

PASCUALA.   Tienes, Laurencia, razón;
que en dejando de querer,   250
más ingratos suelen ser
que al villano el gorrión.

    En el invierno, que el frío
tiene los campos helados,
decienden de los tejados,   255
diciéndole "tío, tío",
    hasta llegar a comer
las migajas de la mesa;
mas luego que el frío cesa,
y el campo ven florecer,   260
    no bajan diciendo "tío",
del beneficio olvidados,
mas saltando en los tejados
dicen: "judío, judío".
    Pues tales los hombres son: 265
cuando nos han menester,
somos su vida, su sér,
su alma, su corazón;
    pero pasadas las ascuas,
las tías somos judías,   270
y en vez de llamarnos tías,
anda el nombre de las pascuas[21].

LAURENCIA.   No fiarse de ninguno.
PASCUALA.   Lo mismo digo, Laurencia.

        Salen MENGO *y* BARRILDO *y* FRONDOSO.

FRONDOSO.   En aquesta diferencia   275
andas, Barrildo, importuno.

---

[21] *las pascuas:* en el sentido de mujer libre. Todavía hoy se usa "hacer las pascuas", "estar como una (s) pascua (s)" por estar alegre o despreocupado.

BARRILDO.	A lo menos aquí está	
	quien nos dirá lo más cierto.	
MENGO.	Pues hagamos un concierto	
	antes que lleguéis allá,	280
	y es, que si juzgan por mí,	
	me dé cada cual la prenda,	
	precio de aquesta contienda.	
BARRILDO.	Desde aquí digo que sí.	
	Mas si pierdes ¿qué darás?	285
MENGO.	Daré mi rabel de boj[22],	
	que vale más que una troj,	
	porque yo le estimo en más.	
BARRILDO.	Soy contento.	
FRONDOSO.	Pues lleguemos.	
	Dios os guarde, hemosas damas.	290
LAURENCIA.	¿Damas, Frondoso, nos llamas?	
FRONDOSO.	Andar al uso queremos:	
	al bachiller, licenciado;	
	al ciego, tuerto; al bisojo,	
	bizco; resentido, al cojo,	295
	y buen hombre, al descuidado.	
	Al ignorante, sesudo;	
	al mal galán, soldadesca;	
	a la boca grande, fresca,	
	y al ojo pequeño, agudo.	300
	Al pleitista, diligente;	
	gracioso, al entremetido,	
	al hablador, entendido,	
	y al insufrible, valiente.	
	Al cobarde, para poco;	305
	al atrevido, bizarro;	
	compañero, al que es un jarro,	
	y desenfadado al loco.	
	Gravedad, al descontento;	
	a la calva, autoridad;	310
	donaire, a la necedad,	
	y al pie grande, buen cimiento.	
	Al buboso, resfriado;	
	comedido, al arrogante;	
	al ingenioso, constante;	315
	al corcovado, cargado.	
	Esto al llamaros imito,	
	damas, sin pasar de aquí;	

---

[22] *rabel de boj:* instrumento musical de la familia del violín.

	porque fuera hablar así	320
	proceder en infinito.	
LAURENCIA.	Allá en la ciudad, Frondoso,	
	llámase por cortesía	
	de esta suerte; y a fe mía,	
	que hay otro más. riguroso	
	y peor vocabulario	325
	en las lenguas descorteses.	
FRONDOSO.	Querría que lo dijeses.	
LAURENCIA.	Es todo a esotro[23] contrario:	
	al hombre grave, enfadoso;	
	venturoso, al descompuesto;	330
	melancólico, al compuesto,	
	y al que reprehende, odioso.	
	Importuno, al que aconseja;	
	al liberal, mosçatel;	
	al justiciero, cruel,	335
	y al que es piadoso, madeja.	
	Al que es constante, villano;	
	al que es cortés, lisonjero;	
	hipócrita, al limosnero,	
	y pretendiente, al cristiano.	340
	Al justo mérito, dicha;	
	a la verdad imprudencia;	
	cobardía, a la paciencia,	
	y culpa, a lo que es desdicha.	
	Necia, a la mujer honesta;	345
	mal hecha, a la hermosa y casta,	
	y a la honrada... Pero basta;	
	que esto basta por respuesta.	
MENGO.	Digo que eres el dimuño[24].	
LAURENCIA.	¡Soncas[25] que lo dice mal!	350
MENGO.	Apostaré que la sal	
	la echó el cura con el puño[26].	
LAURENCIA.	¿Qué contienda os ha traído,	
	si no es que mal lo entendí?	
FRONDOSO.	Oye, por tu vida.	
LAURENCIA.	Di.	355
FRONDOSO.	Préstame, Laurencia, oído.	
LAURENCIA.	Como prestado, y aun dado,	

---

[23] *esotro:* ese otro.

[24] *dimuño:* demonio.

[25] *¡Soncas!:* equivalente a ¡"Pardiez"!, o ¡"Por Dios"!

[26] *la......puño:* en el bautizo, coloca el sacerdote sal en la lengua del niño como señal de sabiduría.

	desde agora os doy el mío.	
FRONDOSO.	En tu discreción confío.	
LAURENCIA.	¿Qué es lo que habéis apostado?	360
FRONDOSO.	Yo y Barrildo contra Mengo.	
LAURENCIA.	¿Qué dice Mengo?	
BARRILDO.	Una cosa	

que, siendo cierta y forzosa,
la niega.

MENGO.   A negarla vengo,
porque yo sé que es verdad.   365

LAURENCIA. ¿Qué dice?

BARRILDO.   Que no hay amor[27].

LAURENCIA. Generalmente, es rigor.

BARRILDO. Es rigor y es necedad.
  Sin amor, no se pudiera
ni aun el mundo conservar.   370

MENGO. Yo no sé filosofar;
leer ¡ojalá supiera!
  Pero si los elementos
en discordia eterna viven,
y de los mismos reciben   375
nuestros cuerpos alimentos,
  cólera y melancolía,
flema y sangre, claro está.

BARRILDO. El mundo de acá y de allá,
Mengo, todo es armonía.   380
  Armonía es puro amor,
porque el amor es concierto.

MENGO. Del natural os advierto
que yo no niego valor.
  Amor hay, y el que entre sí 385
gobierna todas las cosas,
correspondencias forzosas
de cuanto se mira aquí;
  y yo jamás he negado
que cada cual tiene amor,   390
correspondiente a su amor,
que le conserva en su estado.
  Mi mano al golpe que viene
mi cara defenderá;
mi pie, huyendo, estorbará   395
el daño que el cuerpo tiene.

---

[27] *Que no hay amor......* obsérvese cómo unos personajes campesinos están a punto de discutir sutilezas más propias de personas cultas, fenómeno que no choca, sin embargo, con la estética del Barroco, cuyo realismo dista mucho del más científico del S. XIX.

	Cerraránse mis pestañas	
	si al ojo le viene mal,	
	porque es amor natural.	
PASCUALA.	Pues ¿de qué nos desengañas?	400
MENGO.	De que nadie tiene amor	
	más que a su misma persona.	
PASCUALA.	Tú mientes, Mengo, y perdona;	
	porque, ¿es mentira el rigor	
	con que un hombre a una mujer	405
	o un amimal quiere y ama	
	su semejante?	

PASCUALA. Pues ¿de qué nos desengañas? 400

MENGO. De que nadie tiene amor
más que a su misma persona.

PASCUALA. Tú mientes, Mengo, y perdona;
porque, ¿es mentira el rigor
con que un hombre a una mujer 405
o un amimal quiere y ama
su semejante?

MENGO. Eso llama
amor propio, y no querer.
¿Qué es amor?

LAURENCIA. Es un deseo
de hermosura.

MENGO. Esa hermosura 410
¿por qué el amor la procura?

LAURENCIA. Para gozarla.

MENGO. Eso creo.
Pues ese gusto que intenta
¿no es para él mismo?

LAURENCIA. Es así.

MENGO. Luego ¿por quererse a sí
busca el bien que le contenta? 415

LAURENCIA. Es verdad.

MENGO. Pues dese modo
no hay amor sino el que digo,
que por mi gusto le sigo
y quiero dármele en todo. 420

BARRILDO. Dijo el cura del lugar
cierto día en el sermón
que había cierto Platón
que nos enseñaba a amar;
que éste amaba el alma sola 425
y la virtud de lo amado.

PASCUALA. En materia habéis entrado
que, por ventura, acrisola
los caletres de los sabios
en sus cademias[28] y escuelas.

LAURENCIA. Muy bien dice, y no te muelas 430
en persuadir sus agravios.
Da gracias, Mengo, a los cielos,

---

[28] *cademias:* academias.

	que te hicieron sin amor.
MENGO.	¿Amas tú?
LAURENCIA.	Mi propio honor. 435
FRONDOSO.	Dios te castigue con celos.
BARRILDO.	¿Quién gana?
PASCUALA.	Con la quistión[29]
	podéis ir al sacristán,
	porque él o el cura os darán
	bastante satisfación. 440
	Laurencia no quiere bien,
	yo tengo poca experiencia.
	¿Cómo daremos sentencia?
FRONDOSO.	¿Qué mayor que ese desdén?

Sale FLORES.

FLORES.	Dios guarde a la buena gente. 445
FRONDOSO.	Éste es el Comendador
	criado.
LAURENCIA.	¡Gentil azor!
	¿De adónde bueno[30], pariente?
	¿No me veis a lo soldado?
LAURENCIA.	¿Viene don Fernando acá? 450
FLORES.	La guerra se acaba ya,
	puesto que nos ha costado
	alguna sangre y amigos.
FRONDOSO.	Contadnos cómo pasó.
FLORES.	¿Quién lo dirá como yo, 455
	siendo mis ojos testigos?
	Para emprender la jornada
	desta ciudad, que ya tiene
	nombre de Ciudad Real,
	juntó el gallardo maestre 460
	dos mil lucidos infantes
	de sus vasallos valientes,
	y trescientos de a caballo
	de seglares y de freiles;
	porque la cruz roja obliga 465
	cuantos al pecho la tienen,
	aunque sean de orden sacro;
	mas contra moros, se entiende.
	Salió el muchacho bizarro

---

[29] *quistión:* cuestión.
[30] *¿De...bueno:* ¿Qué hay de nuevo?

con una casaca verde,   470
bordada de cifras de oro,
que sólo los brazaletes
por las mangas descubrían,
que seis alamares prenden.
Un corpulento bridón,   475
rúcio rodado, que al Betis[31]
bebió el agua, y en su orilla
despuntó la grama fértil;
el codón labrado en cintas
de ante, y el rizo copete   480
cogido en blancas lazadas,
que con las moscas de nieve
que bañan la blanca piel
iguales labores teje.
A su lado Fernán Gómez,   485
vuestro señor, en un fuerte
melado, de negros cabos,
puesto que con blanco bebe.
Sobre turca jacerina,
peto y espaldar luciente,   490
con naranjada orla saca,
que de oro y perlas guarnece.
El morrión, que coronado
con blancas plumas, parece
que del color naranjado   495
aquellos azahares vierte;
ceñida la brazo una liga
roja y blanca, con que mueve
un fresno entero por lanza,
que hasta en Granada le temen.   500
La ciudad se puso en arma;
dicen que salir no quieren
de la corona real,
y el patrimonio defienden.
Entróla bien resistida,   505
y el maestre a los rebeldes
y a los que entonces trataron
su honor injuriosamente

---

[31] *Betis:* nombre romano para el río Guadalquivir. Se trata de un circunloquio que simplemente quiere decir que el caballo ahí descrito es de la especie caballo andaluz. Este discurso de Flores, repleto de conceptismos y cultismos tan propios del Barroco, es la contrapartida al anterior diálogo entre Laurencia y Pascuala (versos 215-274). Si antes las campesinas hablaban de su vida en términos elogiosos, aquí el criado del Comendador describe en todo su esplendor a los militares, identificados con el Comendador y los hidalgos de las ciudades.

mandó cortar las cabezas,
y a los de la baja plebe,   510
con mordazas en la boca,
azotar públicamente.
Queda en ella tan temido
y tan amado, que creen
que quien en tan pocos años   515
pelea, castiga y vence,
ha de ser en otra edad
rayo del África fértil,
que tantas lunas azules
a su roja cruz sujete.   520
Al Comendador y a todos
ha hecho tantas mercedes,
que el saco de la ciudad
el de su hacienda parece.
Mas ya la música suena: 525
recebilde alegremente,
que al triunfo las voluntades
son los mejores laureles.

Salen el COMENDADOR *y* ORTUÑO; *músicos;*
JUAN ROJO *y* ESTEBAN, ALONSO, *alcaldes.*

MÚSICOS*(cantan).*   *Sea bien venido*
el comendadore[32]   530
de rendir las tierras
y matar lo hombres.
¡Vivan los Guzmanes!
¡Vivan los Girones!
Si en las paces blando,   535
dulce en las razones.
Venciendo moriscos,
fuertes como un roble,
de Ciudad Reale
viene vencedore;   540
que a Fuenteovejuna
trae los pendones.
¡Viva muchos años,
viva Fernán Gómez!
COMENDADOR.   Villa, yo os agradezco justamente   545
el amor que me habéis aquí mostrado.
ALONSO.   Aun no muestra una parte del que siente.

---

[32] *comendadore:* se añade la e final aquí y en otros casos para mantener la rima en asonante.

                    Pero ¿qué mucho que seáis amado,
                    mereciéndolo vos?
ESTEBAN.   Fuenteovejuna
          y el regimiento que hoy habéis honrado,   550
              que recibáis os ruega y importuna
          un pequeño presente, que esos carros
          traen, señor, no sin vergüenza alguna,
              de voluntades y árboles bizarros,
          más que de ricos dones. Lo primero   555
          traen dos cestas de polidos barros;
              de gansos viene un ganadillo entero,
          que sacan por las redes las cabezas,
          para cantar vueso[33] valor guerrero.
              Diez cebones en sal, valientes piezas,   560
          sin otras menudencias y cecinas,
          y sin más que guantes de ámbar, sus cortezas.
              Cien pares de capones y gallinas,
          que han dejado viudos a sus gallos
          en las aldeas que miráis vecinas,   565
              Acá no tienen armas ni caballos,
          no jaeces bordados de oro puro,
          si no es oro el amor de los vasallos.
              Y porque digo puro, os aseguro
          que vienen doce cueros, que aun en cueros[34]   570
          por enero podréis guardar un muro,
              si dellos aforráis vuestros guerreros,
          mejor que de las armas aceradas;
          que el vino suele dar lindos aceros.
              De quesos y otras cosas no excusadas   575
          no quiero daros cuenta: justo pecho
          de voluntades que tenéis ganadas;
          y a vos y a vuestra casa, buen provecho.
COMEND.   Estoy muy agradecido.
          Id, regimiento, en buen hora.   580
ALONSO.   Descansad, señor agora,
          y seáis muy bien venido;
              que esta espadaña que veis
          y juncia a vuestros umbrales
          fueran perlas orientales,   585
              y mucho más merecéis,
              a ser posible a la villa
COMEND.   Así lo creo, señores.

<hr />

[33] *vueso:* vuestro.

[34] *cueros...cueros:* juego de palabras, significando el primero cueros de vino, y el segundo desnudos (en cueros) de armas.

ESTEBAN.   Id con Dios.
                              Ea, cantores,
           vaya otra vez la letrilla.   590
MUSICOS *(cantan).*   *Sea bien venido*
           el comendador
           de rendir las tierras
           y matar los hombres.

                         Vanse.

COMEND.   Esperad vosotras dos.   595
LAURENCIA.   ¿Qué manda su señoría?
COMEND.   ¡Desdenes el otro día,
           pues, conmigo! ¡Bien, por Dios!
LAURENCIA.   ¿Habla contigo, Pascuala?
PASCUALA.   Conmigo no, tírte ahuera.[35]   600
COMEND.   Con vos hablo, hermosa fiera,
           y con esotra zagala.
                ¿Mías no sois?
PASCUALA.   Sí, señor;
           mas no para casos tales.
COMEND.   Entrad, pasad los umbrales;   605
           hombres hay, no hayáis temor.
LAURENCIA.   Si los alcaldes entraran
           (que de uno soy hija yo),
           bien huera[36] entrar; mas si no...
COMEND.   Flores...
FLORES.   Señor...
COMENDADOR.   ¿Qué reparan   610
           en no hacer lo que les digo?
FLORES.   Entrad, pues.
LAURENCIA.   No nos agarre.
FLORES.   Entrad; que sois necias.
PASCUALA.   Arre;[37]
           que echaréis luego el postigo.
FLORES.   Entrad; que os quiere enseñar   615
           lo que trae de la guerra.
COMEND.   Si entraren, Ortuño, cierra.

                         Éntrase.

LAURENCIA.   Flores, dejadnos pasar.

---

[35] *tírte ahuera:* tírate afuera, equivalente a ¡"anda ya"!
[36] *huera:* fuera.
[37] *Arre:* expresión equivalente a "anda" para expresar desconfianza.

ORTUÑO.	¿También venís presentadas	
	con lo demás?	
PASCUALA.	¡Bien a fe!	620
	Desvíese, no le dé...	
FLORES.	Basta; que son extremadas.	
LAURENCIA.	¿No basta a vueso señor	
	tanta carne presentada ?	
ORTUÑO.	La vuestra[38] es la que le agrada.	625
LAURENCIA.	Reviente de mal dolor.	

Vanse.

FLORES.	¡Muy buen recado llevamos!	
	No se ha de poder sufrir	
	lo que nos ha de decir	
	cuando sin ellas nos vamos.	630
ORTUÑO.	Quien sirve se obliga a esto.	
	Si en algo desea medrar,	
	o con paciencia ha de estar,	
	o ha de despedirse presto.	

Vanse los dos.

Habitación de los Reyes Católicos en Medina del Campo.

Salgan el REY DON FERNANDO, *la* REINA DOÑA ISABEL,
MANRIQUE *y acompañamiento.*

ISABEL.	Digo, señor, que conviene	635
	el no haber descuido en esto,	
	por ver a Alfonso en tal puesto,	
	y su ejército previene.	
	Y es bien ganar por la mano	
	antes que el daño veamos;	640
	que si no lo remediamos,	
	el ser muy cierto está llano.	
REY.	De Navarra y de Aragón	
	está el socorro seguro,	
	y de Castilla procuro,	645
	hacer la reformación	
	de modo que el buen suceso	
	con la prevención se vea.	

---

[38] *La vuestra:* elipsis: alusión a la carne, en el sentido de la piel, lo cual, aplicado a la mujer conlleva un sentido sensual.

ISABEL.	Pues vuestra majestad crea
	que el buen fin consiste en eso. 650
MANRIQUE.	Aguardando tu licencia
	dos regidores están
	de Ciudad Real: ¿entrarán?
REY.	No les nieguen mi presencia.

Salen dos REGIDORES *de Ciudad Real.*

REGIDOR 1º.	Católico rey Fernando, 655
	a quien ha enviado el cielo
	desde Aragón y Castilla
	para bien y amparo nuestro:
	en nombre de Ciudad Real.
	a vuesto valor supremo 660
	humildes nos presentamos,
	el real amparo pidiendo.
	A mucha dicha tuvimos
	tener título de vuestros;
	pero pudo derribarnos 665
	desde honor el hado adverso.
	El famoso don Rodrigo
	Téllez Girón, cuyo esfuerzo
	es en valor extremado,
	aunque es en la edad tan tierno 670
	maestre de Calatrava,
	él, ensanchar pretendiendo
	el honor de la encomienda,
	nos puso apretado cerco.
	Con valor nos prevenimos, 675
	a su fuerza resistiendo,
	tanto, que arroyos corrían
	de la sangre de los muertos.
	Tomó posesión, en fin;
	pero no llegara a hacerlo, 680
	a no le dar Fernán Gómez
	orden, ayuda y consejo.
	Él queda en la posesión,
	y sus vasallos seremos,
	suyos, a nuestro pesar, 685
	a no remediarlo presto.
REY.	¿Dónde queda Fernán Gómez?
REGIDOR 1º.	En Fuenteovejuna creo,
	por ser su villa, y tener
	en ella casa y asiento. 690

	Allí, con más libertad	
	de la que decir podemos,	
	tiene a los súbditos suyos	
	de todo contento ajenos.	
REY.	¿Tenéis algún capitán?	695
REGIDOR 2º.	Señor, el no haberle es cierto,	
	pues no escapó ningún noble	
	de preso, herido o de muerto.	
ISABEL.	Ese caso no requiere	
	ser de espacio[39] remediado;	700
	que es de dar al contrario osado	
	el mismo valor que adquiere;	
	y puede el de Portugal,[40]	
	hallando puerta segura,	
	entrar por Extremadura	705
	y causarnos mucho mal.	
REY..	Don Manrique, partid luego,	
	llevando dos compañías;	
	remediad sus demasías	
	sin darles ningún sosiego.	710
	El conde de Cabra[41] ir puede	
	con vos; que es Córdoba osado,	
	a quien nombre de soldado	
	todo el mundo le concede;	
	que éste es el medio mejor	715
	que la ocasión nos ofrece.	
MANRIQUE.	El acuerdo me parece	
	como de tan gran valor.	
	Pondré límite a su exceso,	
	si el vivir en mí no cesa.	720
ISABEL.	Partiendo vos a la empresa,	
	seguro está el buen suceso.	

Vanse todos.

Campo de Fuenteovejuna.

Salen LAURENCIA *y* FRONDOSO.

LAURENCIA.	A medio torcer[42] los paños,

---

[39] *de espacio:* despacio.

[40] *el de Portugal:* o sea, Alfonso V y su ejército.

[41] *conde de Cabra:* Diego Fernández de Córdoba, cuyo último apellido se menciona en el próximo verso.

[42] *A medio torcer:* mientras exprimía la ropa o paños.

                    quise, atrevido Frondoso,
                    para no dar que decir,   725
                    desviarme del arroyo;
                    decir a tus demasías
                    que murmura el pueblo todo,
                    que me miras y te miro,
                    y todos nos traen sobre ojo.   730
                    Y como tú eres zagal,
                    de los que huellan, brioso,
                    y excediendo a los demás
                    vistes bizarro y costoso,
                    en todo lugar no hay moza,   735
                    o mozo en el prado o soto,
                    que no se afirme diciendo
                    que ya para en uno somos;[43]
                    y esperan todos el día
                    que el sacristán Juan Chamorro   740
                    nos eche de la tribuna,
                    en dejando los piporros.[44]
                    Y mejor sus trojes vean
                    de rubio trigo en agosto
                    atestadas y colmadas,   745
                    y sus tinajas de mosto,
                    que tal imaginación
                    me ha llegado a dar enojo:
                    ni me desvela ni aflige,
                    ni en ella el cuidado pongo.   750
FRONDOSO.   Tal me tienen tus desdenes,
                    bella Laurencia, que tomo,
                    en el peligro de verte,
                    la vida, cuanto te oigo.
                    Si sabes que es mi intención   755
                    el desear ser tu esposo,
                    mal premio das a mi fe.
LAURENCIA.   Es que yo no sé dar otro.
FRONDOSO.   ¿Posible es que no te duelas
                    de verme tan cuidadoso   760
                    y que imaginando en ti
                    ni bebo, duermo ni como?
                    ¿Posible es tanto rigor
                    en ese angélico rostro?
                    ¡Viven los cielos que rabio!   765

---

[43] *ya para eno un somos:* estamos comprometidos.
[44] *piporros:* se trata de un instrumento musical de viento.

LAURENCIA.	Pues salúdate, Frondoso.
FRONDOSO.	Ya te pido yo salud,
	y que ambos, como palomos
	estemos, juntos los picos,
	con arrullos sonorosos, 770
	después de darnos la Iglesia...
LAURENCIA.	Dilo a mi tío Juan Rojo;
	que aunque no te quiero bien,
	ya tengo algunos asomos.
FRONDOSO.	¡Ay de mi! El señor es éste. 775
LAURENCIA.	Tirando viene a algún corzo.
	Escóndete en esas ramas.
FRONDOSO.	Y ¡con qué celos me escondo!

Sale el COMENDADOR.

COMEND.	No es malo[45] venir siguiendo
	un corcillo temeroso, 780
	y topar tan bella gama.
LAURENCIA.	Aquí descansaba un poco
	de haber lavado unos paños;
	y así, al arroyo me torno,
	si manda su señoría. 785
COMEND.	Aquesos desdenes toscos
	afrentan, bella Laurencia,
	las gracias que el poderoso
	cielo te dió, de tal suerte,
	que vienes a ser un monstro. 790
	Mas si otras veces pudiste
	huir mi ruego amoroso,
	agora no quiere el campo,
	amigo secreto y solo;
	que tú sola no ha de ser 795
	tan soberbia, que tu rostro
	huyas al señor que tienes,
	teniéndome a mí en tan poco.
	¿No se rindió Sebastiana,
	mujer de Pedro Redondo, 800
	con ser casadas entrambas,
	y la de Martín del Pozo,
	habiendo apenas pasado
	dos días del desposorio?
LAURENCIA.	Ésas, señor, ya tenían, 805

---

[45] *No es malo...:* la relación entre la caza y el amor es un tópico literario común.

| | de haber andado con otros,
el camino de agradaros;
porque también muchos mozos
merecieron sus favores.
Id con Dios, tras vueso corzo;
que a no veros con la cruz,
os tuviera por demonio,
pues tanto me perseguís. | 810 |
| COMEND. | ¡Qué estilo tan enfadoso!
Pongo la ballesta en tierra, | 815 |

. . . . ⁴⁶

| | y a la práctica de manos
reduzgo melindres. |
| LAURENCIA. | ¡Cómo!
¿Eso hacéis? ¿Estáis en vos?⁴⁷ |

Sale FRONDOSO *y toma la ballesta.*

COMEND.	No te defiendas.	
FRONDOSO.	Si tomo la ballesta ¡vive el cielo que no la ponga en el hombro!	820
COMEND.	Acaba, ríndete.	
LAURENCIA.	¡Cielos, ayudadme agora!	
COMENDADOR.	Solos estamos; no tengas miedo.	825
FRONDOSO.	Comendador generoso, dejad la moza, o creed que de mi agravio y enojo será blanco vuestro pecho, aunque la cruz me da asombro.	830
COMEND.	¡Perro, villano!...⁴⁸	
FRONDOSO.	No hay perro. Huye, Laurencia.	
LAURENCIA.	Frondoso, mira lo que haces.	
FRONDOSO.	Véte.	

---

⁴⁶ Falta un verso aquí.

⁴⁷ *¿Estáis en vos?:* ¿estás dentro de tus cabales? Estar fuera de sí equivalía a estar loco o demente.

⁴⁸ *villano:* el término "villano" en sentido despectivo viene del prejuicio en contra de los campesinos, u hombres de la villa, por parte de los hidalgos y personas que residen en las ciudades (si bien hubo hidalgos —don Quijote, sir ir más lejos— que también vivían en las villas ᾽ o en el campo).

Vase.

COMEND.	¡Oh, mal haya el hombre loco,
	que se desciñe la espada! 835
	Que, de no espantar medroso
	la caza, me la quité.
FRONDOSO.	Pues, pardiez, señor, si toco
	la nuez[49], que os he de apiolar.[50]
COMEND.	Ya es ida. Infame, alevoso, 840
	suelta la ballesta luego
	Suéltala, villano.
FRONDOSO.	¿Cómo?
	Que me quitaréis la vida.
	Y advertid que amor es sordo,
	y que no escucha palabras 845
	el día que está en su trono.
COMEND.	Pues, ¿la espalda ha de volver
	un hombre tan valeroso
	a un villano? Tira, infame,
	tira, y guárdate; que rompo 850
	las leyes de caballeros.[51]
FRONDOSO.	Eso, no. Yo me conformo[52]
	con mi estado, y, pues me es
	guardar la vida forzoso,
	con la ballesta me voy. 855
COMEND.	¡Peligro extraño y notorio!
	Mas yo tomaré venganza
	del agravio y del estorbo.
	¡Que no cerrara con él!
	¡Vive el cielo, que me corro! 860

---

[49] *nuez:* el gatillo de la ballesta.

[50] *apiolar:* matar. Término que en la caza significa también colgar las aves o conejos que se han matado.

[51] *que rompo...caballeros:* estaba prohibido a un caballero luchar en contra de persona de una categoría social considerada más baja.

[52] *Yo me conformo......:* repárese en que Frondoso acepta la jerarquía social vigente. Por lo demás, la tensión dramática con que termina este primer acto sigue a la perfección la dramaturgia de Lope, quien sabía alternar muy bien las escenas de alta y baja tensión, colocándolas, además, en momentos estratégicos.

ACTO SEGUNDO

Plaza de Fuenteovejuna.

Salen ESTEBAN *y otro regidor.*

ESTEBAN.   Así tenga salud, como parece,
            que no se saque más agora el pósito.[53]
            El año apunta mal, y el tiempo crece,
            y es mejor que el sustento esté en depósito,
            aunque lo contradicen más de trece.[54]   865

REGIDOR.   Yo siempre he sido, al fin, de este propósito,
            en gobernar en paz esta república.

ESTEBAN.   Hagamos dello a Fernán Gómez súplica.
            No se puede sufrir que estos astrólogos,
            en las cosas futuras ignorantes,   870
            nos quieran persuadir con largos prólogos
            los secretos a Dios sólo importantes,
            ¡Bueno es que, presumiendo de teólogos
            hagan un tiempo el que después y antes!
            Y pidiendo el presente lo importante,   875
            al más sabio veréis más ignorante.
            ¿Tienen ellos las nubes en su casa
            y el proceder de las celestes lumbres?
            ¿Por dónde ven lo que en el cielo pasa,
            para darnos con ello pesadumbres?   880
            Ellos en el sembrar nos ponen tasa:
            daca el trigo, cebada y las legumbres,
            calabazas, pepinos y mostazas...
            Ellos son, a la fe, las calabazas.
            Luego cuentan que muere una cabeza, 885
            y después viene a ser en Trasilvania;
            que el vino será poco, y la cerveza
            sobrará por las partes de Alemania;
            que se helará en Gascuña la cereza,

---

[53] *pósito*: granero público.

[54] *aunque......trece:* puede referirse a un refrán de la época: trece son los caballeros de Santiago, y trece son también los conquistadores que, bajo el mando de Pizarro, cruzaron la línea por éste supuestamente trazada en la arena como señal de su voluntad de seguir adelante hacia la conquista del Imperio incaico.

y que habrá muchos tigres en Hircania.   890
Y al cabo, que se siembre o no se siembre,
el año se remata por diciembre.

Salen el licenciado LEONELO *y* BARRILDO.

LEONELO.   A fe que no ganéis la palmatoria,
                  porque ya está ocupado el mentidero.
BARRILDO.   ¿Cómo os fué en Salamanca?
LEONELO.   Es larga historia.   895
BARRILDO.   Un Bártulo[55] seréis.
LEONELO.   Ni aun un barbero.
                  Es, como digo, cosa muy notoria
                  en esa facultad lo que os refiero.
BARRILDO.   Sin duda que venís buen estudiante.
LEONELO.   Saber he procurado lo importante.   900
BARRILDO.   Después que vemos tanto libro impreso,
                  no hay nadie que de sabio no presuma.
LEONELO.   Antes que ignoran más siento por eso,
                  por no se reducir a breve suma;
                  porque la confusión, con el exceso,   905
                  los intentos resuelve en vana espuma;
                  y aquel que de leer tiene más uso,
                  de ver letreros sólo está confuso.

                  No niego yo que de imprimir el arte
                  mil ingenios sacó de entre la jerga,   910
                  y que parece que en sagrada parte
                  sus obras guarda y contra el tiempo alberga;
                  éste las destribuye y las reparte.

                  Débese esta invención a Gutemberga,[56]
                  un famoso tudesco de Maguncia,   915
                  en quien la fama su valor renuncia.

                  Mas muchos que opinión tuvieron grave
                  por imprimir sus obras la perdieron;
                  tras esto, con el nombre del que sabe,
                  muchos sus ignorancias imprimieron.   920
                  Otros, en quien la baja envidia cabe,
                  sus locos desatinos escribieron,
                  y con nombre de aquel que aborrecían
                  impresos por el mundo los envían.
BARRILDO.   No soy de esa opinión.
LEONELO.   El ignorante   925

---

[55] *Bártulo:* Bártulos (1314-1357), un famoso jurisconsulto boloñés.
[56] *Gutemberga:* por Gutemberg (139?-1468), inventor de la imprenta.

	es justo que se vengue del letrado.
BARRILDO.	Leonelo, la impresión es importante.
LEONELO.	Sin ella muchos siglos se han pasado,
	y no vemos que en éste se levante
	. . . . [57] 930
	un Jerónimo santo, un Agustino.[58]
BARRILDO.	Dejaldo y asentaos, que estáis mohino.

Salen JUAN ROJO *y otro labrador.*

JUAN ROJO.	No hay en cuatro haciendas para un dote,
	si es que las vistas han de ser al uso;
	que el hombre que es curioso es bien que note 935
	que en esto el barrio y vulgo anda confuso.
LABRADOR.	¿Qué hay del Comendador? No os alborote.
JUAN ROJO.	¡Cuál a Laurencia en ese campo puso!
LABRADOR.	¿Quién fue cual él tan bárbaro y lascivo?
	Colgado le vea yo de aquel olivo. 940

Salen el COMENDADOR, ORTUÑO *y* FLORES.

COMEND.	Dios guarde la buena gente.
REGIDOR.	¡Oh, señor!
COMEND.	Por vida mía,
	que se estén.
ESTEBAN.	Vusiñoría[59]
	adonde suele se siente,
	que en pie estaremos muy bien. 945
COMEND.	Digo que se han de sentar.
ESTEBAN.	De los buenos es honrar,
	que no es posible que den
	honra los que no la tienen.
COMEND.	Siéntense; hablaremos algo. 950
ESTEBAN.	¿Vió vusiñoría el galgo?
COMEN.	Alcalde, espantados vienen
	esos criados de ver
	tan notable ligereza.
ESTEBAN.	Es una extremada pieza. 955
	Pardiez, que puede correr
	al lado de un delincuente
	o de un cobarde en quistión.
COMEND.	Quisiera en esta ocasión

---

[57] Falta un verso.
[58] *Jerónimo......Agustino:* San Jerónimo (347-420) y San Agustín (354-430), padres de la Iglesia.
[59] *Vusiñoría:* vuestra señoría.

	que le hiciérades pariente	960
	a una liebre que por pies	
	por momentos se me va.	
ESTEBAN.	Sí haré, par Dios. ¿Dónde está?	
COMEND.	Allá vuestra hija es.	
ESTEBAN.	¡Mi hija!	
COMEND.	Sí.	
ESTEBAN.	Pues ¿es buena	965
	para alcanzada de vos?	
COMEND.	Reñilda, alcalde, por Dios.	
ESTEBAN.	¿Cómo?	
COMEND..	Ha dado en darme pena.	

Mujer hay, y principal,
de alguno que está en la plaza,   970
que dio, a la primera traza,
traza de verme.

ESTEBAN.   Hizo mal;
y vos, señor, no andáis bien
en hablar tan libremente.

COMEND.   ¡Oh, qué villano elòcuente!
¡Ah, Flores!, haz que le den   975
la *Política*, en que lea
de Aristóteles.

ESTEBAN.   Señor,
debajo de vuestro honor[60]
vivir el pueblo desea.   970... 980
Mirad que en Fuenteovejuna
hay gente muy principal.

LEONELO.   ¿Vióse desvergüenza igual?

COMEND.   Pues ¿he dicho cosa alguna
de que os pese, regidor?   985

REGIDOR.   Lo que decís es injusto;
no lo digáis, que no es justo
que nos quitéis el honor.

COMEND.   ¿Vosotros honor tenéis?
¡Que freiles de Calatrava!   990

REGIDOR.   Alguno acaso se alaba
de la cruz que le ponéis,
que no es de sangre tan limpia.[61]

---

[60] *debajo de vuestro honor:* una vez más los aldeanos aceptan la jerarquía social vigente en aquel entonces.

[61] *que no es sangre tan limpia:* alusión a la estructura de las castas de la sociedad española, donde conviven moros, judíos y cristianos durante la Edad Media. Hacia finales del Medioevo, dicha convivencia se ve resquebrajada por el creciente poder y prestigio social de la casta cristiana. Los descendientes de moros y judíos serán los futuros conversos, o cristia-

COMEND.	Y ¿ensúciola yo juntando la mía a la vuestra?	
REGIDOR.	Cuando	995
	que el mal más tiñe que alimpia.	
COMEND.	De cualquier suerte que sea, vuestras mujeres se honran.	
ESTEBAN.	Esas palabras deshonran; las obras no hay quien las crea.	1000
COMEND.	¡Qué cansado villanaje! ¡Ah! Bien hayan las ciudades,[62] que a hombres de calidades no hay quien sus gustos ataje; allá se precian casados que visiten sus mujeres.	1005
ESTEBAN.	No harán; que con esto quieres que vivamos descuidados. En las ciudades hay Dios y más presto quien castiga.	1010
COMEND.	Levantaos de aquí.	
ESTEBAN.	¿Que diga lo que escucháis por los dos?	
COMEND.	Salí de la plaza luego; que no quede ninguno aquí.	
ESTEBAN.	Ya nos vamos.	
COMEND..	Pues no ansí.	1015
FLORES.	Que te reportes te ruego.	
COMEN..	Querrían hacer corrillo[63] los villanos en mi ausencia.	
ORTUÑO.	Ten un poco de paciencia.	
COMEND.	De tanta me maravillo. Cada uno de por sí se vayan hasta sus casas.	1020
LEONELO.	¡Cielo! ¿Que por esto pasas?	
ESTEBAN.	Ya yo me voy por aquí.	

Vanse los labradores.

COMEND.	¿Qué os parece desta gente?	1025

nos nuevos, categoría a la que parece pertenecer el Comendador, por lo que se insinúa aquí. Ha estudiado a fondo el tema (aunque de forma polémica para algunos críticos) Américo Castro en su libro, *La realidad histórica de España* (México: Fondo de Cultura Económica, 1948). A partir de este libro, toda una escuela de hispanistas sigue en mayor o menor grado las teorías de Castro, mientras que otros se oponen —a veces vehementemente— a ellas.

[62] *Bien hayan las ciudades......:* vemos de nuevo la contraposición corte-aldea.

[63] *corrillo:* diminutivo de corro para significar aquí chismorreo.

ORTUÑO.	No sabes dismular,
	que no quieres escuchar
	el disgusto que se siente.
COMEND.	Estos ¿se igualan conmigo?
FLORES.	Que no es aqueso igualarse. 1030
COMEND.	Y el villano ¿ha de quedarse
	con ballesta y sin castigo?
FLORES.	Anoche pensé que estaba
	a la puerta de Laurencia,
	y a otro, que su presencia 1035
	y su capilla imitaba,
	de oreja a oreja le di
	un beneficio famoso.
COMEND.	¿Dónde estará aquel Frondoso?
FLORES.	Dicen que anda por ahí. 1040
COMEND.	¡Por ahí se atreve a andar
	hombre que matarme quiso!
FLORES.	Como el ave sin aviso,
	o como el pez, viene a dar
	al reclamo o al anzuelo. 1045
COMEND.	¡Que a un capitán cuya espada
	tiemblan Córdoba y Granada,
	un labrador, un mozuelo
	ponga una ballesta al pecho!
	El mundo se acaba, Flores. 1050
FLORES.	Como eso pueden amores.
ORTUÑO.	Y pues que vive, sospecho
	que grande amistad le debes.
COMEND.	Yo he disimulado, Ortuño;
	que si no, de punta a puño, 1055
	antes de dos horas breves,
	pasara todo el lugar;
	que hasta que llegue ocasión
	al freno de la razón
	hago la venganza estar. 1060
	¿Qué hay de Pascuala?
FLORES.	Responde
	que anda agora por casarse.
COMEND.	¿Hasta allá quiere fiarse?...
FLORES.	En fin, te remite donde
	te pagarán de contado. 1065
COMEND.	¿Qué hay de Olalla?
ORTUÑO.	Una graciosa
	respuesta.
COMEND.	Es moza briosa.

	¿Cómo?	
ORTUÑO.	Que su desposado	
	anda tras ella estos días	
	celoso de mis recados	1070
	y de que con tus criados	
	a visitalla venías;	
	pero que si se descuida	
	entrarás como primero.	
COMEND..	¡Bueno, a fe de caballero!	1075
	Pero el villanejo[64] cuida...	
ORTUÑO.	Cuida, y anda por los aires.	
COMEND.	¿Qué hay de Inés?	
FLORES.	¿Cuál?	
COMEND.	La de Antón.	
FLORES.	Para cualquier ocasión	
	ya ha ofrecido sus donaires.	1080
	Habléla por el corral,	
	por donde has de entrar si quieres.	
COMEND.	A las fáciles mujeres	
	quiero bien y pago mal.	
	Si éstas supiesen ¡oh, Flores!	1085
	estimarse en lo que valen...	
FLORES.	No hay disgustos que se igualen	
	a contrastar sus favores.	
	Rendirse presto desdice	
	de la esperanza del bien;	1090
	mas hay mujeres también	
	por que el filósofo[65] dice	
	que apetecen a los hombres	
	como la forma desea	
	la materia; y que esto sea	1095
	así, no hay de qué te asombres.	
COMEND.	Un hombre de amores loco	
	huélgase que a su accidente	
	se le rindan fácilmente,	
	mas después las tiene en poco,	1100
	y el camino de olvidar,	
	al hombre más obligado	
	es haber poco costado	
	lo que pudo desear.	

---

[64] *villanejo:* forma despectiva de villano, si bien este último término también es usado despectivamente por el Comendador (vuelva a verse la nota 48).

[65] *el filósofo:* Aristóteles (384-322 a.C)

CIMBRANOS.	¿Está aquí el Comendador?	1105
ORTUÑO.	¿No le ves en tu presencia?	
CIMBRANOS.	¡Oh gallardo Fernán Gómez!	
	Trueca la verde montera	
	en el blanco morrión	
	y el gabán en armas nuevas;	1110
	que el maestre de Santiago	
	y el conde de Cabra cercan	
	a don Rodrigo Girón,	
	por la castellana reina,	
	en Ciudad Real; de suerte	1115
	que no es mucho que se pierda	
	lo que en Calatrava sabes	
	que tanta sangre le cuesta.	
	Ya divisan con las luces,	
	desde las altas almenas,	1120
	los castillos y leones	
	y barras aragonesas.⁶⁶	
	Y aunque el rey de Portugal	
	honrar a Girón quisiera,	
	no hará poco en que el maestre	1125
	a Almagro con vida vuelva.	
	Ponte a caballo, señor;	
	que sólo con que te vean	
	se volverán a Castilla.	
COMEND.	No prosigas; tente, espera.—	1130
	Haz, Ortuño, que en la plaza	
	toquen luego⁶⁷ una trompeta.	
	¿Qué soldados tengo aquí?	
ORTUÑO.	Pienso que tienes cincuenta.	
COMEND.	Pónganse a caballo todos.	1135
CIMBRANOS.	Si no caminas apriesa,	
	Ciudad Real es del rey.	
COMEND.	No hayas miedo que lo sea.	

Vanse

Campo de Fuenteovejuna.

Salen MENGO *y* LAURENCIA *y* PASCUALA, *huyendo.*

PASCUALA.	No te apartes de nosotras.

---

⁶⁶ *los castillos......aragonesas:* las insignias de Castilla, León y Aragón.
⁶⁷ *luego:* en seguida. Todavía en ciertas regiones de América se utiliza con el mismo sentido que en el Siglo de Oro.

MENGO.	Pues ¿a qué tenéis temor?	1140
LAURENCIA.	Mengo, a la villa es mejor	
	que vamos unas con otras	
	(pues que no hay hombre ninguno),	
	por que no demos con él.	
MENGO.	¡Que este demonio cruel	1145
	nos sea tan importuno!	
LAURENCIA.	No nos deja a sol ni a sombra.	
MENGO.	¡Oh! Rayo del cielo baje	
	que sus locuras ataje.	
LAURENCIA.	Sangrienta fiera le nombra;	1150
	arsénico y pestilencia	
	del lugar.	
MENGO.	Hanme contado	
	que Frondoso, aquí en el prado,	
	para librarte, Laurencia,	
	le puso al pecho una jara.[68]	1155
LAURENCIA.	Los hombres aborrecía,	
	Mengo; mas desde aquel día	
	los miro con otra cara.	
	¡Gran valor tuvo Frondoso!	
	Pienso que le ha de costar	1160
	la vida.	
MENGO.	Que del lugar	
	se vaya, será forzoso.	
LAURENCIA.	Aunque ya le quiero bien,	
	eso mismo le aconsejo;	
	mas recibe mi consejo	1165
	con ira, rabia y desdén;	
	y jura el comendador	
	que le ha de colgar de un pie.	
PASCUALA.	¡Mal garrotillo le dé!	
MENGO.	Mala pedrada es mejor.	1170
	¡Voto al sol, si le tirara	
	con la que llevo al apero,	
	que al sonar el crujidero	
	al casco se la encajara!	
	No fué Sábalo[69], el romano,	1175
	tan vicioso por jamás.	
LAURENCIA.	Heliogábalo dirás,	
	más que una fiera inhumano.	

---

[68] *jara:* flecha.
[69] *Sábalo:* como aclara Laurencia dos versos más abajo, Mengo pronuncia mal el nombre
del emperador romano Heliogábalo (204-222)

MENGO.   Pero Galván,[70], o quien fué,
que yo no entiendo de historia;   1180
mas su cativa[71] memoria
vencida de éste se ve.
    ¿Hay hombre en naturaleza
como Fernán Gómez?

PASCUALA.   No;
que parece que le dió
de una tigre la aspereza.   1185

Sale JACINTA

JACINTA.   Dadme socorro, por Dios,
si la amistad os obliga.

LAURENCIA.   ¿Qué es esto, Jacinta amiga?

PASCUALA.   Tuyas lo somos las dos.   1190

JACINTA.   Del Comendador criados,
que van a Ciudad Real,
más de infamia natural
que de noble acero armados,
me quieren llevar a él.   1195

LAURENCIA.   Pues Jacinta, Dios te libre;
que cuando contigo es libre,
conmigo será cruel.

Vase

PASCUALA.   Jacinta, yo no soy hombre
que te pueda defender.   1200

Vase

MENGO.   Yo sí lo tengo de ser,
porque tengo el ser y el nombre.
    Llégate, Jacinta, a mí.

JACINTA.   ¿Tienes armas?

MENGO.   Las primeras
del mundo.

JACINTA.   ¡Oh, si las tuvieras!   1205

MENGO.   Piedras hay, Jacinta, aquí.

---

[70] *Pero Galván:* nombre común con el cual vuelve a confundir Mengo al mencionado emperador romano, acaso recordando el refrán que dice ''Eso no lo sabe ni Galván''.

[71] *cativa:* desdichada.

FLORES.	¿Por los pies pensabas irte?
JACINTA.	¡Mengo, muerta soy!
MENGO.	Señores...
	¡A estos pobres labradores!...
ORTUÑO.	Pues ¿tú quieres persuadirte 1210
	a defender la mujer?
MENGO.	Con los ruegos la defiendo;
	que soy su deudo y pretendo
	guardalla, si puede ser
FLORES.	Quitalde luego la vida.
MENGO.	¡Voto al sol, si me emberrincho,
	y el cáñamo me descincho,
	que la llevéis bien vendida!

Salen el COMEND. *y* CIMBRANOS.

COMEND.	¿Qué es eso? ¡A cosas tan viles
	me habéis de hacer apear! 1220
FLORES.	Gente de este vil lugar
	(que ya es razón que aniquiles,
	pues en nada te da gusto)[72]
	a nuestras armas se atreve.
MENGO.	Señor, si piedad os mueve 1225
	de suceso tan injusto,
	castigad estos soldados,
	que con vuestro nombre agora
	roban una labradora
	a esposo y padres honrados; 1230
	y dadme licencia a mí
	que se la pueda llevar.
COMEND.	Licencia les quiero dar...
	para vengarse de ti.
	Suelta la honda.
MENGO.	¡Señor!... 1235
COMEND.	Flores, Ortuño, Cimbranos,
	con ella le atad las manos.
MENGO.	¿Así volvéis por su honor?
COMEND.	¿Qué piensan Fuenteovejuna
	y sus villanos de mí? 1240
MENGO.	Señor, ¿en qué os ofendí,

---

[72] *gusto:* hará juego tres versos después con "injusto", siendo la antítesis gusto-justo muy usada durante el Barroco.

	ni el pueblo en cosa ninguna?	
FLORES.	¿Ha de morir?	
COMEND.	No ensuciéis	
	las armas, que habéis de honrar	
	en otro mejor lugar.	1245
ORTUÑO.	¿Qué mandas?	
COMEND.	Que lo azotéis.	
	Lleválde, y en ese roble	
	le atad y le desnudad,	
	y con las riendas...	
MENGO.	¡Piedad!	
	¡Piedad, pues sois hombre noble!	1250
COMEND.	Azotalde hasta que salten	
	los hierros de las correas.	
MENGO.	¡Ciegos! ¿A hazañas tan feas	
	queréis que castigos falten?	

Vanse

COMEND.	Tú, villana, ¿por qué huyes?	1255
	¿Es mejor un labrador	
	que un hombre de mi valor?	
JACINTA.	¡Harto bien me restituyes	
	el honor que me han quitado	
	en llevarme para tí!	1260
COMEND.	¿En quererte llevar?	
JACINTA.	Sí;	
	porque tengo un padre honrado,	
	que si en alto nacimiento	
	no te iguala, en las constumbres	
	te vence.	
COMEND.	Las pesadumbres	1265
	y el villano atrevimiento	
	no tiemplan bien un airado.	
	Tira por ahí.[73]	
JACINTA.	¿Con quién?	
COMEND.	Conmigo.	
JACINTA.	Míralo bien.	
COMEND.	Para tu mal lo he mirado.	1270
	Ya no mía, del bagaje	
	del ejército has de ser.	
JACINTA.	No tiene el mundo poder	
	para hacerme, viva, ultraje.	

---

[73] *Tira por ahí:* anda, camina.

COMEND.	Ea, villana, camina.
JACINTA.	¡Piedad, señor!
COMEND.	No hay piedad.
JACINTA.	Apelo de tu crueldad
	a la justicia divina.[74]

Llévanla y vanse.

Casa de Esteban.

Sale LAURENCIA *y* FRONDOSO

LAURENCIA.
    ¿Cómo así a venir te atreves,
sin temer tu daño?

FRONDOSO.
              Ha sido
dar testimonio cumplido
de la afición que me debes.
    Desde aquel recuesto vi
salir al Comendador,
y fiado en tu valor
todo mi temor perdí.
    Vaya donde no le vean
volver.

LAURENCIA.
         Tente en maldecir,
porque suele más vivir
al que la muerte desean.

FRONDOSO.
    Si es eso, viva mil años,
y así se hará todo bien
pues deseándole bien
estarán ciertos sus daños.
    Laurencia, deseo saber
si vive en ti mi cuidado,
y si mi lealtad ha hallado
el puerto de merecer.
    Mira que toda la villa
ya para en uno nos tiene;
y de cómo a ser no viene
la villa se maravilla.
    Los desdeñosos extremos
deja, y responde no o sí.

LAURENCIA.
Pues a la villa y a ti

---

[74] *a la justicia divina:* según el código de la época, la violación contra el honor y la justicia se remitía al rey, representante de Dios, y por tanto, al mismo Dios a través de la figura del monarca.

	respondo que lo seremos.	1305
FRONDOSO.	Deja que tus plantas bese	
	por la merced recebida,	
	pues el cobrar nueva vida	
	por ella es bien que confiese.	1310
LAURENCIA.	De cumplimientos acorta;	
	y para que mejor cuadre,	
	habla, Frondoso, a mi padre,	
	pues es lo que más importa,	
	que allí viene mi tío;	1315
	y fía que ha de tener,	
	ser, Frondoso, tu mujer,	
	buen suceso.	
FRONDOSO.	En Dios confío.	

Escóndese LAURENCIA

Salen ESTEBAN, *alcalde y el* REGIDOR.

ESTEBAN.	Fué su término de modo,	
	que la plaza alborotó:	1320
	en efecto, procedió	
	muy descomedido en todo.	
	No hay a quien admiración	
	sus demasías no den;	
	la pobre Jacinta es quien	1325
	pierde por su sinrazón.	
REGIDOR.	Ya a los Católicos Reyes,	
	que este nombre les dan ya,	
	presto España les dará	
	la obediencia de sus leyes.	1330
	Ya sobre Ciudad Real,	
	contra el Girón que la tiene,	
	Santiago a caballo[75] viene	
	por capitán general.	
	Pésame; que era Jacinta	1335
	doncella de buena pro.	
ESTEBAN	Luego a Mengo le azotó.	
REGIDOR.	No hay negra bayeta o tinta	
	como sus carnes están.	
ESTEBAN	Callad; que me siento arder	1340
	viendo su mal proceder	

---

[75] *Santiago a caballo:* alusión a Santiago, patrón de España en un juego de palabras que significa también que don Manrique, Maestre de Santiago, avanza contra Ciudad Real.

	y el mal nombre que le dan.	
	Yo ¿para qué traigo aquí	
	este palo sin provecho?	
REGIDOR	Si sus criados lo han hecho	1345
	¿de qué os afligís ansí?	
ESTEBAN	¿Queréis más, que me contaron	
	que a la de Pedro Redondo	
	un día, que en lo más hondo	
	deste valle la encontraron,	1350
	después de sus insolencias,	
	a sus criados la dio?	
REGIDOR.	Aquí hay gente: ¿quién es?	
FRONDOSO.	Yo,	
	que espero vuestras licencias.	
ESTEBAN.	Para mi casa, Frondoso,	1355
	licencia no es menester;	
	debes a tu padre el ser	
	y a mí otro ser amoroso.	
	Hete criado, y te quiero	
	como a hijo.	
FRONDOSO.	Pues señor,	1360
	fiado en aquese amor,	
	de ti una merced espero.	
	Ya sabes de quién soy hijo.	
ESTEBAN.	¿Hate agraviado ese loco	
	de Fernán Gómez?	
FRONDOSO.	No poco.	1365
ESTEBAN.	El corazón me lo dijo.	
FRONDOSO.	Pues señor, con el seguro	
	del amor que habéis mostrado,	
	de Laurencia enamorado,	
	el ser su esposo procuro.	1370
	Perdona si en el pedir	
	mi lengua se ha adelantado;	
	que he sido en decirlo osado,	
	como otro lo ha de decir.	
ESTEBAN.	Vienes, Frondoso, a ocasión	1375
	que me alargarás la vida,	
	por la cosa más temida	
	que siente mi corazón.	
	Agradezco, hijo, al cielo	
	que así vuelvas por mi honor	1380
	y agradézcole a tu amor	
	la limpieza de tu celo.	
	Mas como es justo, es razón	

	dar cuenta a tu padre desto,	
	sólo digo que estoy presto,	1385
	en sabiendo su intención;	
	que yo dichoso me hallo	
	en que aqueso llegue a ser.	
REGIDOR.	De la moza el parecer	
	tomad antes de acetallo.	1390
ESTEBAN.	No tengáis deso cuidado,	
	que ya el caso está dispuesto:	
	antes de venir a esto,	
	entre ellos se ha concertado.	
	— En el dote, si advertís,	1395
	se puede agora tratar;	
	que por bien os pienso dar	
	algunos maravedís.	
FRONDOSO.	Yo dote no he menester;	
	deso no hay que entristeceros.	1400
REGIDOR.	Pues que no la pide en cueros	
	lo podéis agradecer.	
ESTEBAN.	Tomaré el parecer de ella;	
	si os parece, será bien.	
FRONDOSO.	Justo es; que no hace bien	1405
	quien los gustos atropella.	
ESTEBAN.	¡Hija! ¡Laurencia!...	
LAURENCIA.	Señor...	
ESTEBAN.	Mirad si digo bien yo.	
	¡Ved qué presto respondió!—	
	Hija Laurencia, mi amor,	1410
	a preguntarte he venido	
	(apártate aquí) si es bien	
	que a Gila, tu amiga, den	
	a Frondoso por marido,	
	que es un honrado zagal,	1415
	si le hay en Fuenteovejuna...	
LAURENCIA.	¿Gila se casa?	
ESTEBAN.	Y si alguna	
	le merece y es su igual...	
LAURENCIA.	Yo digo, señor, que sí.	
ESTEBAN.	Sí; mas yo digo que es fea	1420
	y que harto mejor se emplea	
	Frondoso, Laurencia, en ti.	
LAURENCIA.	¿Aún no se te han olvidado	
	los donaires con la edad?	
ESTEBAN.	¿Quiéresle tú?	
LAURENCIA.	Voluntad.	1425

	le he tenido y le he cobrado;	
	pero por lo que tú sabes...	
ESTEBAN.	¿Quieres tú que diga sí?	
LAURENCIA.	Dilo tú, señor, por mí.	
ESTEBAN.	¿Yo? Pues tengo yo las llaves,	1430
	hecho está.— Ven, buscaremos	
	a mi compadre en la plaza.	
REGIDOR.	Vamos.	
ESTEBAN.	Hijo, y en la traza	
	del dote ¿qué le diremos?	
	Que yo bien te puedo dar	1435
	cuatro mil maravedís.	
FRONDOSO.	Señor, ¿eso me decís?	
	Mi honor queréis agraviar.	
ESTEBAN.	Anda, hijo; que eso es	
	cosa que pasa en un día;	1440
	que si no hay dote, a fe mía.	
	que se echa menos después.	

Vanse, y queda FRONDOSO *y* LAURENCIA.

LAURENCIA.	Di, Frondososo: ¿estás contento?	
FRONDOSO.	¡Cómo si lo estoy! ¡Es poco!,	
	pues que no me vuelvo loco	1445
	de gozo, del bien que siento!	
	Risa vierte el corazón	
	por los ojos de alegría	
	viéndote, Laurencia mía,	
	en tal dulce posesión.	1450

Vanse

Campo de Ciudad Real.

Salen el MAESTRE, *el* COMENDADOR, FLORES *y* ORTUÑO.

COMEND.	Huye, señor, que no hay otro remedio.	
MAESTRE.	La flaqueza del muro lo ha causado,	
	y el poderoso ejército enemigo.	
COMEND.	Sangre les cuesta e infinitas vidas.	
MAESTRE.	Y no se alabarán que en sus despojos.	1455
	pondrán nuestro pendón de Calatrava,	
	que a honrar su empresa y los demás bastaba.	
COMEND.	Tus desinios[76], Girón, quedan perdidos.	
MAESTRE.	¿Qué puedo hacer, si la fortuna ciega,	

---

[76] *desinios:* designios.

	a quien hoy levantó, mañana humilla?	1460
VOCES *(dentro)*.	¡Vitoria por los reyes de Castilla!	
MAESTRE.	Ya coronan de luces las almenas,	
	y las ventanas de las torres altas	
	entoldan con pendones vitoriosos.	
COMEND.	Bien pudieran, de sangre que les cuesta	1465
	A fe que es más tragedia que no fiesta.	
MAESTRE.	Yo vuelvo a Calatrava, Fernán Gómez.	
COMEND.	Y yo a Fuenteovejuna, mientras tratas	
	o seguir esta parte de tus deudos,	
	o reducir la tuya al Rey Católico.	1470
MAESTRE.	Yo te diré por cartas lo que intento.	
COMEND.	El tiempo ha de enseñarte.	
MAESTRE.	¡Ah, pocos años,	
	sujetos al rigor de sus engaños!	

Campo de Fuenteovejuna.

Sale la boda, MUSICOS, MENGO, FRONDOSO, LAURENCIA, PASCUALA, BARRILDO,
ESTEBAN *y alcalde* JUAN ROJO.

MUSICOS.	*(cantan). ¡Vivan muchos años*	
	los desposados!	1475
	¡Vivan muchos años!	
MENGO.	A fe que no os ha costado	
	mucho trabajo el cantar.	
BARRILDO.	Supiéraslo tú trovar	
	mejor que él está trovado.	1480
FRONDOSO.	Mejor entiende de azotes	
	Mengo que de versos ya.	
MENGO.	Alguno en el valle está,	
	para que no te alborotes,	
	a quien el Comendador...	1485
BARRILDO.	No lo digas, por tu vida;	
	que este bárbaro homicida	
	a todos quita el honor.	
MENGO.	Que me azotasen a mí	
	cien soldados aquel día...	1490
	sola una honda tenía;	
	. . . . [77]	
	pero que le hayan echado	
	una melecina[78] a un hombre,	

---

[77] Falta un verso.
[78] *melecina:* lavatina, purgante, enema.

	que aunque no diré su nombre	1495
	todos saben que es honrado,
	llena de tinta y de chinas
	¿cómo se puede sufrir?
BARRILDO.	Haríalo por reír.
MENGO.	No hay risa con melecinas;	1500
	que aunque es cosa saludable...
	yo me quiero morir luego.
FRONDOSO.	Vaya la copla, te ruego,
	si es la copla razonable.
MENGO.	Vivan muchos años juntos	1505
	los novios, ruego a los cielos,
	y por envidia ni celos
	ni riñan ni anden en puntos.
	Lleven a entrambos difuntos,
	de puro vivir cansados.	1510
	¡Vivan muchos años!
FRONDOSO.	¡Maldiga el cielo al poeta,
	que tal coplón[79] arrojó!
BARRILDO.	Fue muy presto...
MENGO.	Pienso yo
	una cosa de esta seta.	1515
	¿No habéis visto un buñolero
	en el aceite abrasando
	pedazos de masa echando
	hasta llenarse el caldero?
	¿Que unos le salen hinchados,	1520
	otros tuertos y mal hechos,
	ya zurdos y ya derechos,
	ya fritos y ya quemados?
	Pues así imagino yo
	un poeta componiendo,	1525
	la materia previniendo,
	que es quien la masa le dió.
	Va arrojando verso aprisa
	al caldero del papel,
	confiado en que la miel	1530
	cubrirá la burla y risa.
	Mas poniéndolo en el pecho,
	apenas hay quien los tome;
	tanto que sólo los come
	el mismo que los ha hecho.	1535
BARRILDO.	Déjate ya de locuras;

---

[79] *coplón:* aumentativo de copla.

	deja los novios hablar.	
LAURENCIA.	Las manos nos da a besar.	
JUAN ROJO.	Hija, ¿mi mano procuras?	
	Pídela a tu padre luego	1540
	para ti y para Frondoso.	
ESTEBAN.	Rojo, a ella y a su esposo	
	que se la dé el cielo ruego,	
	con su larga bendición.	
FRONDOSO.	Los dos a los dos la echad.	1545
JUAN ROJO.	Ea, tañed y cantad,	
	pues que para en uno son.	
MÚSICOS	*Al val de Fuenteovejuna*	
(cantan).	*la niña en cabellos baja;*	

el caballero la sigue 1550
de la cruz de Calatrava.
Entre las ramas se esconde,
de vergonzosa y turbada;
fingiendo que no le ha visto,
pone delante las ramas. 1555
"¿Para qué te escondes,
niña gallarda?
Que mis linces deseos
paredes pasan".
Acercóse el caballero, 1560
y ella, confusa y turbada,
hacer quiso celosías
de las intrincadas ramas;
mas como quien tiene amor
los mares y las montañas 1565
atraviesa fácilmente,
le dice tales palabras:
"¿Para qué te ascondes,
niña gallarda?
Que mis linces deseos 1570
paredes pasan".

Sale el COMENDADOR, FLORES, ORTUÑO *y* CIMBRANOS.

COMEND.	Estése la boda queda	
	y no se alborote nadie.	
JUAN ROJO.	No es juego aqueste, señor,	
	y basta que tú lo mandes.	1575
	¿Quieres lugar? ¿Cómo vienes	
	con tu belicoso alarde?	
	¿Venciste? Mas ¿qué pregunto?	

FRONDOSO.	¡Muerto soy! ¡Cielos, libradme!
LAURENCIA.	Huye por aquí, Frondoso. 1580
COMEND.	Eso no; prendelde, ataldе.
JUAN ROJO.	Date, muchacho, a prisión.
FRONDOSO.	Pues ¿quieres tú que me maten?
JUAN ROJO.	¿Por qué?
COMEND.	No soy hombre yo
	que mato sin culpa a nadie; 1585
	que si lo fuera, le hubieran
	pasado de parte a parte
	esos soldados que traigo.
	Llevarle mando a la cárcel,
	donde la culpa que tiene 1590
	sentencie su mismo padre.
PASCUALA.	Señor, mirad que se casa.
COMEND.	¿Qué me obliga el que se case?
	¿No hay otra gente en el pueblo?
PASCUALA.	Si os ofendió perdonadle, 1595
	por ser vos quien sois.
COMEND.	No es cosa,
	Pascuala, en que soy yo parte.
	Es esto contra el maestre
	Téllez Girón, que Dios guarde;
	es contra toda su orden, 1600
	es su honor, y es importante
	para el ejemplo, el castigo;
	que habrá otro día quien trate
	de alzar pendón contra él,
	pues ya sabéis que una tarde 1605
	al Comendador Mayor
	(¡qué vasallos tan leales!)
	puso una ballesta al pecho.
ESTEBAN.	Supuesto que el disculparle
	ya puede tocar a un suegro, 1610
	no es mucho que en causas tales
	se descomponga con vos
	un hombre, en efeto, amante;
	porque si vos pretendéis
	su propia mujer quitarle, 1615
	¿qué mucho que la defienda?
COMEND.	Majadero sois, alcalde.
ESTEBAN.	Por vuestra virtud, señor.
COMEND.	Nunca yo quise quitarle
	su mujer, pues no lo era. 1620
ESTEBAN.	Sí quisistes...— Y esto baste;

que reyes hay en Castilla,
que nuevas órdenes[80] hacen,
con que desórdenes quitan.
Y harán mal, cuando descansen   1625
de las guerras, en sufrir
en sus villas y lugares
a hombres tan poderosos
por traer cruces tan grandes;
póngasela el rey al pecho,   1630
que para pechos reales
es esa insignia y no más.

COMEND.   ¡Hola! la vara[81] quitalde.
ESTEBAN.   Tomad, señor, norabuena.
COMEND.   Pues con ella quiero dalle   1635
como a caballo brioso.
ESTEBAN.   Por señor os sufro. Dadme.
PASCUALA.   ¡A un viejo de palos das!
LAURENCIA.   Si le das porque es mi padre
¿qué vengas en él de mí?   1640
COMEND.   Llevalda, y haced que guarden
su persona diez soldados.

Vase él y los suyos.

ESTEBAN.   Justicia del cielo baje.

Vase.

PASCUALA.   Volvióse en luto la boda.

Vase.

BARRILDO.   ¿No hay aquí un hombre que hable?   1645
MENGO.   Yo tengo ya mis azotes,
que aún se ven los cardenales[82]
sin que un hombre vaya a Roma.
Prueben otros a enojarle.
JUAN ROJO.   Hablemos todos.

---

[80] *órdenes......desórdenes:* otra antítesis muy frecuente en el Barroco. Precisamente reestablecer el orden del mundo a través de la razón y la justicia, desvaneciendo así el desorden, es una de las bases del pensamiento barroco.

[81] *vara:* símbolo de autoridad.

[82] *cardenales:* conceptismo que juega con cardenal como señal de herida, o moratón, y cardenal como prelado de la Iglesia.

MENGO.   Señores,
        aquí todo el mundo calle.
        Como ruedas de salmón
        me puso los atabales[83].

---

[83] *atabales:* tambores, para significar nalgas.

ACTO TERCERO

Sala del concejo en Fuenteovejuna.

Salen ESTEBAN, ALONSO *y* BARRILDO.

ESTEBAN.	¿No han venido a la junta?
BARRILDO.	No han venido.
ESTEBAN.	Pues más a priesa nuestro daño corre. 1655
BARRILDO.	Ya está lo más del pueblo prevenido.
ESTEBAN.	Frondoso con prisiones en la torre,

y mi hija Laurencia en tanto aprieto,
si la piedad de Dios no los socorre...

Salen JUAN ROJO *y el* REGIDOR

JUAN.
    ¿De qué dais voces, cuando importa tanto   1660
a nuestro bien, Esteban, el secreto?

ESTEBAN.
Que doy tan pocas es mayor espanto.

Sale MENGO

MENGO.
    También vengo yo a hallarme en esta junta.

ESTEBAN.
Un hombre cuyas canas baña el llanto[84],
labradores honrados, os pregunta   1665
    qué obsequias debe hacer toda esa gente
a su patria sin honra, ya perdida.
Y si se llaman honras justamente,
    ¿cómo se harán, si no hay entre nosotros
hombre a quien este bárbaro no afrente?   1670
Respondedme: ¿hay alguno de vosotros
    que no esté lastimado en honra y vida?
¿No os lamentáis los unos de los otros?
Pues si ya la tenéis todos perdida,
    ¿a qué aguardáis? ¿Qué desventura es ésta?   1675

JUAN.
La mayor que en el mundo fué sufrida.
Mas pues ya se publica y manifiesta
    que en paz tienen los reyes a Castilla

---

[84] *cuyas canas baña el llanto:* circunloquio que significa que tiene el bigote blanco de canas.

	y su venida a Córdoba se apresta,	
	vayan dos regidores a la villa	1680
	y echándose a sus pies pidan remedio.	
BARRILDO.	En tanto que Fernando, aquel que humilla	
	a tantos enemigos, otro medio	
	será mejor, pues no podrá, ocupado,	
	hacernos bien, con tanta guerra en medio.	1685
REGIDOR.	Si mi voto de vos fuera escuchado,	
	desamparar la villa doy por voto.	
JUAN.	¿Cómo es posible en tiempo limitado?	
MENGO.	¡A la fe, que si entiende el alboroto,	
	que ha de costar la junta alguna vida!	1690
REGIDOR.	Ya , todo el árbol de paciencia roto,	
	corre la nave de temor perdida.	
	La hija quitan con tan gran fiereza	
	a un hombre honrado, de quien es regida	
	la patria en que vivís, y en la cabeza	1695
	la vara quiebran tan injustamente.	
	¿Qué esclavo se trató con más bajeza?	
JUAN.	¿Qué es lo que quieres tú que el pueblo	
	intente?	
REGIDOR.	Morir, o dar la muerte a los tiranos,	
	pues somos muchos, y ellos poca gente.	1700
BARRILDO.	¡Contra el señor las armas en las manos!	
ESTEBAN.	El rey solo es señor después del cielo,	
	y no bárbaros hombres inhumanos,	
	Si Dios ayuda nuestro justo celo	
	¿qué nos ha de costar?	
MENGO.	Mirad, señores,	1705
	que vais en estas cosas con recelo.	
	Puesto que por los simples labradores	
	estoy aquí que más injurias pasan,	
	más cuerdo represento sus temores.	
JUAN.	Si nuestras desventuras se compasan,	1710
	para perder las vidas ¿qué aguardamos?	
	Las casas y las viñas nos abrasan:	
	tiranos son; a la venganza vamos.	

Sale LAURENCIA, *desmelenada*

LAURENCIA.	Dejadme entrar, que bien puedo,	
	en consejo de los hombres;	1715
	que bien puede una mujer,	
	si no dar voto, a dar voces.	
	¿Conocéisme?	

ESTEBAN.	¡Santo cielo!

¿No es mi hija?

JUAN.	¿No conoces

a Laurencia?

LAURENCIA.	Vengo tal,	1720

que mi diferencia os pone
en contingencia quién soy.

ESTEBAN.	¡Hija mía!
LAURENCIA.	No me nombres

tu hija.

ESTEBAN.	¿Por qué, mis ojos?[85]

¿Por qué?

LAURENCIA.	Por muchas razones,	1725

y sean las principales:
porque dejas que me roben
tiranos sin que me vengues,
traidores sin que me cobres.
Aún no era yo de Frondoso,   1730
para que digas que tome,
como marido, venganza;
que aquí por tu cuenta corre;
que en tanto que de las bodas
no haya llegado la noche,   1735
del padre, y no del marido,[86]
la obligación presupone;
que en tanto que no me entregan
una joya, aunque la compren,
no han de correr por mi cuenta   1740
las guardas ni los ladrones.
Llévome de vuestros ojos
a su casa Fernán Gómez:
la oveja al lobo dejáis
como cobardes pastores.   1745
¿Qué dagas no vi en mi pecho?
¡Qué desatinos enormes,
qué palabras, qué amenazas,
y qué delitos atroces,
por rendir mi castidad   1750
a sus apetitos torpes!
Mis cabellos ¿no lo dicen?
¿No se ven aquí los golpes

---

[85] *mis ojos:* apóstrofe cariñosa.

[86] *del padre......marido:* alusión al código de honor de la época, por el cual el padre era el responsable del honor de la hija soltera.

de la sangre y las señales?
¿Vosotros sois hombres nobles? 1755
¿Vosotros padres y deudos?
¿Vosostros, que no se os rompen
las entrañas de dolor,
de verme en tantos dolores?
Ovejas sois, bien lo dice 1760
de Fuenteovejuna el nombre[87].
¡Dadme unas armas a mí,
pues sois piedras, pues sois bronces,
pues sois jaspes, pues sois tigres[88]...!
Tigres no, porque feroces 1765
siguen quien roba sus hijos,
matando los cazadores
antes que entren por el mar
y por sus ondas se arrojen.
Liebres cobardes nacistes; 1770
bárbaros sois, no españoles.
Gallinas, ¡vuestras mujeres
sufrís que otros hombres gocen!
Poneos ruecas en la cinta.
¿Para qué os ceñis estoques? 1775
¡Vive Dios, que he de trazar
que solas mujeres cobren
la honra de estos tiranos,
la sangre de estos traidores,
y que os han de tirar piedras, 1780
hilanderas, maricones,
amujerados, cobardes,
y que mañana os adornen
nuestras tocas y basquiñas,
solimanes y colores! 1785
A Frondoso quiere ya,
sin sentencia, sin pregones,
colgar el Comendador
del almena de una torre;
de todos hará lo mismo; 1790
y yo me huelgo, medio-hombres,
por que quede sin mujeres
esta villa honrada, y torne
aquel siglo de amazonas[89],

---

[87] *Ovejas sois......el nombre:* Laurencia aprovecha el conceptismo implícito ya en el nombre del pueblo, conforme adelantamos en la primera nota.

[88] Excelentes ejemplos de versos bimembres, recurso poético muy usado durante el Barroco.

[89] *amazonas:* mujeres guerreras que figuran en algunas leyendas de la antigüedad.

	eterno espanto del orbe.	1795
ESTEBAN.	Yo, hija, no soy de aquellos	
	que permiten que los nombres	
	con esos títulos viles.	
	Iré solo, si se pone	
	todo el mundo contra mí.	1800
JUAN.	Y yo, por más que me asombre	
	la grandeza del contrario.	
REGIDOR.	Muramos todos.	
BARRILDO.	Descoge	
	un lienzo al viento en un palo,	
	y mueran estos inormes.	1805
JUAN.	¿Qué orden pensáis tener?	
MENGO.	Ir a matarle sin orden.	
	Juntad el pueblo a una voz;	
	que todos están conformes	
	en que los tiranos mueran.	1810
ESTEBAN.	Tomad espadas, lanzones,	
	ballestas, chuzos y palos.	
MENGO.	¡Los reyes nuestros señores	
	vivan!	
TODOS.	¡Vivan muchos años!	
MENGO.	¡Mueran tiranos traidores[90]	1815
TODOS.	¡Traidores tiranos mueran!	

Vanse todos.

LAURENCIA.	Caminad, que el cielo os oye.	
	—¡Ah mujeres de la villa!	
	¡Acudid, por que se cobre	
	vuestro honor, acudid todas!	1820

Salen PASCUALA, JACINTA *y otras mujeres*

PASCUALA.	¿Qué es esto? ¿De qué das voces?	
LAURENCIA.	¿No veis cómo todos van	
	a matar a Fernán Gómez,	
	y hombres, mozos y muchachos	
	furiosos al hecho corren?	1825
	¿Será bien que solos ellos	
	de esta hazaña el honor gocen,	

---

[90] *traidores:* el término introduce del todo el aspecto político: al Comendador y los suyos se les acusa de traicionar a los Reyes Católicos, aspecto que hasta ahora estaba ausente del drama, pues los aldeanos no habían tomado partido antes, aunque también cabe un uso limitado a la traición de la ética social.

	pues no son de las mujeres	
	sus agravios los menores?	
JACINTA.	Di, pues: ¿qué es lo que pretendes?	1830
LAURENCIA.	Que puestas todas en orden,	
	acometamos a un hecho	
	que dé espanto a todo el orbe.	
	Jacinta, tu grande agravio,	
	que sea cabo[91], responde	
	de una escuadra de mujeres.	1835
JACINTA.	No son los tuyos menores.	
LAURENCIA.	Pascuala, alférez serás.	
PASCUALA.	Pues déjame que enarbole	
	en un asta la bandera:	1840
	verás si merezco el nombre.	
LAURENCIA.	No hay espacio para eso,	
	pues la dicha nos socorre:	
	bien nos basta que llevemos	
	nuestras tocas por pendones.	1845
PASCUALA.	Nombremos un capitán.	
LAURENCIA.	Eso no.	
PASCUALA.	¿Por qué?	
LAURENCIA.	Que adonde	
	asiste mi gran valor	
	no hay Cides ni Rodamontes[92].	

Vanse.

Sala en casa del Comendador.

Sale FRONDOSO, *atadas las manos;* FLORES, ORTUÑO,
CIMBRANOS y el COMENDADOR.

COMEND.	De ese cordel que de las manos sobra	1850
	quiero que le colguéis, por mayor pena.	
FRONDOSO.	¡Qué nombre, gran señor, tu sangre cobra!	
COMEND.	Colgalde luego en la primera almena.	
FRONDOSO.	Nunca fue mi intención poner por obra	
	tu muerte entonces.	
FLORES.	Gran ruido suena.	1855

---

[91] *cabo:* oficial: Jacinta se convierte así en oficial de un ejército popular de mujeres.

[92] *Cides ni Rodamontes:* alusión a Rodrigo Díaz de Bivar, el Cid Campeador, y a Rodamonte, jefe musulmán arrogante que aparece en el *Orlando Furioso* de Ludovico Ariosto (1474-1533), escritor italiano.

Ruido suene.

COMEND.	¿Ruido?
FLORES.	Y de manera que interrompen tu justicia, señor.
ORTUÑO.	Las puertas rompen.

Ruido

COMEND.   ¡La puerta de mi casa, y siendo casa
de la encomienda!

FLORES.   El pueblo junto viene.

JUAN *(dentro.)*   ¡Rompe, derriba, hunde, quema, abrasa!   1860

ORTUÑO.   Un popular motín mal se detiene.

COMEND.   ¡El pueblo contra mí!

FLORES.   La furia pasa
tan adelante, que las puertas tiene
echadas por la tierra.

COMEND.   Desatalde.
Templa, Frondoso, ese villano alcalde.   1865

FRONDOSO.   Yo voy, señor; que amor les ha movido.

Vase.

MENGO *(dentro.)*   ¡Vivan Fernando e Isabel[93], y mueran
los traidores!

FLORES.   Señor, por Dios te pido
que no te hallen aquí.

COMEND.   Si perseveran,
este aposento es fuerte y-defendido.   1870
Ellos se volverán.

FLORES.   Cuando se alteran
los pueblos agraviados, y resuelven,
nunca sin sangre o sin venganza vuelven.

COMEND.   En esta puerta, así como rastrillo,[94]
su furor con las armas defendamos.   1875

FLORES *(dentro.)*   ¡Viva Fuenteoejuna!

COMEND.   ¡Qué caudillo!
Estoy por que a su furia acometamos.

FLORES.   De la tuya, señor, me maravillo.

ESTEBAN.   Ya el tirano y los cómplices miramos.
¡Fuenteovejuna, y los tiranos mueran!   1880

---

[93] *Vivan Fernando e Isabel:* muy hábilmente toman partido ahora los campesinos a favor de los Reyes Católicos.

[94] *rastrillo:* puerta con rejas, o de hierro, sujeta a cuerdas para poder alzarse y bajarse.

COMEND.	Pueblo, esperad.
TODOS.	Agravios nunca esperan.
COMEND.	Decídmelos a mí, que iré pagando
	a fe de caballero esos errores.
TODOS.	¡Fuenteovejuna! ¡Viva el rey Fernando!
	¡Mueran malos cristianos y traidores! 1885
COMEND.	¿No me queréis oir? Yo estoy hablando,
	yo soy vuestro señor.
TODOS.	Nuestros señores
	son los Reyes Católicos.
COMEND.	Espera.
TODOS.	¡Fuenteovejuna, y Fernań Gómez muera!

Vanse, y salen las mujeres armadas

LAURENCIA.	Parad en este puesto de esperanzas, 1890
	soldados atrevidos, no mujeres.
PASCUALA.	¡Los que mujeres son en las venganzas!
	¡En él beban su sangre! ¡Es bien que esperes!
JACINTA.	Su cuerpo recojamos en las lanzas.
PASCUALA.	Todas son de esos mismos pareceres. 1895
ESTE *(dentro.)*	¡Muere, traidor Comendador!
COMEND *(dentro.)*	Ya muero.
	¡Piedad, Señor, que en tu clemencia espero!
BAR *(dentro.)*	Aquí está Flores.
MENGO *(dentro.)*	Dale a ese bellaco;
	que ése fué el que me dió dos mil azotes.
FLORES *(dentro.)*	No me vengo si el alma no le saco. 1900
LAURENCIA.	No excusamos entrar.
PASCUALA.	No te alborotes.
	Bien es guardar la puerta.
BARRILDO *(dentro.)*	No me aplaco.
	¡Con lágrimas agora, marquesotes!
LAURENCIA.	Pascuala, yo entro dentro; que la espada
	no ha de estar tan sujeta ni envainada. 1905

Vase.

BARRILDO *(dentro.)*	Aquí está Ortuño.
FRONDOSO *(dentro.)*	Córtale la cara.

Sale FLORES *huyendo, y* MENGO *tras él.*

FLORES.	¡Mengo, piedad, que no soy yo el culpado!

MENGO.	Cuando ser alcahuete no bastara,
	bastaba haberme el pícaro azotado.
PASCUALA.	Dánoslo a las mujeres, Mengo, para... 1910
	Acaba, por tu vida.
MENGO.	Ya está dado;
	que no le quiero yo mayor castigo.
PASCUALA.	Vengaré tus azotes.
MENGO.	Eso digo.
JACINTA.	¡Ea, muera el traidor!
FLORES.	¡Entre mujeres!
JACINTA.	¿No le viene muy ancho?[95]
PASCUALA.	¿Aqueso lloras? 1915
JACINTA.	Muere, concertador de sus placeres.
LAURENCIA.	¡Ea, muera el traidor!
FLORES.	¡Piedad, señoras!

Sale ORTUÑO *huyendo de* LAURENCIA.

ORTUÑO.	Mira que no soy yo...
LAURENCIA.	Ya sé quien eres.—
	Entrad, teñid las armas vencedoras
	en estos viles.
PASCUALA..	Moriré matando. 1920
TODAS.	¡Fuenteovejuna, y viva el rey Fernando!

Vanse

Habitación de los Reyes Católicos en Toro.

Salen el REY DON FERNANDO *y la* REINA DOÑA ISABEL, DON
MANRIQUE, *maestre.*

MANRIQUE.	De modo la prevención
	fué, que el efeto esperado
	llegamos a ver logrado
	con poca contradición. 1925
	Hubo poca resistencia;
	y supuesto que la hubiera
	sn duda ninguna fuera
	de poca o ninguna esencia.
	Queda el de Cabra ocupado 1930
	en conservación del puesto,
	por si volviere dispuesto
	a él el contrario osado.

---

[95] *¿No le viene muy ancho?*: ¿Será bastante para satisfacerle? Sentido irónico aquí.

REY.	Discreto el acuerdo fué,	
	y que asista es conveniente,	1935
	y reformando la gente,	
	el paso tomado esté.	
	Que con eso se asegura	
	no podernos hacer mal	
	Alfonso, que en Portugal	1940
	tomar la fuerza procura.	
	Y el de Cabra es bien que esté	
	en ese sitio asistente,	
	y como tan diligente,	
	muestras de su valor dé;	1945
	porque con esto asegura	
	el daño que nos recela,	
	y como fiel centinela	
	el bien del reino procura.	

Sale FLORES, *herido.*

FLORES.	Católico rey Fernando,	1950
	a quien el cielo concede	
	la corona de Castilla,	
	como a varón excelente:	
	oye la mayor crueldad	
	que se ha visto entre las gentes	1955
	desde donde nace el sol	
	hasta donde se escurece.[96]	
REY.	Repórtate.	
FLORES.	Rey supremo,	
	mis heridas no consienten	
	dilatar el triste caso,	1960
	por ser mi vida tan breve.	
	De Fuenteovejuna vengo,	
	donde, con pecho inclemente,	
	los vecinos de la villa	
	a su señor dieron muerte.	1965
	Muerto Fernán Gómez queda	
	por sus súbditos aleves;	
	que vasallos indignados	
	con leve causa se atreven.	
	El título de tirano	1970
	le acumula todo el plebe,	
	y a la fuerza de esta voz	

---

[96] *escurece:* oscurece.

el hecho fiero acometen;
y quebrantando su casa,
no atendiendo a que se ofrece   197.
por la fe de caballero
a que pagará a quien debe,
no sólo no le escucharon,
pero con furia impaciente
rompen el cruzado pecho[97]   1980
con mil heridas crueles,
y por las altas ventanas
le hacen que al suelo vuele,
adonde en picas y espadas
le recogen las mujeres.   1985
Llévanle a una casa muerto
y a porfía, quien más puede
mesa su barba[98] y su cabello
y apriesa su rostro hieren.
En efeto fue la furia   1990
tan grande que en ellos crece,
que las mayores tajadas
las orejas a ser vienen.
Sus armas borran con picas
y a voces dicen que quieren   1995
tus reales armas fijar,
porque aquéllas les ofenden.
Sàqueáronle la casa,
cual si de enemigos fuese,
y gozosos entre todos   2000
han repartido sus bienes.
Lo dicho he visto escondido,
porque mi infelice suerte
en tal trance no permite
que mi vida se perdiese;   2005
y así estuve todo el día
hasta que la noche viene,
y salir pude escondido
para que cuenta te diese.
Haz, señor, pues eres justo   2010
que la justa pena lleven
de tan riguroso caso
los bárbaros delincuentes:

---

[97] *cruzado pecho:* alusión a la Cruz de Calatrava en el pecho del Comendador. Vuelva a verse
la n. 6.
[98] *mesa su barba......:* forma de insultar.

	mira que su sangre a voces	
	pide que tu rigor prueben.	2015
REY.	Estar puedes confiado	
	que sin castigo no queden.	
	El triste suceso ha sido	
	tal, que admirado me tiene,	
	y que vaya luego un juez	2020
	que lo averigüe conviene	
	y castigue los culpados	
	para ejemplo de las gentes.	
	Vaya un capitán con él,	
	por que seguridad lleve;	2025
	que tan grande atrevimiento	
	castigo ejemplar requiere;	
	y curad a ese soldado	
	de las heridas que tiene.	

Vanse

*Salen los labradores y las labradoras, con la
cabeza de* FERNÁN GÓMEZ *en una lanza.*

MÚSICOS *(cantan).*	*¡Muchos años vivan*	2030
	Isabel y Fernando,	
	y mueran los tiranos!	
BARRILDO.	Diga su copla Frondoso.	
FRONDOSO.	Ya va mi copla, a la fe;	
	si le faltare algún pie,	2035
	enmiéndelo el más curioso.	
	¡Vivan la bella Isabel,	
	y Fernando de Aragón	
	pues que para en uno son,	
	él con ella, ella con él!	
	A los cielos San Miguel	2040
	lleve a los dos de las manos.	
	¡Vivan muchos años,	
	y mueran los tiranos!	
LAURENCIA.	Diga Barrildo.	
BARRILDO.	Ya va;	
	que a fe que la he pensado.	2045
PASCUALA.	Si la dices con cuidado,	
	buena y rebuena será.	
BARRILDO.	*¡Vivan los reyes famosos*	
	muchos años, pues que tienen	
	la vitoria, y a ser vienen	2050

                    nuestros dueños venturosos!
                    Salgan siempre vitoriósos
                    de gigantes y de enanos
                    y ¡mueran los tiranos!

MÚSICOS. *(cantan).*   ¡Muchos años vivan   2055
                    Isabel y Fernando,
                    y mueran los tiranos!

LAURENCIA.   Diga Mengo.

FRONDOSO.   Mengo diga.

MENGO.   Yo soy poeta donado.[99].

PASCUALA.   Mejor dirás lastimado   2060
                    el envés de la barriga.

MENGO.   *Una mañana en domingo*
                    me mandó azotar aquél
                    de manera que el rabel[100]
                    daba espantoso respingo;   2065
                    pero agora que los pringo
                    ¡vivan los reyes crisitiánigos,
                    y mueran los tiránigos!

MÚSICOS.   *¡Vivan muchos años!*

ESTEBAN.   Quita la cabeza allá.   2070

MENGO.   Cara tiene de ahorcado.

                Saca un escudo JUAN ROJO *con las armas reales.*

REGIDOR.   Ya las armas han llegado.

ESTEBAN.   Mostrá[101] las armas acá.

JUAN.   ¿Adónde se han de poner?

REGIDOR.   Aquí, en el Ayuntamiento.   2075

ESTEBAN.   ¡Bravo escudo!

BARRILDO.   ¡Qué contento!

FRONDOSO.   Ya comienza a amanecer,
                    con este sol, nuestro día.

ESTEBAN.   ¡Vivan Castilla y León
                    y las barras de Aragón,   2080
                    y muera la tiranía!
                        Advertid, Fuenteovejuna,
                    a las palabras de un viejo;
                    que el admitir su consejo
                    no ha dañado vez ninguna.   2085

---

[99] *donado:* que tiene un don natural.
[100] *rabel:* nalgas, posaderas.
[101] *Mostrá:* Mostrad. La forma arcaica permanece aún en algunos países de América.

	Los reyes han de querer	
	averiguar este caso,	
	y más tan cerca del paso	
	y jornada que han de hacer.	
	Concertaos todos a una	2090
	en lo que habéis de decir.	
FRONDOSO.	¿Qué es tu consejo?	
ESTEBAN.	Morir	
	diciendo ¡Fuenteovejuna!,	
	y a nadie saquen de aquí.	
FRONDOSO.	Es el camino derecho.	2095
	Fuenteovejuna lo ha hecho.	
ESTEBAN.	¿Queréis responder así?	
TODOS.	Sí.	
ESTEBAN.	Ahora, pues, yo quiero ser	
	ahora el pesquisidor,	
	para ensayarnos mejor	2100
	en lo que habemos de hacer.	
	Sea Mengo el que esté puesto	
	en el tormento.	
MENGO.	¿No hallaste	
	otro más flaco?	
ESTEBAN.	¿Pensaste	
	que era de veras ?	
MENGO.	Di presto.	2105
ESTEBAN.	¿Quién mató al Comendador?	
MENGO.	Fuenteovejuna lo hizo.	
ESTEBAN.	Perro, ¿si te martirizo?	
MENGO.	Aunque me matéis, señor.	
ESTEBAN.	Confiesa, ladrón.	
MENGO.	Confieso.	2110
ESTEBAN.	Pues ¿quién fue?	
MENGO.	Fuenteovejuna	
ESTEBAN.	Dalde otra vuelta.	
MENGO.	Es ninguna.	
ESTEBAN.	Cagajón[102] para el proceso.	

Sale el REGIDOR.

REGIDOR.	¿Qué hacéis de esta suerte aquí?	
FRONDOSO.	¿Qué ha sucedido, Cuadrado?	2115
REGIDOR.	Pesquisidor ha llegado.	
ESTEBAN.	Echá todos por ahí.	

---

[102] *Cagajón:* pedazo del excremento del caballo o mulo.

REGIDOR.	Con él viene un capitán.
ESTEBAN.	Venga el diablo: ya sabéis
	lo que responder tenéis.

2120

REGIDOR.	El pueblo prendiendo van,
	sin dejar alma ninguna.
ESTEBAN.	Que no hay que tener temor.
	¿Quién mató al Comendador,
	Mengo?
MENGO.	¿Quién? Fuenteovejuna.

2125

Vanse.

Habitación del Maestre de Calatrava en Almagro.

Salen el MAESTRE *y un* SOLDADO.

MAESTRE.	¡Que tal caso ha sucedido!
	Infelice fue su suerte.
	Estoy por darte la muerte
	por la nueva que has traído.
SOLDADO.	Yo, señor, soy mensajero,

2130

	y enojarte no es mi intento.
MAESTRE.	¡Que a tal tuvo atrevimiento
	un pueblo enojado y fiero!
	Iré con quinientos hombres
	y la villa he de asolar;

2135

	en ella no ha de quedar
	ni aun memoria de los nombres.
SOLDADO.	Señor, tu enojo reporta;
	porque ellos al rey se han dado,
	y no tener enojado

2140

	al rey es lo que te importa.
MAESTRE.	¿Cómo al rey se pueden dar,
	si de la Encomienda son?
SOLDADO.	Con él sobre esa razón
	podrás luego pleitear.

2145

MAESTRE.	Por pleito ¿cuándo salió
	lo que él le entregó en sus manos?
	Son señores soberanos,
	y tal reconozco yo.
	Por saber que al rey se han dado

2150

	se reportará mi enojo
	y ver su presencia escojo
	por lo más bien acertado;
	que puesto que tenga culpa

en casos de gravedad,
en todo mi poca edad
viene a ser quien me disculpa.
   Con vergüenza voy; mas es
honor quien puede obligarme,
e importa no descuidarme
en tan honrado interés.

Vanse.

Plaza de Fuenteovejuna.

Sale LAURENCIA *sola.*

Amando, recelar daño en lo amado
nueva pena de amor se considera;
que quien en lo que ama daño espera
aumenta en el temor nuevo cuidado.
El firme pensamiento desvelado,
si le aflige el temor, fácil se altera;
que no es a firme fe pena ligera
ver llevar el temor el bien robado.
Mi esposo adoro; la ocasión que veo
al temor de su daño me condena,
si no le ayuda la felice suerte.
Al bien suyo se inclina mi deseo:
si está presente, está cierta mi pena;
si está en ausencia, está cierta mi muerte.[103]

Sale FRONDOSO.

FRONDOSO.   ¡Mi Laurencia!
LAURENCIA.   ¡Esposo amado!
   ¿Cómo a estar aquí te atreves?
FRONDOSO.   ¿Esas resistencias debes
   a mi amoroso cuidado?
LAURENCIA.   Mi bien, procura guardarte,
   porque tu daño recelo.
FRONDOSO.   No quiera, Laurencia, el cielo
   que tal llegue a disgustarte.
LAURENCIA.   ¿No temes ver el rigor
   que por los demás sucede,

Line numbers: 2160, 2165, 2170, 2175, 2180, 2185

---

[103] Soneto amoroso, y excelente ejemplo de cómo Lope era capaz de acoplar versos a las diferentes circunstacias de la obra.

y el furor con que procede
aqueste pesquisidor?
    Procura guardar la vida.
Huye, tu daño no esperes.

FRONDOSO. ¿Cómo que procure quieres   2190
cosa tan mal recebida?
    ¿Es bien que los demás deje
en el peligro presente
y de tu vista me ausente?
No me mandes que me aleje;   2195
    porque no es puesto en razón
que por evitar mi daño,
sea con mi sangre extraño
en tan terrible ocasión.

Voces dentro.

Voces parece que he oído,   2200
y son, si yo mal no siento,
de alguno que dan tormento.
Oye con atento oído.

Dice dentro el JUEZ *y responden.*

JUEZ. Decid la verdad, buen viejo.
FRONDOSO. Un viejo, Laurencia mía,   2205
atormentan.
LAURENCIA.   ¡Qué porfía!
ESTEBAN. Déjenme un poco.
JUEZ.   Ya os dejo.
    Decid: ¿quién mató a Fernando?
ESTEBAN. Fuenteovejuna lo hizo.
LAURENCIA. Tu nombre, padre, eternizo.   2210
. . . . [104]
FRONDOSO. ¡Bravo caso!
JUEZ.   Ese muchacho
aprieta. Perro, yo sé
que lo sabes. Di quién fue.
¿Callas? Aprieta, borracho.   2215
NIÑO. Fuenteovejuna, señor.
JUEZ. ¡Por vida del rey, villanos,
que os ahorque con mis manos!
¿Quién mato al Comendador?

---
[104] Falta verso.

FRONDOSO.	¡Que a un niño le den tormento	2220
	y niegue de aquesta suerte!	
LAURENCIA.	¡Bravo pueblo!	
FRONDOSO.	Bravo y fuerte.	
JUEZ.	Esa mujer al momento	
	en ese potro[105] tened.	
	Dale esa mancuerda[106] luego.	2225
LAURENCIA.	Ya está de cólera ciego.	
JUEZ.	Que os he de matar, creed,	
	en este potro, villanos.	
	¿Quién mató al Comendador?	
PASCUALA.	Fuenteovejuna, señor.	2230
JUEZ.	¡Dale!	
FRONDOSO.	Pensamientos vanos.	
LAURENCIA.	Pascuala niega, Frondoso.	
FRONDOSO.	Niegan niños: ¿qué te espantas?	
JUEZ.	Parece que los encantas.	
	¡Aprieta!	
PASCUALA.	¡Ay cielo piadoso!	2235
JUEZ.	¡Aprieta, infame! ¿Estás sordo?	
PASCUALA.	Fuenteovejuna lo hizo.	
JUEZ.	Traedme aquel más rollizo,	
	ese desnudo, ese gordo.	
LAURENCIA.	¡Pobre Mengo! Él es sin duda.	2240
MENGO.	Temo que ha de confesar[107].	
FRONDOSO.	¡Ay, ay!	
JUEZ.	Comienza a apretar.	
MENGO.	¡Ay!	
JUEZ.	¿Es menester ayuda?	
MENGO.	¡Ay, ay!	
JUEZ.	¡Quién mató, villano,	
	al señor Comendador?	2245
MENGO.	¡Ay, yo lo diré, señor!	
JUEZ.	Afloja un poco la mano.	
FRONDOSO.	Él confiesa.	
JUEZ.	Al palo aplica	
	la espalda.	
MENGO.	Quedo; que yo	
	lo diré.	

---

[105] *potro:* instrumento de tortura.

[106] *mancuerda:* vuelta.

[107] *Temo......:* momento de gran tensión dramática, pues el gracioso como tipo no suele ser valiente. Lope, sin embargo, aquí y en otras obras, cambia este papel tradicional, convirtiendo al gracioso en figura heroica.

JUEZ.	¿Quién lo mató? 2250
MENGO.	Señor, Fuenteovejunica.
JUEZ.	¿Hay tan gran bellaquería?
	Del dolor se están burlando.
	En quien estaba esperando,
	niega con mayor porfía. 2255
	Dejaldos; que estoy cansado.
FRONDOSO.	¡Oh, Mengo, bien te haga Dios!
	Temor que tuve de dos,
	el tuyo me le ha quitado.

Salen con MENGO, BARRILDO y el REGIDOR.

BARRILDO.	¡Vítor[108], Mengo!
REGIDOR.	Y con razón. 2260
BARRILDO.	¡Mengo, vítor!
FRONDOSO.	Eso digo.
MENGO.	¡Ay, ay!
BARRILDO.	Toma, bebe, amigo.
	Come.
MENGO.	¡Ay, ay! ¿Qué es?
BARRILDO.	Diacitrón.[109]
MENGO.	¡Ay, ay!
FRONDOSO.	Echa de beber.
BARRILDO.	. . . . Ya va[110] 2265
FRONDOSO.	Bien lo cuela. [111]. Bueno está.
LAURENCIA.	Dale otra vez de comer.
MENGO.	¡Ay, ay!
BARRILDO.	Esta va por mí.
LAURENCIA.	Solemnemente lo embebe.
FRONDOSO.	El que bien niega bien bebe. 2270
REGIDOR.	¿Quieres otra?
MENGO.	¡Ay, ay! Sí, sí.
FRONDOSO.	Bebe; que bien lo mereces.
LAURENCIA.	A vez por vuelta las cuela.[112]
FRONDOSO.	Arrópale, que se hiela.
BARRILDO.	¿Quieres más?
MENGO.	Sí, otras tres veces. 2275
	¡Ay, ay!

---

108 *Vítor!:* ¡viva!
109 *Diacitrón:* cidra confitada.
110 Falta parte del verso.
111 *cuela:* bebe.
112 *A vez......cuela:* por cada vuelta, bebe un trago.

FRONDOSO.	Si hay vino pregunta.
BARRILDO.	Sí hay: bebe a tu placer;
	que quien niega ha de beber.
	¿Qué tiene?
MENGO.	Una cierta punta.[113]
	Vamos; que me arromadizo.[114]
FRONDOSO.	Que beba, que éste es mejor.
	¿Quién mató al Comendador?
MENGO.	Fuenteovejuna lo hizo.

2280

Vanse.

FRONDOSO.	Justo es que honores le den.
	Pero decidme, mi amor,
	¿quién mató al Comendador?
LAURENCIA.	Fuenteovejunica, mi bien.
FRONDOSO.	¿Quién le mató?
LAURENCIA.	Dasme espanto.
	Pues Fuenteovejuna fue.
FRONDOSO.	Y yo ¿con qué te maté?
LAURENCIA.	¿Con qué? Con quererte tanto.

2285

2290

Vanse.

Habitación de los Reyes en Tordesillas.

Salen el rey y la reina y MANRIQUE *(luego).*

ISABEL.	No entendí, señor, hallaros
	aquí, y es buena mi suerte.
REY.	En nueva gloria convierte
	mi vista el bien de miraros.
	Iba a Portugal de paso
	y llegar aquí fué fuerza.
ISABEL.	Vuestra majestad le tuerza,
	siendo conveniente el caso.
REY.	¿Cómo dejáis a Castilla?
ISABEL.	En paz queda, quieta y llana[115]
REY.	Siendo vos la que la allana
	no lo tengo a maravilla.

2295

2300

---

[113] *punta:* sabor agrio.
[114] *que me arromadizo:* me resfrío.
[115] *llana:* sin alboroto, pacificada, tranquila.

MANRIQUE.	Para ver vuestra presencia
	el maestre de Calatrava,

2305

que aquí de llegar acaba,
pide que le deis licencia.

ISABEL.   Verle tenía deseado.
MANRIQUE.   Mi fe, señora, os empeño,
que, aunque es en edad pequeño,   2310
es valeroso soldado.

Vase, y sale el MAESTRE.

MAESTRE.   Rodrigo Téllez Girón,
que de loaros no acaba,
maestre de Calatrava,
os pide humilde perdón.   2315
    Confieso que fui engañado,
y que excedí de lo justo
en cosas de vuestro gusto,
como mal aconsejado.
    El consejo de Fernando   2320
y el interés me engañó,
injusto fiel; y ansí, yo
perdón humilde os demando.
    Y si recebir merezco
esta merced que suplico,   2325
desde aquí me certifico
en que a serviros me ofrezco,
y que en aquesta jornada
de Granada[116], adonde vais,
os prometo que veáis   2330
el valor que hay en mi espada;
    donde sacándola apenas,
dándoles fieras congojas,
plantaré más cruces rojas
sobre sus altas almenas;   2335
    y más, quinientos soldados
en serviros emplearé,
junto con la firma y fe
de en mi vida disgustaros.

---

[116] *Granada:* téngase en cuenta que aún no había caído Granada cuando ocurre la acción del drama. De hecho, fue a partir de 1482 que realmente empezaron las presiones para que los musulmanes entregaran este último reino que les quedaba en la Península.

REY.	Alzad, maestre, del suelo;	2340
	que siempre que hayáis venido,	
	seréis muy bien recebido.	
MAESTRE.	Sois de afligidos consuelo.	
ISABEL.	Vos con valor peregrino	
	sabéis bien decir y hacer.	2345
MAESTRE.	Vos sois una bella Ester	
	y vos un Jerjes[117]divino.	

Sale MANRIQUE.

MANRIQUE.	Señor, el pesquisidor	
	que a Fuenteovejuna ha ido	
	con el despacho ha venido	2350
	a verse ante tu valor.	
REY.	Sed juez destos agresores.	
MAESTRE.	Si a vos, señor, no mirara,	
	sin duda les enseñara	
	a matar comendadores.	2355
REY.	Eso ya no os toca a vos.	
ISABEL.	Yo confieso que he de ver	
	el cargo en vuestro poder,	
	si me lo concede Dios.	

Sale el JUEZ

JUEZ.	A Fuenteovejuna fuí	2360
	de la suerte que has mandado	
	y con especial cuidado	
	y diligencia asistí.	
	Haciendo averiguación	
	del cometido delito,	2365
	una hoja no se ha escrito	
	que sea en comprobación;	
	porque, conformes a una,	
	con un valeroso pecho	
	en pidiendo quién lo ha hecho,	2370
	responden: "Fuenteovejuna".	
	Trescientos he atormentado	
	con no pequeño rigor,	
	y te prometo, señor,	

---

[117] *Ester.....Jerjes:* nombre que da título a un libro del *Antiguo Testamento*, era Ester una bella reina judía que salvó a su pueblo de una masacre, mientras que Jerjes era un rey perso del S. V a.C.

que más que esto no he sacado.   2375
Hasta niños de diez años
al potro arrimé, y no ha sido
posible haberlo inquirido
ni por halagos ni engaños.
    Y pues tan mal se acomoda   2380
el poderlo averiguar,
o los has de perdonar,
o matar la villa toda.
    Todos vienen ante ti
para más certificarte: 2385
de ellos podrás informarte.

REY.   Que entren, pues vienen, les di.

Salen los dos alcaldes, FRONDOSO, *las mujeres y los villanos que quisieren.*

LAURENCIA.   ¿Aquestos los reyes son?
FRONDOSO.   Y en Castilla poderosos.
LAURENCIA.   Por mi fe, que son hermosos: 2390
    ¡bendígalos San Antón! [118]
ISABEL.   ¿Los agresores son estos?
ESTEBAN.   Fuenteovejuna, señora,
que humildes llegan agora
para serviros dispuestos.   2395
    La sobrada tiranía
y el insufrible rigor
del muerto Comendador,
que mil insultos hacía,
    fue el autor de tanto daño.   2400
Las haciendas nos robaba
siendo de piedad extraño.
FRONDOSO.   Tanto, que aquesta zagala,
que el cielo me ha concedido,
en que tan dichoso he sido   2405
que nadie en dicha me iguala,
    cuando conmigo casó,
aquella noche primera,
mejor que si suya fuera,
a su casa la llevó;   2410
    y a no saberse guardar [119]
ella, que en virtud florece,

---

[118] *San Antón:* muy popular entre los aldeanos.

[119] *a no saberse guardar:* Lope retiene hasta este momento el dato de la resistencia de Laurencia, sometida a tantas amenazas y fuerza por parte del Comendador.

	ya manifiesto parece	
	lo que pudiera pasar.	2415
MENGO.	¿No es ya tiempo que hable yo?	
	Si me dais licencia, entiendo	
	que os admiraréis, sabiendo	
	del modo que me trató.	
	Porque quise defender	2420
	una moza de su gente,	
	que con término insolente	
	fuerza la querían hacer,	
	aquel perverso Nerón[120]	
	de manera me ha tratado,	2425
	que el reverso me ha dejado	
	como rueda de salmón.	
	Tocaron mis atabales	
	tres hombres con-tal porfía,	
	que aun pienso que todavía	2430
	me duran los cardenales.	
	Gasté en este mal prolijo,	
	por que el cuero se me curta,	
	polvos de arrayán y murta	
	más que vale mi cortijo.	2435
ESTEBAN.	Señor, tuyos ser queremos.	
	Rey nuestro eres natural,	
	y con título de tal	
	ya tus armas puesto habemos.	
	Esperamos tu clemencia	2240
	y que veas esperamos	
	que en este caso te damos	
	por abono la inocencia.	
REY.	Pues no puede averiguarse[121]	
	el suceso por escrito	2445
	aunque fue grave el delito,	
	por fuerza ha de perdonarse.	
	Y la villa es bien se quede	
	en mí, pues de mí se vale,	
	hasta ver si acaso sale	2450
	comendador que la herede.	
FRONDOSO.	Su majestad habla, en fin,	

---

[120] *Nerón (37-68):* emperador romano conocido por su locura y crueldad.
[121] *Pues no puede averiguarse:* obsérvese que el Rey se resigna a no poder averiguar al autor o autores de la muerte del Comendador, lo cual dista mucho de reconocer que el pueblo tenía derecho a defender su honor en contra de los abusos de la autoridad. He aquí la contradicción en el drama, muy reveladora en cuanto a las ideas supuestamente democráticas de Lope, conforme adelantamos en el apartado dedicado a esta obra.

como quien tanto ha acertado.
Y aquí, discreto senado,
Fuenteovejuna da fin. 2455

FIN

EL CABALLERO DE OLMEDO (c.1620)

Con este drama — esquivamos a propósito el término comedia — pasamos de una obra con héroe colectivo como es *Fuenteovejuna* a una que gira en torno a una pareja, y más específicamente, a un amante, asesinado trágicamente al final. Y si decíamos recién que esquivábamos adrede el término comedia, ello se explica más que nada por el sentimiento y la emoción con que nos deja el drama, que tampoco puede clasificarse de tragedia estricta, ya que Fabia y Tello introducen repetidas veces el elemento de humor. Es, no obstante, relativamente raro dentro de la producción teatral española del Siglo de Oro, donde el final, si no siempre clasificable de *happy* o exactamente feliz, sí era al menos moralmente justificable y aleccionador. Aquí, sin embargo, un amante es injustamente asesinado por motivos de celos, y, de hecho, el mismo final abrupto del drama, ya subraya que la justicia final a manos del Rey responde más que nada a un lugar común de la época, o una solución obligada y exigida por los criterios imperantes de la sociedad.

Semejante a *Fuenteovejuna* ahora, también *El Caballero de Olmedo* le llega a Lope de boca del pueblo, pues corrían coplas sobre el asunto aún en época de Lope (pese a basarse en un hecho acaecido en 1521). El Fénix sitúa la acción en el siglo anterior, durante el reinado de Juan II, aprovechando toda una serie de personajes y circunstancias históricas, aunque de ningún modo puede afirmarse que se trata de un drama histórico, pues la crítica ya ha señalado suficientes anacronismos, inexactitudes y falseamientos para negar cualquier intención lopesca en cuanto a una obra con serias pretensiones históricas. De la misma manera, aprovecha Lope una materia celestinesca que conviene al ambiente de su obra, y con Fabia crea un personaje vivo que infunde un sentido de misterio y de miedo que acompañan y complementan el tema del vil asesinato de don Alonso.

Como era de esperar de un drama de amor, se explaya Lope aquí en su lirismo, especialmente en aquellas partes donde los enamorados dialogan y se profesan sentimientos. Drama de amor, repetimos, que a su vez repite la constante trágica del amor frustrado que, por razones diferentes, desde Píramo y Tisbe, a Calixto y Melibea, a Romeo y Julieta, entre tantos posibles ejemplos, no deja de tocar la sensibilidad de todos los públicos cuando el dramaturgo, como Lope aquí, ha sabido compaginar caracterización, diálogo y ambiente de forma tal, que todo redunde en el sentimiento de tristeza y patetismo que despierta en nosotros un bello ideal truncado por una fuerza irascible e injusta.

EL CABALLERO DE OLMEDO[1]

PERSONAS

DON ALONSO
DON RODRIGO
DON FERNANDO
DON PEDRO
DOÑA INÉS
DOÑA LEONOR
TELLO

ANA
FABIA
EL REY DON JUAN
EL CONDESTABLE
UNA SOMBRA
UN LABRADOR
CRIADO MENDO

ACTO PRIMERO

Sale DON ALONSO.

ALONSO.
Amor, no te llame amor
el que no te corresponde,
pues que no hay materia adonde
no imprima forma el favor.[2]
Naturaleza, en rigor,[3]   5.
conservó tantas edades
correspondiendo amistades,
que no hay animal perfeto
si no asiste a su conceto
la unión de dos voluntades.   10
De los espíritus vivos
de unos ojos procedió
este amor que me encendió
con fuegos tan excesivos.
No me miraron altivos,   15
antes, con dulce mudanza,

---

[1] *Olmedo:* pueblo en la provincia de Valladolid.
[2] *Amor...favor:* concepción aristotélica aplicada al amor, pues de la misma manera que la forma determina la materia bruta, el amor surge cuando hay correspondencia entre dos personas.
[3] *en rigor:* en sentido estricto.

me dieron tal confianza,
que, con poca diferencia,
pasando correspondencia,
engendra amor esperanza.   20
Ojos, si ha quedado en vos
de la vista el mismo efeto,
amor vivirá perfeto,
pues fue engendrado de dos;
pero si tú, ciego dios,[4]   25
diversas flechas tomaste,
no te alabes que alcanzaste
la victoria; que perdiste
si de mí sólo naciste,
pues imperfecto quedaste.   30

Salen TELLO, *criado, y* FABIA.

FABIA.	¿A mí, forastero?
TELLO.	A ti.
FABIA.	Debe de pensar que yo
	soy perro de muestra.
TELLO.	No.
FABIA.	¿Tiene algún achaque?
TELLO.	Sí.
FABIA.	¿Qué enfermedad tiene?
TELLO.	Amor. 35
FABIA.	Amor ¿de quién?
TELLO.	Allí está,
	y él, Fabia, te informará
	de lo que quiere mejor.
FABIA.	Dios guarde tal gentileza.
ALONSO.	Tello, ¿es la madre?[5]
TELLO.	La propia. 40
ALONSO.	¡O Fabia, o retrato, o copia
	de cuanto naturaleza
	puso en ingenio mortal!
	¡O peregrino doctor
	y, para enfermos de amor, 45
	Hipócrates[6] celestial!
	Dame a besar esa mano,

---

[4] *ciego dios:* Cupido que en forma de niño con venda en los ojos lanza flechas de amor, aunque en ciertas versiones también puede lanzarlas de lo contrario, u odio.

[5] *madre:* significa anciana aquí.

[6] *Hipócrates:* médico griego, paradigma de la medicina. Vivió entre 470-377 a. C.

	honor de las tocas, gloria	
	del monjil.[7]	
FABIA.	La nueva historia	
	de tu amor cubriera en vano	50
	vergüenza o respeto mío,	
	que ya en tus caricias veo	
	tu enfermedad.	
ALONSO.	Un deseo	
	es dueño de mi albedrío.	
FABIA.	El pulso de los amantes	55
	es el rostro. Aojado[8] estás.	
	¿Qué has visto?	
ALONSO.	Un ángel.	
FABIA.	¿Qué más?	
ALONSO.	Dos imposibles, bastantes,	
	Fabia, a quitarme el sentido:	
	que es dejarla de querer	60
	y que ella me quiera.	
FABIA.	Ayer	
	te vi en la feria perdido	
	tras una cierta doncella	
	que en forma de labradora	
	encubría el ser señora,	65
	no el ser tan hermosa y bella;	
	que pienso que doña Inés	
	es de Medina la flor.	
ALONSO.	Acertaste como mi amor.	
	Esa labradora es	70
	fuego que me abrasa y arde.	
FABIA.	Alto has picado.	
ALONSO.	Es deseo	
	de su honor.	
FABIA.	Así lo creo.	
ALONSO.	Escucha, así Dios te guarde.	
	Por la tarde salió Inés	75
	a la feria de Medina,	
	tan hermosa que la gente	
	pensaba que amanecía:	
	rizado el cabello en lazos,	
	que quiso encubrir la liga,	80
	porque mal caerán las almas	
	si ven las redes tendidas;	

---

[7] *tocas: . . . monjil:* velo y hábito de las monjas, respectivamente.
[8] *Aojado:* viene de mal de ojo, o sea, hechizado.

los ojos, a lo valiente,
iban perdonando vidas,
aunque dicen los que deja   85
que es dichoso a quien la quita;
las manos haciendo tretas,[9]
que, como juego de esgrima,
tiene tanta gracia en ellas
que señala las heridas;   90
las valonas[10] esquinadas
en manos de nieve viva,
que muñecas[11] de papel
se han de poner en esquinas;
con la caja[12] de la boca   95
allegaba infantería,
porque, sin ser capitán,
hizo gente por la villa;
los corales y las perlas
dejó Inés, porque sabía   100
que las llevaban mejores
los dientes y las mejillas;
sobre un manteo francés,
una verdemar basquiña,[13]
porque tenga en otra lengua   105
de su secreto la cifra;
no pensaron las chinelas
llevar de cuantos la miran
los ojos en los listones,
las almas en las virillas.[14]   110
No se vio florido almendro
como toda parecía,
que del olor natural
son las mejores pastillas.[15]
Invisible, fue con ella   115
el amor, muerto de risa
de ver, como pescador,
los simples peces que pican.
Unos le prometen sartas
y otros arracadas ricas,   120

---

[9] *tretas:* movimientos que se hacen en la esgrima para despistar al contrario, defenderse de él.
[10] *valonas:* cuello grande de la época que caía sobre la espalda, los hombros y el pecho.
[11] *muñecas:* responde al anterior "manos de nieve".
[12] *caja:* tambor, con el cual se reclutaban soldados.
[13] *basquiña:* saya.
[14] *virillas:* adornos del calzado.
[15] *pastillas:* alusión a las pastillas que se quemaban para contrarrestar el mal olor.

pero en oídos de áspid
no hay arracadas que sirvan;
cual a su garganta hermosa
el collar de perlas finas,
pero como toda es perla,   125
poco las perlas estima.
Yo, haciendo lengua los ojos,
solamente le ofrecía
a cada cabello un alma,
a cada paso una vida.   130
Mirándome sin hablarme,
parece que me decía:
"No os vais don Alonso, a Olmedo;
quedaos agora en Medina".
Creí mi esperanza, Fabia;   135
salió esta mañana a misa,
ya con galas de señora,
no labradora fingida.
Si has oído que el marfil
del unicornio[16] santigua   140
las aguas, así el cristal
de un dedo puso en la pila.
Llegó mi amor basilisco[17]
y salió del agua misma
templado el veneno ardiente   145
que procedió de su vista.
Miró a su hermana y entrambas
se encontraron en la risa,
acompañando mi amor
su hermosura y mi porfía.   150
En una capilla entraron.
Yo, que siguiéndolas iba,
entré imaginando bodas:
¡tanto quien ama imagina!
Vime sentenciado a muerte,   155
porque el amor me decía:
"Mañana mueres, pues hoy
te meten en la capilla".
En ella estuve turbado;
ya el guante se me caía,   160
ya el rosario, que los ojos

---

[16] *el marfil del unicornio:* alusión a la leyenda que asegura que el cuerno del unicornio es capaz
de neutralizar cualquier veneno o sustancia nociva en las aguas.

[17] *basilisco:* serpiente venenosa capaz de matar con sólo la mirada.

a Inés iban y venían.
No me pagó mal; sospecho
que bien conoció que había
amor y nobleza en mí;   165
que quien no piensa no mira;
y mirar sin pensar, Fabia,
es de ignorantes e implica
contradicción que en un ángel
faltase ciencia divina.   170
Con este engaño, en efeto,
le dije a mi amor que escriba
este papel; que si quieres
ser dichosa y atrevida
hasta ponerle en sus manos   175
para que mi fe consiga
esperanzas de casarme
—tan en esto amor me inclina—,
el premio será un esclavo
con una cadena rica,   180
encomienda[18] de esas tocas,
de mal casadas envidia.

FABIA.   Yo te he escuchado.
ALONSO.   Y ¿qué sientes?
FABIA.   Que a gran peligro te pones.
TELLO.   Excusa, Fabia, razones,   185
si no es que por dicha intentes,
como diestro cirujano,
hacer la herida mortal.
FABIA.   Tello, con industria igual
pondré el papel en su mano,   190
aunque me cueste la vida,
sin interés, porque entiendas
que donde hay tan altas prendas
sola yo fuera atrevida.
Muestra el papel, que primero   195
le tengo que aderezar.
ALONSO.   ¿Con qué te podré pagar
la vida, el alma que espero,
Fabia, de esas santas manos?
TELLO.   ¿Santas?
ALONSO.   ¿Pues no, si han de hacer   200
milagros?

TELLO.	De Lucifer.[19]
FABIA.	Todos los medios humanos
	tengo de intentar por ti;
	porque el darme esa cadena
	no es cosa que me da pena; 205
	mas confiada nací.
TELLO.	¿Qué te dice el memorial?
ALONSO.	Ven, Fabia, ven, madre honrada,
	porque sepas mi posada.
FABIA.	Tello.
TELLO.	Fabia.
FABIA.	No hables mal, 210
	que tengo cierta morena
	de extremado talle y cara.
TELLO.	Contigo me contentara
	si me dieras la cadena.

Vanse y salen DOÑA INÉS *y* DOÑA LEONOR.

INÉS.	Y todos dicen, Leonor, 215
	que nace de las estrellas.
LEONOR.	De manera que, sin ellas,
	¿no hubiera en el mundo amor?
INÉS.	Dime tú: si don Rodrigo
	ha que me sirve dos años, 220
	y su talle y sus engaños
	son nieve helada conmigo,
	y en el instante que vi
	este galán forastero
	me dijo el alma: "éste quiero", 225
	y yo le dije: "Sea ansí",
	¿quién concierta y desconcierta
	este amor y desamor?
LEONOR.	Tira como ciego amor;[20]
	yerra mucho y poco acierta. 230
	Demás que negar no puedo,
	aunque es de Fernando amigo
	tu aborrecido Rodrigo,
	por quien obligada quedo
	a intercederte por él, 235
	que el forastero es galán.
INÉS.	Sus ojos causa me dan
	para ponerlos en él,

---

[19] *Lucifer:* otro nombre para el diablo.
[20] *ciego amor:* nueva alusión a Cupido; vuelva a verse n. 4.

	pues pienso que en ellos vi	
	el cuidado que me dio	240
	para que mirase yo	
	con el que también le di.	
	Pero ya se habrá partido.	
LEONOR.	No le miro yo de suerte	
	que pueda vivir sin verte.	245

Sale ANA, *criada.*

ANA.	Aquí, señora, ha venido	
	la Fabia, o la Fabiana.	
INÉS.	Pues ¿quién es esa mujer?	
ANA.	Una que suele vender	
	para las mejillas grana	250
	y para la cara nieve.	
INÉS.	¿Quieres tú que entre, Leonor?	
LEONOR.	En casas de tanto honor	
	no sé yo cómo se atreve,	
	que no tiene buena fama.	255
	Mas ¿quién no desea ver?	
INÉS.	Ana, llama esa mujer.	
ANA.	Fabia, mi señora os llama.	

FABIA, *con una canastilla.*

FABIA.	Y ¡cómo si yo sabía	
	que me habías de llamar!	260
	¡Ay! ¡Dios os deje gozar	
	tanta gracia y bizarría	
	tanta hermosura y donaire!	
	Que cada día que os veo	
	con tanta gala y aseo	265
	y pisar de tan buen aire,	
	os echo mil bendiciones	
	y me acuerdo como agora	
	de aquella ilustre señora	
	que, con tantas perfecciones,	270
	fue la fénix de Medina,	
	fue el ejemplo de lealtad.	
	¡Qué generosa piedad,	
	de eterna memoria dina!²¹	
	¡Qué de pobres la lloramos!	275

---

²¹ *dina:* digna.

	A quién no hizo mil bienes?	
INÉS.	Dinos, madre, a lo que vienes.	
FABIA.	¡Qué de huérfanas quedamos	
	por su muerte malograda!	
	La flor de las Catalinas,[22]	280
	hoy la lloran mis vecinas;	
	no la tienen olvidada.	
	Y a mí, ¿qué bien no me hacía?	
	¡Qué en agraz se la llevó	
	la muerte! No se logró;	285
	aun cincuenta no tenía.	
INÉS.	No llores, madre, no llores.	
FABIA.	No me puedo consolar	
	cuando la veo llevar	
	a la muerte las mejores	290
	y que yo me quedo acá.	
	Vuestro padre, Dios le guarde,	
	¿está en casa?	
LEONOR.	Fue esta tarde	
	al campo.	
FABIA.	Tarde vendrá.	
	Si va a deciros verdades,	295
	mozas sois, vieja soy yo;	
	más de una vez me fió	
	don Pedro sus mocedades;	
	pero teniendo respeto	
	a la que pudre,[23] yo hacía,	300
	como quien se lo debía,	
	mi obligación. En efeto,	
	de diez mozas no le daba	
	cinco.	
INÉS.	¡Qué virtud!	
FABIA.	No es poco,	
	que era vuestro padre un loco;	305
	cuanto vía, tanto amaba.	
	Si sois de su condición.	
	me admiro de que no estéis	
	enamoradas. ¿No hacéis,	
	niñas, alguna oración	310
	para casaros?	
INÉS.	No, Fabia;	
	eso siempre será presto.	

---

[22] *Catalinas:* Santa Catalina, (prin. del S. IV) virgen y mártir.

[23] *a la que pudre:* a la muerta o difunta, o sea, esposa.

FABIA.	Padre que se duerme en esto
	mucho a sí mismo se agravia.
	La fruta fresca,[24] hijas mías,
	es gran cosa y no aguardar
	a que la venga a arrugar
	la brevedad de los días.
	Cuantas cosas imagino,
	dos solas, en mi opinión,
	son buenas, viejas.
LEONOR.	Y ¿son?
FABIA.	Hija, el amigo y el vino.
	¿Veisme aquí? Pues yo os prometo
	que fue tiempo en que tenía
	mi hermosura y bizarría
	más de algún galán sujeto.
	¿Quién no alababa mi brío?
	¡Dichoso a quien yo miraba!
	Pues, ¿qué seda no arrastraba?
	¡Qué gasto, qué plato el mío!
	Andaba en palmas, en andas.[25]
	Pues, ¡ay Dios! si yo quería,
	¡qué regalos no tenía
	desta gente de hopalandas![26]
	Pasó aquella primavera;
	no entra un hombre por mi casa;
	que como el tiempo se pasa,
	pasa la hermosura.
INÉS.	Espera,
	¿qué es lo que traes aquí?
FABIA.	Niñerías que vender
	para comer, por no hacer
	cosas malas.
LEONOR.	Hazlo ansí,
	madre, y Dios te ayudará.
FABIA.	Hija, mi rosario y misa;
	esto, cuando estoy de prisa,
	que si no...
INÉS.	Vuélvete acá,
	¿qué es esto?
FABIA.	Papeles son

Line numbers: 315, 320, 325, 330, 335, 340, 345

---

[24] *La fruta fresca:* original variante del *carpe diem* ("aprovechar la juventud") por parte de Fabia.

[25] *en andas:* andar en andas y volandas vale tanto como andar por el aire, como quien vuela.

[26] *hopalandas:* falda ancha que solían gastar estudiantes y clérigos.

	de alcanfor y solimán.[27]	
	Aquí secretos están	
	de gran consideración	350
	para nuestra enfermedad	
	ordinaria.	
LEONOR.	Y esto, ¿qué es?	
FABIA.	No lo mires, aunque estés	
	con tanta curiosidad.	
LEONOR.	¿Qué es, por tu vida?	
FABIA.	Una moza	355
	se quiere, niñas, casar;	
	mas acertóla a engañar	
	un hombre de Zaragoza.	
	Hase encomendado a mí;	
	soy piadosa y en fin es	360
	limosna porque depués	
	vivan en paz.	
INÉS.	¿Qué hay aquí?	
FABIA.	Polvos de dientes, jabones	
	de manos, pastillas, cosas	
	curiosas y provechosas.	365
INÉS.	¿Y esto?	
FABIA.	Algunas oraciones.	
	¿Qué no me deben a mí	
	las ánimas?	
INÉS.	Un papel	
	hay aquí.	
FABIA.	Diste con él	
	cual si fuera para ti.	370
	Suéltale; no le has de ver,	
	bellaquilla, curiosilla.	
INÉS.	Deja, madre.	
FABIA.	Hay en la villa	
	cierto galán bachiller	
	que quiere bien una dama.	375
	Porméteme una cadena	
	porque le dé yo, con pena	
	de su honor, recato y fama;	
	aunque es para casamiento,	
	no me atrevo. Haz una cosa	380
	por mí, doña Inés hermosa,	
	que es discreto pensamiento:	
	respóndeme a este papel	

---

[27] *alcanfor y solimán:* se usaban para preparar afeites.

	y diré que me le ha dado su dama.	
INÉS.	Bien lo has pensado, si pescas, Fabia, con él la cadena prometida; yo quiero hacerte este bien.	385
FABIA.	Tantos los cielos te den que un siglo alarguen tu vida. Lee el papel.	390
INÉS.	Allá dentro, y te traeré la respuesta.	

Vase

LEONOR.	¡Qué buena invención!	
FABIA.	Apresta, fiero habitador del centro,[28] fuego accidental que abrase el pecho de esta doncella.	395

Salen DON RODRIGO *y* DON FERNANDO.

RODRIGO.	¿Hasta casarme con ella será forzoso que pase por estos inconvenientes?	
FERNANDO.	Mucho ha de sufrir quien ama.	400
RODRIGO.	Aquí tenéis vuestra dama.	
FABIA.	¡Oh necios impertinentes! ¿Quién os ha traido aquí?	
RODRIGO.	Pero, en lugar de la mía, ¡aquella sombra!	
FABIA.	Sería gran limosna para mí, que tengo necesidad.	405
LEONOR.	Yo haré que os pague mi hermana.	
FERNANDO.	Si habéis tomado, señora, o por ventura os agrada algo de lo que hay aquí, si bien serán cosas bajas las que aquí puede traer esta venerable anciana, pues no serán ricas joyas	410 415

---

[28] *fiero habitador del centro:* el diablo.

	para ofreceros la paga,	
	mandadme que os sirva yo.	
LEONOR.	No habemos comprado nada;	
	que es esta buena mujer	
	quien suele lavar en casa	420
	la ropa.	
RODRIGO.	¿Qué hace don Pedro?	
LEONOR.	Fue al campo; pero ya tarda.	
RODRIGO.	¿Mi señora doña Inés?	
LEONOR.	Aquí estaba; pienso que anda	
	despachando esta mujer.	425
RODRIGO.	Si me vio por la ventana,	
	¿quién duda de que huyó por mí?	
	¿Tanto de ver se recata	
	quién más servirla desea?	

Salga DOÑA INÉS.

LEONOR.	Ya sale. Mira que aguarda	430
	por la cuenta de la ropa	
	Fabia.	
INÉS.	Aquí la traigo, hermana.	
	Tomad y haced que ese mozo	
	la lleve.	
FABIA.	Dichosa el agua	
	que ha de lavar, doña Inés,	435
	las reliquias de la holanda	
	que tales cristales cubre!	
	Seis camisas, diez toallas,	
	cuatro tablas de manteles,[29]	
	dos cosidos de almohadas,[30]	440
	seis camisas de señor,	
	ocho sábanas... Mas basta,	
	que todo vendrá más limpio	
	que los ojos de la cara.	
RODRIGO.	Amiga, ¿queréis feriarme[31]	445
	ese papel y la paga	
	fiad de mí, por tener	
	de aquellas manos ingratas	
	letra siquiera en las mías?	
FABIA.	¡En verdad que negociara	450

---

[29] *tablas de manteles:* hoy, simplemente manteles.
[30] *cosidos de almohadas:* una determinada cantidad de ropa.
[31] *feriarme:* literalmente, comprar en feria, y aquí, comprar sin más.

muy bien si os diera el papel!
Adiós, hijas de mi alma.

Vase

RODRIGO.	Esta memoria[32] aquí había	
	de quedar, que no llevarla.	
LEONOR.	Llévala y vuélvela a efeto	455
	de saber si algo le falta.	
INÉS.	Mi padre ha venido ya;	
	vuesas mercedes se vayan	
	o le visiten, que siente	
	que nos hablen, aunque calla.	460

Para sufrir el desdén
que me trata desta suerte,
pido al amor y a la muerte
que algún remedio me den:
al amor, porque también   465
puede templar tu rigor
con hacerme algún favor;
y a la muerte, porque acabe
mi vida; pero no sabe
la muerte ni quiere amor.   470
Entre la vida y la muerte
no sé qué medio tener;
pues amor no ha de querer
que con tu favor acierte;
y siendo fuerza quererte,   475
quiere el amor que te pida
que seas tú mi homicida.
Mata, ingrata, a quien te adora;
serás mi muerte, señora,
pues no quieres ser mi vida.   480
Cuanto vive de amor nace
y se sustenta de amor;
cuanto muere es un rigor
que nuestras vidas deshace.
Si al amor no satisface   485
mi pena ni la hay tan fuerte
con que la muerte me acierte,
debo de ser inmortal,
pues no me hacen bien ni mal
ni la vida ni la muerte.   490

---

[32] *memoria:* lista.

INÉS.	¡Qué de necedades juntas!
LEONOR.	No fue la tuya menor.
INÉS.	¿Cuándo fue discreto amor,
	si del papel me preguntas?
LEONOR.	¿Amor te obliga a escribir 495
	sin saber a quién?
INÉS.	Sospecho
	que es invención que se ha hecho
	para probarme a rendir
	de parte del forastero.
LEONOR.	Yo también lo imaginé. 500
INÉS.	Si fue ansí, discreto fue.
	Leerte unos versos quiero.

(Lea)

"Yo vi la más hermosa labradora
en la famosa feria de Medina
que ha visto el sol adonde más se inclina 505
desde la risa de la blanca aurora.
Una chinela de color, que dora
de una columna hermosa y cristalina
la breve basa, fue la ardiente mina
que vuela el alma a la región que adora. 510
Que una chinela fuese victoriosa,
siendo los ojos del amor enojos,
confesé por hazaña milagrosa.
Pero díjele, dando los despojos:
'Si matas con los pies, Inés hermosa, 515
¿qué dejas para el fuego de tus ojos?' "

LEONOR.	Este galán, doña Inés,
	te quiere para danzar.
INÉS.	Quiere en los pies comenzar
	y pedir manos después. 520
LEONOR.	¿Qué respondiste?
INÉS.	Que fuese
	esta noche por la reja
	del güerto.[33]
LEONOR	¿Quién te aconseja,
	o qué desatino es ése?
INÉS.	No para hablarle.

---

[33] *güerto:* huerto.

LEONOR.	Pues, ¿qué?	525
INÉS.	Ven conmigo y lo sabrás.	
LEONOR.	Necia y atrevida estás.	
INÉS.	¿Cuándo el amor no lo fue?	
LEONOR.	Huir de amor cuando empieza.	
INÉS.	Nadie del primero huye,	530
	porque dicen que le influye	
	la misma naturaleza.	

Vanse

Salen DON ALONSO, TELLO *y* FABIA.

FABIA.	Cuatro mil palos me han dado.	
TELLO.	¡Lindamente negociaste!	
FABIA.	Si tú llevaras los medios...	535
ALONSO.	Ello ha sido disparate	
	que yo me atreviese al cielo.	
TELLO.	Y que Fabia fuese el ángel	
	que al infierno de los palos	
	cayese por levantarte.	540
FABIA.	¡Ay, pobre Fabia!	
TELLO.	¿Quién fueron	
	los crueles sacristanes	
	de facistol[34] de tu espalda?	
FABIA.	Dos lacayos y tres pajes.	
	Allá he dejado las tocas	545
	y el monjil hecho seis partes.	
ALONSO.	Eso, madre, no importara	
	si a tu rostro venerable	
	no se hubieran atrevido.	
	¡Oh, qué necio fui en fiarme	550
	de aquellos ojos traidores,	
	de aquellos falsos diamantes,	
	niñas que me hicieron señas	
	para engañarme y matarme!	
	Yo tengo justo castigo.	555
	Toma este bolsillo, madre;	
	y ensilla, Tello, que a Olmedo	
	nos hemos de ir esta tarde.	
TELLO.	¿Cómo, si anochece ya?	
ALONSO.	Pues, ¿qué? ¿Quieres que me mate?	560

---

[34] *facistol:* atril del coro, contra el cual golpeaban para marcar el compás los sacristanes.

FABIA.	No te aflijas, moscatel,[35]
	ten ánimo, que aquí trae
	Fabia tu remedio. Toma.
ALONSO.	¿Papel?
FABIA.	Papel.
ALONSO.	No me engañes.
FABIA	Digo que es suyo, en respuesta 565
	de tu amoroso romance.
ALONSO.	Hinca, Tello, la rodilla.
TELLO.	Sin leer, no me lo mandes;
	que aun temo que hay palos dentro,
	pues en mondadientes caben. 570
ALONSO *(Lea)*.	"Cuidadosa de saber si sois quien presumo y
	deseando que lo seáis, os suplico que vais esta
	noche a la reja del jardín desta casa, donde ha-
	llaréis atado el listón verde de las chinelas, y po-
	néosle mañana en el sombrero para que os co-
	nozca."
FABIA.	¿Qué te dice?
ALONSO.	Que no puedo
	pagarte ni encarecerte
	tanto bien.
TELLO.	Ya desta suerte
	no hay que ensillar para Olmedo;
	¿oyen, señores rocines?[36] 575
	Sosiéguense, que en Medina
	nos quedamos.
ALONSO.	La vecina
	noche, en los últimos fines
	con que va espirando el día
	pone los helados pies. 580
	Para la reja de Inés
	aún importa bizarría,
	que podría ser que amor
	la llevase a ver tomar
	la cinta. Voyme a mudar. 585

(Vase).

TELLO.	Y yo a dar a mi señor,
	Fabia, con licencia tuya,
	aderezo de sereno.[37]
FABIA.	Deténte.

---

[35] *moscatel:* tonto.

[36] *señores rocines:* caballos.

[37] *aderezo de sereno:* vestimenta de sereno, o de noche.

TELLO.	Eso fuera bueno
	a ser la condición suya 590
	para vestirse sin mí.
FABIA.	Pues bien le puedes dejar
	porque me has de acompañar.
TELLO.	¿A ti, Fabia?
FABIA.	A mí.
TELLO.	¿Yo?
FABIA	Sí;
	que importa a la brevedad 595
	deste amor.
TELLO.	¿Qué es lo que quieres?
FABIA.	Con los hombres, las mujeres
	llevamos seguridad.
	Una muela he menester
	del salteador que ahorcaron 600
	ayer.
TELLO.	Pues ¿no le enterraron?
FABIA.	No.
TELLO.	Pues ¿qué quieres hacer?
FABIA.	Ir por ella y que conmigo
	vayas solo a acompañarme.
TELLO.	Yo sabré muy bien guardarme 605
	de ir a esos pasos contigo.
	¿Tienes seso?
FABIA.	Pues, gallina,
	adonde yo voy ¿no irás?
TELLO.	Tú, Fabia, enseñada estás
	a hablar al diablo.
FABIA.	Camina. 610
TELLO.	Mándame a diez hombres juntos
	temerario acuchillar
	y no me mandes tratar
	en materia de difuntos.
FABIA.	Si no vas, tengo de hacer 615
	que él propio venga a buscarte.
TELLO.	¡Que tengo de acompañarte!
	¿Eres demonio o mujer?
FABIA.	Ven. Llevarás la escalera,
	que no entiendes destos casos. 620
TELLO.	Quien sube por tales pasos,
	Fabia, el mismo fin espera.

Salen DON FERNANDO *y* DON RODRIGO *en hábito de noche.*

FERNANDO.	¿De qué sirve inútilmente
	venir a ver esta casa?

RODRIGO.	Consuélase entre estas rejas, 625
	don Fernando, mi esperanza.
	Tal vez sus hierros guarnece
	cristal de sus manos blancas;
	donde las pone de día
	pongo yo de noche el alma; 630
	que cuanto más doña Inés
	con sus desdenes me mata,
	tanto más me enciende el pecho;
	así su nieve me abrasa.[38]
	¡Oh rejas enternecidas 635
	de mi llanto! ¿Quién pensara
	que un ángel endureciera
	quien vuestros hierros ablanda?
	Oíd, ¿qué es lo que está aquí?
FERNANDO.	En ellos mismos atada 640
	está una cinta o listón.
RODRIGO.	Sin duda las almas atan
	a estos hierros, por castigo
	de los que su amor declaran.
FERNANDO.	Favor fue de mi Leonor; 645
	tal vez por aquí me habla.
RODRIGO.	Que no lo será de Inés
	dice mi desconfianza;
	pero en duda de que es suyo,
	porque sus manos ingratas 650
	pudieron ponerle acaso,
	basta que la fe me valga.
	Dadme el listón.
FERNANDO.	No es razón,
	si acaso Leonor pensaba
	saber mi cuidado ansí, 655
	y no me le ve mañana.
RODRIGO.	Un remedio se me ofrece.
FERNANDO.	¿Cómo?
RODRIGO.	Partirle.
FERNANDO.	¿A qué causa?
RODRIGO.	A que las dos nos le vean,
	y sabrán con esta traza 660
	que habemos venido juntos.
FERNANDO.	Gente por la calle pasa.

Salen DON ALFONSO *y* TELLO, *de noche.*

---

[38] *su nieve me abrasa:* su frialdad me incita y quema más.

TELLO.	Llega de presto a la reja;
	mira que Fabia me aguarda
	para un negocio que tiene 665
	de grandísima importancia.
ALONSO.	¿Negocio Fabia esta noche
	contigo?
TELLO.	Es cosa muy alta.
ALONSO.	¿Cómo?
TELLO	Yo llevo escalera
	y ella...
ALONSO.	¿Qué lleva?
TELLO.	Tenazas. 670
ALONSO.	Pues, ¿qué habeis de hacer?
TELLO.	Sacar
	una dama de su casa.
ALONSO.	Mira lo que haces, Tello;
	no entres adonde no salgas.
TELLO.	No es nada, por vida tuya. 675
ALONSO.	Una doncella, ¿no es nada?
TELLO.	Es la muela del ladrón
	que ahorcaron ayer.
ALONSO.	Repara
	en que acompañan la reja
	dos hombres.
TELLO.	¿Si están de guarda? 680
ALONSO.	¡Qué buen listón!
TELLO.	Ella quiso
	castigarte.
ALONSO.	¿No buscara,
	si fui atrevido, otro estilo?
	Pues advierta que se engaña.
	Mal conoce a don Alonso 685
	que por excelencia llaman
	el Caballero de Olmedo.
	¡Vive Dios que he de mostrarla
	a castigar de otra suerte
	a quien la sirve!
TELLO.	No hagas 690
	algún disparate.
ALONSO.	Hidalgos,
	en las rejas de esa casa
	nadie se arrima.
RODRIGO.	¿Qué es esto?
FERNANDO.	Ni en el talle ni en el habla
	conozco este hombre.

RODRIGO.	¿Quién es 695
	el que con tanta arrogancia
	se atreve a hablar?
ALONSO.	El que tiene
	por lengua, hidalgos, la espada.
RODRIGO.	Pues hallará quien castigue
	su locura temeraria. 700
TELLO.	Cierra, señor, que no son
	muelas que a difuntos sacan.
ALONSO.	No los sigas; bueno está.

(Retírenlos)

TELLO.	Aquí se quedó una capa.
	Cógela y ven por aquí, 705
	que hay luces en las ventanas.

Salen DOÑA LEONOR *y* DOÑA INÉS.

INÉS.	Apenas la blanca aurora,
	Leonor, el pie de marfil
	puso en las flores de abril
	que pinta, esmalta y colora, 710
	cuando a mirar el listón
	salí, de amor desvelada,
	y con la mano turbada
	di sosiego al corazón.
	En fin, él no estaba allí. 715
LEONOR.	Cuidado tuvo el galán.
INÉS.	No tendrá los que me dan
	sus pensamientos a mí.
LEONOR.	Tú, que fuiste el mismo hielo,
	¡en tan breve tiempo estás 720
	de esa suerte!
INÉS.	No sé más
	de que me castiga el cielo.
	O es venganza o es victoria
	de amor en mi condición;
	parece que el corazón 725
	se me abrasa en su memoria.
	Un punto solo no puedo
	apartarla dél. ¿Qué haré?

Sale DON RODRIGO *con el listón en el sombrero.*

RODRIGO.	Nunca, amor, imaginé
	que te sujetara el miedo. 730

	Animo para vivir,	
	que aquí está Inés. Al señor	
	don Pedro busco.	
INÉS.	Es error	
	tan de mañana acudir,	
	que no estará levantado.	735
RODRIGO.	Es un negocio importante.	
INÉS.	No he visto tan necio amante.	
LEONOR.	Siempre es discreto lo amado	
	y necio lo aborrecido.	
RODRIGO.	¿Que de ninguna manera	740
	puedo agradar una fiera	
	ni dar memoria a su olvido?	
INÉS.	¡Ay, Leonor! no sin razón	
	viene don Rodrigo aquí,	
	si yo misma le escribí	745
	que fuese por el listón.	
LEONOR.	Fabia este engaño te ha hecho.	
INÉS.	Presto romperé el papel;	
	que quiero vengarme en él	
	de haber dormido en mi pecho.	750

Salen DON PEDRO, *su padre, y* DON FERNANDO.

FERNANDO.	Hame puesto por tercero	
	para tratarlo con vos.	
PEDRO.	Pues hablaremos los dos	
	en el concierto primero.	
FERNANDO.	Aquí está, que siempre amor	755
	es reloj anticipado.	
PEDRO.	Habréle Inés concertado	
	con la llave del favor.	
FERNANDO.	De lo contrario se agravia.	
PEDRO.	Señor don Rodrigo.	
RODRIGO.	Aquí	760
	vengo a que os sirváis de mí.	
INÉS.	Todo fue enredo de Fabia.	
LEONOR.	¿Cómo?	
INÉS.	¿No ves que también	
	trae el listón don Fernando?	
LEONOR.	Si en los dos le estoy mirando,	765
	entrambos te quieren bien.	
INÉS.	Sólo falta que me pidas	
	celos, cuando estoy sin mí.	
LEONOR.	¿Qué quieren tratar aquí?	

INÉS.	¿Ya las palabras olvidas	770
	que dijo mi padre ayer	
	en materia de casarme?	
LEONOR.	Luego, bien puede olvidarme	
	Fernando, si él viene a ser.	
INÉS.	Antes presumo que son	775
	entrambos los que han querido	
	casarse, pues han partido	
	entre los dos el listón.	
PEDRO.	Esta es materia que quiere	
	secreto y espacio. Entremos	780
	donde mejor la tratemos.	
RODRIGO.	Como yo ser vuestro espere,	
	no tengo más que tratar.	
PEDRO.	Aunque os quiero enamorado	
	de Inés, para el nuevo estado	785
	quien soy os ha de obligar.	

Vanse los tres.

INÉS.	¡Qué vana fue mi esperanza!	
	¡Qué loco mi pensamiento!	
	¡Yo papel a don Rodrigo!	
	Y ¡tú de Fernando celos!	790
	¡Oh forastero enemigo!	

Sale FABIA.

	¡Oh Fabia embustera!	
FABIA.	Quedo,[39]	
	que lo está escuchando Fabia.	
INÉS.	Pues, ¿cómo, enemiga, has hecho	
	un enredo semejante?	795
FABIA.	Antes fue tuyo el enredo;	
	si en aquel papel escribes	
	que fuese aquel caballero	
	por un listón de esperanza	
	a las rejas de tu güerto	880
	y en ellas pones dos hombres	
	que le maten, aunque pienso	
	que, a no se haber retirado,	
	pagaran su loco intento.	
INÉS.	¡Ay, Fabia! Ya que contigo	805

---

[39] *Quedo:* quieto o ''baja la voz''.

153

llego a declarar mi pecho,
ya que a mi padre, a mi estado
y a mi honor pierdo el respeto,
dime: ¿es verdad lo que dices?
Que, siendo así, los que fueron   810
a la reja le tomaron
y por favor se le han puesto.
De suerte estoy, madre mía,
que no puedo hallar sosiego
sino es pensando en quien sabes.   815

FABIA (*Aparte.*) ¡Oh qué bravo efecto hicieron
los hechizos y conjuros!
La victoria me prometo.
No te desconsueles, hija;
vuelve en ti, que tendrás presto   820
estado con el mejor
y más noble caballero
que agora tiene Castilla,
porque será, por lo menos,
el que por único llaman   825
el caballero de Olmedo.
Don Alonso en una feria
te vio labradora Venus,
haciendo las cejas arco,
y flecha los ojos bellos.   830
Disculpa tuvo en seguirte,
porque dicen los discretos
que consiste la hermosura
en ojos y entendimientos.
En fin, en las verdes cintas   835
de tus pies llevaste presos
los suyos, que ya el amor
no prende con los cabellos.
El te sirve; tú le estimas.
El te adora; tú le has muerto.   840
El te escribe; tú respondes.
¿Quién culpa amor tan honesto?
Para él tienen sus padres,
porque es único heredero,
diez mil ducados de renta,   845
y aunque es tan mozo, son viejos.
Déjate amar y servir
de más noble, del más cuerdo
caballero de Castilla,
lindo talle, lindo ingenio.   850

El rey, en Valladolid,
grandes mercedes le ha hecho,
porque él solo honró las fiestas
de su real casamiento.[40]
Cuchilladas y lanzadas   855
dio en los toros como un Héctor;[41]
treinta precios[42] dio a las damas
en sortijas y torneos.
Armado, parece Aquiles[43]
mirando de Troya el cerco;   860
con galas parece Adonis:[44]
mejor fin le den los cielos.
Vivirás bien empleada
en un marido discreto;
¡desdichada de la dama   865
que tiene marido necio!

INÉS.   ¡Ay, madre! Vuélvesme loca;
pero, triste, ¿cómo puedo
ser suya si a don Rodrigo
me da mi padre don Pedro?   870
El y don Fernando están
tratando mi casamiento.

FABIA.   Los dos harán nulidad
la sentencia de ese pleito.

INÉS.   Está don Rodrigo allí.   875

FABIA.   Eso no te cause miedo,
pues es parte y no jüez.

INÉS.   Leonor, ¿no me das consejo?

LEONOR.   Y ¿estas tú para tomarle?
No sé. Pero no tratemos   880
en público destas cosas.

FABIA.   Déjame a mí tu suceso.
Don Alonso ha de ser tuyo.
Que serás dichosa espero
con hombre que es en Castilla   885
la gala de Medina, la flor de Olmedo.

---

[40] *real casamiento:* en efecto, don Juan II se casó en 1418 con doña María de Aragón en Medina del Campo.

[41] *Hector:* héroe troyano de la *Ilíada* de Homero,

[42] *precios:* premios.

[43] *Aquiles:* héroe griego de la *Ilíada*.

[44] *Adonis:* amor de Venus, víctima de los celos de Marte, era un joven extremadamente bello, a quien Marte — dios de la guerra — mató mediante un jabalí.

ACTO SEGUNDO

Salen TELLO *y* DON ALONSO.

ALONSO.	Tengo el morir por mejor,
	Tello, que vivir sin ver.
TELLO.	Temo que se ha de saber
	este tu secreto amor; 890
	que, con tanto ir y venir
	de Olmedo a Medina, creo
	que a los dos da tu deseo
	que sentir y aun que decir.
ALONSO.	¿Cómo puedo yo dejar 895
	de ver a Inés, si la adoro?
TELLO.	Guardándole más decoro
	en el venir y el hablar;
	que en ser a tercero día
	pienso que te dan, señor, 900
	tercianas[45] de amor.
ALONSO.	Mi amor
	ni está ocioso ni se enfría;
	siempre abrasa y no permite
	que esfuerce naturaleza
	un instante su flaqueza, 905
	porque jamás se remite.
	Mas bien se ve que es león
	amor; su fuerza, tirana;
	pues que con esta cuartana[46]
	se amansa mi corazón. 910
	Es esta ausencia una calma
	de amor, porque si estuviera
	adonde siempre a Inés viera,
	fuera salamandra[47] el alma.
TELLO.	¿No te cansa y te amohina 915
	tanto entrar, tanto partir?
ALONSO.	Pues yo, ¿qué hago en venir,

---

[45] *tercianas:* calenturas intermitentes que se repiten cada tercer día.
[46] *cuartana:* calenturas ahora de cada cuatro días.
[47] *salamandra:* espíritu elemental del fuego.

Tello, de Olmedo a Medina?
Leandro[48] pasaba un mar
todas las noches, por ver   920
si le podía beber
para poderse templar.
Pues si entre Olmedo y Medina
no hay, Tello, un mar, ¿qué me debe
Inés?

TELLO.   A otro mar se atreve   925
quien al peligro camina
en que Leandro se vio;
pues a don Rodrigo veo
tan cierto de tu deseo
como puedo estarlo yo;   930
que como yo no sabía
cuya aquella capa fue,
un día que la saqué...

ALONSO.   ¡Gran necedad!

TELLO.   ...como mía,
me preguntó: "Diga, hidalgo,   935
¿quién esta capa le dio?
porque la reconozco yo".
Respondí: "Si os sirve en algo,
daréla a un criado vuestro".
Con esto, descolorido,   940
dijo: "Habíala perdido
de noche un lacayo nuestro.
Pero mejor empleada
está en vos; guardadla bien";
y fuese a medio desdén,   945
puesta la mano en la espada.
Sabe que te sirvo y sabe
que la perdió con los dos.
Advierte, señor, por Dios,
que toda esta gente es grave   950
y que están en su lugar,
donde toda gallo canta.[49]
Sin esto, también me espanta
ver este amor comenzar
por tantas hechicerías,   955
y que cercos y conjuros

---

[48] *Leandro:* cruzaba a nado el estrecho del Helesponto para ver a su amada, Hero.

[49] *donde todo gallo canta:* son gente de bien, están en buena posición, como el gallo que canta alegre y orgulloso.

no son remedios seguros,
si honestamente porfías.
Fui con ella, ¡que no fuera!
a sacar de un ahorcado 960
una muela; puse a un lado,
como Arlequín,[50] la escalera.
Subió Fabia; quedé al pie
y díjome el salteador:
"Sube, Tello, sin temor, 965
o si no yo bajaré".
¡San Pablo! allí me caí;
tan sin alma vine al suelo
que fue milagro del cielo
el poder volver en mí. 970
Bajó, desperté turbado
y de mirarme afligido,
porque, sin haber llovido,
estaba todo mojado.

ALONSO.   Tello, un verdadero amor 975
en ningún peligro advierte.
Quiso mi contraria suerte
que hubiese competidor
y que trate, enamorado,
casarse con doña Inés. 980
Pues, ¿qué he de hacer, si me ves
celoso y desesperado?
No creo en hechicerías,
que todas son vanidades;
quien concierta voluntades 985
son méritos y porfías.
Inés me quiere; yo adoro
a Inés, yo vivo en Inés.
Todo lo que Inés no es
desprecio, aborrezco, ignoro. 990
Inés es mi bien; yo soy
esclavo de Inés; no puedo
vivir sin Inés. De Olmedo
a Medina vengo y voy,
porque Inés mi dueño es 995
para vivir o morir.

TELLO.   Sólo te falta decir:
"un poco te quiero, Inés".[51]
Plega a Dios que por bien sea.

---

[50] *Arlequín*: personaje cómico de la antigua comedia italiana.
[51] *"un poco. . ."*: refrán que culmina abajo en el núm. 1010.

ALONSO.	Llama, que es hora.
TELLO.	Yo voy. 1000
ANA.	¿Quién es?
TELLO.	¿Tan presto? Yo soy.
	¿Está en casa Melibea?
	Que viene Calisto[52] aquí.
ANA.	Aguarda un poco, Sempronio.
TELLO.	Sí haré, falso testimonio. 1005

Sale DOÑA INÉS.

INÉS.	¿El mismo?
ANA.	Señora, sí.
INÉS.	¡Señor mío!
ALONSO.	Bella Inés,
	esto es venir a vivir.
TELLO.	Agora no hay que decir:
	"yo te lo diré después" 1010
INÉS.	¡Tello amigo!
TELLO.	¡Reina mía!
INÉS.	Nunca, Alonso de mis ojos,
	por haberme dado enojos
	esta ignorante porfía
	de don Rodrigo, esta tarde 1015
	he estimado que me vieses...[53]
ALONSO.	Aunque fuerza de obediencia
	te hiciese tomar estado,
	no he de estar desengañado
	hasta escuchar la sentencia. 1020
	Bien el alma me decía,
	y a Tello se lo contaba,
	cuando el caballo[54] sacaba
	y el sol los que aguarda el día,
	que de alguna novedad 1025
	procedía mi tristeza,
	viniendo a ver tu belleza,
	pues me dices que es verdad.
	¡Ay de mí, si ha sido ansí!
INÉS.	No lo creas, porque yo 1030
	diré a todo el mundo no,

---

[52] *Melibea . . . Calisto:* alusión a los famosos amantes de *La tragicomedia de Calixto y Melibea* (1499), atribuida a Fernando de Rojas (?-1541).

[53] Faltan dos versos aquí.

[54] *cuando el caballo:* compleja manera de aludir a la salida del sol.

después que te dije sí.
Tú solo dueño has de ser
de mi libertad y vida;
no hay fuerza que el ser impida,   1035
don Alonso, tu mujer.
Bajaba al jardín ayer,
y como, por don Fernando,
me voy de Leonor guardando,
a las fuentes, a las flores   1040
estuve diciendo amores
y estuve también llorando.
Flores y aguas, les decía,
dichosa vida gozáis,
pues aunque noche pasáis,   1045
veis vuestro sol cada día.
Pensé que me respondía
la lengua de una azucena
—¡qué engaños amor ordena!—:
si el sol que adorando estás   1050
viene de noche, que es más,
Inés, ¿de qué tienes pena?

TELLO.　　Así dijo a un ciego un griego
que le contó mil disgustos:
pues tiene la noche gustos   1055
¿para qué te quejas, ciego?

INÉS.　　Como mariposa llego
a estas horas, deseosa
de tu luz; no mariposa,
Fénix[55] ya, pues de una suerte   1060
me da vida y me da muerte
llama tan dulce y hermosa.

ALONSO.　　¡Bien haya el coral, amén,
de cuyas hojas de rosas
palabras tan amorosas   1065
salen a buscar mi bien!
Y advierte que yo también,
cuando con Tello no puedo,
mis celos, mi amor, mi miedo
digo en tu ausencia a las flores.   1070

TELLO.　　Yo le vi decir amores
a los rábanos de Olmedo;
que un amante suele hablar
con las piedras, con el viento.

---

[55] *Fénix:* ave que renace de las cenizas del fuego que la consume.

ALONSO.	No puede mi pensamiento	1075
	ni estar solo ni callar;	
	contigo, Inés, ha de estar,	
	contigo hablar y sentir.	
	Oh ¡quién supiera decir	
	o que te digo en ausencia!	1080
	Pero estando en tu presencia,	
	aun se me olvida el vivir.	
	Por el camino le cuento	
	tus gracias a Tello, Inés,	
	y celebramos después	1085
	tu divino entendimiento.	
	Tal gloria en tu nombre siento	
	que una mujer recibí	
	de tu nombre, porque ansí,	
	llamándola todo el día,	1090
	pienso, Inés, señora mía,	
	que te estoy llamando a ti.	
TELLO.	Pues advierte, Inés discreta,	
	de los dos tan nuevo efeto,	
	que a él le has hecho discreto,	1095
	y a mí me has hecho poeta.	
	Oye una glosa a un estribo[56]	
	que compuso don Alonso	
	a manera de responso,	
	si los hay en muerto vivo:	1100
	En el valle a Inés	
	la dejé riendo.	
	Si la ves, Andrés,	
	dile cuál me ves	
	por ella muriendo.	1105
INÉS.	¿Don Alonso la compuso?	
TELLO.	Que es buena jurarte puedo	
	para poeta de Olmedo;	
	escucha.	
ALONSO.	Amor lo dispuso.	
TELLO.	Andrés, después que las bellas	1110
	plantas de Inés goza el valle,	
	tanto florece con ellas	
	que quiso el cielo trocalle	
	por sus flores sus estrellas.	
	Ya el valle es cielo, después	1115

---

[56] *estribo:* estribillo.

que su primavera es,
pues verá el cielo en el suelo
quien vio, pues Inés es cielo,
en el valle a Inés.

Con miedo y respeto estampo   1120
el pie donde el suyo huella;
que ya Medina del Campo
no quiere aurora más bella
para florecer su campo.

Yo la vi de amor huyendo,   1125
cuanto miraba matando,
su mismo desdén venciendo,
y, aunque me partí llorando,
la dejé riendo.

Dile, Andrés, que ya me veo   1130
muerto por volverla a ver,
aunque cuando llegues, creo
que no será menester,
que me habrá muerto el deseo.

No tendrás que hacer después   1135
que a sus manos vengativas
llegues, si una vez la ves,
ni aun es posible que vivas,
si la ves, Andrés.

Pero si matarte olvida,   1140
por no hacer caso de ti,
dile a mi hermosa homicida
que por qué se mata en mí,
pues que sabe que es mi vida.

Dile: Cruel, no le des   1145
muerte, si vengada estás
y te ha de pesar después.
Y pues no me has de ver más,
dile cuál me ves.

Verdad es que se dilata   1150
el morir, pues con mirar
vuelve a dar vida la ingrata,
y ansí se cansa en matar,
pues da vida a cuantos mata.

Pero, muriendo o viviendo,   1155
no me pienso arrepentir
de estarla amando y sirviendo,
que no hay bien como vivir
por ella muriendo.

INÉS.   Si es tuya, notablemente   1160

	te has alargado en mentir
	por don Alonso.
ALONSO.	Es decir
	que mi amor en versos miente,
	pues, señora, ¿qué poesía
	llegará a significar
	mi amor?
INÉS.	¡Mi padre!
ALONSO.	¿Ha de entrar?
INÉS.	Escondeos.
ALONSO.	¿Dónde?

Ellos entran y sale DON PEDRO.

PEDRO.	Inés mía,
	¿agora por recoger?
	¿Cómo no te has acostado?
INÉS.	Rezando, señor, he estado
	por lo que dijiste ayer,
	rogando a Dios que me incline
	a lo que fuere mejor.
PEDRO.	Cuando para ti mi amor
	imposibles imagine,
	no pudiera hallar un hombre
	como don Rodrigo, Inés.
INÉS.	Ansí dicen todos que es
	de su buena fama el nombre;
	y, habiéndome de casar,
	ninguno en Medina hubiera
	ni en Castilla que pudiera
	sus méritos igualar.
PEDRO.	¿Cómo habiendo de casarte?
INÉS.	Señor, hasta ser forzoso
	decir que ya tengo esposo,
	no he querido disgustarte.
PEDRO.	¿Esposo? ¿Qué novedad
	es ésta, Inés?
INÉS.	Para ti
	será novedad, que en mí
	siempre fue mi voluntad.
	Y ya que estoy declarada,
	hazme mañana cortar
	un hábito, para dar
	fin a esta gala excusada;
	que así quiero andar, señor,

1165

1170

1175

1180

1185

1190

1195

mientras me enseñan latín.
Leonor te queda; que al fin
te dará nietos Leonor.
Y por mi madre te ruego   1200
que en esto no me repliques,
sino que medios apliques
a mi elección y sosiego.
Haz buscar una mujer
de buena y santa opinión   1205
que me dé alguna lición
de lo que tengo de ser
y un maestro de cantar,
que de latín sea también.

PEDRO.   ¿Eres tú quien habla o quién?   1210
INÉS.   Esto es hacer, no es hablar.
PEDRO.   Por una parte, mi pecho
se enternece de escucharte,
Inés, y por otra parte,
de duro mármol le has hecho.   1215
En tu verde edad mi vida
esperaba sucesión;
pero si esto es vocación,
no quiera Dios que lo impida.
Haz tu gusto, aunque tu celo   1220
en esto no intenta el mío;
que ya sé que el albedrío
no presta obediencia al cielo.
Pero porque suele ser
nuestro pensamiento humano   1225
tal vez inconstante y vano,
y en condición de mujer,
que es fácil de persuadir,
tan poca firmeza alcanza,
que hay de mujer a mudanza   1230
lo que de hacer a decir,
mudar las galas no es justo,
pues no pueden estorbar
a leer latín o cantar,
ni a cuanto fuere tu gusto.   1235
Viste alegre y cortesana,
que no quiero que Medina,
si hoy te admirare divina,
mañana te burle humana.
Yo haré buscar la mujer   1240

y quien te enseñe latín,
pues a mejor padre, en fin,
es más justo obedecer.
Y con esto a Dios te queda,
que para no darte enojos   1245
van a esconderse mis ojos
adonde llorarte pueda.

Vase y salgan DON ALONSO *y* TELLO.

INÉS.   Pésame de haberte dado
               disgusto.
ALONSO.   A mí no me pesa,
               por el que me ha dado el ver   1250
               que nuestra muerte conciertas.
               ¡Ay, Inés! ¿Adónde hallaste
               en tal desdicha, en tal pena,
               tan breve remedio?
INÉS.   Amor
               en los peligros enseña   1255
               una luz por donde el alma
               posibles remedios vea.
ALONSO.   Éste, ¿es remedio posible?
INÉS.   Como yo agora le tenga
               para que este don Rodrigo   1260
               no llegue al fin que desea.
               Bien sabes que breves males
               la dilación los remedia;
               que no dejan esperanza
               si no hay segunda sentencia.   1265
TELLO.   Dice bien, señor, que en tanto
               que doña Inés cante y lea,
               podéis dar orden los dos
               para que os valga la iglesia.
               Sin esto, desconfiado   1270
               don Rodrigo, no hará fuerza
               a don Pedro en la palabra,
               pues no tendrá por ofensa
               que le deje doña Inés
               por quien dice que le deja.   1275
               También es linda ocasión
               para que yo vaya y venga
               con libertad a esta casa.
ALONSO.   ¿Libertad? ¿De qué manera?
TELLO.   Pues ha de leer latín,   1280

165

	¿no será fácil que pueda	
	ser yo quien venga a enseñarla?	
	Y verás con qué destreza	
	la enseño a' leer tus cartas.	
ALONSO.	¡Qué bien mi remedio piensas!	1285
TELLO.	Y aun pienso que podrá Fabia	
	servirte en forma de dueña,	
	siendo la santa mujer	
	que con su falsa apariencia	
	venga a enseñarla.	1290
INÉS.	Bien dices;	
	Fabia será mi maestra	
	de virtudes y costumbres.	
TELLO.	¡Y qué tales serán ellas!	
ALONSO.	Mi bien, yo temo que el día,	1295
	que es amor dulce materia	
	para no sentir las horas	
	que por los amantes vuelan,	
	nos halle tan descuidados	
	que al salir de aquí me vean,	
	o que se fuerza quedarme,	1300
	¡ay Dios, qué dichosa fuerza!	
	Medina a la Cruz de Mayo[57]	
	hace sus mayores fiestas;	
	yo tengo que prevenir,	
	que, como sabes, se acercan;	1305
	que fuera de que en la plaza	
	quiero que galán me veas,	
	de Valladolid me escriben	
	que el rey don Juan viene a verlas;	
	que en los montes de Toledo	1310
	le pide que se entretenga	
	el condestable[58] estos días,	
	porque en ellos convalezca,	
	y de camino, señora,	
	que honre esta villa le ruega;	1315
	y así es razón que le sirva	
	la nobleza desta tierra.	
	Guárdete el cielo, mi bien.	
INÉS.	Espera, que a abrir la puerta	
	es forzoso que yo vaya.	1320
ALONSO.	¡Ay luz! ¡ay aurora necia	

---

[57] *la Cruz de Mayo:* fiesta que se celebra el 3 de mayo.
[58] *condestable:* Alvaro de Luna (1390?-1453).

	de todo amante envidiosa!	
TELLO..	Ya no aguardéis que amanezca.	
ALONSO.	¿Cómo?	
TELLO.	Porque es de día.	
ALONSO.	Bien dices, si a Inés me muestras;	1325

ALONSO.   Bien dices, si a Inés me muestras;   1325
            pero, ¿cómo puede ser,
            Tello, cuando el sol se acuesta?
TELLO.   Tú vas despacio, él aprisa;
            apostaré que te quedas.

Salen DON RODRIGO *y* DON FERNANDO.

RODRIGO.   Muchas veces había reparado,   1330
            don Fernando, en aqueste caballero,
            el corazón solícito avisado.
            El talle, el grave rostro, lo severo,
            celoso me obligaban a miralle.
FERNANDO.   Efetos son de amante verdadero   1335
            que, en viendo otra persona de buen talle,
            tienen temor que si le ve su dama
            será posible o fuerza codicialle.
RODRIGO.   Bien es verdad que él tiene tanta fama
            que, por más que en Medina se encubría,   1340
            el mismo aplauso popular le aclama.
            Ví, como os dije, aquel mancebo un día
            que la capa perdida en la pendencia
            contra el valor de mi opinion traía.
            Hice secretamente diligencia   1345
            después de hablarle y satisfecho quedo
            que tiene esta amistad correspondencia.
            Su dueño es don Alonso, aquel de Olmedo,
            alanceador galán y cortesano,
            de quien hombres y toros tienen miedo.   1350
            Pues, si éste sirve a Inés, ¿qué intento en vano?
            ¿O cómo quiero yo, si ya le adora,
            que Inés me mire con semblante humano?
FERNANDO.   ¿Por fuerza ha de quererle?
RODRIGO.   Él la enamora
            y merece, Fernando, que le quiera.   1355
            ¿Qué he de pensar, si me aborrece agora?
FERNANDO.   Son celos, don Rodrigo, una quimera
            que se forma de envidia, viento y sombra,
            con que lo incierto imaginado altera;
            una fantasma que de noche asombra;   1360
            un pensamiento que a locura inclina,

	y una mentira que verdad se nombra.	
RODRIGO.	Pues, ¿cómo tantas veces a Medina	
	viene y va don Alonso? Y ¿a qué efeto?	
	es cédula[59] de noche en una esquina?	1365
	Yo me quiero casar; vos sois discreto;	
	¿qué consejo me dais, si no es matalle?	
FERNANDO.	Yo hago diferente mi conceto;	
	que ¿cómo puede doña Inés amalle	
	si nunca os quiso a vos?	
RODRIGO.	Porque es respuesta	1370
	que tiene mayor dicha o mejor talle.	
FERNANDO.	Mas porque doña Inés es tan honesta	
	que aun la ofendéis con nombre de marido.	
RODRIGO.	Yo he de matar a quien vivir me cuesta	
	en su desgracia, porque tanto olvido	1375
	no puede proceder de honesto intento.	
	Perdí la capa y perderé el sentido.	
FERNANDO.	Antes dejarla a don Alonso siento	
	que ha sido como echársela en los ojos	
	Ejecutad, Rodrigo, el casamiento;	1380
	llévese don Alonso los despojos	
	y la vitoria vos.	
RODRIGO.	Mortal desmayo	
	cubre mi amor de celos y de enojos.	
FERNANDO.	Salid galán para la Cruz de Mayo.	
	que yo saldré con vos; pues el rey viene,	1385
	las sillas piden el castaño y bayo.[60]	
	Menos aflige el mal que se entretiene.	
RODRIGO.	Si viene don Alonso, ya Medina	
	¿qué competencia con Olmedo tiene?[61]	
FERNANDO.	¡Qué loco estáis!	
RODRIGO.	Amor me desatina.	1390

Vanse

Salen DON PEDRO, DOÑA INÉS *y* DOÑA LEONOR.

PEDRO.	No porfíes.
INÉS.	No podrás

---

[59] *cédula:* las cédulas se fijaban en las esquinas.
[60] *castaño y bayo:* colores de los caballos a ensillar.
[61] Es decir, don Alonso, caballero de Olmedo, ganará en las justas y torneos contra Rodrigo, caballero de Medina.

	mi propósito vencer.	
PEDRO.	Hija, ¿qué quieres hacer,	
	que tal veneno me das?	
	Tiempo te queda.	
INÉS.	Señor,	1395
	¿qué importa el hábito pardo[62]	
	si para siempre le aguardo?	
LEONOR.	Necia estás.	
INÉS.	Calla, Leonor.	
LEONOR.	Por lo menos estas fiestas	
	has de ver con galas.	
INÉS.	Mira	1400
	que quien por otras suspira	
	ya no tiene el gusto en éstas.	
	Galas celestiales son	
	las que ya mi vida espera.	
PEDRO.	¿No basta que yo lo quiera?	1405
INÉS.	Obedecerte es razón.	

Sale FABIA, *con un rosario y báculo y antojos*[63].

FABIA.	¡Paz sea en aquesta casa!	
PEDRO.	Y venga con vos.	
FABIA.	¿Quién es	
	la señora doña Inés,	
	que con el Señor se casa?	1410
	¿Quién es aquella que ya	
	tiene su Esposo elegida	
	y como a prenda querida	
	estos impulsos le da?	
PEDRO.	Madre honrada, ésta que veis,	1415
	y yo su padre.	
FABIA.	Que sea	
	muchos años y ella vea	
	el dueño que vos no veis,	
	aunque en el Señor espero	
	que os ha de obligar piadoso	1420
	a que acetéis tal Esposo,	
	que es muy noble caballero.	
PEDRO.	Y ¡cómo, madre, si lo es!	
FABIA.	Sabiendo que anda a buscar	

---

[62] *hábito pardo:* ropa diaria, y no de fiesta.
[63] *antojo:* anteojos.

	quien venga a morigerar[64]	1425
	los verdes años de Inés,	
	quien la guíe, quien la muestre	
	las sémitas[65] del Señor,	
	y al camino del amor	
	como a principianta adiestre,	1430
	hice oración en verdad	
	y tal impulso me dio	
	que vengo a ofrecerme yo	
	para esta necesidad,	
	aunque soy gran pecadora.	1435

PEDRO.   Ésta es la mujer, Inés,
que has menester.

INÉS.   Ésta es
la que he menester agora.
Madre, abrázame.

FABIA.   Quedito,
que el silicio[66] me hace mal.   1440

PEDRO.   No he visto humildad igual.

LEONOR.   En el rostro trae escrito
lo que tiene el corazón.

FABIA.   ¡O qué gracia, o qué belleza!
¡Alcance tu gentileza   1445
mi deseo y bendición!
¿Tienes oratorio?[67]

INÉS.   Madre,
comienzo a ser buena agora.

FABIA.   Como yo soy pecadora,
estoy temiendo a tu padre.   1450

PEDRO.   No le pienso yo estorbar
tan divina vocación.

FABIA.   ¡En vano, infernal dragón,
la pensabas devorar!
No ha de casarse en Medina;   1455
monasterio tiene Olmedo;
Domine, si tanto puedo,
ad juvandum me festina.

PEDRO.   ¡Un ángel es la mujer!

---

[64] *morigerar:* moderar, templar.
[65] *sémitas:* senderos.
[66] *silicio:* metaloide que se extrae de la sílice. Posiblemente aluda Fabia aquí a algún elemento de brujería.
[67] *oratorio:* lugar destinado a rezar.

TELLO.	Si con sus hijas está,	1460
	yo sé que agradecerá	
	que yo me venga a ofrecer.	
	El maestro que buscáis	
	está aquí, señor don Pedro,	
	para latín y otras cosas,	1465
	que dirá despúes su efeto.	
	Que buscáis un estudiante	
	en la iglesia me dijeron,	
	porque ya desta señora	
	se sabe el honesto intento.	1470
	Aquí he venido a serviros,	
	puesto que[69] soy forastero,	
	si valgo para enseñarla.	
PEDRO.	Ya creo y tengo por cierto,	
	viendo que todo se junta,	1475
	que fue voluntad del cielo.	
	En casa puede quedarse	
	la madre y este mancebo	
	venir a darte lición.	
	Concertadlo, mientras vuelvo.	1480
	¿De dónde es, galán?	
TELLO.	Señor, soy calahorreño.[70]	
PEDRO.	¿Su nombre?	
TELLO.	Martín Peláez.[71]	
PEDRO.	Del Cid debe de ser deudo.	
	¿Dónde estudió?	
TELLO.	En la Coruña,	1485
	y soy por ella maestro.[72]	
PEDRO.	¿Ordenóse?	
TELLO.	Sí, señor,	
	de vísperas.[73]	
PEDRO.	Luego vengo.	
TELLO.	¿Eres Fabia?	

---

[68] *gorrón:* personaje que vestía capa y gorra y solía ser algo picaresco. En este caso, un estudiante, tipo con frecuencia identificado con el mundo picaresco.

[69] *puesto que:* aunque.

[70] *calahorreño:* de Calahorra, villa en la provincia de Logroño.

[71] Lleva el mismo nombre, pues, que uno de los legendarios discípulos del Cid.

[72] Obviamente, el estudiante encaja perfectamente dentro del personaje gorrón, o picaresco, pues en La Coruña no había universidad.

[73] *de vísperas:* vísperas es una de las horas del oficio divino que se reza después de la nona, o sea, es una manera de afirmar que no se ordenó.

FABIA.	¿No lo ves?
LEONOR.	Y tú, ¿Tello?
INÉS.	¡Amigo Tello! 1490
LEONOR.	¿Hay mayor bellaquería?
INÉS.	¿Qué hay de don Alonso?
TELLO.	¿Puedo

fiar de Leonor?

INÉS.   Bien puedes.

LEONOR.   Agraviara Inés mi pecho
                 y mi amor, si me tuviera   1495
                 su pensamiento encubierto.

TELLO.   Señora, para servirte
                 está don Alonso bueno,
                 para las fiestas de Mayo,
                 tan cerca ya, previniendo   1500
                 galas, caballos, jaeces,
                 lanza y rejones; que pienso
                 que ya le tiemblan los toros.
                 Una adarga habemos hecho,
                 si se conciertan las cañas,[74]   1505
                 como de mi raro ingenio.
                 Allá la verás, en fin.

INÉS.   ¿No me ha escrito?

TELLO.   Soy un necio;
                 ésta, señora, es la carta.

INÉS.   Bésola de porte[75] y leo.   1510

DON PEDRO *vuelve.*

PEDRO.   Pues pon el coche, si está
                 malo el alazán. ¿Qué es esto?

TELLO.   ¡Tu padre! Haz que lees y yo
                 haré que latín te enseño.
                 Dominus...

INÉS.   *Dominus.*

TELLO.   Diga.   1515

INÉS.   ¿Cómo más?

TELLO.   *Dominus meus.*

INÉS.   *Dominus meus.*

TELLO.   Ansí

---

[74] *cañas:* lucha a caballo con tallos, contra los cuales se guardaban los jinetes tras las aldargas
o escudos.

[75] *porte:* un beso aquí sirve de porte, o del pago que se cobraba al recibir la carta.

	poco a poco irá leyendo.	
PEDRO.	¿Tan presto tomas lición?	
INÉS.	Tengo notable deseo.	1520
PEDRO.	Basta, que a decir, Inés,	
	me envía el ayuntamiento	
	que salga a las fiestas yo.	
INÉS.	Muy discretamente han hecho,	
	pues viene a la fiesta el rey.	1525
PEDRO.	Pues sea con un concierto:	
	que has de verlas con Leonor.	
INÉS.	Madre, dígame si puedo	
	verlas sin pecar.	
FABIA.	Pues, ¿no?	
	No escrupulices en eso,	1530
	como algunos tan mirlados	
	que piensan, de circunspectos	
	que en todo ofenden a Dios	
	y, olvidados de que fueron	
	hijos de otros, como todos,	1535
	cualquiera entretenimiento	
	que los trabajos olvide	
	tienen por notable exceso.	
	Y aunque es justo moderarlos,	
	doy licencia, por lo menos	1540
	para estas fiestas, por ser	
	jugatoribus paternus.[76]	
PEDRO.	Pues vamos, que quiero dar	
	dineros a tu maestro	
	y a la madre para un manto.	1545
FABIA.	¡A todos cubra el del cielo!	
	Y vos, Leonor, ¿no seréis	
	como vuestra hermana presto?	
LEONOR.	Sí, madre, porque es muy justo	
	que tome tan santo ejemplo.	1550

Sale el REY DON JUAN *con acompañamiento y el* CONDESTABLE.

REY.	No me traigáis al partir
	negocios que despachar.
CONDESTABLE.	Contienen sólo firmar;
	no has de ocuparte en oír.

---

[76] *jugatoribus paternus:* imitación de latín, con la que parece querer decir Fabia algo así como "juegos para entretener al padre".

REY.	Decid con mucha presteza.	1555
CONDESTABLE.	¿Han de entrar?	
REY.	Ahora no.	

REY.   Decid con mucha presteza.   1555
CONDESTABLE. ¿Han de entrar?
REY.   Ahora no.
CONDESTABLE. Su Santidad concedió
                    la que pidió vuestra alteza
                    por Alcántara,[77] señor.
REY.   Que mudase le pedí   1560
                    el hábito, porque ansí
                    pienso que estará mejor.
CONDESTABLE. Era aquel traje muy feo.
REY.   Cruz verde pueden traer.
                    Mucho debo agradecer   1565
                    al pontífice el deseo
                    que de nuestro aumento muestra,
                    con que irán siempre adelante
                    estas cosas del infante,[78]
                    en cuanto es de parte nuestra.   1570
CONDESTABLE. Éstas son dos provisiones,
                    y entrambas notables son.
REY.   ¿Qué contienen?
CONDESTABLE.   La razón
                    de diferencia que pones
                    entre los moros y hebreos   1575
                    que en Castilla han de vivir.
REY.   Quiero con esto cumplir,
                    condestable, los deseos
                    de fray Vicente Ferrer[79]
                    que lo ha deseado tanto.   1580
CONDESTABLE. Es un hombre docto y santo.
REY.   Resolví con él ayer
                    que en cualquiera reino mío
                    donde mezclados están,
                    a manera de gabán   1585
                    traiga un tabardo el judío
                    con una señal en él
                    y un verde capuz el moro;
                    tenga el cristiano el decoro
                    que es justo; apártese dél;   1590
                    que con esto tendrán miedo
                    lo que su nobleza infaman.[80]

---

[77] *Alcántara:* orden religioso-militar.

[78] Alude Lope a un pleito político, en el cual el papa Benedicto XIII (1328-1424) favoreció al infante castellano, Fernando de Antequera (1379-1416), tío de Juan II (1405-1454).

[79] *Vicente Ferrer:* santo valenciano (1350-1419), predicador dominicano de verbo inflamable.

[80] Alusión a las persecuciones contra moros y judíos que ya habían comenzado cuando ocurre la acción del drama.

CONDESTABLE.	A don Alonso, que llaman
	el caballero de Olmedo
	hace vuestra alteza aquí 1595
	merced de un hábito.[81]
REY.	Es hombre
	de notable fama y nombre.
	En esta villa le vi
	cuando se casó mi hermana.
CONDESTABLE.	Pues pienso que determina, 1600
	por servirte, ir a Medina
	a las fiestas de mañana.
REY.	Decidle que fama emprenda
	en el arte militar,
	porque yo le pienso honrar 1605
	con la primera encomienda.

Vanse

Sale DON ALONSO.

ALONSO.	¡Ay riguroso estado,
	ausencia, mi enemiga,
	que dividiendo el alma
	puedes dejar la vida! 1610
	¡Cuán bien, por tus efetos,
	te llaman muerte viva,
	pues das vida al deseo,
	y matas a la vista!
	¡Oh cuán piadosa fueras 1615
	si, al partir de Medina,
	la vida me quitaras
	como el alma me quitas!
	En ti, Medina, vive
	aquella Inés divina, 1620
	que es honra de la corte
	y gloria de la villa.
	Sus alabanzas cantan
	las aguas fugitivas,
	las aves que la escuchan, 1625
	las flores que la imitan.
	Es tan bella que tiene
	envidia de sí misma,
	pudiendo estar segura

---

[81] *hábito:* de una orden militar.

que el mismo sol la envidia,   1630
pues no la ve más bella
por su dorada cinta
ni cuando viene a España
ni cuando va a las Indias.
Yo merecí quererla,   1635
—¡dichosa mi osadía!—
que es merecer sus penas
calificar mis dichas.
Cuando pudiera verla,
adorarla y servirla,   1640
la fuerza del secreto
de tanto bien me priva.
Cuando mi amor no fuera
de fe tan pura y limpia,
las perlas de sus ojos   1645
mi muerte solicitan.
Llorando por mi ausencia
Inés quedó aquel día,
que sus lágrimas fueron
de sus palabras firma.   1650
Bien sabe aquella noche
que pudiera ser mía;
cobarde amor, ¿qué aguardas,
cuando respetos miras?
¡Ay Dios! ¡qué gran desdicha   1655
partir el alma y dividir la vida!

Sale TELLO.

TELLO.   ¿Merezco ser bien llegado?
ALONSO.   No sé si diga que sí;
              que me has tenido sin mí
              con lo mucho que has tardado.   1660
TELLO.   Si por tu remedio ha sido
              ¿en qué me puedes culpar?
ALONSO.   ¿Quién me puede remediar
              si no es a quien yo le pido?
              ¿No me escribe Inés?
TELLO.   Aquí   1665
              te traigo cartas de Inés.
ALONSO.   Pues hablarásme después
              en lo que has hecho por mí.
              Lea: Señor mío, después que os partistes no he
              vivido, que sois tan cruel que aun no dejáis

	vida cuando os vais.	
TELLO.	¿No lees más?	
ALONSO.	No.	
TELLO.	¿Por qué?	
ALONSO.	Porque manjar tan süave	1670
	de una vez no se me acabe.	
	Hablemos de Inés.	

TELLO.	Llegué	
	con media sotana y guantes,	
	que parecía de aquellos	
	que hacen en solos los cuellos	1675
	ostentación de estudiantes.	
	Encajé salutación,	
	verbosa filatería,[82]	
	dando a la bachillería	
	dos piensos[83] de discreción.	1680
	Y, volviendo el rostro, vi	
	a Fabia.	

ALONSO.	Espera que leo	
	otro poco, que el deseo	
	me tiene fuera de mí.	
	Lea: Todo lo que dejaste ordenado se hizo;	
	sólo no se hizo que viviese yo sin vos, porque	
	no lo dejastéis ordenado.	
TELLO.	¿Es aquí contemplación?	1685
ALONSO.	Dime cómo hizo Fabia	
	lo que dice Inés.	

TELLO.	Tan sabia,	
	y con tanta discreción,	
	melindre y hipocresía	
	que me dieron que temer	1690
	algunos que suelo ver	
	cabizbajos todo el día.	
	De hoy más quedaré advertido	
	de lo que se ha de creer	
	de una hipócrita mujer	1695
	y un ermitaño fingido.	
	Pues si me vieras a mí,	
	con el semblante mirlado,	
	dijeras que era traslado	
	de un reverendo alfaquí.[84]	1700

---

[82] *filatería:* verborrea, habla enredada y excesiva.

[83] *piensos:* porciones.

[84] *alfaquí:* sabio musulmán.

	Creyóme el viejo, aunque en él
	se ve de un Catón[85] retrato.
ALONSO.	Espera, que ha mucho rato
	que no he mirado el papel.

Lea: "Daos prisa a venir para que sepáis cómo
quedo cuando os partís y cómo estoy cuando
volvéis".

TELLO.	¿Hay otra estación aquí?	1705
ALONSO.	En fin, tú hallaste lugar
	para entrar y para hablar.
TELLO.	Estudiaba Inés en ti,
	que eras el latín, señor,
	y la lición que aprendía.	1710
ALONSO.	Leonor, ¿qué hacía?
TELLO.	Tenía
	envidia de tanto amor,
	porque se daba a entender
	que de ser amado eres
	digno; que muchas mujeres	1715
	quieren porque ven querer,
	que en siendo un hombre querido
	de alguna con grande afeto
	piensan que hay algún secreto
	en aquel hombre escondido,	1720
	y engáñase, porque son
	correspondencias de estrellas.
ALONSO.	¡Perdonadme, manos bellas,
	que leo el postrer ringlón!

Lea: "Dicen que viene el rey a Medina y dicen
verdad, pues habéis de venir vos, que sois rey
mío".

	Acabóseme el papel.	1725
TELLO.	Todo en el mundo se acaba.
ALONSO.	Poco dura el bien.
TELLO.	En fin,
	le has leído por jornadas.
ALONSO.	Espera, que aquí a la margen
	vienen dos o tres palabras.	1730

Lea: "Poneos esa banda al cuello.
¡Ay, si yo fuera la banda!"

| TELLO. | Bien dicho, ¡por Dios! y entrar |
| | con doña Inés en la plaza. |

---

[85] *Catón:* escritor y autoridad romana, que vivió entre 234-149 a. C., y era conocido por su
austeridad.

ALONSO.	¿Dónde está la banda, Tello?	1735
TELLO.	A mí no me han dado nada.	
ALONSO	¿Cómo no?	
TELLO.	Pues, ¿qué me has dado?	
ALONSO.	Ya te entiendo; luego saca	
	a tu elección un vestido.	
TELLO.	Esta es la banda.	
ALONSO.	¡Extremada!	1740
TELLO.	¡Tales manos la bordaron!	
ALONSO.	Demos orden que me parta.	
	Pero, ¡ay, Tello!	
TELLO.	¿Qué tenemos?	
ALONSO.	De decirte me olvidaba	
	unos sueños que he tenido.	1745
TELLO.	¿Agora en sueños reparas?	
ALONSO.	No los creo, claro está,	
	pero dan pena.	
TELLO.	Eso basta.	
ALONSO.	No falta quien llama a algunos	
	revelaciones del alma.	1750
TELLO.	¿Qué te puede suceder	
	en una cosa tan llana	
	como quererte casar?	
ALONSO.	Hoy, Tello, al salir el alba,	
	con la inquietud de la noche	1755
	me levanté de la cama;	
	abrí la ventana aprisa;	
	y, mirando flores y aguas	
	que adornan nuestro jardín,	
	sobre una verde retama	1760
	veo ponerse un jilguero,	
	cuyas esmaltadas alas	
	con lo amarillo añadían	
	flores a las verdes ramas.	
	Y estando al aire trinando	1765
	de la pequeña garganta	
	con naturales pasajes[86]	
	las quejas enamoradas,	
	sale un azor de un almendro	
	adonde escondico estaba,	1770
	y como eran en los dos	
	tan desiguales las armas,	
	tiñó de sangre las flores,	

---

[86] *pasajes:* cambio de uno a otro tono de armonía.

plumas al aire derrama.
Al triste chillido, Tello,   1775
débiles ecos del Aura[87]
respondieron, y no lejos,
lamentando su desgracia,
su esposa, que en un jazmín
la tragedia viendo estaba.   1780
Yo, midiendo con los sueños
estos avisos del alma,
apenas puedo alentarme;
que, con saber que son falsas
todas estas cosas, tengo   1785
tan perdida la esperanza
que no me aliento a vivir.

TELLO.   Mal a doña Inés le pagas
aquella heroica firmeza
con que, atrevida, contrasta   1790
los golpes de la fortuna.
Ven a Medina y no hagas
caso de sueños ni agüeros,
cosas a la fe contrarias.
Lleva el ánimo que sueles,   1795
caballos, lanzas y galas;
mata de envidia los hombres;
mata de amores las damas.
Doña Inés ha de ser tuya,
a pesar de cuantos tratan   1800
dividiros a los dos.

ALONSO.   Bien dices; Inés me aguarda.
Vamos a Medina alegres.
Las penas anticipadas
dicen que matan dos veces,   1805
y a mí sola Inés me mata,
no como pena, que es gloria.

TELLO.   Tú me verás en la plaza
hincar de rodillas toros
delante de sus ventanas.   1810

---

[87] *Aura:* hija de Bóreas o de Eolo que personifica el viento suave.

ACTO TERCERO

Suenen atabales y entren con lacayos y rejones DON RODRIGO *y* DON
FERNANDO.

RODRIGO.	¡Poca dicha!	
FERNANDO.	¡Malas suertes!	
RODRIGO.	¡Qué pesar!	
FERNANDO.	¿Qué se ha de hacer?	
RODRIGO.	Brazo, ya no puede ser	
	que en servir a Inés aciertes.	
FERNANDO.	Corrido estoy.	
RODRIGO.	Yo turbado.	1815
FERNANDO.	Volvamos a porfiar.	
RODRIGO.	Es imposible acertar	
	un hombre tan desdichado.	
	Para el de Olmedo, en efeto,	
	guardó suertes la fortuna.	1820
FERNANDO.	No ha errado el hombre ninguna.	
RODRIGO,	Que la ha de errar os prometo.	
FERNANDO.	Un hombre favorecido,	
	Rodrigo, todo lo acierta.	
RODRIGO.	Abrióle el amor la puerta	1825
	y a mí, Fernando, el olvido.	
	Fuera de esto, un forastero	
	luego se lleva los ojos.	
FERNANDO.	Vos tenéis justos enojos;	
	él es galán caballero,	1830
	mas no para escurecer	
	los hombres que hay en Medina.	
RODRIGO.	La patria me desatina,	
	mucho parece mujer	
	en que lo propio desprecia	1835
	y de lo ajeno se agrada.	
FERNANDO.	De siempre ingrata culpada	
	son ejemplos Roma y Grecia.	

Dentro, ruido de pretales[88] y voces.

---

[88] *pretales:* correa que rodea el pecho del caballo.

Voz I.ª.	¡Brava suerte!
Voz II.ª.	¡Con qué gala
	quebró el rejón!
Fernando.	¿Qué aguardamos? 1840
	Tomemos caballos.
Rodrigo.	Vamos.
Voz I.ª.	¡Nadie en el mundo le iguala!
Fernando.	¿Oyes esa voz?
Rodrigo.	No puedo
	sufrirlo.
Fernando.	Aun no lo encareces.
Voz II.ª.	¡Vítor setecientas veces 1845
	el caballero de Olmedo!
Rodrigo.	¿Qué suerte quieres que aguarde,
	Fernando, con estas voces?
Fernando.	Es vulgo; ¿no le conoces?
Voz I.ª.	¡Dios te guarde! ¡Dios te guarde! 1850
Rodrigo.	¿Qué más dijeran al rey?
	Mas bien hacen; digan, rueguen,
	que hasta el fin sus dichas lleguen.
Fernando.	Fue siempre bárbara ley
	seguir aplauso vulgar 1855
	las novedades.
Rodrigo.	Él viene
	a mudar caballo.
Fernando.	Hoy tiene
	la fortuna en su lugar.

Salen Tello, *con rejón y librea,*[89] *y* Don Alonso.

Tello.	¡Valientes suertes, por Dios!
Alonso.	Dame, Tello, el alazán. 1860
Tello.	Todos el lauro nos dan.
Alonso.	¿A los dos, Tello?
Tello.	A los dos;
	que tú a caballo y yo a pie
	nos habemos igualado.
Alonso.	¡Qué bravo, Tello, has andado! 1865
Tello.	Seis toros desjarreté[90]
	como si sus piernas fueran
	rábanos de mi lugar.

---

[89] *librea:* uniforme de criado.

[90] *desjarreté:* cortar los jarretes de las piernas. Téngase en cuenta que en aquella época, las corridas eran todas en forma de rejoneo, lidiándose el toro desde el caballo. Los peones, como Tello, iban a pie, y se ocupaban de tareas auxiliares.

FERNANDO.	Volvamos, Rodrigo, a entrar,	1870
	que por dicha nos esperan,	
	aunque os parece que no.	
RODRIGO.	A vos, don Fernando, sí;	
	a mí no, si no es que a mí	
	me esperan para que yo	1875
	haga suertes que me afrenten	
	o que algún toro me mate	
	o me arrastre o me maltrate,	
	donde con risa lo cuenten.	

Vanse los dos.

TELLO.	Aquéllos te están mirando.	
ALONSO.	Ya los he visto envidiosos	1880
	de mis dichas y aun celosos	
	de mirarme a Inés mirando.	
TELLO.	¡Bravos favores te ha hecho	
	con la risa! Que la risa	
	es lengua muda que avisa	1885
	de lo que pasa en el pecho.	
	No pasabas vez ninguna	
	que arrojar no se quería	
	del balcón.	
ALONSO.	¡Ay, Inés mía,	
	si quisiese la fortuna	1890
	que a mis padres les llevase	
	tal prenda de sucesión!	
TELLO.	Sí harás, como la ocasión	
	deste don Rodrigo pase;	
	porque satisfecho estoy	1895
	de que Inés por ti se abrasa.	
ALONSO.	Mientras una vuelta doy	
	a la plaza, ve corriendo	
	y di que esté prevenida	
	Inés, porque en mi partida	1900
	la pueda hablar, advirtiendo	
	que si esta noche no fuese	
	a Olmedo, me han de contar	
	mis padres por muerto, y dar	
	ocasión, si no los viese,	1905
	a esta pena, no es razón.	
	Tengan buen sueño, que es justo.	
TELLO.	Bien dices; duerman con gusto,	
	pues es forzosa ocasión	
	de temer y de esperar.	1910

ALONSO.	Yo entro.
TELLO.	Guárdete el cielo.

Pues puedo hablar sin recelo,
a Fabia quiero llegar.
Traigo cierto pensamiento   1915
para coger la cadena
a esta vieja, aunque con pena
de su astuto entendimiento.
No supo Circe, Medea[91]
ni Hécate[92] lo que ella sabe.   1920
Tendrá en el alma una llave,
que de treinta vueltas sea.
Mas no hay maestra mejor
que decirle que la quiero,
que es el remedio primero   1925
para una mujer mayor;
que con dos razones tiernas
de amores y voluntad
presumen de mocedad
y piensan que son eternas.   1930
Acabóse; llego; llamo:
¡Fabia! Pero soy un necio,
que sabrá que el oro precio
y que los años desamo,
porque se lo ha de decir   1935
el de las patas de gallo.[93]

Sale FABIA.

FABIA.

¡Jesús! Tello, ¿aquí te hallo?
¡Qué buen modo de servir
a don Alonso! ¿Qué es esto?
¿Qué ha sucedido?

TELLO.

No alteres   1940
lo venerable, pues eres
causa de venir tan presto:
que por verte anticipé
de don Alonso un recado.

FABIA.

¿Cómo ha andado?

---

[91] *Circe, Medea:* la primera, convertía a los hombres en cerdos y la segunda era igualmente una astuta hechicera (véase también n. 116 de *El burlador de Sevilla*).

[92] *Hécate:* diosa de la noche, relacionada con la superchería.

[93] *el de las patas de gallo:* solía dibujarse así al demonio.

TELLO.	Bien ha andado, 1945
	porque yo le acompañé.
FABIA.	¡Extremado fanfarrón!
TELLO.	Pregúntalo al rey; verás
	cuál de los dos hizo más,
	que se echaba del balcón 1950
	cada vez que yo pasaba.
FABIA.	¡Bravo favor!
TELLO.	Más quisiera
	los tuyos.
FABIA.	¡Oh, quién te viera!
TELLO.	Esa hermosura bastaba
	para que yo fuera Orlando.[94] 1955
	¿Toros de Medina a mí?
	Vive el cielo que les di
	reveses, desjarretando
	de tal aire, de tal casta,
	en medio del regocijo, 1960
	que hubo toro que me dijo:
	"Basta, señor Tello, basta".
	"No basta", le dije yo;
	y eché, de un tajo volado,
	una pierna en un tejado. 1965
FABIA.	Y ¿cuántas tejas quebró?
TELLO.	Eso al dueño, que no a mí.
	Dile, Fabia, a tu señora
	que ese mozo que la adora
	vendrá a despedirse aquí; 1970
	que es fuerza volverse a casa,
	porque no piensen que es muerto
	sus padres. Esto te advierto
	y, porque la fiesta pasa
	sin mí, y el rey me ha de echar 1975
	menos —que en efecto soy
	su toricida—,[95] me voy
	a dar materia al lugar
	de vítores y de aplauso,
	si me das algún favor. 1980
FABIA.	Yo, ¿favor?
TELLO.	Paga mi amor.
FABIA.	¿Que yo tus hazañas causo?

---

[94] *Orlando:* héroe del *Orlando Furioso,* poema épico de Ludovico Ariosto (1474-1533).
[95] *toricida:* término humorístico para matador de toros.

	Basta, que no lo sabía.	
	¿Qué te agrada más?	
TELLO.	Tus ojos.	
FABIA.	Pues daréte sus antojos.	1985
TELLO.	Por caballo, Fabia mía,	
	quedo confirmado ya.[96]	
FABIA.	Propio favor de lacayo.	
TELLO.	Más castaño soy que bayo.[97]	
FABIA.	Mira cómo andas allá,	1990
	que esto de no nos inducas[98]	
	suelen causar los refrescos;[99]	
	no te quite los greguescos[100]	
	algún mozo de san Lucas,[101]	
	que será notable risa,	1995
	Tello, que donde lo vea	
	todo el mundo un toro sea	
	sumiller[102] de tu camisa.	
TELLO.	Lo atacado[103] y el cuidado	
	volverán por mi decoro.	2000
FABIA.	Para un desgarro de un toro,	
	¿qué importa estar atacado?	
TELLO.	Que no tengo a toros miedo.	
FABIA.	Los de Medina hacen riza[104]	
	porque tienen ojeriza	2005
	con los lacayos de Olmedo.	
TELLO.	Como ésos ha derribado,	
	Fabia, este brazo español.	
FABIA.	Mas, ¿que te ha de dar el sol	
	adonde nunca te ha dado?	2010

Ruido de plaza y grita y digan dentro:

VOZ I.ª.	¡Cayó don Rodrigo!
ALONSO.	¡Afuera!

---

[96] Es decir, Tello no necesita anteojos, pues, como los caballos que se usan para el rejoneo, ya los tiene.

[97] *Más castaño . . .*: podría estar aludiendo aquí Tello al refrán "Pasar de castaño oscuro", o ser demasiado enojoso.

[98] *inducas*: alusión al Padre nuestro (*et ne nos inducas in tentationem*: "y no nos dejes caer en la tentación").

[99] *refrescos*: descansos.

[100] *greguescos*: calzones.

[101] *san Lucas*: recuérdese que este evangelista se representa en forma de toro.

[102] *sumiller*: criado encargado de la ropa.

[103] *atacado*: aquí, abrochado, apretado.

[104] *riza*: estrago, destrozo.

Voz II.ª.	¡Qué gallardo, qué animoso
	don Alonso le socorre!
Voz I.ª.	¡Ya se apea don Alonso!
Voz II.ª.	¡Qué valientes cuchilladas! 2015
Voz I.ª	Hizo pedazos el toro.

Salgan los dos y DON ALONSO *teniéndole.*

ALONSO.	Aquí tengo yo caballo,
	que los nuestros van furiosos
	discurriendo por la plaza.
	¡Animo!
RODRIGO.	Con vos le cobro. 2020
	La caída ha sigo grande.
ALONSO.	Pues no será bien que al coso[105]
	volváis; aquí habrá criados
	que os sirvan, porque yo torno
	a la plaza. Perdonadme, 2025
	porque cobrar es forzoso
	el caballo que dejé.

Vase y sale DON FERNANDO.

FERNANDO.	¿Qué es esto? ¡Rodrigo, y solo!
	¿Cómo estáis?
RODRIGO.	Mala caída,
	mal suceso, malo todo; 2030
	pero más, deber la vida
	a quien me tiene celoso
	y a quien la muerte deseo.
FERNANDO.	¡Que sucediese a los ojos
	del rey y que viese Inés 2035
	que aquel su galán dichoso
	hiciese el toro pedazos
	por libraros!
RODRIGO.	Estoy loco.
	No hay hombre tan desdichado,
	Fernando, de polo a polo. 2040
	¡Qué de afrentas, qué de penas,
	qué de agravios, qué de enojos,
	qué de injurias, qué de celos,
	qué de agüeros, qué de asombros!
	Alcé los ojos a ver 2045

---

[105] *coso:* ruedo, plaza.

a Inés, por ver si piadoso
mostraba el semblante entonces,
que, aunque ingrato, necio adoro,
y veo que no pudiera
mirar Nerón[106] riguroso   2050
desde la torre Tarpeya
de Roma el incendio como
desde el balcón me miraba;
y que luego, en vergonzoso
clavel de púrpura fina   2055
bañado el jazmín del rostro,
a don Alonso miraba
y que por los labios rojos
pagaba en perlas el gusto
de ver que a sus pies me postro,   2060
de la fortuna arrojado,
y de la suya envidioso.
Mas, ¡vive Dios que la risa,
primero que la de Apolo[107]
alegre el oriente y bañe   2065
el aire de átomos de oro,
se le ha de trocar en llanto,
si hallo al hidalguillo loco
entre Medina y Olmedo!

FERNANDO.   El sabrá ponerse en cobro.   2070
RODRIGO.   Mal conocéis a los celos.
FERNANDO.   ¿Quién sabe que no son monstruos?
            Mas lo que ha de importar mucho
            no se ha de pensar tan poco.

Vanse.

Salen el REY, *el* CONDESTABLE *y* CRIADOS.

REY.   Tarde acabaron las fiestas;   2075
             pero ellas han sido tales
             que no las he visto iguales.
CONDESTABLE. Dije a Medina que aprestas
             para mañana partir;
             mas tiene tanto deseo   2080
             de que veas el torneo

---

[106] *Nerón:* emperador romano que en 64 d.C. prendió fuego a Roma, y desde la roca Tarpeya, en el monte Capitolio, observó la destrucción de la ciudad.
[107] *Apolo:* dios del sol; significa el alba, o la salida del sol aquí.

188

	con que te quiere servir	
	que me ha pedido, señor,	
	que dos días se detenga	
	vuestra alteza.	
REY.	Cuando venga	2085
	pienso que será mejor.	
CONDESTABLE.	Haga este gusto a Medina	
	vuestra alteza.	

REY.	Por vos sea,	
	aunque el infante desea,	
	—con tanta prisa camina—	2090
	estas vistas de Toledo	
	para el día concertado.	
CONDESTABLE.	Galán y bizarro ha estado	
	el caballero de Olmedo	
REY.	¡Buenas suertes, condestable!	2095
CONDESTABLE.	No sé en él cuál es mayor,	
	la ventura o el valor,	
	aunque es el valor notable.	
REY.	Cualquiera cosa hace bien.	
CONDESTABLE.	Con razón le favorece	2100
	vuestra alteza.	
REY.	El lo merece,	
	y que vos le honréis también.	

Vanse y salen DON ALONSO *y* TELLO, *de noche.*

TELLO.	Mucho habemos esperado;	
	ya no puedes caminar.	
ALONSO.	Deseo, Tello, excusar	2105
	a mis padres el cuidado.	
	A cualquier hora es forzoso	
	partirme.	
TELLO.	Si hablas a Inés	
	¿qué importa, señor, que estés	
	de tus padres cuidadoso?	2110
	Porque os ha de hallar el día	
	en esas rejas.	
ALONSO.	No hará,	
	que el alma me avisará	
	como si no fuera mía.	
TELLO.	Parece que hablan en ellas	2115
	y que es en la voz Leonor.	
ALONSO.	Y lo dice el resplandor	
	que da el sol a las estrellas.	

189

LEONOR.	¿Es don Alonso?	
ALONSO.	Yo soy.	
LEONOR.	Luego mi hermana saldrá,	2120
	porque con mi padre está	
	hablando en las fiestas de hoy.	
	Tello puede entrar, que quiere	
	daros un regalo Inés.	
ALONSO.	Entra, Tello.	
TELLO.	Si despúes	2125
	cerraren y no saliere,	
	bien puedes partir sin mí,	
	que yo te sabré alcanzar.	
ALONSO.	¿Cuándo, Leonor, podré entrar	
	con la libertad aquí?	2130
LEONOR.	Pienso que ha de ser muy presto,	
	porque mi padre de suerte	
	te encarece que a quererte	
	tiene el corazón dispuesto.	
	Y porque se case Inés,	2135
	en sabiendo vuestro amor,	
	sabrá escoger lo mejor	
	como estimarlo después.	

Sale DOÑA INÉS *a la reja.*

INÉS.	¿Con quién hablas?	
LEONOR.	Con Rodrigo.	
INÉS.	Mientes, que mi dueño es.	2140
ALONSO.	Que soy esclavo de Inés	
	al cielo doy por testigo.	
INÉS.	No sois sino mi señor.	
LEONOR.	Ahora bien, quieros dejar,	
	que es necedad estorbar,	2145
	sin celos, quien tiene amor.	

INÉS.	¿Cómo estáis?	
ALONSO.	Como sin vida;	
	por vivir os vengo a ver.	
INÉS.	Bien había menester	
	la pena desta partida	2150
	para templar el contento	
	que hoy he tenido de veros,	
	ejemplo de caballeros	

y de las damas tormento.
De todas estoy celosa;   2155
que os alabasen quería,
y despúes me arrepentía,
de perderos temerosa.
¡Qué de varios pareceres,
qué de títulos y nombres   2160
os dio la envidia en los hombres
y el amor en las mujeres!
Mi padre os ha codiciado
por yerno para Leonor
y agradecióle mi amor,   2165
aunque celosa, el cuidado;
que habéis de ser para mí,
y así se lo dije yo,
aunque con la lengua no,
pero con el alma sí.   2170
Mas ¡ay! ¿Cómo estoy contenta
si os partís?

ALONSO.   Mis padres son
la causa.

INÉS.   Tenéis razón;
mas dejadme que lo sienta.

ALONSO.   Yo lo siento y voy a Olmedo,   2175
dejando el alma en Medina.
No sé cómo parto y quedo.
Amor la ausencia imagina,
los celos, señora, el miedo.
Así parto muerto y vivo,   2180
que vida y muerte recibo.
Mas, ¿qué te puedo decir,
cuando estoy para partir,
puesto ya el pie en el estribo?[108]
Ando, señora, estos días,   2185
entre tantas asperezas
de imaginaciones mías,
consolado en mis tristezas
y triste en mis alegrías.
Tengo, pensando perderte,   2190
imaginación tan fuerte,
y así en ella vengo y voy,
que me parece que estoy

---

[108] *puesto ya . . .*: repite aquí Lope una frase sacada de una copla muy conocida en la época, de la cual se incluyen versos adicionales abajo.

con las ansias de la muerte.
La envidia de mis contrarios   2195
temo tanto que, aunque puedo
poner medios necesarios,
estoy entre amor y miedo
haciendo discursos varios.
Ya para siempre me privo   2200
de verte y de suerte vivo
que, mi muerte presumiendo,
parece que estoy diciendo
señora, aquésta te escribo.
Tener de tu esposo el nombre   2205
amor y favor ha sido;
pero es justo que me asombre
que amado y favorecido
tenga tal tristeza un hombre.
Parto a morir y te escribo   2210
mi muerte, si ausente vivo,
porque tengo, Inés, por cierto
que si vuelvo, será muerto,
pues partir no puedo vivo.
Bien sé que tristeza es;   2215
pero puede tanto en mí
que me dice, hermosa Inés:
"si partes muerto de aquí,
¿cómo volverás después?"
Yo parto, y parto a la muerte,   2220
aunque morir no es perderte;
que si el alma no se parte,
¿cómo es posible dejarte,
cuanto más volver a verte?

INÉS.
Pena me has dado y temor   2225
con tus miedos y recelos.
Si tus tristezas son celos,
ingrato ha sido tu amor.
Bien entiendo tus razones,
pero tú no has entendido   2230
mi amor.

ALONSO.
        Ni tú que han sido
estas imaginaciones
sólo un ejercicio triste
del alma que me atormenta,
no celos, que fuera afrenta   2235
del nombre, Inés, que me diste.
De sueños y fantasías,

<pre>
                    si bien falsas ilusiones,
                    han nacido estas razones,
                    que no de sospechas mías.   2240

                    LEONOR *sale a la reja.*

INÉS.   Leonor vuelve. ¿Hay algo?
LEONOR.   Sí.
ALONSO.   ¿Es partirme?
LEONOR.   Claro está;
                    mi padre se acuesta ya,
                    y me preguntó por ti.
INÉS.   Vete, Alonso, vete. Adios.   2245
                    No te quejes; fuerza es.
ALONSO.   ¿Cuándo querrá Dios, Inés,
                    que estemos juntos los dos?
                    Aquí se acabó mi vida,
                    que es lo mismo que partirme.   2250
                    Tello no sale o no puede
                    acabar de despedirse.
                    Voyme, que él me alcanzará.

      Al entrar, una sombra con una máscara negra
      y sombrero y puesta la mano en el puño de la
                    espada, se le ponga delante.

                    ¿Qué es esto? ¿Quién va? De oírme
                    no haces caso. ¿Quién es? Hable.   2225
                    ¡Que un hombre me atemorice,
                    no habiendo temido a tantos!
                    ¿Es don Rodrigo? No dice
                    quién es.
SOMBRA.   Don Alonso.
ALONSO.   ¿Cómo?
SOMBRA.   Don Alonso.
ALONSO.   No es posible.   2260
                    Mas otro será, que yo
                    soy don Alonso Manrique.
                    Si es invención, meta mano.
                    Volvió la espalda; seguirle
                    desatino me parece.   2265
                    ¡Oh imaginación terrible!
                    ¡Mi sombra debió de ser!
                    Mas no, que en forma visible
                    dijo que era don Alonso.

                                                               193
</pre>

Todas son cosas que finge   2270
la fuerza de la tristeza,
la imaginación de un triste.
¿Qué me quieres, pensamiento,
que con mi sombra me afliges?
Mira que temer sin causa   2275
es de sujetos humildes.
O embustes de Fabia son,
que pretende persuadirme
porque yo no vaya a Olmedo,
sabiendo que es imposible.   2280
Siempre dice que me guarde
y siempre que no camine
de noche, sin más razón
de que la envidia me sigue.
Pero ya no puede ser   2285
que don Rodrigo me envidie,
pues hoy la vida me debe;
que esta deuda no permite
que un caballero tan noble
en ningún tiempo la olvide.   2290
Antes pienso que ha de ser
para que amistad confirme
desde hoy conmigo en Medina;
que la ingratitud no vive
en buena sangre, que siempre   2295
entre villanos reside.
En fin, es la quinta esencia
de cuantas acciones viles
tiene la bajeza humana
pagar mal quien bien recibe.   2300

Vase.

Salen Don Rodrigo, Don Fernando, Mendo y Laín.

RODRIGO.   Hoy tendrán fin mis celos y su vida.
FERNANDO.   Finalmente venís determinado.
RODRIGO.   No habrá consejo que su muerte impida,
            después que la palabra me han quebrado.
            Ya se entendió la devoción fingida;   2305
            ya supe que era Tello, su criado,
            quien la enseñaba aquel latín que ha sido
            en cartas de romance traducido.
            ¡Qué honrada dueña recibió en su casa

	don Pedro en Fabia! ¡Oh, mísera doncella!	2310
	Disculpo tu inocencia, si te abrasa	
	fuego infernal de los hechizos della.	
	No sabe, aunque es discreta, lo que pasa,	
	y así el honor de entrambos atropella.	
	¡Cuántas casas de nobles caballeros	2315
	han infamado hechizos y terceros!	
	Fabia, que puede trasponer un monte,	
	Fabia, que puede detener un río,	
	y en los negros ministros de Aqueronte[109]	
	tiene, como en vasallos, señorío;	2320
	Fabia, que deste mar, deste horizonte,	
	al abrasado clima, al norte frío	
	puede llevar un hombre por el aire,	
	¡le da liciones! ¿Hay mayor donaire?	

FERNANDO.   Por la misma razón, yo no tratara   2325
de más venganza.

RODRIGO.   ¡Vive Dios, Fernando,
que fuera de los dos bajeza clara!

FERNANDO.   No la hay mayor que despreciar amando.

RODRIGO.   Si vos podéis, yo no.

MENDO.   Señor, repara
en que vienen los ecos avisando   2330
de que a caballo alguna gente viene.

RODRIGO.   Si viene acompañado, miedo tiene.

FERNANDO.   No lo creas, que es mozo temerario.

RODRIGO.   Todo hombre con silencio esté escondido.
Tú, Mendo, el arcabuz, si es necesario,   2335
tendrás detrás de un árbol prevenido.

FERNANDO.   ¡Qué inconstante es el bien! ¡qué loco y
vario!
Hoy a vista de un rey salió lucido
admirado de todos a la plaza,
¡y ya tan fiera muerte le amenaza!   2340

Escóndanse y salga DON ALONSO.

ALONSO.   Lo que jamás he temido,
que es algún recelo o miedo,
llevo caminando a Olmedo;
pero tristezas han sido.
Del agua el manso rüido   2345

---

[109] *Aqueronte:* río del infierno.

y el ligero movimiento
destas ramas con el viento
mi tristeza aumentan más.
Yo camino y vuelve atrás
mi confuso pensamiento.   2350
De mis padres el amor
y la obediencia me lleva,
aunque ésta es pequeña prueba
del alma de mi valor.
Conozco que fue rigor   2355
el dejar tan presto a Inés.
¡Qué escuridad! Todo es
horror, hasta que el aurora

(Toca.)

en las alfombras de Flora[110]
ponga los dorados pies.   2360
Allí cantan. ¿Quién será?
Mas será algún labrador
que camina a su labor;
lejos parece que está,
pero acercándose va.   2365
Pues, ¿cómo? ¿Lleva instrumento
y no es rústico el acento
sino sonoro y süave?
¡Qué mal la música sabe
si está triste el pensamiento!   2370

Canten desde lejos en el vestuario y véngase
acercando la voz como que camina.

VOZ.   *Que de noche le mataron*
              al caballero,
              la gala de Medina,
              la flor de Olmedo.
ALONSO.   ¡Cielos! ¿Qué estoy escuchando?   2375
              Si es que avisos vuestros son,
              ya que estoy en la ocación,
              ¿de qué me estáis informando?
              Volver atrás, ¿cómo puedo?
              Invención de Fabia es   2380
              que quiere, a ruego de Inés,

---

[110] *Flora:* diosa de las flores.

Voz.	hacer que no vaya a Olmedo.
	Sombras le avisaron
	que no saliese,
	y le aconsejaron 2385
	que no se fuese
	el caballero,
	la gala de Medina,
	la flor de Olmedo.

(Sale un Labrador.*)*

Alonso.	¡Hola, buen hombre, el que canta! 2390
Labrador.	¿Quién me llama?
Alonso.	Un hombre soy
	que va perdido.
Labrador.	Ya voy...
	Veisme aquí.
Alonso.	Todo me espanta.
	¿Dónde vas?
Labrador.	A mi labor.
Alonso.	¿Quién esa canción te ha dado, 2395
	que tristemente has cantado?
Labrador.	Allá en Medina, señor.
Alonso.	A mí me suelen llamar
	el caballero de Olmedo
	y yo estoy vivo.
Labrador.	No puedo 2400
	deciros deste cantar
	más historias ni ocasión
	de que a una Fabia la oí.
	Si os importa, yo cumplí
	con deciros la canción. 2405
	Volved atrás; no paséis
	desde arroyo.
Alonso.	En mi nobleza
	fuera ese temor bajeza.
Labrador.	Muy necio valor tenéis
	Volved, volved a Medina.[111] 2410
Alonso.	Ven tú conmigo.
Labrador.	No puedo.
Alonso.	¡Qué de sombras finge el miedo!
	¡Qué de engaños imagina!

---

[111] Las amonestaciones al héroe recuerdan claramente una de las constantes de la tragedia griega.

Oye, escucha. ¡Dónde fue,
que apenas sus pasos siento?   2415
¡Ah, labrador! ¡Oye, aguarda!
"Aguarda" responde el eco...
¿Muerto yo? Pero es canción
que por algún hombre hicieron
de Olmedo y los de Medina   2420
en este camino han muerto.
A la mitad dél estoy.
¿Qué han de decir si me vuelvo?
Gente viene; no me pesa.
Si allá van, iré con ellos.   2425

Salgan Don Rodrigo *y* Don Fernando *y su gente.*

RODRIGO.   ¿Quién va?
ALONSO.   Un hombre. ¿No me ven?
FERNANDO.   Deténgase.
ALONSO.   Caballeros,
si acaso necesidad
los fuerza a pasos como éstos,
desde aquí a mi casa hay poco.   2430
No habré menester dineros,
que de día y en la calle
se los doy a cuantos veo
que me hacen honra en pedirlos.
RODRIGO.   Quítese las armas luego.   2435
ALONSO.   ¿Para qué?
RODRIGO.   Para rendillas
ALONSO.   ¿Saben quién soy?
FERNANDO.   El de Olmedo,
el matador de los toros,
que viene arrogante y necio
a afrentar los de Medina;   2440
el que deshonra a don Pedro
con alcagüetes infames.
ALONSO.   Si fuérades a lo menos
nobles vosotros, allá,
pues tuvistes tanto tiempo,   2445
me hablárades y no agora
que solo a mi casa vuelvo;
allá, en las rejas adonde
dejastes la capa huyendo
fuera bien, y no en cuadrilla,   2450
a media noche, soberbios.

Pero confieso, villanos,
que la estimación os debo,
que aun siendo tantos, sois pocos.

Riñan.

RODRIGO.	Yo vengo a matar; no vengo	2455
a desafíos, que entonces
te matara cuerpo a cuerpo.
Tírale.

Disparen dentro.

ALONSO.	¡Traidores sois!
Pero sin armas de fuego
no pudiérades matarme.	2460
¡Jesús!
FERNANDO.	Bien lo has hecho, Mendo.
ALONSO.	¡Qué poco crédito dí
a los avisos del cielo!
Valor propio me ha engañado,
y muerto envidias y celos.	2465
¡Ay de mí! ¿Qué haré en un campo
tan solo?

Sale TELLO.

TELLO.	Pena me dieron
estos hombres que a caballo
van hacia Medina huyendo.
Si a don Alonso habían visto	2470
pregunté; no respondieron.
¡Mala señal! Voy temblando.
ALONSO.	¡Dios mío! ¡Piedad! ¡Yo muero!
Vos sabéis que fue mi amor
dirigido a casamiento.	2475
¡Ay, Inés!
TELLO.	De lastimosas
quejas siento tristes ecos.
Hacia aquella parte suenan.
No está del camino lejos
quien las da. No me ha quedado	2480
sangre. Pienso que el sombrero
puede tenerse en el aire
solo en cualquier cabello.
¡Ay, hidalgo!

ALONSO.	¿Quién es?
TELLO.	¡Ay, Dios!

ALONSO. ¿Quién es?

TELLO. ¡Ay, Dios!
¿Por qué dudo lo que veo?   2485
Es mi señor. ¡Don Alonso!

ALONSO. Seas bien venido, Tello.

TELLO. ¿Cómo, señor, si he tardado?
¿Cómo, si a mirarte llego,
hecho una fiera de sangre?   2490
¡Traidores, villanos, perros,
volved, volved a matarme,
pues habéis, infames, muerto
el más noble, el más valiente,
el más galán caballero   2495
que ciñó espada en Castilla!

ALONSO. Tello, Tello, ya no es tiempo
más que de tratar del alma.
Ponme en tu caballo presto
y llévame a ver mis padres.   2500

TELLO. ¡Qué buenas nuevas les llevo
de las fiestas de Medina!
¿Qué dirá aquel noble viejo?
¿Qué hará tu madre y tu patria?
¡Venganza, piadosos cielos!   2505

Salen DON PEDRO, DOÑA INÉS, DOÑA LEONOR, FABIA *y* ANA.

INÉS. ¿Tantas mercedes ha hecho?

PEDRO. Hoy mostró con su real
mano, heroica y liberal,
la grandeza de su pecho.
Medina está agradecida,   2510
y, por la que he recibido,
a besarla os he traido.

LEONOR. ¿Previene ya su partida?

PEDRO. Sí, Leonor, por el infante
que aguarda al rey de Toledo.   2515
En fin, obligado quedo,
que por merced semejante
más por vosotras lo estoy,
pues ha de ser vuestro aumento.

LEONOR. Con razón estás contento.   2520

PEDRO. Alcaide de Burgos soy;
besad la mano a su alteza.

INÉS. ¿Ha de haber ausencia, Fabia?

FABIA.	Más la fortuna te agravia.	
INÉS.	No en vano tanta tristeza	2525
	he tenido desde ayer.	
FABIA.	Yo pienso que mayor daño	
	te espera, si no me engaño,	
	como suele suceder,	
	que en las cosas por venir	2530
	no puede haber cierta ciencia.	
INÉS.	¿Qué mayor mal que la ausencia,	
	pues es mayor que morir?	
PEDRO.	Ya, Inés, ¿qué mayores bienes	
	pudiera yo desear,	2535
	si tú quisieras dejar	
	el propósito que tienes?	
	No porque yo te hago fuerza,	
	pero quisiera casarte.	
INÉS.	Pues tu obediencia no es parte	2540
	que mi propósito tuerza,	
	me admiro de que no entiendas	
	la ocasión.	
PEDRO.	Yo no la sé.	
LEONOR.	Pues yo por ti la diré,	
	Inés, como no te ofendas.	2545
	No la casas a su gusto.	
	Mira. ¡qué presto!	
PEDRO.	Mi amor	
	se queja de tu rigor,	
	porque, a saber tu disgusto,	
	no lo hubiera imaginado.	2550
LEONOR.	Tiene inclinación Inés	
	a un caballero, después	
	que el rey de una cruz le ha honrado;	
	que esto es deseo de honor	
	y no poca honestidad.	2555
PEDRO.	Pues si él tiene calidad	
	y tú le tienes amor,	
	¿quién ha de haber que replique?	
	Cásate en buen hora, Inés;	
	pero ¿no sabré quién es?	2560
LEONOR.	Es don Alonso Manrique.	
PEDRO.	¡Albricias hubiera dado!	
	¿El de Olmedo?	
LEONOR.	Sí, señor.	
PEDRO.	Es hombre de gran valor	
	y desde agora me agrado	2565

	de tan discreta elección;	
	que si el hábito rehusaba	
	era porque imaginaba	
	diferente vocación.	
	Habla, Inés, no estés ansí.	2570
INÉS.	Señor, Leonor se adelanta,	
	que la inclinación no es tanta	
	como ella te ha dicho aquí.	
PEDRO.	Yo no quiero examinarte	
	sino estar con mucho gusto	2575
	de pensamiento tan justo	
	y de que quieras casarte.	
	Desde agora es tu marido;	
	que me tendré por honrado	
	de un yerno tan estimado,	2580
	tan rico y tan bien nacido.	
INÉS.	Beso mil veces tus pies.	
	¡Loca de contento estoy,	
	Fabia!	
FABIA.	El parabién te doy,	
	si no es pésame después.	2585
LEONOR.	El rey.	
PEDRO.	Llegad a besar	
	su mano.	
INÉS.	¡Qué alegre llego!	

Salen el REY, *el* CONDESTABLE *y gente y* DON RODRIGO *y* DON FERNANDO

PEDRO.	Dé vuestra alteza los pies	
	por la merced que me ha hecho	
	del alcaidía de Burgos	2590
	a mí y a mis hijas.	
REY.	Tengo	
	bastante satisfación	
	de vuestro valor, don Pedro,	
	y de que me habéis servido.	
PEDRO.	Por lo menos lo deseo.	2595
REY.	¿Sois casadas?	
INÉS.	No, señor.	
REY.	¿Vuestro nombre?	
INÉS.	Inés.	
REY.	¿Y el vuestro?	
LEONOR.	Leonor.	
CONDESTABLE.	Don Pedro merece	

	tener dos gallardos yernos
	que están presentes, señor, 2600
	y que yo os pido por ellos
	los caséis de vuestra mano.
REY.	¿Quién son?
RODRIGO.	Yo, señor, pretendo,
	con vuestra licencia, a Inés.
FERNANDO.	Y yo a su hermana le ofrezco 2605
	la mano y la voluntad.
REY.	En gallardos caballeros
	emplearéis vuestras dos hijas,
	don Pedro.
PEDRO.	Señor, no puedo
	dar a Inés a don Rodrigo 2610
	porque casada la tengo
	con don Alonso Manrique,
	el caballero de Olmedo,
	a quien hicistes merced
	de un hábito.
REY.	Yo os prometo 2615
	que la primera encomienda
	sea suya...
RODRIGO.	¡Extraño suceso!
FERNANDO.	Ten prudencia.
REY.	...porque es hombre
	de grandes merecimientos.

Sale TELLO.

TELLO.	¡Dejadme entrar!
REY.	¿Quién da voces? 2620
CONDESTABLE.	Con la guarda un escudero
	que quiere hablarte.
REY.	Dejadle.
CONDESTABLE.	Viene llorando y pidiendo
	justicia.
REY.	Hacerla es mi oficio;
	eso significa el cetro. 2625
TELLO.	Invictísimo don Juan,
	que del castellano reino,
	a pesar de tanta envidia,
	gozas el dichoso imperio;
	con un caballero anciano 2630
	vine a Medina, pidiendo

justicia de dos traidores.
Pero el doloroso exceso
en tus puertas le ha dejado,
si no desmayado, muerto. 2635
Con esto, yo que le sirvo
rompí con atrevimiento
tus guardas y tus oídos.
Oye, pues te puso el cielo
la vara de su justicia 2640
en tu libre entendimiento
para castigar los malos
y para premiar los buenos.
La noche de aquellas fiestas
que a la Cruz de Mayo hicieron 2645
caballeros de Medina,
para que fuese tan cierto
que donde hay cruz hay pasión,
por dar a sus padres viejos
contento de verle libre 2650
de los toros, menos fieros
que fueron sus enemigos,
partió de Medina a Olmedo
don Alonso, mi señor,
aquel ilustre mancebo 2655
que mereció tu alabanza,
que es raro encarecimiento.
Quedéme en Medina yo,
como a mi cargo estuvieron
los jaeces y caballos, 2660
para tener cuenta dellos.
Ya la destocada noche
de los dos polos en medio
daba a la traición espada,
mano al hurto, pies al miedo, 2665
cuando partí de Medina;
y, al pasar un arroyuelo,
puente y señal del camino,
veo seis hombres corriendo
hacia Medina, turbados 2670
y, aunque juntos, descompuestos.
La luna, que salió tarde,
menguado ·el rostro sangriento,
me dio a conocer los dos;
que tal vez alumbra el cielo 2675
con las hachas de sus luces

el más escuro silencio
para que vean los hombres
de las maldades los dueños,
porque a los ojos divinos   2680
no hubiese humanos secretos.
Paso adelante ¡ay de mí!
y envuelto en su sangre veo
a don Alonso espirando.
Aquí, gran señor, no puedo   2685
ni hacer resistencia al llanto
ni decir el sentimiento.
En el caballo le puse,
tan animoso que creo
que pensaban sus contrarios   2690
que no le dejaban muerto.
A Olmedo llegó con vida
cuanto fue bastante, ¡ay cielo!
para oír la bendición
de dos miserables viejos,   2695
que enjugaban las heridas
con lágrimas y con besos.
Cubrió de luto su casa
y su patria, cuyo entierro
será el del Fénix[112], señor,   2700
después de muerto viviendo
en las lenguas de la fama,
a quien conocen respeto
la mudanza de los hombres
y los olvidos del tiempo.   2710

REY.   ¡Extraño caso!
INÉS.   ¡Ay de mí!
PEDRO.   Guarda lágrimas y estremos,
Inés, para nuestra casa.
INÉS.   Lo que de burlas te dije,
señor, de veras te ruego.   2715
Y a vos, generoso rey,
destos viles caballeros
os pido justicia.
REY.   Dime,
pues pudiste conocerlos,
quién son esos dos traidores,   2720
dónde están, que ¡vive el cielo
de no me partir de aquí

---

[112] *Fénix:* vuelva a verse la nota 55.

	hasta que los deje presos!
TELLO.	Presentes están, señor:
	don Rodrigo es el primero 2725
	y don Fernando el segundo.
CONDESTABLE.	El delito es manifiesto;
	su turbación lo confiesa.
RODRIGO.	Señor, escucha.
REY.	Prendedlos,
	y en un teatro, mañana, 2730
	cortad sus infames cuellos.

FIN

GUILLEN DE CASTRO (1569-1631)

VIDA

Indudablemente, el mejor dotado de los dramaturgos de la escuela valenciana, ciudad que, junto con Madrid, desarrolla una gran afición teatral. De familia noble, compagina cargos militares y gubernamentales con una vocación literaria y una vida aventurera y bastante bohemia, pese a sus dos matrimonios, al parecer no muy estables. También en este sentido se parece a su maestro y amigo, Lope de Vega, a quien dedica la primera parte de sus comedias, publicada en Valencia en 1618, y quien, a su vez, le dedica *Las almenas de Toro*. El destierro de Lope en Valencia, y el servicio que desarrolla Guillén en Madrid (1619) en casa del Marqués de Peñafiel, facilitan un mayor contacto entre ambos amigos, entre los cuales —cosa algo rara en la época— jamás asoma envidia o rivalidad, probablemente porque Guillén se reconoce deudor dramático del Fénix a todo momento. En 1625 sale a luz, también en Valencia, la segunda parte de sus obras, sumando sus comedias unas cuarenta y tres.

OBRA

Aparece en muchos manuales e historias de la literatura como el máximo exponente del llamado drama épico, pero convendría precisar del todo lo que significa dicho drama. Por lo pronto, nada tiene que ver con el concepto de teatro épico de Bertolt Brecht, sino que se trata más bien de una

207

comedia inspirada, por un lado en una materia procedente de la épica nacional, y por el otro, de un estilo que comparte ese carácter principalmente narrativo de la épica. En realidad, en cuanto a la fuente principal de Guillén de Castro, más que a la épica propiamente dicha, se remite el dramaturgo al *Romancero*. Fiel discípulo de Lope, sabe intuir los gustos y las apetencias del "vulgo" para ciertos temas, con los cuales se identifica fácilmente ese público, ya que se trata de tópicos conocidos por una fuerte tradición nacional que los ha venido cantando durante siglos. No hay que olvidar, sin embargo, que, siguiendo de nuevo a Lope en esto también, Guillén de Castro era capaz de desarrollar una obra teatral variada, y aunque sea más famoso hoy por su teatro inspirado en los romances, también cultivó otros tipos de comedias, como la de capa y espada, la de temas basados en la antigüedad clásica y hasta las de temas basados en el *Quijote*, siendo el primero, de hecho, en llevar la obra de Cervantes a las tablas en su comedia *Don Quijote de la Mancha*, y llegando a dramatizar asimismo la novela intercalada en esa misma obra cervantina, *El curioso impertinente*, al igual que la novela ejemplar *La fuerza de la Sangre*.

LAS MOCEDADES DEL CID (1618)

Con la primera parte de *Las mocedades del Cid*, alcanza el teatro de Guillén de Castro su más alta cumbre. Supo aquí el autor aprovechar al máximo, y explotar del todo, esa rica materia del *Romancero*, infundiéndole un lirismo y un sentido dramático que no podía menos que cautivar a un espectador volcado sobre los valores nacionales. Con verdadera maestría, maneja la caracterización del Cid, mozo arrogante (pero arrogancia, como implica el título, más propia de la mocedad que de otra cosa) y a la vez profundamente bondadoso (como deja del todo claro la escena del tercer acto con el gafo), noble, que no tolera la deshonra cometida en contra de su padre, al igual que amante apasionado, aunque no está dispuesto a transar con la honra, cuando tiene que elegir entre el deber filial y su amor por Ximena.

En este sentido, convendría aclarar que la honra y el deber filial del Cid no se salvaguardan a costa de los de Ximena, pues debe recordarse que fue el padre de ella quien inició el conflicto al faltarle el respeto al padre del Cid de forma tan despiadada. El *happy ending* que da Guillén a su obra contrasta con otras obras, donde la muerte de un familiar por parte de un amante, imposibilita el matrimonio (sin ir más lejos, es el caso de otro drama del Siglo de Oro, coetáneo de éste, *La estrella de Sevilla*, si bien aquí la víctima es un hermano y no el padre). Por lo demás, el ambiente dramático general tan apasionado, así como la fuerza del amor entre el Cid y Ximena, acercan esta obra de Guillén a una concepción romántica más propia del drama del siglo XIX, de la cual es un preludio *Las mocedades* por estas razones. Quizá sea esa misma intensidad de las pasiones, y el deseo de mantener en alto siempre el drama del amor y honra sobre ualquier otro elemento, lo que explica la ausencia de gracioso, y de humor en general, en esta obra, fenómeno bastante raro dentro del drama del Siglo de Oro, donde gracioso y humor se aúnan para crear crítica, sátira, parodia, denuncia, etc.

En cierta medida, *Le Cid* (1636) de Pierre Corneille, tan inspirado en esta comedia de Guillén de Castro, ha venido a perjudicar su apreciación a veces, eclipsando la obra francesa su fuente española por razones que no vienen ahora al caso, pero que de ninguna manera pueden justificar semejante sombrear, de la misma manera que resulta injusto menospreciar ahora la obra de Corneille por sus préstamos guilleneanos que tan bien supo aprovechar. Injusto juicio, pues, ya que, sin negar la grandeza de Corneille y esa su obra, no cabe dudar nunca de la riqueza lírica y dramática que hacen de *Las mocedades del Cid* una muestra cabal de un teatro nacional arraigado en la tradición popular y espontánea que tanto nutrió a todo el drama del Siglo de Oro. Por esta misma razón, y para preservar al máximo ese sabor original de una obra en gran medida inspirada en el romancero y la poesía popular, hemos retenido más que en otras obras una grafía más afín a la del Siglo de Oro, si bien modernizamos la puntuación en algunos casos que así lo requieren.

LAS MOCEDADES DEL CID

PERSONAS

El Rey DON FERNANDO
La REYNA, *su muger.*
El Príncipe DON SANCHO.
La Infanta DOÑA URRACA.
DIEGO LAÍNEZ, *padre del Cid.*
RODRIGO, *el Cid.*
El Conde LOÇANO.
XIMENA GÓMEZ, *hija del Conde.*
ARIAS GONÇALO.
PERANSULES.
HERNÁN DÍAZ *y* BERMUDO LAÍN,
hermanos del Cid.

ELVIRA, *criada de* XIMENA GÓMEZ.
Un MAESTRO DE ARMAS *del Príncipe.*
DON MARTÍN GONÇÁLES.
Un Rey MORO.
Cuatro MOROS.
Un PASTOR.
Un GAFO.
Dos o tres PAJES, *y alguna otra gente de acompañamiento.*

Época: siglo XI.

ACTO PRIMERO

Salen el Rey DON FERNANDO *y* DIEGO LAÍNEZ, *los dos de barba blanca, y* DIEGO LAÍNEZ, *decrépito: arrodíllase delante el Rey, y dize:*

DIEGO.	Es gran premio a mi lealtad.
REY.	A lo que devo me obligo.
DIEGO.	Hónrale tu Magestad.
REY.	Honro a mi sangre en Rodrigo.
	Diego Laínez, alçad. 5
	Mis proprias armas le he dado
	para armalle Cavallero.
DIEGO.	Ya, Señor, las ha velado,[1]
	y ya viene...
REY.	Ya lo espero.

---

[1] *las ha velado:* velar las armas, como recordará cualquier lector del *Quijote*, era rito obligado para armarse caballero, pasándose la noche con las armas y en vigilia.

DIEGO.	...excesivamente honrado,	1[
	pues don Sancho mi Señor,	
	—mi Príncipe,— y mi Señora	
	la Reyna, le son, Señor,	
	Padrinos.	
REY.	Pagan agora	
	lo que deven a mi amor.	1[

Salen la REYNA *y el Príncipe* DON SANCHO, *la Infanta* DOÑA URRACA
XIMENA GÓMEZ, RODRIGO, *el* CONDE LOÇANO, ARIAS GONÇALO *y*
PERANSULES.

URRA.	¿Qué te parece, Ximena,	
	de Rodrigo?	
XIM.	Que es galán,	
	—y que sus ojos le dan (*Aparte*)	
	al alma sabrosa pena.—	
REYNA.	¡Qué bien las armas te están!	2[
	¡Bien te asientan!	
ROD.	¿No era llano,	
	pues tú les diste los ojos,	
	y Arias Gonçalo la mano?	
ARIAS.	Son del cielo tus despojos,	
	y es tu valor Castellano.	2[
REYNA.	¿Qué os parece mi ahijado! (*Al* REY.)[2]	
D. SAN.	¿No es galán, fuerte y lucido?... (*Idem.*)	
CONDE.	—Bravamente le han honrado (*A* PERANS.)	
	los Reyes.	
PERANS.	Estremo ha sido.—	
ROD.	¡Besaré lo que ha pisado	3[
	quien tanta merced me ha hecho!	
REY.	Mayores las merecías.	
	¡Qué robusto, qué bien hecho!	
	Bien te vienen armas mías.	
ROD.	Es tuyo también mi pecho.—	3[
REY.	Lleguémonos al Altar	
	del Santo Patrón de España.[3]	
DIEGO.	No hay más glorias que esperar.	
ROD.	Quien te sirve, y te acompaña,	
	al cielo puede llegar.	4[

---

[2] Sancho II, cuyo sobrenombre era el Fuerte, reinó entre 1065 y 1072. Su muerte, sospechosa,
llevará al Cid a exigirle a su hermano, Alfonso VI, que jure (la Jura de Santa Gadea) que no
tuvo nada que ver con el asesinato de Sancho, y sólo entonces accede Rodrigo Díaz de
Bivar, el Cid Campeador, a someterse a la autoridad de Alfonso.

[3] *Santo Patrón de España,* o Santiago Matamoros.

Corren una cortina, y parece el Altar de Santiago, y en él una fuente de plata, una espada, y unas espuelas doradas.

REY.	Rodrigo, ¿queréys ser Cavallero?
ROD.	Sí, quiero.
REY.	Pues Dios os haga buen Cavallero.
	Rodrigo, ¿queréys ser Cavallero?
ROD.	Sí, quiero.
REY.	Pues Dios os haga buen Cavallero.
	Rodrigo, ¿queréys ser Cavallero?
ROD.	Sí, quiero.
REY.	Pues Dios os haga buen Cavallero.—

           Cinco batallas campales,   50
venció en mi mano esta espada,
y pienso dexarla honrada
a tu lado.

ROD.   Estremos tales
mucho harán, Señor, de nada.
           Y assí, porque su alabança   55
llegue hasta la esfera quinta,[4]
ceñida en tu confiança
la quitaré de mi cinta,
colgaréla en mi esperança.
           Y, por el ser que me ha dado   60
El tuyo, que el cielo guarde,
de no bolvérmela al lado
hasta estar asegurado
de no hazértela covarde,
           que será haviendo vencido   65
cinco campales batallas.

CONDE.	—¡Ofrecimiento atrevido!— *(Aparte.)*
REY.	Yo te daré para dallas

la ocasión que me has pedido.—
           Infanta, y vos le poné   70
la espuela.

ROD.	¡Bien soberano!
URRA.	Lo que me mandas haré.
ROD.	Con un favor de tal mano,

sobre el mundo pondré el pie.

Pónele (DOÑA URRACA) *las espuelas.*

---

[4] *esfera quinta:* la de Martes, dios de la guerra, de acuerdo al sistema de Ptolomeo. (c. 90 - c. 168).

URRA.	Pienso que te havré obligado; Rodrigo, acuérdate desto.
ROD.	Al cielo me has levantado.
XIM.	—Con la espuela que le ha pues- to, *(Aparte.)* el coraçón me ha picado.—
ROD.	Y tanto servirte espero, como obligado me hallo.
REYNA.	Pues eres ya Cavallero ve a ponerte en un cavallo, Rodrigo, que darte quiero.
	Y yo y mis Damas saldremos a verte salir en él.
D. SAN.	A Rodrigo acompañemos.
REY.	Príncipe, salid con él.
PERANS .	—Ya estas honras son estremos.— *(Aparte.)*
ROD.	¿Qué vasallo mereció ser de su Rey tan honrado?
D. SAN.	Padre, y ¿quándo podré yo ponerme una espada al lado?
REY.	Aún no es tiempo.
D. SAN.	¿Cómo no?
REY.	Pareceráte pesada, que tus años tiernos son.
D. SAN.	Ya desnuda, o ya embaynada, las alas del coraçón hazen ligera la espada.
	Yo, Señor, quando su azero miro de la punta al pomo, con tantos bríos le altero, que a ser un monte de plomo me pareciera ligero.
	Y si Dios me da lugar de ceñilla, y satisfecho de mi pujança, llevar en hombros, espalda y pecho, gola[5], peto y espaldar,
	verá el mundo que me fundo en ganalle; y si le gano, verán mi valor profundo, sustentando en cada mano un polo de los del mundo.

---

[5] *gola:* protegía la garganta, así como el peto el pecho, y el espaldar era la armadura que cu
bría la espalda.

REY.	Soys muy moço, Sancho; andad.	115
	Con la edad daréys desvío	
	a ese brío.	
D. SAN.	¡Imaginad	
	que pienso tener más brío	
	quanto tenga más edad!	
ROD.	En mí tendrá vuestra Alteza	120
	para todo un fiel vasallo.	
CONDE.	¡Qué brava naturaleza!	(A PERANSULES.)
D. SAN.	Ven, y pondráste a cavallo.	
PERANS.	¡Será la misma braveza!	(Al CONDE.)
REYNA.	Vamos a vellos.	
DIEGO.	Bendigo,	125
	hijo, tan dichosa palma.	
REY.	—¡Qué de pensamientos sigo!—	(Aparte.)
XIMEN.	—¡Rodrigo me lleva el alma!—	(Aparte.)
URRA.	—Bien me parece Rodrigo—	(Aparte.)

Vanse, y quedan el REY, *el* CONDE LOÇANO, DIEGO LAÍNEZ, ARIAS
GONÇALO *y* PERANSULES.

REY.	Conde de Orgaz[6], Peransules,	130
	Laínez, Arias Gonçalo,	
	los quatro que hazéys famoso	
	nuestro Consejo de estado,	
	esperad, bolved, no os vays;	
	sentaos, que tengo que hablaros.—	135

(*Siéntanse todos quatro, y el* REY *en medio de ellos*.)

	Murió Gonçalo Bermudes	
	que del Príncipe don Sancho	
	fué Ayo, y murió en el tiempo	
	que más le importava el Ayo.	
	Pues dexando estudios y letras	140
	el Príncipe tan temprano,	
	tras su inclinación le llevan	
	guerras, armas y cavallos.	
	Y siendo de condición	
	tan indomable, y tan bravo,	145
	que tiene asombrado el mundo	
	con sus prodigios estraños,	
	un vasallo ha menester	

---

[6] *Orgaz:* villa de la provincia de Toledo.

que, tan leal como sabio,
enfrene sus apetitos   150
con prudencia y con recato.
Y assí, yo viendo, parientes
más amigos que vasallos,
que es Mayordomo mayor
de la Reyna Arias Gonçalo,   155
y que de Alonso y García
tiene la cura a su cargo[7]
Peransules, y que el Conde
por muchas causas Loçano,
para mostrar que lo es,   160
viste azero y corre el campo,
quiero que a Diego Laínez
tenga el Príncipe por Ayo;
pero es mi gusto que sea
con parecer de los quatro,   165
columnas de mi corona
y apoyos de mi cuydado.

ARIAS.   ¿Quién como Diego Laínez
puede tener a su cargo
lo que importa tanto a todos,   170
y al mundo le importa tanto?

PERANS.   ¿Merece Diego Laínez
tal favor de tales manos?

CONDE.   Sí, merece; y más agora,
que a ser contigo ha llegado   175
preferido a mi valor
tan a costa de mi agravio.
Haviendo yo pretendido
el servir en este cargo
al Príncipe mi Señor,   180
que el cielo guarde mil años,
devieras mirar, buen Rey,
lo que siento y lo que callo
por estar en tu presencia,
si es que puedo sufrir tanto.   185
Si el viejo Diego Laínez
con el peso de los años
caduca ya, ¿cómo puede,
siendo caduco, ser sabio?
Y cuando al Príncipe enseñe   190
lo que entre exercicios varios

---

[7] *tiene la cura a su cargo:* se encarga de la educación.

deve hacer un Cavallero
en las Plaças y en los Campos,
¿podrá, para dalle exemplo?
como yo mil vezes hago,   195
hacer una lança astillas,
desalentando un cavallo?
Si yo...

REY.   ¡Baste!
DIEGO.   Nunca, Conde,
anduvistes tan loçano.
Que estoy caduco confieso,   200
que el tiempo, en fin, puede tanto.
Mas caducando, durmiendo,
feneciendo, delirando,
¡puedo, puedo enseñar yo
lo que muchos ignoraron!   205
Que si es verdad que se muere
qual se bive, agonizando,
para bivir daré exemplos,
y valor para imitallos.
Si ya me faltan las fuerças   210
para con pies y con braços
hazer de lanças astillas
y desalentar cavallos,
de mis hazañas escritas
daré al Príncipe un traslado,   215
y aprenderá en lo que hize,
si no aprende en lo que hago.
Y verá el mundo, y el Rey,
que ninguno en lo criado
merece...   220

REY.   ¡Diego Laínez!
CONDE.   ¡Yo lo merezco...
REY.   ¡Vasallos!
CONDE.   ...tan bien como tú, y mejor!
REY.   ¡Conde!
DIEGO.   Recibes engaño.
CONDE.   Yo digo...
REY.   ¡Soy vuestro Rey!
DIEGO.   ¿No dizes?...
CONDE.   ¡Dirá la mano   225
lo que ha callado la lengua!
                    Dale una bofetada.

PERANS. ¡Tente!...
DIEGO.   ¡Ay, viejo desdichado!

REY.	¡Ah, de mi guarda...!
DIEGO.	¡Dexadme!
REY.	...prendelde!
CONDE.	¿Estás enojado?

Espera, escusa alborotos,   230
Rey poderoso, Rey magno,
y no los havrá en el mundo
de havellos en tu palacio.
Y perdónale esta vez
a esta espada y a esta mano   235
el perderte aquí el respeto,
pues tantas y en tantos años
fué apoyo de tu corona,
caudillo de tus soldados,
defendiendo tus fronteras,   240
y vengando tus agravios.
Considera que no es bien
que prendan los Reyes sabios
a los hombres como yo,
que son de los reyes manos,   245
alas de su pensamiento,
y coraçón de su estado.

REY.	¿Ola?
PERANS.	¿Señor?
ARIAS.	¿Señor?
REY.	¿Conde?
CONDE.	Perdona.
REY.	¡Espera villano!—

Vase el CONDE.

¡Seguilde!

ARIAS.	¡Parezca agora 250
	tu prudencia, gran Fernando!
DIEGO.	Llamalde, llamad al Conde,

que venga a exercer el cargo
de Ayo de vuestro hijo,
que podrá más bien honrallo;   255
pues que yo sin honra quedo,
y él lleva, altivo y gallardo,
añadido al que tenía
el honor que me ha quitado.
Y yo me iré, si es que puedo,   260
tropeçanzo en cada paso
con la carga de la afrenta

	sobre el peso de los años,	
	donde mis agravios llore	
	hasta vengar mis agravios.	265
REY.	¡Escucha, Diego Laínez!	
DIEGO.	Mal parece un afrentado	
	en presencia de su Rey.	
REY.	¡Oid!	
DIEGO.	¡Perdonad, Fernando!—	
	¡Ay, sangre que honró a Castilla!	270

Vase DIEGO LAÍNEZ.

REY.	¡Loco estoy!	
ARIAS.	Va apasionado.	
REY.	Tiene razón. ¿Qué haré, amigos?	
	¿Prenderé al Çonde Loçano?	
ARIAS.	No, Señor; que es poderoso,	
	arrogante, rico y bravo,	275
	y aventuras[8] en tu imperio	
	tus Reynos y tus vasallos.	
	Demás de que en casos tales	
	es negocio averiguado	
	que el prender al delinqüente	280
	es publicar el agravio.	
REY.	Bien dizes.— Ve, Peransules,	
	siguiendo al Conde Loçano.	
	Sigue tú a Diego Laínez. (*A* ARIAS GONÇ.)	
	Dezid de mi parte a entrambos	285
	que, pues la desgracia ha sido	
	en mi aposento cerrado	
	y está seguro el secreto,	
	que ninguno a publicallo	
	se atreva, haziendo el silencio	290
	perpetuo; y que yo lo mando	
	so pena de mi desgracia.	
PERANS.	¡Notable razón de estado!	
REY.	Y dile a Diego Laínez (*A* ARIAS GONÇ.)	
	que su honor tomo a mi cargo,	295
	y que buelva luego a verme.	
	Y di al Conde que le llamo, (*A* PERANS.)	
	y le aseguro.— Y veremos	
	si puede haver medio humano	
	que componga estas desdichas.	300

---

[8] *aventuras:* es verbo aquí en segunda persona singular, con el significado de "arriesgas".

PERANS.	Iremos.
REY.	¡Bolved bolando!
ARIAS.	Mi sangre es Diego Laínez.
PERANS.	Del Conde soy primo hermano.
REY.	—Rey soy mal obedecido,
	castigaré mis vasallos.—

305

Vanse.

Sale RODRIGO *con sus hermanos* HERNÁN DÍAZ *y* BERMUDO LAÍN *que le salen quitando las armas.*

ROD.	Hermanos, mucho me honráys.
BERM.	A nuestro hermano mayor
	servimos.
ROD.	Todo el amor
	que me devéys, me pagáys.
HERN.	Con todo, havemos quedado,
	—que es bien que lo confesemos,—
	imbidiando los estremos
	con que del Rey fuiste honrado.
ROD.	Tiempo, tiempo vendrá, hermanos,
	en que el Rey, placiendo a Dios,
	pueda emplear en los dos
	sus dos liberales manos,
	y os dé con los mismos modos
	el honor que merecí;
	que el Rey que me honra a mí,
	honra tiene para todos.
	Id colgando con respeto
	sus armas, que mías son;
	a cuyo hermoso heroyco blasón
	otra vez juro y prometo
	de no ceñirme su espada,
	que colgada aquí estará
	de mi mano, y está ya
	de mi esperança colgada,
	hasta que llegue a vencer
	cinco batallas campales.
BERM.	Y ¿quándo, Rodrigo, sales
	al campo?
ROD.	A tiempo ha de ser.

310

315

320

325

330

Sale DIEGO LAÍNEZ *con el báculo⁹ partido en dos partes.*

---

⁹ *báculo:* símbolo de autoridad.

DIEGO.	¿Agora cuelgas la espada, Rodrigo?
HERN.	¡Padre!
BERM.	¡Señor! 335
ROD.	¿Qué tienes?
DIEGO.	—No tengo honor.— *(Aparte.)* ¡Hijos!...
ROD.	¡Dilo!
DIEGO.	Nada, nada... ¡Dexadme solo!
ROD.	¿Qué ha sido? —De honra son estos enojos. *(Aparte.)* Vertiendo sangre los ojos... 340 con el báculo partido...—
DIEGO.	¡Salíos fuera!
ROD.	Si me das licencia, tomar quisiera otra espada.
DIEGO.	¡Esperad fuera! ¡Salte, salte como estás! 345
HERN.	¡Padre!
BERM.	¡Padre!
DIEG.	—¡Más se aumenta *(Ap.)* mi desdicha!—
ROD.	¡Padre amado!
DIEGO.	— Con una afrenta os he dado *(Aparte.)* a cada uno una afrenta.— ¡Dexadme solo...
BERM.	Cruel *(A* HERNÁN.*)* 350 es su pena.
HERN.	Yo la siento.
DIEGO.	...que se caerá este aposento *(Aparte.)* si hay quatro afrentas en él?— ¿No os vays?
ROD.	Perdona...
DIEGO.	—¡Qué poca *(Ap.)* es mi suerte!—
ROD.	¿Qué sospecho?... *(Aparte.)* 355 Pues ya el honor en mi pecho toca a fuego, al arma toca.—
	Vanse los tres.

DIEGO.

¡Cielos! ¡Peno, muero, rabio!...
No más báculo rompido,
pues sustentar no ha podido   360
sino al honor, al agravio.
Mas no os culpo, como sabio;
Mal he dicho... perdonad:
que es ligera autoridad
la vuestra, y sólo sustenta   365
no la carga de una afrenta,
sino el peso de una edad.
   Antes con mucha razón
os vengo a estar obligado,
pues dos palos me havéys dado   370
con que vengue un bofetón.
Mas es liviana opinión
que mi honor fundarse quiera
sobra cosa tan ligera.
Tomando esta espada, quiero   375
llevar báculo de acero,
y no espada de madera.

Ha de haver unas armas colgadas en el tablado y algunas espadas.

   Si no me engaño, valor
tengo que mi agravio siente.—
¡En ti, en ti, espada valiente,   380
ha de fundarse mi honor!
De Mudarra[10] el vengador
eres; tu acero afamólo
desde el uno al otro polo:
pues vengaron tus heridas   385
la muerte de siete vidas,
¡venga en mí un agravio solo!
   Esto ¿es blandir o temblar?
pulso tengo todavía;
aún yerve[11] mi sangre fría,   390
que tiene fuego el pesar.
Bien me puedo aventurar;
mas ¡ay cielo! engaño es,
que qualquier tajo o revés
me lleva tras sí la espada,   395

---

[10] *Mudarra*, o el bastardo Mudarra, hermanastro ilegítimo que vengó la muerte de los siete infantes de Lara.
[11] *yerve:* hoy "hierve".

bien en mi mano apretada,
y mal segura en mis pies.

　　Ya me parece de plomo,
ya mi fuerça desfallece,
ya caygo, ya me parece 　　　　　　　　　　400
que tiene a la punta el pomo.
Pues ¿qué he de hazer? ¿Cómo, cómo,
con qué, con qué confiança
daré paso a mis esperança
quando funda el pensamiento 　　　　　　　405
sobre tan flaco cimiento
tan importante vengança?

　　¡Oh, caduca edad cansada!
Estoy por pasarme el pecho.[12]
¡Ah, Tiempo ingrato! ¿qué has hecho? 　　410
¡Perdonad, valiente espada,
y estad desnuda, y colgada,
que no he de embaynaros, no!
Que pues mi vida acabó
donde mi afrenta comiença, 　　　　　　　415
teniéndoos a la vergüenza,
diréys la que tengo yo.

　　¡Desvanéceme la pena!
Mis hijos quiero llamar;
que aunque es desdicha tomar 　　　　　　420
vengança con mano agena,
el no tomalla condena
con más veras al honrado.
En su valor he deudado,
teniéndome suspendido 　　　　　　　　　425
el suyo por no sabido,
y el mío por acabado.

　　¿Qué haré?... No es mal pensamiento.—
¿Hernán Díaz?

Sale HERNÁN DÍAZ.

HERN. 　　　　　　　　¿Qué me mandas?
DIEGO. 　　Los ojos tengo sin luz, 　　　　　　430
　　la vida tengo sin alma.
HERN. 　　¿Qué tienes?
DIEGO. 　　　　　　　　¡Ay hijo! ¡Ay hijo!
　　Dame la mano; estas ansias

_____

[12] *por pasarme el pecho:* se sobreentiende que con la espada, o sea, matarse.

con este rigor me aprietan.

Tómale la mano a su hijo, y apriétasela lo más fuerte que pudiere.

HERN.	¡Padre, padre! ¡que me matas!	435
	¡Suelta, por Dios, suelta!, ¡ay cielo!	
DIEGO.	¿Qué tienes?, ¿qué te desmaya?,	
	¿qué lloras, medio muger?	
HERN.	¡Señor!...	
DIEGO.	¡Vete! ¡Vete! ¡Calla!	
	¿Yo te di el ser? No es posible...	440
	¡Salte fuera!	
HERN.	—¡Cosa estraña!—	

Vase.

DIEGO.
¡Si assí son todos mis hijos
buena queda mi esperança!—
¿Bermudo Laín?

Sale BERMUDO LAÍN.

BERM.	¿Señor?	
DIEGO.	Una congoja, una basca	445
	tengo, hijo. Llega, llega...	
	¡Dame la mano! (*Apriétale la mano.*)	
BERM.	Tomalla	
	puedes. ¡Mi padre! ¿qué hazes?...	
	¡Suelta, dexa, quedo, basta!	
	¿Con las dos manos me aprietas?	450
DIEGO.	¡Ah, infame! Mis manos flacas,	
	¿son las garras de un león?	
	Y aunque lo fueran ¿bastaran	
	a mover tus tiernas quexas?	
	¿Tú eres hombre? ¡Vete, infamia	
	de mi sangre!...	455
BERM.	—Voy corrido.—	

Vase.

DIEGO.
—¿Hay tal pena?, ¿hay tal desgracia?
¡En qué columnas estriba
la nobleza de una casa
que dió sangre a tantos Reyes!
Todo el aliento me falta.—
¿Rodrigo?

RODRIGO.	¿Padre?— Señor,
	¿es posible que me agravias?
	Si me engendraste el primero,
	¿cómo el postrero me llamas? 465
DIEGO.	¡Ay, hijo! Muero...
ROD.	¿Qué tienes?
DIEGO	¡Pena, pena, rabia, rabia!

Muérdele un dedo de la mano fuertemente.

ROD.	¡Padre! ¡Soltad en mal hora!
	¡Soltad, padre, en hora mala!
	¡Si no fuérades mi padre 470
	diéraos una bofetada!...
DIEGO.	Ya no fuera la primera.
ROD.	¿Cómo?
DIEGO.	¡Hijo, hijo del alma!

¡Esse sentimiento adoro,
essa cólera me agrada,   475
essa braveza bendigo!
¡Essa sangre alborotada
que ya en tus venas rebienta,
que ya por tus ojos salta,
es la que me dió Castilla,   480
y la que te di heredada
de Laín Calvo, y de Nuño,
y la que afrentó en mi cara
el Conde... el Conde de Orgaz...
esse a quien Loçano llaman!   485
¡Rodrigo, dame los braços!
¡Hijo, esfuerça mi esperança,
y esta mancha de mi honor
que al tuyo se estiende, lava
con sangre; que sangre sola[13]   490
quita semejantes manchas!...
Si no te llamé el primero
para hazer esta vengança,
fué porque más te quería,
fué porque más te adorava;   495
y tus hermanos quisiera
que mis agravios vengaran,
por tener seguro en ti

---

[13] *que sangre sola:* alusión al refrán "El honor con la sangre se lava".

el mayorazgo en mi casa.
Pero pues los vi, al provallos,   500
tan sin bríos, tan sin alma,
que doblaron mis afrentas,
y crecieron mis desgracias,
¡a ti te toca, Rodrigo!
Cobra el respeto a estas canas;   505
poderoso es el contrario,
y en Palacio y en campaña
su parecer el primero,
y suya la mejor lança.
Pero pues tienes valor   510
y el discurso no te falta,
quando a la vergüenza miras
aquí ofensa, y allí espada,
no tengo más que dezirte,
pues ya mi aliento se acaba,   515
y voy a llorar afrentas
mientras tú tomas venganças.

Vase DIEGO LAÍNES, *dexando solo a*
RODRIGO.

ROD.   Suspenso, de afligido,
estoy... Fortuna, ¿es cierto lo que veo?
¡Tan en mi daño ha sido   520
tu mudança, que es tuya, y no la creo!...
¿Posible pudo ser que permitiese
tu inclemencia que fuese
mi padre el ofendido... ¡estraña pena!
y el ofensor el padre de Ximena?   525
     ¿Qué hare, suerte atrevida,
si él es el alma que me dió la vida?
¿Qué hare (¡terrible calma!),
si ella es la vida que me tiene el alma?
Mezclar quisiera, en confiança tuya,   530
mi sangre con la suya,
¿y he de verter su sangre? ... ¡brava pena!
¿yo he de matar al padre de Ximena?
     Mas ya ofende esta duda
el santo honor que mi opinión sustenta.   535
Razón es que sacuda
de amor el yugo y, la cerviz esenta,
acuda a lo que soy; que haviendo sido
mi padre ofendido,

poco importa que fuese ¡amarga pena!   540
el ofensor el padre de Ximena.
   ¿Qué imagino? Pues que tengo
más valor que pocos años,
para vengar a mi padre
matando al Conde Loçano   545
¿qué importa el bando temido
del poderoso contrario,
aunque tenga en las montañas
mil amigos Asturianos?
Y ¿qué importa que en la Corte   550
del Rey de León, Fernando,
sea su voto el primero,
y en guerra el mejor su braço?
Todo es poco, todo es nada
en descuento de un agravio,   555
el primero que se ha hecho
a la sangre de Laín Calvo.
Dárame el cielo ventura,
si la tierra me da campo,
aunque es la primera vez   560
que doy el valor al braço.
Llevaré esta espada vieja
de Mudarra el Castellano,
aunque está bota,[14] y mohosa,
por la muerte de su amo;   565
y si le pierdo el respeto,
quiero que admita en descargo
de ceñírmela ofendido,
lo que la digo turbado:
   Haz cuenta, valiente espada,   570
que otro Mudarra te ciñe,
y que con mi braço riñe
por su honra maltratada.
   Bien sé que te correrás
de venir a mi poder,   575
mas no te podrás correr
de verme echar paso atrás.
   Tan fuerte como tu acero
me verás en campo armado;
segundo dueño has cobrado   580
tan bueno como el primero.
   Pues quando alguno me vença,

---

[14] *bota:* embotada.

corrido del torpe hecho,
hasta la cruz en mi pecho
te esconderé, de vergüença.   58

Vase.

Salen a la ventana DOÑA URRACA *y* XIMENA GOMÉZ

URRA.	¡Qué general alegría!
	tiene toda la ciudad
	con Rodrigo!
XIM.	Assí es verdad,
	y hasta el Sol alegra el día.
URRA.	Será un bravo Cavallero, 59
	galán, bizarro y valiente.
XIM.	Luze en él gallardamente
	entre lo hermoso lo fiero.
URRA..	¡Con qué brío, qué pujança,
	gala[15], esfuerço y maravilla, 59
	afirmándose en la silla
	rompió en el ayre una lança!
	Y al saludar ¿no le viste
	que a tiempo picó el cavallo?
XIM.	Si llevó para picallo 60
	la espuela que tú le diste,
	¿qué mucho?
URRA.	¡Ximena, tente!
	porque ya el alma recela
	que no ha picado la espuela
	al caballo solamente. 60

Salen el CONDE LOÇANO PERANSULES, *y algunos* CRIADOS.

CONDE	Confieso que fué locura,
	mas no la quiero emendar.
PERANS.	Querrálo el Rey remediar
	con su prudencia y cordura.
CONDE.	¿Qué ha de hazer?
PERANS.	Escucha agora, 61
	ten flema[16], procede a espacio...—
XIM.	A la puerta de Palacio
	llega mi padre, y, Señora,
	algo viene alborotado.

---

[15] *gala:* gracia.
[16] *flema:* calma.

228

URRA.	Mucha gente le acompaña.— 615
PERANS.	Es tu condición estraña.
CONDE.	Tengo condición de honrado.
PERANS.	Y con ella ¿has de querer perderte?
CONDE.	¿Perderme? No, que los hombres como yo 620 tienen mucho que perder, y ha de perderse Castilla antes que yo.
PERANS.	¿Y no es razón el dar tú...?
CONDE.	¿Satisfacción? ¡Ni dalla ni recebilla! 625
PERANS.	¿Por qué no? No digas tal. ¿Qué duelo en su ley lo escrive?
CONDE.	El que la da y la recibe, es muy cierto quedar mal, porque el uno pierde honor, 630 y el otro no cobra nada; el remitir á la espada los agravios es mejor.
PERANS.	Y ¿no hay otros medios buenos?
CONDE.	No dizen con mi opinión. 635 Al dalle satisfación ¿no he de dezir, por lo menos, que sin mí y conmigo estava al hazer tal desatino, o porque sobrava el vino, 640 o porque el seso faltava?
PERANS.	Es assí.
CONDE.	Y ¿no es desvarío el no advertir, que en rigor pondré un remiendo en su honor quitando un girón del mío? 645 Y en haviendo sucedido, havremos los dos quedado, él, con honor remendado, y yo, con honor perdido. Y será más en su daño 650 remiendo de otro color, que el remiendo en el honor ha de ser del mismo paño. No ha de quedar satisfecho de essa suerte, cosa es clara; 655

	si sangre llamé a su cara,	
	saque sangre de mi pecho,	
	que manos tendré y espada	
	para defenderme dél.	
PERANS.	Essa opinión es cruel.	660
CONDE.	Esta opinión es honrada.	
	Procure siempre acertalla	
	el honrado y principal;	
	pero si la acierta mal	
	defendella, y no emendalla.	665
PERANS.	Advierte bien lo que hazes,	
	que sus hijos...	
CONDE.	Calla, amigo;	
	y ¿han de competir conmigo	
	un caduco, y tres rapazes?	

Vanse (como que entran en Palacio).

Sale RODRIGO.

XIM.	¡Parece que está enojado	670
	mi padre, ay Dios! Ya se van.	
URRA.	No te aflixas; tratarán	
	allá en su razón de estado.—[17]	
	Rodrigo viene.	
XIM.	Y también	
	trae demudado el semblante.	675
ROD.	—Qualquier agravio es gigante. *(Aparte.)*	
	en el honrado... ¡Ay, mi bien!—	
URRA.	¡Rodrigo, qué cavallero	
	pareces!	
ROD.	— ¡Ay, prenda amada!—	
	(Aparte.)	
URRA.	¡Qué bien te asienta la espada	680
	sobre seda y sobre azero!	
ROD.	Tal merced...	
XIM.	—Alguna pena *(A D.ª*	
	URRACA.)	
	señala... ¿Qué puede ser?—	
URRA.	Rodrigo...	
ROD.	—¡Que he de verter *(Aparte.)*	
	sangre del alma! ¡Ay, Ximena!—	685
URRA.	... o fueron vanos antojos,	

---

[17] *razón de estado:* asuntos del gobierno o de índole política, aquí.

	o pienso que te has turbado.	
ROD.	Sí, que las dos havéys dado	
	dos causas a mis dos ojos,	
	pues lo fueron deste efeto	690
	el darme con tal ventura,	
	Ximena, amor y hermosura,	
	y tú, hermosura y respeto.	
XIM.	Muy bien ha dicho, y mejor	
	dixera, si no igualara	695
	la hermosura.	
URRA.	—Yo trocara (*Aparte.*)	
	con el respeto el amor.—	
	Más bien huviera acertado (*A* XIMENA.)	
	si mi respeto no fuera,	
	pues sólo tu amor pusiera	700
	tu hermosura en su cuydado,	
	y no te causara enojos	
	el ver igualarme a ti	
	en ella.	
XIM.	Sólo sentí	
	el agravio de tus ojos;	705
	por que yo más estimara	
	el ver estimar mi amor	
	que mi hermosura.	
ROD.	— ¡Oh, rigor (*Aparte.*)	
	de fortuna! ¡Oh, suerte avara!	
	¡Con glorias creces mi pena!—	710
URRA.	Rodrigo...	
XIM.	—¿Qué puede ser?—	
	(*Aparte.*)	
ROD.	¡Señora!—¡Que he de verter (*Aparte*)	
	sangre del alma! ¡Ay, Ximena!	
	Ya sale el conde Loçano.	
	¿Cómo ¡terribles enojos!	715
	teniendo el alma en los ojos	
	pondré en la espada la mano?—	

Salen el CONDE LOÇANO, *y* PERANSULES, *y*
los CRIADOS.

PERANS.	De lo hecho te contenta,	
	y ten por cárcel tu casa.	
ROD.	—El amor allí me abrasa, (*Aparte.*)	720
	y aquí me yela el afrenta.—	
CONDE.	Es mi cárcel mi alvedrío,	

si es mi casa.

XIM.   ¿Qué tendrá?
Ya está hecho brasa, y ya está
como temblando de frío.   725

URRA.   Hasia el Conde está mirando
Rodrigo, el color perdido.
¿Qué puede ser?

ROD.   —Si el que he
sido   (*Aparte.*)
soy siempre ¿qué estoy dudando?—

XIM.   ¿Qué mira? ¿A qué me condena?   730
ROD.   —Mal me puedo resolver.—   (*Aparte.*)
XIM.   ¡Ay, triste!
ROD.   —¡Que he de ver-
ter   (*Aparte.*)
sangre del alma! ¡Ay, Ximena!...
¿Qué espero? ¡Oh, amor gigante!...
¿En qué dudo?... Honor ¿qué es esto?...   735
En dos balanças he puesto
ser honrado, y ser amante.

Salen DIEGO LAÍNEZ *y* ARIAS GONÇALO.

Mas mi padre es éste; rabio
ya por hazer su vengança,
¡qué cayó la una balança   740
con el peso del agravio!
¡Covardes mis bríos son,
pues para que me animara
huve de ver en su cara
señalado el bofetón!—

DIEGO.   Notables son mis enojos,   745
Deve dudar y temer.
¡Qué mira, si echa de ver
que le animo con los ojos?

ARIAS.   Diego Laínez ¿qué es esto?
DIEGO.   Mal te lo puedo dezir.   750
PERANS.   Por acá podremos ir,   (*Al* CONDE.)
que está ocupado aquel puesto.

CONDE.   Nunca supe andar torciendo
ni opiniones ni caminos.   755

ROD.   —Perdonad, ojos divinos,
si voy a matar muriendo.—
¿Conde?

CONDE.   ¿Quién es?

Rod.	A esta parte
	quiero dezirte quién soy.
Xim.	¿Qué es aquello? ¡Muerta estoy!— 760
Conde.	¿Qué me quieres?
Rod.	Quiero hablarte.—
	Aquel viejo que está allí
	¿sabes quién es?
Conde.	Ya lo sé.
	¿Por qué lo dizes?
Rod.	¿Por qué?—
	Habla bajo, escucha.
Conde.	Di. 765
Rod.	¿No sabes que fué despojo
	de honra y valor?
Conde.	Sí, sería.
Rod.	Y ¿que es sangre suya y mía
	la que yo tengo en el ojo?
	¿Sabes?
Conde.	Y el sabello (acorta
	razones), ¿qué ha de importar? 770
Rod.	Si vamos a otro lugar,
	sabrás lo mucho que importa.
Conde.	Quita, rapaz; ¿puede ser?
	Vete, novel Cavallero, 775
	vete, y aprende primero
	a pelear y a vencer;
	y podrás después honrarte
	de verte por mí vencido,
	sin que yo quede corrido 780
	de vencerte, y de matarte.
	Dexa agora tus agravios,
	porque nunca acierta bien
	venganças con sangre quien
	tiene la leche[18] en los labios. 785
Rod.	En ti quiero començar
	a pelear, y aprender;
	y verás si sé vencer,
	veré si sabes matar.
	Y mi espada mal regida 790
	te dirá en mi braço diestro,
	que el coraçón es maestro
	desta ciencia no aprendida.
	Y quedaré satisfecho,

---

[18] *tiene la leche:* le falta aún experiencia, es aún joven.

	mezclando entre mis agravios	795
	esta leche de mis labios	
	y esa sangre de tu pecho.	
PERANS.	¡Conde!	
ARIAS.	¡Rodrigo!	
XIM.	¡Ay, de mí!	
DIEGO.	—El coraçón se me abrasa.— (*Aparte.*)	
ROD.	Qualquier sombra desta casa (*Al* CONDE.	800
	es sagrado para ti...	
XIM.	¿Contra mi padre, Señor?	
ROD.	... y assí no te mato agora.	
XIM.	¡Oye!	
ROD.	¡Perdonad, Señora,	
	que soy hijo de mi honor!—	805
	Sígueme, Conde!	
CONDE.	Rapaz	
	con sobervia de gigante,	
	mataréte si delante	
	te me pones; vete en paz.	
	Vete, vete, si no quiés	810
	que como en cierta ocasión	
	di a tu padre un bofetón,	
	te dé a tí mil puntapiés.	
ROD.	¡Ya es tu insolencia sobrada!	
XIM.	¡Con quánta razón me aflixo!	815
DIEGO.	Las muchas palabras, hijo,	
	quitan la fuerça a la espada.	
XIM.	¡Detén la mano violenta,	
	Rodrigo!	
URRA.	¡Trance feroz!	
DIEGO.	¡Hijo, hijo! Con mi boz	
	te embío ardiendo mi afrenta.	820

Entranse acuchillando el CONDE *y* RODRIGO, *y todos tras ellos, y dizen dentro lo siguiente.*

CONDE.	¡Muerto soy!	
XIM.	¡Suerte inhumana!	
	¡Ay, padre!	
PERANS.	¡Matalde! ¡Muera! (*Dentro.*)	
URRA.	¿Qué hazes, Ximena?	
XIM.	Quisiera	
	echarme por la ventana.	825
	Pero bolaré corriendo	
	ya que no baxo bolando.	
	¡Padre!	

Entrase XIMENA.

DIEGO.	¡Hijo!
URRA.	¡Ay, Dios!

Sale RODRIGO *acuchillándose con todos.*

ROD.   ¡Matando
he de morir!

URRACA.   ¿Qué estoy viendo?

CRIAD. 1.º   ¡Muera, que al Conde mató!   830

CRIAD. 2.º   ¡Prendeldo!

URRA.   Esperá ¿qué hazéys?
Ni le prendáys, ni matéys...
¡Mirad que lo mando yo,
que estimo mucho a Rodrigo,
y le ha obligado su honor!   835

ROD.   Bella Infanta, tal favor
con toda el alma bendigo.
    Mas es la causa estremada
para tan pequeño efeto,
interponer tu respeto,   840
donde sobrara mi espada.
    No matallos ni vencellos
pudieras mandarme a mí,
pues por respetarte a ti
los dexo con vida a ellos.   845
    Quando me quieras honrar,
con tu ruego y con tu boz
detén el viento veloz,
para el indómito mar,
    y para parar el Sol   850
te le opón con tu hermosura;
que para éstos, fuerça pura
sobra en mi braço español;
    y no irán tantos viniendo,
como pararé matando.   855

URRA.   Todo se va alborotando.
Rodrigo, a Dios te encomiendo,
    y el Sol, el viento y el mar,
pienso, si te han de valer,
con mis ruegos detener   860
y con mis fuerças parar.

ROD.   Beso mil vezes tu mano.
¡Seguidme!   (*A los* CRIADOS.)

235

CRIAD. 1.º   ¡Vete al abismo!

CRIAD. 2.º ¡Sígate el demonio mismo!

URRA.   ¡Oh, valiente Castellano!   865

ACTO SEGUNDO

Sale el Rey Don Fernando *y algunos* Criados *con él.*

Rey.	¿Qué rüido, grita y lloro,
	que hasta las nuves abrasa,
	rompe el silencio en mi casa,
	y en mi respeto el decoro?
	Arias Gonçalo, ¿qué es esto?[19] 870

Sale Arias Gonçalo.

Arias.	¡Una grande adversidad!
	Perderáse esta Ciudad
	si no lo remedias presto.

Sale Peransules.

Rey.	Pues ¿qué ha sido?
Perans.	Un enemigo...
Rey.	¿Peransules?
Perans.	... un rapaz 875
	ha muerto al Conde de Orgaz.
Rey.	¡Válame Dios! ¿Es Rodrigo?
Perans.	Él es, y en tu confiança
	pudo alentar su osadía.
Rey.	Como la ofensa sabía, 880
	luego caí en la vengança.
	Un gran castigo he de hazer.
	¿Prendiéronle?
Perans.	No, Señor.
Arias.	Tiene Rodrigo valor,
	y no se dexó prender. 885
	Fuése, y la espada en la mano,
	llevando a compás los pies,

---

[19] Digno de notar es que Guillén de Castro, contrario a la regla de alternar escenas de alta teh-sión con otras que relajan el ambiente dramático, inicia este segundo acto continuando la tensión con que termina el primero.

pareció un Roldán francés,
pareció un Héctor[20] troyano.

Salen por una puerta XIMENA GÓMEZ, *y por otra* DIEGO LAÍNEZ, *ella con
un pañuelo lleno de sangre y él teñido en sangre en el carrillo.*

XIM.	¡Justicia, justicia pido!	890
DIEGO.	Justa vengança he tomado.	
XIM.	¡Rey, a tus pies he llegado!	
DIEGO.	Rey, a tus pies he venido.	
REY.	—¡Con quánta razón me afli-	
	xo! (*Aparte*.)	
	¡Qué notable desconcierto!—	895
XIM.	¡Señor, a mi padre han muerto!	
DIEGO.	Señor, matóle mi hijo;	
	fué obligación sin malicia.	
XIM.	Fué malicia y confiança.	
DIEGO.	Hay en los hombres vengança.	900
XIM.	¡Y havrá en los Reyes justicia!	
	¡Esta sangre limpia y clara	
	en mis ojos considera!	
DIEGO.	Si essa sangre no saliera,	
	¿cómo mi sangre quedara?	905
XIM.	¡Señor, mi padre he perdido!	
DIEGO.	¡Señor, mi honor he cobrado!	
XIM.	Fué el vasallo más honrado.	
DIEGO.	¡Sabe el cielo quién lo ha sido!	
	Pero no os quiero aflixir:	910
	soys mujer; dezid, Señora.	
XIM.	Esta sangre dirá agora	
	lo que no acierto a dezir.	
	Y de mi justa querella	
	justicia assí pediré,	915
	porque yo solo sabré	
	mezclar lágrimas con ella.	
	Yo vi con mis propios ojos	
	teñido el luziente azero:	
	mira si con causa muero	920
	entre tan justos enojos.	
	Yo llegué casi sin vida,	
	y sin alma ¡triste yo!	
	a mi padre, que me habló	

---

[20] *Roldán ... Hector*: el primero, uno de los doce pares de Francia, protagonista de La *Chanson de Roland*, y el segundo, el héroe de Troya, muerto por Aquiles.

por la boca de la herida. 925
    Atajóle la razón
la muerte, que fué cruel,
y escrivió en este papel
con sangre mi obligación.
A tus ojos poner quiero 930
letras que en mi alma están,
y en los míos, como imán,
sacan lágrimas de azero.
    Y aunque el pecho se desangre
en su misma fortaleza, 935
costar tiene una cabeça
cada gota desta sangre.

REY.   ¡Levantad!
DIEGO.   Yo vi, Señor
que en aquel pecho enemigo
la espada de mi Rodrigo 940
 entrava a buscar mi honor.
    Llegué, y halléle sin vida,
y puse con alma esenta
el coraçón en mi afrenta
y los dedos en su herida. 945
    Lavé con sangre el lugar
adonde la mancha estava,
porque el honor que se lava,
con sangre se ha de lavar.
    Tú, Señor, que la ocasión 950
viste de mi agravio, advierte
en mi cara de la suerte
que se venga un bofetón;
    que no quedara contenta
no lograda mi esperança, 955
si no vieras la vengança
adonde viste la afrenta.
    Agora, si en la malicia
que a tu respeto obligó,
la vengança me tocó, 960
y te toca la justicia,
    hazla en mí, Rey soberano,
pues es propio de tu Alteza
castigar en la cabeça
los delitos de la mano. 965
    Y sólo fué mano mía
Rodrigo: yo fuí el cruel
que quise buscar en él

las manos que no tenía.
         Con mi cabeça cortada   970
quede Ximena contenta,
que mi sangre sin mi afrenta
saldrá limpia, y saldrá honrada.

REY.   ¡Levanta y sosiégate,
Ximena!

XIM.   ¡Mi llanto crece!   975

Salen DOÑA URRACA *y el Príncipe* DON SANCHO, *con quien les acompañe.*

URRA.   Llega, hermano, y favorece   (*Aparte.*)
a tu Ayo.

D. SAN.   Assí lo haré.—

REY.   Consolad, Infanta, vos
a Ximena.—¡Y vos, id preso! (*A* DIEGO.)

D. SAN.   Si mi padre gusta deso   980
presos iremos los dos.
         Señale la fortaleza...
mas tendrá su Magestad
a estas canas más piedad.

DIEGO.   Déme los pies vuestra Alteza.   985

REY.   A castigalle me aplico.
¡Fué gran delito!

D. SAN.   Señor,
fué la obligación de honor,
¡y soy yo el que lo suplico!

REY.   Casi a mis ojos matar   990
al Conde, tocó en trayción.

URRA.   El Conde le dió ocasión.

XIM.   ¡Él la pudiera escusar!

D. SAN.   Pus por Ayo me le has dado,
hazle a todos preferido;   995
pues que para havello sido
le importaba ser honrado.
         Mi Ayo ¡bueno estaría
preso mientras bivo estoy!

PERANS. De tus hermanos lo soy,   1000
y fué el Conde sangre mía.

D. SAN.   ¿Qué importa?

REY.   ¡Baste!

D. SAN.   ¡Señor,
en los Reyes soberanos
siempre menores hermanos
son criados del mayor!   1005

	¿Con el Príncipe heredero
	los otros se han de igualar?
PERANS.	Preso le manda llevar.
D. SAN.	¡No hará el Rey, si yo no quiero!
REY.	¡Don Sancho!...
XIM.	¡El alma desmaya!	1010
ARIAS.	—Su braveza maravilla.— (*Aparte*.)
D. SAN.	¡Ha de perderse Castilla
	primero que preso vaya!
REY.	Pues vos le havéys de prender.
DIEGO.	¿Qué más bien puedo esperar?	1015
D. SAN.	Si a mi cargo ha de quedar,
	yo su Alcayde quiero ser.—
	Siga entre tanto Ximena
	su justicia.
XIM.	¡Harto mejor!
	Perseguiré el matador.	1020
D. SAN.	Conmigo va.
REY.	¡Enhorabuena!
XIM.	—¡Ay, Rodrigo!, pues me obli-
	gas (*Aparte*.)
	si te persigo verás.—
URRA.	—Yo pienso valelle más (*Aparte*.)
	quanto tú más le persigas.—	1025
ARIAS.	—Sucesos han sido estraños.— (*Aparte*.)
D. SAN.	Pues yo tu Príncipe soy,
	ve confiado.
DIEGO.	Sí, voy.
	Guárdete el cielo mil años.

Sale un PAJE, *y habla a la Infanta*

PAJE.	A su casa de plazer	1030
	quiere la Reyna partir;
	manda llamarte.
URRA.	Havré de ir;
	con causa deve de ser.
REY.	Tú, Ximena, ten por cierto
	tu consuelo en mi rigor.	1035
XIM.	¡Haz justicia!
REY.	Ten valor.
XIM.	¡Ay, Rodrigo, que me has muerto!—
	(*Aparte*.)

Vanse, y salen RODRIGO *y* ELVIRA, *criada de* XIMENA.

241

ELVIRA.	¿Qué has hecho, Rodrigo?
ROD.	Elvira,

una infelize jornada.
A nuestra amistad pasada   1040
y a mis desventuras mira.

ELVIRA.   ¿No mataste al Conde?
ROD.   Es cierto;
importávale a mi honor.

ELVIRA.   Pues, Señor,
¿quándo fué casa del muerto   1045
sagrado del matador?

ROD.   Nunca al que quiso la vida;
pero yo busco la muerte
en su casa.

ELVIRA.   ¿De qué suerte?
ROD.   Está Ximena ofendida;   1050
de sus ojos soberanos
siento en el alma disgusto,
y por ser justo,
vengo a morir en sus manos,
pues estoy muerto en su gusto.   1055

ELVIRA.   ¿Qué dizes? Vete, y reporta
tal intento; porque está
cerca Palacio, y vendrá
acompañada.

ROD.   ¿Qué importa?
En público quiero hablalla,   1060
y ofrecelle la cabeça.

ELVIRA.   ¡Qué estrañeza!
Esso fuera... ¡vete, calla!—
locura, y no gentileza.

ROD.   Pues ¿qué haré?
ELVIRA.   ¿Qué siento?, ¡ay, Dios!   1065
¡Ella vendrá...! ¿Qué recelo?...
¡Ya viene! ¡Válgame el cielo!
¡Perdidos somos los dos!
A la puerta del retrete[21]
te cubre desa cortina.   1070

ROD.   Eres divina.   (*Escóndese* RODRIGO.)
ELVIRA.   —Peregrino fin promete   (*Aparte*.)
ocasión tan peregrina.—

Salen XIMENA GÓMEZ, PERANSULES, *y quien los acompañe.*

---

[21] *retrete:* no tiene el significado actual, sino el de una habitación para retirarse, descansar o vestirse.

XIM.	Tío, dexadme morir.
PERANS.	Muerto voy. ¡Ah, pobre Conde!
XIM.	Y dexadme sola adonde
	ni aun quexas puedan salir.—

1075

Vanse PERANSULES *y los demás que salieron acompañando a* XIMENA.

Elvira, sólo contigo
quiero descansar un poco.
Mi mal toco   (*Siéntase en una almohada.*)   1080
con toda el alma; Rodrigo
mató a mi padre.

ROD.	—¡Estoy loco!—
	(*Aparte.*)
XIM.	¿Qué sentiré, si es verdad...
ELVIRA.	Di, descansa.
XIM.	... ¡ay, afligida!,
	que la mitad de mi vida
	ha muerto la otra mitad?
ELVIRA.	¿No es posible consolarte?
XIM.	¿Qué consuelo he de tomar
	si al vengar
	de mi vida la una parte,
	sin las dos he de quedar?
ELVIRA.	¿Siempre quieres a Rodrigo?
	Que mató a tu padre mira.
XIM.	Sí, y aun preso ¡ay, Elvira!
	es mi adorado enemigo.
ELVIRA.	¿Piensas perseguille?
XIM.	Sí,
	que es de mi padre el decoro;
	y assí lloro
	el buscar lo que perdí,
	persiguiendo lo que adoro.
ELVIRA.	Pues ¿Cómo harás—no lo entiendo—
	estimando el matador
	y el muerto?
XIM.	Tengo valor,
	y havré de matar muriendo.
	Seguiréle hasta vengarme.

1085

1090

1095

1100

1105

Sale RODRIGO *y arrodíllase delante de* XIMENA.

ROD.	Mejor es que mi amor firme,
	con rendirme,

	te dé el gusto de matarme	
	sin la pena del seguirme.	
Xim.	¿Qué has emprendido? ¿Qué has hecho?	1110
	¿Eres sombra? ¿Eres visión?	
Rod.	¡Pasa el mismo coraçón	
	que pienso que está en tu pecho!	
Xim.	¡Jesús!... ¡Rodrigo! ¿Rodrigo	
	en mi casa?	
Rod.	Escucha...	
Xim.	¡Muero!...	1115
Rod.	Sólo quiero	

que en oyendo lo que digo,
respondas con este azero. (*Dale su daga.*)
    Tu padre el Conde, Loçano
en el nombre, y en el brío,   1120
puso en las canas del mío
la atrevida injusta mano;
    Y aunque me vi sin honor,
se mal logró mi esperança
en tal mudança,   1125
con tal fuerça, que tu amor
puso en duda mi vengança.
    Mas en tan gran desventura
lucharon a mi despecho,
contrapuestos en mi pecho,   1130
mi afrenta con tu hermosura;
    y tú, Señora, vencieras,
a no haver imaginado,
que afrentado,
por infame aborrecieras   1135
quien quisiste por honrado.
    Con este buen pensamiento,
tan hijo de tus azañas,
de tu padre en las entrañas
entró mi estoque sangriento.   1140
    Cobré mi perdido honor;
mas luego a tu amor, rendido
he venido
porque no llames rigor
lo que obligación ha sido,   1145
    donde disculpada veas
con mi pena mi mudança,
y donde tomes vengança,
si es que vengança deseas.
    Toma, y porque a entrambos quadre   1150

un valor, y un alvedrío,
haz con brío
la vengança de tu padre.
como hize la del mío.

XIM.   Rodrigo, Rodrigo, ¡ay triste!,   1155
yo confieso, aunque la sienta,
que en dar vengança a tu afrenta
como Cavallero hiziste.

No te doy la culpa a ti
de que desdichada soy;   1160
y tal estoy,
que havré de emplear en mí
la muerte que no te doy.

Sólo te culpo, agraviada,
al ver que a mis ojos vienes   1165
a tiempo que aún fresca tienes
mi sangre en mano y espada.

Pero no a mi amor, rendido,
sino a ofenderme has llegado,
confiado   1170
de no ser aborrecido
por lo que fuiste adorado.

Mas, ¡vete, vete, Rodrigo!
Disculpará mi decoro
con quien piensa que te adoro,   1175
el saber que te persigo.

Justo fuera sin oirte
que la muerte hiziera darte;
mas soy parte
para sólo perseguirte,   1180
¡pero no para matarte!

¡Vete!... Y mira a la salida
no te vean, si es razón
no quitarme la opinión
quien me ha quitado la vida.   1185

ROD.   Logra mi justa esperança.
¡Mátame!

XIM.   ¡Déxame!

ROD.   ¡Espera!
¡Considera
que el dexarme es la vengança,
que el matarme no lo fuera!   1190

XIM.   Y aun por esso quiero hazella.

ROD.   ¡Loco estoy! Estás terrible...
¿Me aborreces?

XIM.	No es posible,
	que predominas mi estrella.[22]
ROD.	Pues tu rigor, ¿qué hazer quiere? 1195
XIM.	Por mi honor, aunque muger,
	he de hazer
	contra ti quanto pudiere...
	deseando no poder.
ROD.	¡Ay, Ximena! ¿Quién dixera... 1200
XIM.	¡Ay, Rodrigo! ¿Quién pensara...
ROD.	... que mi dicha se acabara?
XIM.	... y que mi bien feneciera?
	Mas ¡ay, Dios! que estoy temblando
	de que han de verte saliendo... 1205
ROD.	¿Qué estoy viendo?
XIM.	¡Vete, y déxame penando!
ROD.	¡Quédate, iréme muriendo!

Éntranse los tres.

Sale DIEGO LAÍNEZ, *solo.*

DIEGO.	No la ovejuela su pastor perdido,
	ni el león que sus hijos le han quitado, 1210
	baló quexosa, ni bramó ofendido,
	como yo por Rodrigo... ¡Ay hijo amado!
	Voy abraçando sombras descompuesto
	estre la oscura noche que ha cerrado...
	Dile la seña y señaléle el puesto 1215
	donde acudiese en sucediendo el caso.
	¿Si me havrá sido inobediente en esto?
	¡Pero no puede ser! ¡Mil penas paso!
	Algún inconveniente le havrá hecho,
	mudando la opinión, torcer el paso... 1220
	¡Qué helada sangre me rebienta el pecho!
	¿Si es muerto, herido, o preso?... ¡Ay, cielo
	santo!
	¡Y quántas cosas de pesar sospecho!
	¿Qué siento?... ¿Es él? Mas, no merezco
	tanto;
	será que corresponden a mis males 1225
	los ecos de mi boz y de mi llanto.
	Pero... entre aquellos secos pedregales

---

[22] *que predominas mi estrella:* que es lo principal en su destino, o sea, que es lo principal en su vida.

246

buelvo a oír el galope de un caballo...
Dél se apea Rodrigo. ¿Hay dichas tales?

Sale RODRIGO

¿Hijo?

ROD. ¿Padre?

DIEGO. ¿Es posible que me hallo   1230
entre tus braços? Hijo, aliento tomo
para en tus alabanças empleallo.

¿Cómo tardaste tanto? Pies de plomo
te puso mi deseo, y pues veniste,
no he de cansarte preguntando el cómo.   1235

¡Bravamente provaste!, ¡bien lo hiziste!,
¡bien mis pasados bríos imitaste!,
¡bien me pagaste el ser que me deviste!

Toca las blancas canas que me honraste,
llega la tierna boca a la mexilla   1240
donde la mancha de mi honor quitaste.

Sobervia el alma a tu valor se humilla,
como conservador de la nobleza
que ha honrado tantos Reyes en Castilla.

ROD. Dame la mano, y alça la cabeça,   1245
a quien, como la causa, se atribuya
si hay en mí algún valor y fortaleza.

DIEGO. Con más razón besara yo la tuya,
pues si yo te di el ser naturalmente,
tú me le has buelto a pura fuerça suya.   1250

Mas será no acabar eternamente,
si no doy a esta plática desvíos.
Hijo, ya tengo prevenida gente;

con quinientos hidalgos, deudos míos,
(que cada qual tu gusto solicita),   1255
sal en campaña a exercitar tus bríos.

Ve, pues la causa y la razón te incita,
donde están esperando en sus cavallos,
que el menos bueno a los del Sol imita.

Buena ocasión tendrás para empleallos,   1260
pues Moros fronterizos arrogantes,
al Rey le quitan tierras y vasallos;

que ayer, con melancólicos semblantes,
el Consejo de Guerra, y el de Estado,
lo supo pos espías vigilantes.   1265

Las fértiles campañas han talado
De Burgos; y pasando Montes de Oca,

de Nágera, Logroño y Bilforado,
   con suerte mucha, y con vergüenza poca,
se llevan tanta gente aprisionada,   1270
que ofende al gusto, y el valor provoca.
   Sal les al paso, emprende esta jornada,
y dando brío al coraçón valiente,
prueve la lanza quien provó la espada,
   y el Rey, sus Grandes, la plebeya gente,   1275
no dirán que la mano te ha servido
para vengar agravios solamente.
   Sirve en la guerra al Rey; que siempre ha
   sido
digna satisfación de un Cavallero
servir al Rey a quien dexó ofendido.   1280

ROD.   ¡Dadme la bendición!
DIEGO.   Hazello quiero.
ROD.   Para esperar de mi obediencia palma,
tu mano beso, y a tus pies la espero.
DIEGO.   Tómala con la mano, y con el alma.

Vanse.

Sale la Infanta DOÑA URRACA, *asomada a una ventana.*

URRA.   ¡Qué bien el campo y el monte   1285
le parece a quien lo mira
hurtando el gusto al cuydado,
y dando el alma a la vista!
En los llanos y en las cumbres
¡qué a concierto se divisan   1290
aquí los pimpollos verdes,
a allí las pardas encinas!
Si acullá brama el león,
aquí la mansa avecilla
parece que su braveza   1295
con sus cantares mitiga.
Despeñándose el arroyo,
señala que como estiman
sus aguas la tierra blanda,
huyen de las peñas bivas.   1300
Bien merecen estas cosas
tan bellas, y tan distinctas,
que se imite a quien las goza,
y se alabe a quien las cría.
¡Bienaventurado aquel   1305

que por sendas escondidas
en los campos se entretiene,
y en los montes se retira!
Con tan buen gusto la Reyna
mi madre, no es maravilla   1310
si en esta casa de campo
todos sus males alivia.
Salió de la Corte huyendo
de entre la confusa grita,
donde unos toman vengança   1315
quando otros piden justicia...
¿Qué se havrá hecho Rodrigo?
que con mi presta venida
no he podido saber dél
si está en salvo, o si peligra.   1320
No sé qué tengo, que el alma
con cierta melancolía
me desvela en su cuydado...
Mas ¡ay! estoy divertida:
una tropa de cavallos   1325
dan polvo al viento que imitan,
todos a punto de guerra...
¡Jesús, y qué hermosa vista!
Saber la ocasión deseo,
la curiosidad me incita...   1330
—¡Ah, cavalleros!, ¡ah, hidalgos!—
    (*Llamando.*)
Ya se paran, y ya miran
—¡Ah, Capitán, el que lleva
banda, y plumas amarillas!—
Ya de los otros se aparta...   1335
la lança a un árbol arrima...
ya se apea del cavallo,
ya de su lealtad confía,
ya el cimiento desta torre,
que es todo de peña biva,   1340
trepa con ligeros pies...
ya los miradores mira.
Aún no me ha visto.— ¿Qué veo?
Ya le conozco. ¿Hay tal dicha?

            Sale RODRIGO.

ROD.   La boz de la infanta era...   1345
            Ya casi las tres esquinas

	de la torre he rodeado.	
URRA.	¡Ah! ¿Rodrigo? (*Llamando.*)	
ROD.	Otra vez grita...	
	Por respetar a la Reyna	
	no respondo, y ella misma	1350
	me hizo dexar el caballo.—	
	mas... ¡Jesús! ¡Señora mía!	
URRA.	¡Dios te guarde! ¿Dónde vas?	
ROD.	Donde mis hados me guían,	
	dichosos, pues me guiaron	1355
	a merecer esta dicha.	
URRA.	¿Esta es dicha? No, Rodrigo;	
	la que pierdes lo sería;	
	bien me lo dize por señas	
	la sobrevista amarilla.	1360
ROD.	Quien con esperanças bive,	
	desesperado camina.	
URRA.	Luego, no las has perdido.	
ROD.	A tu servicio me animan.	
URRA.	¿Saliste de la ocasión	1365
	sin peligro, y sin heridas?	
ROD.	Siendo tú mi defensora	
	advierte cómo saldría.	
URRA.	¿Dónde vas?	
ROD.	A vencer Moros,	
	y assí la gracia perdida	1370
	cobrar de tu padre el Rey.	
URRA.	¡Qué notable gallardía!	
	¿Quién te acompaña?	
ROD.	Esta gente	
	me ofrece quinientas vidas,	
	en cuyos hidalgos pechos	1375
	yerve también sangre mía.	
URRA.	Galán vienes, bravo vas,	
	mucho vales, mucho obligas;	
	bien me parece, Rodrigo,	
	tu gala, y tu valentía.	1380
ROD.	Estimo con toda el alma	
	merced que fuera divina,	
	mas mi humildad en tu Alteza	
	mis esperanças marchita.	
URRA.	No es imposible, Rodrigo,	1385
	el igualarse las dichas	
	en desiguales estados,	
	si es la nobleza una misma.	

	¡Dios te buelva vencedor,	
	que después!...	
ROD.	¡Mil años bivas!	1390
URRA.	—¿Qué he dicho?— (*Aparte*.)	
ROD.	Tu bendición	
	mis vitorias facilita.	
URRA.	¿Mi bendición? ¡Ay, Rodrigo,	
	si las bendiciones mías	
	te alcançan, serás dichoso!	1395
ROD.	Con no más de recibillas	
	lo seré, divina Infanta.	
URRA.	Mi voluntad es divina.	
	Dios te guíe, Dios te guarde,	
	como te esfuerça y te anima,	1400
	y en número tus vitorias	
	con las estrellas compitan.	
	Por la redondez del mundo,	
	después de ser infinitas,	
	con las plumas de la fama	1405
	y el mismo Sol las escriva.	
	Y ve agora confiado	
	que te valdré con la vida.	
	Fía de mí estas promesas	
	quien plumas al viento fía.	1410
ROD.	La tierra que ves adoro,	
	pues no puedo la que pisas;	
	y la eternidad del tiempo	
	alargue a siglos tus días.	
	Oyga el mundo tu alabança	1415
	en las bodas de la imbidia,	
	y más que merecimientos	
	te dé la fortuna dichas.	
	Y yo me parto en tu nombre,	
	por quien vénço mis desdichas,	1420
	a vencer tantas batallas	
	como tú me pronosticas.	
URRA.	¡Deste cuydado te acuerda!	
ROD.	Lo divino no se olvida.	
URRA.	¡Dios te guíe!	
ROD.	¡Dios te guarde!	1425
URRA.	Ve animoso.	
ROD.	Tú me animas.	
	¡Toda la tierra te alabe!	
URRA.	¡Todo el cielo te bendiga!	

Vanse.

Gritan de adentro los MOROS, *y sale huyendo un* PASTOR.

MOROS.	¡Li, li, li, li!...
PASTOR.	¡Jesús mío,

    qué de miedo me acompaña!   1430
    Moros cubren la campaña...
    Mas de sus fieros[23] me río,
       de su lança y de su espada,
    como suba, y me remonte
    en la cumbre de aquel monte   1435
    todo de peña tajada.

Sale un REY MORO *y quatro* MOROS *con él, y el* PASTOR *éntrase huyendo.*

R. MOR.	Atad bien essos Cristianos.

    Con más concierto que priesa
    id marchando.

MOR. 1.º	¡Brava presa!
R. MOR.	Es hazaña de mis manos. 1440

    Con asombro y maravilla,
    pues en su valor me fundo,
    sepa mi poder el mundo,
    pierda su opinión[24] Castilla.
       ¿Para qué te llaman Magno,   1445
    Rey Fernando, en paz y en guerra,
    pues yo destruyo tu tierra
    sin oponerte a mi mano?
       Al que Grande te llamó,
    ¡bive el cielo, que le coma,   1450
    porque, después de Mahoma,
    ninguno mayor que yo!

Sale el PASTOR *sobre la peña.*

PASTOR.	Si es mayor el que es más alto,

    yo lo soy entre estos cerros.
    ¿Qué apostaremos—¡ah, perros!—   1455
    que no me alcançays de un salto?

MOR. 2.º	¿Qué te alcança una saeta?
PASTOR.	Si no me escondo, sí hará.

    ¡Morillos, bolvé, esperá
    que el Cristiano os acometa!   1460

---

[23] *fieros:* gritos jactanciosos y de amenazas.
[24] *opinión:* fama, honra.

MOR. 3.º	Oye, Señor, ¡por Mahoma!,
	que Cristianos...
R. MOR.	¿Qué os espanta?
MOR. 4.º	¡Allí polvo se levanta!
MOR. 1.º	¡Y allí un estandarte asoma!
MOR. 2.º	Cavallos deven de ser. 1465
R. MOR.	Logren, pues, mis esperanças.
MOR. 3.º	Ya se parecen las lanças.
R. MOR.	¡Ea!, ¡morir, o vencer!

Toque dentro una trompeta.

MOR. 2.º   Ya la bastarda trompeta
toca al arma.

Dizen dentro a boces:

¡Santiago!   1470
R. MOR.   ¡Mahoma!—Hazed lo que hago. (*A los*
MOROS.)

Otra vez dentro:

¡Cierra, España![25]
R. MOR.   ¡Oh, gran Profeta![26]

Vanse, y suena la trompeta, y caxas de guerra, y ruido de golpes dentro.

PASTOR.   ¡Bueno! Mire lo que va
de Santiago a Mahoma...
¡Qué bravo herir! Puto, toma   1475
para peras.[27] ¡Bueno va!
    ¡Boto a San! Braveza es
lo que hazen los Cristianos;
ellos matan con las manos,
sus cavallos con los pies.   1480
    ¡Qué lançadas! ¡Pardies[28], toros
menos bravos que ellos son!

---

[25] "¡Santiago!" y "¡Cierra España!" solían ir juntos como grito de guerra de los cristianos, mientras que "¡Mahoma!" era el de los musulmanes, que en España se llamaban, y siguen llamándose, "moros", ya que la mayoría procedía de Marruecos.

[26] Se refiere a Mahoma.

[27] *toma para peras* (también "dar para peras") es expresión con que se amenaza castigar a alguién.

[28] *¡Pardies:* pardiós o por Dios.

¡Assí calo yo un melón
como despachurran Moros!
   El que como cresta el gallo   1485
trae un penacho amarillo,
¡oh, lo que haze! por dezillo
al Cura, quiero mirallo.
   ¡Pardiós! No tantas hormigas
mato yo en una patada,   1490
ni siego en una manada
tantos manojos de espigas,
   como él derriba cabeças...
¡Oh, hideputa! es de modo,
que va salpicado todo   1495
de sangre mora... ¡Bravezas
   haze, voto al soto![29].... Ya
huye los Moros.—¡Ah galgos!   (*Gritando.*)
¡Ea, Cristianos hidalgos,
seguildos! ¡Matá, matá!—   1500
   Entre las peñas se meten
donde no sirven cavallos...
Ya se apean... alcançallos
quieren... de nuevo acometen...

Salen RODRIGO *y el* REY MORO, *cada uno con los suyos acuchillándose.*

ROD.	¡También pelean a pie	1505
	los Castellanos, Morillos!	
	¡A matallos, a seguillos!	
R. MOR.	¡Tente! ¡Espera!	
ROD.	¡Rindeté!	
R. MOR.	Un Rey a tu valentía	
	se ha rendido, y a tus leyes. (*Ríndesele el*	
	REY.)	1510
ROD.	¡Tocá el arma! Quatro Reyes	
	he de vencer en un día.	

Vanse todos, llevándose presos a los MOROS.

PASTOR.	¡Pardiós! que he havido plazer	
	mirándolos desde afuera;	
	las cosas desta manera	1515
	de tan alto se han de ver.	

---

[29] *voto al soto!* por "¡voto al santo!"

Éntrase el PASTOR, *y salen el Príncipe* DON SANCHO, *y un* MAESTRO DE
ARMAS *con sendas espadas negras,[30] y tirándole el Príncipe, y tras él,
reportándole,* DIEGO LAÍNEZ.

MAES.	¡Príncipe, Señor, Señor!
DIEGO.	Repórtese vuestra Alteza,
	que sin causa la braveza
	desacredita el valor. 1520
D. SAN.	¿Sin causa?
DIEGO.	—Vete, que enfadas (*Al*
	MAESTRO.)
	al Príncipe.—

Entrase el MAESTRO.

	¿Quál ha sido?
D. SAN.	Al batallar, el ruido
	que hizieron las dos espadas,
	y a mí el rostro señalado... 1525
DIEGO.	¿Hate dado?
D. SAN.	No; el pensar
	que a querer me pudo dar,
	me ha corrido, y me ha enojado.
	Y a no escaparse el Maestro,
	yo le enseñara a saber... 1530
	No quiero más aprender.
DIEGO.	Bastantemente eres diestro.
D. SAN.	Quando tan diestro no fuera,
	tampoco importara nada.
DIEGO.	¿Cómo?
D. SAN.	Espada contra espada, 1535
	nunca por esso temiera.
	Otro miedo el pensamiento
	me aflixe y me atemoriza:
	con una arma arrojadiza
	señala en mi nacimiento 1540
	que han de matarme, y será
	cosa muy propinqua mía
	la causa.
DIEGO.	Y ¿melancolía
	te da esso?
D. SAN.	Sí, me da.
	Y haziendo discursos vanos, 1545

---

[30] *espadas negras,* o de duelo.

	pues mi padre no ha de ser,	
	vengo a pensar y a temer	
	que lo serán mis hermanos.	
	Y assí los quiero tan poco,	
	que me ofenden.	

DIEGO.   ¡Cielo santo!   1550
A no respetarte tanto,
te dixera...

D. SAN.   ¿Que soy loco?

DIEGO.   Que lo fué quien a esta edad
te ha puesto en tal confusión.

D. SAN.   ¿No tiene demostración
esta ciencia?   1555

DIEGO.   Assí es verdad.
Mas ninguno la aprendió
con certeza.

D. SAN.   Luego, di:
¿locura es creella?

DIEGO.   Sí.

D. SAN.   ¿Serálo el temella?

DIEGO.   No.—

D. SAN.   ¿Es mi hermana?   1560

DIEGO.   Sí, Señor.

Sale DOÑA URRACA, *y un* PAJE, *que le saca un venablo tinto en sangre.*

URRA.   En esta suerte ha de ver
mi hermano, que aunque muger,
tengo en el braço valor.—
     Hoy, hermano...

D. SAN.   ¿Cómo assí?   1565

URRA.   ... entre unas peñas...

D. SAN.   ¿Qué fué?

URRA.   ... este venablo tiré,
con que maté un javalí,
     viniendo por el camino
caçando mi madre y yo.   1570

D. SAN.   Sangriento está; y ¿le arrojó
tu mano?—¡Ay, cielo divino!
     Mira si tengo razón.   (*Entre los dos.*)

DIEGO.   Ya he caído en tu pesar.—

URRA.   ¿Qué te ha podido turbar
el gusto?   1575

D. SAN.   Cierta ocasión
que me da pena.

DIEGO.	Señora,
	una necia astrología
	le causa melancolía,
	y tú la creciste agora. 1580
URRA.	Quien viene a dalle contento,
	¿cómo su disgusto aumenta?
DIEGO.	Dize que a muerte violenta
	le inclina su nacimiento.
D. SAN.	¡Y con una arma arrojada 1585
	herido en el coraçón!
DIEGO.	Y como en esta ocasión
	la vió en tu mano...
URRA.	—¡Ay, cuytada!—
D. SAN.	... alteróme de manera
	que me ha salido a la cara. 1590
URRA.	Si disgustarte pensara
	con ella no la truxera.
	Mas, tú ¿crédito has de dar
	a lo que abominan todos?
D. SAN.	Con todo, buscaré modos 1595
	como poderme guardar;
	mandaré hazer una plancha,
	y con ella cubriré
	el coraçón, sin que esté
	más estrecha, ni más ancha. 1600
URRACA.	Guarda con más prevención
	el coraçón: mira bien
	que por la espalda también
	hay camino al coraçón.
D. SAN.	¿Qué me has dicho? ¿Qué imagino? 1605
	¡Que tú de tirar te alabes
	un venablo, y de que sabes
	del coraçón el camino
	por las espaldas!... ¡Traydora!
	¡Temo que causa has de ser 1610
	tú de mi muerte! ¡Muger,
	estoy por matarte agora,
	y asegurar mis enojos!
DIEGO.	¿Qué hazes, Príncipe?
D. SAN.	¿Qué siento?...
	¡Esse venablo sangriento
	rebienta sangre en mis ojos! 1615
URRA.	Hermano, el rigor reporta
	de quien justamente huyo.
	¿No es mi padre como tuyo

	el Rey mi Señor?	
D. San.	—¿Qué importa?	1620
	Que eres de mi padre hija,	
	pero no de mi fortuna.	
	Nací heredando.	
Urra.	Importuna	
	es tu arrogancia, y prolija.	
Diego.	El Rey viene.	
D. San.	—¡Qué despecho!—	
	(*Aparte*.)	1625
Urra.	—¡Qué hermano tan enemigo!— (*Aparte*.)	

Salen el Rey Don Fernando *y el* Rey Moro *que embía Rodrigo, y otros que le acompañan.*

Rey.	Diego, tu hijo Rodrigo	
	un gran servicio me ha hecho;	
	y en mi palabra fiado,	
	licencia le he concedido	1630
	para verme.	
Diego.	Y ¿ha venido?	
Rey.	Sospecho que havrá llegado	
	y en prueva de su valor...	
Diego.	¡Grande fué la dicha mía!	
Rey.	... hoy a mi presencia embía	1635
	un Rey por su Embaxador.	

Siéntase el Rey.

	Bolvió por mí y por mis greyes;	
	muy obligado me hallo.	
R. Mor.	Tienes, Señor, un vasallo	
	de quien lo son ̇quatro Reyes.	1640
	En esquadrones formados,	
	tendidas nuestras banderas,	
	corríamos tus fronteras,	
	vencíamos tus soldados,	
	talávamos tus campañas,	1645
	cautivávamos tus gentes,	
	sugetando hasta las fuentes	
	de las sobervias montañas;	
	quando gallardo y ligero	
	el gran Rodrigo llegó,	1650
	peleó, rompió, mató,	
	y vencióme a mí el primero.	

Viniéronme a socorrer
tres Reyes, y su venir
tan sólo pudo servir   1655
de dalle más que vencer,
    pues su esfuerço varonil
los nuestros dexando atrás,
quinientos hombres no más
nos vencieron a seys mil.   1660
    Quitónos el Español
nuestra opinión en un día,
y una presa que valía
más oro que engendra el Sol.
    Y en su mano vencedora   1665
nuestra divisa Otomana,[31]
sin venir lança cristiana
sin una cabeça mora,
    viene con todo triumfando
entre aplausos excesivos,   1670
atropellando cautivos
y banderas arrastrando,
    asegurando esperanças,
obligando coraçones,
recibiendo bendiciones   1675
y despreciando alabanças.
    Y ya llega a tu presencia.

URRA.   —¡Venturosa suerte mía!—   (*Aparte.*)
DIEGO.   Para llorar de alegría
te pido, Señor, licencia,   1680
    y para abraçalle ¡ay, Dios!
antes que llegue a tus pies.

Entra RODRIGO, *y abráçanse.*

            ¡Estoy loco!
ROD.   Causa es   (*Al* REY.)
que nos disculpa a los dos.—
    Pero ya esperando estoy   1685
tu mano, y tus pies, y todo.

Arrodíllase delante el REY.

---

[31] *Otomana:* del imperio turco otomano, que llegó a dominar el Mediterráneo en el siglo XVI, y aun después de la batalla de Lepanto en 1571, ganada por el cristianismo, victoria, no obstante, que fue exagerada, pues el turco siguió hostigando los navíos de la cristiandad, especialmente los españoles.

REY.	¡Levanta, famoso Godo,[32]
	levanta!
ROD.	¡Tu hechura soy!—
	¡Mi Príncipe! (*A* DON SANCHO.)
D. SAN.	¡Mi Rodrigo!
ROD.	Por tus bendiciones llevo (*A* D.ª URRACA.) 169(
	estas palmas;
URRA.	Ya de nuevo,
	pues te alcançan, te bendigo.
R. MOR.	¡Gran Rodrigo!
ROD.	¡Oh, Almançor![33]
R. MOR.	¡Dame la mano, el Mío Cide![34]
ROD.	A nadie mano se pide 169!
	donde está el Rey mi Señor.
	A él le presta la obediencia.
R. MOR.	Ya me sugeto a sus leyes
	en nombre de otros tres Reyes
	y el mío.—¡Oh, Alá!, paciencia.— (*Aparte.*) 170(
D. SAN.	El "Mió Cid" le ha llamado.
R. MOR.	En mi lengua es "Mi Señor",
	pues ha de serlo el honor
	merecido, y alcançado.
REY.	Esse nombre le está bien. 170!
R. MOR.	Entre moros lo ha tenido.
REY.	Pues allá le ha merecido,
	en mis tierras se le den.
	Llamalle "el Cid" es razón,
	y añadirá, porque asombre, 171(
	a su apellido este nombre,
	y a su fama este blasón.

Sale XIMENA GÓMEZ, *enlutada, con quatro* ESCUDEROS, *también enlutados, con sus lobas.*[35]

ESCU. 1.º	Sentado está el Señor Rey
	en su silla de respaldo.
XIM.	Para arrojarme a sus pies, 171!
	¿qué importa que esté sentado?
	Si es Magno, si es justiciero,

---

[32] *Godo:* los godos eran cristianos cuando invadieron España los musulmanes. El término aqu implica contraposición al mundo y casta musulmanes.

[33] *Almançor:* nombre del enemigo del Cid que aparece en el *Poema de Mío Cid.* El nombre significa en árabe "vencedor, por la gracia de Dios".

[34] *Mío Cide:* en efecto, el término "Cid" es del árabe, "Sidi", y significa "jefe".

[35] *loba(s):* manto o sotana negra.

premie al bueno y pene al malo;
que castigos y mercedes
hazen seguros vasallos.   1720

IEGO.   Arrastrando luengos lutos,
entraron de quatro en quatro
escuderos de Ximena,
hija del Conde Loçano.
Todos atentos la miran,   1725
suspenso quedó Palacio,
y para decir sus quexas
se arrodilla en los estrados.

IM.   Señor, hoy haze tres meses   1730
que murió mi padre a manos
de un rapaz, a quien las tuyas
para matador criaron.
Don Rodrigo de Bivar,
sobervio, orgulloso y bravo,
profanó tus leyes justas,   1735
y tú le amparas ufano.
Son tus ojos sus espías
tu retrete su sagrado,
tu favor sus alas libres,
y su libertad mis daños.   1740
Si de Dios los Reyes justos
la semejança y el cargo
representan en la tierra
con los humildes humanos,
no deviera de ser Rey   1745
bien temido, y bien amado,
quien desmaya la justicia
y esfuerça los desacatos.
A tu justicia, Señor,
que es árbol de nuestro amparo,   1750
no se arrimen malhechores,
indignos de ver sus ramos.
Mal lo miras, mal lo sientes,
y perdona si mal hablo;
que en boca de una muger   1755
tiene licencia un agravio.
¿Qué dirá, que dirá el mundo
de tu valor, gran Fernando,
si al ofendido castigas,
y si premias al culpado?   1760
Rey, Rey justo, en tu presencia,
advierte bien cómo estamos:

él ofensor, yo ofendida
yo gimiendo y él triunfando;
él arrastrando banderas,   176
y yo lutos arrastrando;
él levantando trofeos,
y yo padeciendo agravios;
él sobervio, yo encogida,
yo agraviada y él honrado,   177
yo aflixida, y él contento,
él riendo, y yo llorando.

ROD.   —¡Sangre os dieran mis entrañas,   (*Aparte.*)
           para llojar, ojos claros!—

XIM.   —¡Ay, Rodrigo! ¡Ay, honra! ¡Ay, ojos!   177
           ¿adónde os lleva el cuydado?—

REY.   ¡No haya más, Ximena, baste!
           Levantaos, no lloréys tanto.
           que ablandarán vuestras quexas
           entrañas de azero y mármol;   178
           que podrá ser que algún día
           troquéys en plazer el llanto,
           y si he guardado a Rodrigo,
           quiçá para vos le guardo.
           Pero por hazeros gusto,   178
           buelva a salir desterrado,
           y huyendo de mi rigor
           exercite el de sus braços,
           y no asista en la Ciudad
           quien tan bien prueva en el campo.   179
           Pero si me days licencia,
           Ximena, sin enojaros,
           en premio destas vitorias
           ha de llevarse este abraço.   (*Abrázale.*)

ROD.   Honra, valor, fuerça y vida,   1795
           todo es tuyo, gran Fernando,
           pues siempre de la cabeça
           baxa el vigor a la mano.
           Y assí, te ofrezco a los pies
           essas banderas que arrastro,   1800
           essos Moros que cautivo,
           y essos haberes que gano.

REY.   Dios te me guarde, el Mió Cid.
ROD.   Beso tus heroycas manos,
           —y a Ximena dexo el alma—   (*Aparte.*)   1805
XIM.   —¡Que la opinión pueda tanto   (*Aparte.*)
           que persigo lo que adoro!—

URRA.	—Tiernamente se han mirado; (*Aparte.*)
	no le ha cubierto hasta el alma
	a Ximena el luto largo 1810
	¡ay, cielo!, pues no han salido
	por sus ojos sus agravios.—
D. SAN.	Vamos, Diego, con Rodrigo,
	que yo quiero acompañarlo,
	y verme entre sus trofeos. 1815
DIEGO.	Es honrarme, y es honrallo.
	¡Ay, hijo del alma mía!
XIM.	—¡Ay, enemigo adorado!— (*Aparte*)
ROD.	—!Oh, amor, en tu Sol me yelo!—
	(*Aparte.*)
URRA.	—!Oh, amor, en celos me abraso!—
	(*Aparte.*) 1820

ACTO TERCERO

Salen ARIAS GONÇALO *y la* INFANTA DOÑA URRACA.

ARIAS.	Más de lo justo adelantas,
	Señora, tu sentimiento.
URRA.	Con mil ocasiones siento
	y lloro con otras tantas.
	Arias Gonçalo, por padre 1825
	te he tenido.
ARIAS.	Y soylo yo
	con el alma.
URRA.	Ha que murió
	y está en el cielo mi madre
	más de un año, y es crueldad
	lo que esfuerçan mi dolor, 1830
	mi hermano con poco amor
	mi padre con mucha edad.
	Un moço que ha de heredar,
	y un viejo que ha de morir,
	me dan penas que sentir 1835
	y desdichas que llorar.
ARIAS.	Y ¿no alivia tu cuydado
	el ver que aún viven los dos,
	y entre tanto querrá Dios
	pasarte a mejor estado, 1840
	a otros Reynos, y a otro Rey
	de los que te han pretendido?
URRA.	¿Yo un estraño por marido?
ARIAS.	No lo siendo de tu ley
	¿qué importa?
URRA.	¿Assí me destierra 1845
	la piedad que me crió?
	Mejor le admitiera yo
	de mi sangre, y de mi tierra;
	que más quisiera mandar
	una Ciudad, una Villa, 1850
	una Aldea de Castilla,
	que en muchos Reynos reinar.
ARIAS.	Pues pon, Señora, los ojos

	en uno de tus vasallos.	
URRA.	Antes havré de quitallos	1855
	a costa de mis enojos.	
	Mis libertades te digo	
	como al alma propria mía...	
ARIAS.	Di, no dudes.	
URRA.	Yo querría	
	al gran Cid, al gran Rodrigo.	1860

    Castamente me obligó,
pensé casarme con él...

ARIAS. Pues ¿quién lo estorba?

URRA.   ¡Es cruel
mi suerte, y honrada yo!—
    Ximena y él se han querido,   1865
y despúes del Conde muerto
se adoran.

ARIAS.   ¿Es cierto?

URRA.   Cierto
será, que en mi daño ha sido.
    Quanto más su padre llora,
quanto más justicia sigue,   1870
y quanto más le persigue,
es cierto que más le adora;
    y él la idolatra adorado,
y está en mi pecho advertido,
no del todo aborrecido,   1875
pero del todo olvidado;
    que la muger ofendida,
del todo desengañada,
ni es discreta, ni es honrada,
si no aborrece ni olvida.—   1880
    Mi padre viene; después
hablaremos... más ¡ay, cielo!
ya me ha visto.

ARIAS.   A tu consuelo
aspira.

Salen el REY DON FERNANDO *y* DIEGO LAINEZ *y los que le acompañan.*

DIEGO.   Beso tus pies
por la merced que a Rodrigo   1885
le has hecho; vendrá bolando
a servirte.

REY.   Ya esperando
lo estoy.

DIEGO.	Mi suerte bendigo.
REY.	Doña Urraca, ¿dónde vays?
	Esperad, hija, ¿qué hazéys? 1890
	¿qué os aflije?, ¿qué tenéys?,
	¿habéys llorado?, ¿lloráys?
	¡Triste estáys!
URRA.	No lo estuviera,
	si tú, que me diste el ser,
	eterno huvieras de ser, 1895
	o mi hermano amable fuera.
	Pero mi madre perdida,
	y tú cerca de perderte,
	dudosa queda mi suerte,
	de su rigor ofendida. 1900
	Es el Príncipe un león
	para mí.
REY.	Infanta, callad;
	la falta en la eternidad[36]
	supliré en la prevención.
	Y pues tengo, gloria a Dios, 1905
	más Reynos y más estados
	adquiridos que heredados,
	alguno havrá para vos.
	Y alegraos, que aún bivo estoy,
	y si no...
URRACA.	¡Dame la mano! 1910
REY.	... es don Sancho buen hermano,
	yo padre, y buen padre, soy.
	Id con Dios.
URRA.	Guárdete el cielo!
REY.	Tened mi confiança.
URRA.	Ya tu bendición me alcança. 1915

Vase.

ARIAS.	Ya me alcança tu consuelo. (*A D.ª* URRA.)

Sale UN CRIADO *y entrega al* REY *una carta; el* REY *la lee y después dize:*

REY.	Resuelto está el de Aragón,
	pero ha de ver algún día
	que es Calahorra[37] tan mía

---

[36] *la falta en la eternidad*, se refiere al vs. 1895.

[37] *Calahorra:* villa de la provincia de Logroño.

como Castilla y León;   1920
    que pues letras y letrados
tan varios en esto están,
mejor lo averiguarán
con las armas los soldados.
    Remitir quiero a la espada   1925
esta justicia que sigo,
y al Mió Cid, al mi Rodrigo,
encargalle esta jornada.
    En mi palabra fiado
lo he llamado.

ARIAS.   Y ¿ha venido?   1930
DIEGO.   Si tu carta ha recebido
con sus alas ha bolado.

            Sale OTRO CRIADO.

CRIADO.   Ximena pide licencia
para besarte la mano.
XIMENA.   Tiene del Conde Loçano   1935
la arrogancia y la impaciencia.
    Siempre la tengo a mis pies
descompuesta y querellosa.
DIEGO.   Es honrada y es hermosa.
REY.   Importuna también es.   1940
    A disgusto me provoca
el ver entre sus enojos,
lágrimas siempre en sus ojos,
justicia siempre en su boca.
    Nunca imaginara tal;   1945
siempre sus querellas sigo.
ARIAS.   Pues yo sé que ella y Rodrigo,
Señor, no se quieren mal.
    Pero assí de la malicia
defenderá la opinión,   1950
o quiça satisfación
pide, pidiendo justicia;
    y el tratar el casamiento
de Rodrigo con Ximena
será alivio de su pena.   1955
REY.   Yo estuve en tu pensamiento,
    pero no lo osé intentar
por no crecer su disgusto.
DIEGO.   Merced fuera, y fuera justo.
REY.   ¿Quiérense bien?

ARIAS.	No hay dudar.	1960
REY.	¿Tú lo sabes?	
ARIAS.	Lo sospecho.	
REY.	Para intentallo, ¿qué haré?	

REY. Para intentallo, ¿qué haré?
¿De qué manera podré
averiguallo en su pecho?

ARIAS.   Dexándome el cargo a mí,   1965
haré una prueva bastante.

REY. Dile que entre. (*Al* CRIADO 2.º)

ARIAS.   Este diamante
he de provar.—Oye. (*Al* CRIADO 1.º)

CRIADO.   Di.

El primer CRIADO *habla al oído con* ARIAS GONÇALO, *y el otro sale a
avisar a* XIMENA.

REY.   En el alma gustaría
de gozar tan buen vasallo   1970
libremente.

DIEGO.   Imaginallo
haze inmensa mi alegría.

Sale XIMENA GÓMEZ.

XIM.   Cada día que amanece,
veo quien mató a mi padre,
cavallero en un cavallo,   1975
y en su mano un gavilán.
A mi casa de plazer,
donde alivio mi pesar
curioso, libre y ligero,
mira, escucha, viene, y va,   1980
y por hazerme despecho
dispara a mi palomar
flechas, que a los vientos tira,
y en el coraçón me dan;
mátame mis palomicas   1985
criadas, y por criar;
la sangre que sale de ellas
me ha salpicado el brial.
Embiéselo a dezir,
embióme a amenazar   1990
con que ha de dexar sin vida
cuerpo que sin alma está.
Rey que no haze justicia

	no devría de reynar,	
	ni pasear en cavallo,	1995
	ni con la Reyma folgar.	
	¡Justicia, buen Rey, justicia!	
REY.	¡Baste, Ximena, no más!	
DIEGO.	Perdonad, gentil Señora,	
	—y vos, buen Rey, perdonad,—	2000
	que lo que agora dixiste	
	sospecho que lo soñáys;	
	pensando vuestras venganças,	
	si os desvanece el llorar,	
	lo havréys soñado esta noche,	2005
	y se os figura verdad;	
	que Rodrigo ha muchos días,	
	Señora, que ausente está,	
	porque es ido en romería	
	a Santiago: ved, mirad	2010
	cómo es posible ofenderos	
	en esso que le culpáys.	
XIM.	Antes que se fuese ha sido.	
	—¡Si podré disimular!— (*Aparte.*)	
	Ya en mi ofensa, que estoy loca	2015
	sólo falta que digáys.	

Dentro UN CRIADO *y el* PORTERO.

PORTE.	¿Qué queréys?	
CRIADO.	Hablar al Rey.	
	¡Dexadme, dexadme entrar!	

Sale el primer CRIADO.

REY.	¿Quién mi palacio alborota?	
ARIAS.	¿Qué tenéys? ¿Adónde vays?	2020
CRIADO.	Nuevas te traygo, buen Rey,	
	de desdicha, y de pesar;	
	el mejor de tus vasallos	
	perdiste, en el cielo está.	
	El Santo Patrón de España	2025
	venía de visitar,	
	y saliéronle al camino	
	quinientos Moros, y aun más.	
	Y él, con veynte de los suyos,	
	que acompañándole van,	2030
	los acomete, enseñando	

a no bolver paso atrás.
Catorze heridas le han dado,
que la menor fué mortal.
Ya es muerto el Cid, ya Ximena   2035
no tiene que se cansar,
Rey, en pedirte justicia.

DIEGO.   ¡Ay, mi hijo! ¿dónde estáys?
—Que estas nuevas, aun oídas   (Aparte.)
burlando, me hazen llorar.—   2040

XIM.   ¿Muerto es Rodrigo? ¿Rodrigo
es muerto?... —¡No puedo más!...—(Ap.)
¡Jesús mil vezes!...

REY.   Ximena,
¿qué tenéys, que os desmayáys?

XIM.   Tengo... un laço en la garganta,   2045
¡y en el alma muchos hay!...

REY.   Bivo es Rodrigo, Señora,
que yo he querido provar
si es que dize vuestra boca
lo que en vuestro pecho está.   2050
Ya os he visto el coraçón
reportalde, sosegad.

XIM.   —Si estoy turbada y corrida,   (Aparte.)
mal me puedo sosegar...
Bolveré por mi opinión...   2055
Ya sé el cómo. ¡Estoy mortal!
¡Ay, honor, quánto me cuestas!—
Si por agraviarme más
te burlas de mi esperança
y pruevas mi libertad;   2060
si miras que soy muger,
verás que lo aciertas mal;
y si no ignoras, Señor,
que con gusto, o con piedad,
tanto atribula un plazer   2065
como congoxa un pesar,
verás que con nuevas tales
me pudo el pecho a saltar
el plazer, no la congoxa.
Y en prueva desta verdad,   2070
hagan públicos pregones
desde la mayor Ciudad
hasta en la menor Aldea,
en los campos y en la mar,
y en mi nombre, dando el tuyo   2075

	bastante siguridad,	
	que quien me dé la cabeça	
	de Rodrigo de Bivar,	
	le daré, con cuanta hazienda	
	tiene la Casa de Orgaz,	2080
	mi persona, si la suya	
	me igualare en calidad.	
	Y si no es su sangre hidalga	
	de conocido solar	
	lleve, con mi gracia entera,	2085
	de mi hazienda la mitad.	
	Y si esto no hazes, Rey,	
	proprios y estraños dirán	
	que, tras quitarme el honor,	
	no hay en ti, para reynar,	2090
	ni prudecia, ni razón,	
	ni justicia, ni piedad.	
REY.	¡Fuerte cosa havéys pedido!	
	No más llanto; bueno está.	
DIEGO.	Y yo también, yo, Señor,	2095
	suplico a tu Magestad,	
	que por dar gusto a Ximena,	
	en un pregón general	
	asegures lo que ofrece	
	con tu palabra Real;	2100
	que a mí no me da cuydado;	
	que en Rodrigo de Bivar	
	muy alta está la cabeça,	
	y el que alcançalla querrá	
	más que gigante ha de ser,	2105
	y en el mundo pocos hay.	
REY.	Pues las partes se conforman,	
	¡ea, Ximena, ordenad	
	a vuestro gusto el pregón!	
XIM.	Los pies te quiero besar.	2110
ARIAS.	—¡Grande valor de muger!— (*Aparte.*)	
DIEGO.	—No tiene el mundo su igual.— (*Aparte.*)	
XIM.	—La vida te doy; perdona, (*Aparte.*)	
	honor, si te devo más.—	

Vanse.

Salen el CID RODRIGO, *y dos* SOLDADOS *suyos, y el* PASTOR *en hábito de lacayo; y una boz de un* GAFO *dize de dentro, sacando las manos, y lo demás del cuerpo muy llagado y asqueroso.*

GAFO.	¿No hay un Cristiano que acuda	2115
	a mi gran necesidad?	
ROD.	Essos cavallos atad... (*A los* SOLDADOS.)	
	¿Fueron bozes?	
SOLD. 1.º.	Son, sin duda.	
ROD.	¿Qué puede ser? El cuydado	
	haze la piedad mayor.	2120
	¿Oyes algo?	
SOLD. 2.º.	No, Señor.	
ROD.	Pues nos hemos apeado,	
	escuchad...	
PASTOR.	No escucho cosa.	
SOLD. 1.º.	Yo tampoco.	
SOLD. 2.º.	Yo tampoco.—	
ROD.	Tendamos la vista un poco	2125
	por esta campaña hermosa,	
	que aquí esperaremos bien	
	los demás; proprio lugar	
	para poder descansar.	
PASTOR.	Y para comer también.	2130
SOLD. 1.º.	¿Traes algo en el arçón?	
SOLD. 2.º.	Una pierna de carnero.	
SOLD. 1.º.	Y yo una bota...	
PASTOR.	Essa quiero.	
SOLD. 1.º.	... y casi entero un jamón.	
ROD.	Apenas salido el Sol,	2135
	después de haver almorçado,	
	¿queréys comer?	
PASTOR.	Un bocado.	
ROD.	A nuestro Santo Español	
	primero gracias le hagamos,	
	y despúes podréys comer.	2140
PASTOR.	Las gracias suélense hazer	
	después de comer: comamos.	
ROD.	Da a Dios el primer cuydado,	
	que aún no tarda la comida.	
PASTOR.	¡Hombre no he visto en mi vida	2145
	tan devoto, y tan soldado!	
ROD.	¿Y es estorbo el ser devoto	
	al ser soldado?	
PASTOR.	Sí, es.	
	¿A qué soldado no ves	
	desalmado, o boquirroto?	2150
ROD.	Muchos hay; y ten en poco	
	siempre a cualquiera soldado	

hablador, y desalmado,
porque es gallina, o es loco.
Y los que en su devoción   2155
a sus tiempos concertada
le dan filos a la espada,
mejores soldados son.

PASTOR. Con todo, en esta jornada,
da risa tu devoción   2160
con dorada guarnición,
y con espuela dorada,
con plumas en el sombrero,
a cavallo, y en la mano
un rosario.

ROD. El ser Cristiano   2165
no impide el ser Cavallero.
Para general consuelo
de todos, la mano diestra
de Dios mil caminos muestra,
y por todos se va al cielo.   2170
Y assí, el que fuere guiado
por el mundo peregrino,
ha de buscar el camino
que diga con el estado.
Para el bien que se promete   2175
de un alma limpia y sencilla,
lleve el frayle su capilla,
y el clérigo su bonete,
y su capote doblado
lleve el tosco labrador,   2180
que quiçá acierta mejor
por el surco de su arado.
Y el soldado y caballero,
si lleva buena intención,
con dorada guarnición,   2185
con plumas en el sombrero,
a cavallo, y con dorada
espuela, galán divino,
si no es que yerra el camino
hará bien esta jornada;   2190
porque al cielo caminando
ya llorando, ya riendo,
van los unos padeciendo,
y los otros peleando.

GAFO. ¿ No hay un Cristiano, un amigo   2195
de Dios?...

Rod.	¿Qué buelvo a escuchar?
Gafo.	¡No con sólo pelear se gana el cielo, Rodrigo!
Rod.	Llegad; de aquel tremedal salió la boz.
Gafo.	¡Un hermano 2200 en Cristo, déme la mano, saldré de aquí!...
Pastor.	¡No haré tal! Que está gafa y asquerosa.
Sold. 1.°.	No me atrevo.
Gafo.	¡Oíd un poco, por Cristo!
Sold. 2.°.	Ni yo tampoco. 2205
Rod.	Yo sí, que es obra piadosa,

Sácale de las manos.

	y aun te besaré la mano.
Gafo.	Todo es menester, Rodrigo: matar allá al enemigo, y valer aquí al hermano. 2210
Rod.	Es para mí gran consuelo esta cristiana piedad.
Gafo.	Las obras de caridad son escalones del cielo.
	Y en un Cavallero son 2215 tan proprias, y tan lucidas, que deven ser admitidas por precisa obligación.
	por ellas un Cavallero subirá de grada en grada, 2220 cubierto en lança y espada con oro el luziente azero;
	y con plumas, si es que acierta la ligereza del buelo, no haya miedo que en el cielo 2225 halle cerrada la puerta.
	¡Ah, buen Rodrigo!
Rod.	Buen hombre, ¿qué Angel...— llega, tente, toca— ...habla por tu enferma boca? ¿Cómo me sabes el nombre? 2230
Gafo.	Oíte nombrar viniendo agora por el camino.

ROD.	Algún misterio imagino	
	en lo que te estoy oyendo.—	
	¿Què desdicha en tal lugar	2235
	te puso?	
GAFO.	¡Dicha sería!	
	Por el camino venía,	
	desviéme a descansar,	
	y como casi mortal	
	torcí el paso, erré el sendero,	2240
	por aquel derrumbadero	
	caí en aquel tremedal,	
	donde ha dos días cabales	
	que no como.	
ROD.	¡Qué estrañeza!	
	Sabe Dios con qué terneza	2245
	contemplo afliciones tales.	
	A mí ¿qué me deve Dios	
	más que a ti? Y porque es servido	
	lo que es suyo ha repartido	
	desigualmenhte en los dos.	2250
	Pues no tengo más virtud,	
	tan de güeso y carne soy,	
	y gracias al cielo, estoy	
	con hazienda y con salud,	
	con igualdad nos podía	2255
	tratar; y assí, es justo darte	
	de lo que quitó en tu parte	
	para añadir en la mía.	
	Esas carnes laceradas	

Cúbrele con un gaván.[38]

	cubrid con ese gaván.—	2260
	¿Las azémilas vendrán	
	tan presto?	
PASTOR.	Vienen pesadas.	
ROD.	Pues de esso podéys traer	
	que a los arçones venía.	
PASTOR.	Gana de comer tenía,	2265
	mas ya no podré comer,	
	porque essa lepra de modo	

---

[38] La caridad del Cid recuerda aquí la de San Martín, quien también compartió su capa con un pobre, motivo pictórico de la época, siendo el cuadro de El Greco el más famoso de todos.

	me ha el estómago rebuelto...	
SOLD. 1.º.	Yo también estoy resuelto	
	de no comer.	
SOLD. 2.º.	Y yo, y todo.	2270
	Un plato viene no más. (*A* RODRIGO.)	
	que por desdicha aquí está.	
ROD.	Esse solo bastará.	
SOLD. 2.º.	Tú, Señor, comer podrás	
	en el suelo.	
ROD.	No, que a Dios	2275
	no le quiero ser ingrato.	
	Llegad, comed, que en un plato (*Al* GAFO.)	
	hemos de comer los dos.	

Siéntanse los dos y comen.

SOLD. 1.º.	¡Asco tengo!	
SOLD. 2.º.	¡Bomitar	
	querría!	
PASTOR.	¿Vello podéys?	2280
ROD.	Ya entiendo el mal que tenéys,	
	allá os podéys apartar.	
	Solos aquí nos dexad,	
	si es que el asco os alborota.	
PASTOR.	¡El dexaros con la bota	2285
	me pesa, Dios es verdad!	

Vanse el PASTOR *y* SOLDADOS.

GAFO.	¡Dios os lo pague!	
ROD.	Comed.	
GAFO.	¡Bastantemente he comido,	
	gloria a Dios!	
ROD.	Bien poco ha sido.	
	Beved, hermano, beved.	2290
	Descansá.	
GAFO.	El divino Dueño	
	de todo, siempre pagó.	
ROD.	Dormid un poco, que yo	
	quiero guardaros el sueño.	
	Aquí estaré a vuestro lado.	2295
	Pero... yo me duermo.. ¿hay tal?	
	No parece natural	
	este sueño que me ha dado.	
	A Dios me encomiendo, y sigo...	

| | en todo... su voluntad...   (*Duérmese.*) | 2300 |
| GAFO. | ¡Oh, gran valor! ¡Gran bondad! | |

GAFO.   en todo... su voluntad...   (*Duérmese.*)   2300
¡Oh, gran valor! ¡Gran bondad!
¡Oh, gran Cid! ¡Oh, gran Rodrigo!
  ¡Oh, gran Capitán Cristiano!
Dicha es tuya, y suerte es mía,
pues todo el cielo te embía   2305
la bendición por mi mano,
  y el mismo Espíritu Santo
este aliento por mi boca.

El GAFO *aliéntale por las espaldas, y desaparécese; y el* CID *váyase despertando a espacio, por que tenga tiempo de vestirse el* GAFO *de San Lázaro.*[39]

ROD.   ¿Quién me enciende?, ¿quién me toca?
¡Jesús! ¡Cielo, cielo santo!   2310
  ¿Qué es del pobre?, ¿qué se ha hecho?
¿Qué fuego lento me abrasa,
que como rayo me pasa
de las espaldas al pecho?...
  ¿Quién sería? El pensamiento   2315
lo adevina, y Dios lo sabe.
¡Qué olor tan dulce y suave
dexó su divino aliento!
  Aquí se dexó el gaván,
seguiréle sus pisadas...   2320
¡Válgame Dios! señaladas
hasta en las peñas están.
  Seguir quiero sin recelo
sus pasos...

Sale arriba con una tunicela blanca el GAFO, *que es San Lázaro.*

GAFO.   ¡Buelve, Rodrigo!
ROD.   ...que yo sé que si los sigo,   2325
me llevarán hasta el cielo.
  Agora siento que pasa
con más fuerça y más vigor
aquel bao, aquel calor
que me consuela y me abrasa.   2330
GAFO.   ¡San Lázaro soy, Rodrigo!
Yo fuí el pobre a quien honraste;
y tanto a Dios agradaste

---

[39] *San Lázaro:* mendigo que aparece en una parábola de Jesús en el *Nuevo Testamento* (Lucas 16: 19-31) y patrón de los leprosos.

con lo que hiziste conmigo,
   que serás un imposible   2335
en nuestros siglos famoso,
un Capitán milagroso,
un vencedor invencible;
   y tanto, que sólo a ti
los humanos te han de ver   2340
después de muerto vencer.
Y en prueva de que es assí,
   en sintiendo aquel vapor,
aquel soberano aliento
que por la espalda violento   2345
te pasa al pecho el calor,
   emprende qualquier hazaña,
solicita qualquier gloria,
pues te ofrece la vitoria
el Santo Patrón de España.   2350
   Y ve, pues tan cerca estás,
que tu Rey te ha menester.   (*Desparécese.*)

ROD.   Alas quisiera tener
y seguirte donde vas.
   Mas, pues el cielo, bolando,   2355
entre sus nuves te encierra,
lo que pisaste en la tierra
iré siguiendo, y besando.

Vase.

Salen el REY DON FERNANDO, DIEGO LAÍNEZ, ARIAS GONÇALO *y*
PERANSULES.

REY.   Tanto de vosotros fío,
parientes...

ARIAS.   ¡Honrar nos quieres!   2360
REY.   ... que a vuestros tres pareceres
quiero remitir el mío.
   Y assí, dudoso, y perplexo,
la respuesta he dilatado,
porque de un largo cuydado   2365
nace un maduro consejo.
   Propóneme el de Aragón,
que es un grande inconveniente
el juntarse tanta gente
por tan leve pretensión,   2370
   y cosa por inhumana,

que nuestras hazañas borra,
al comprar a Calahorra
con tanta sangre cristiana;
    y que assí, desta jornada 2375
la justicia y el derecho
se remita a solo un pecho,
una lança y una espada,
    que peleará por él
contra el que fuere por mí, 2380
para que se acabe assí
guerra, aunque justa, cruel.
    Y sea del vencedor
Calahorra, y todo, en fin,
lo remite a don Martín 2385
Gonzales, su Embaxador.

DIEGO.
    No hay negar que es cristiandad
bien fundada, y bien medida,
escusar con una vida
tantas muertes.

PERANS.
               Es verdad. 2390
    Mas tiene el Aragonés
al que ves su Embaxador
por manos de su valor
y por basa de sus pies.
    Es don Martín un gigante 2395
en fuerças y en proporción,
un Rodamonte, un Milón,[40]
un Alcides, un Adlante.[41]
    Y assí, apoya sus cuydados
en él solo, haviendo sido 2400
quiça no estar prevenido
de dineros y soldados.
    Y assí, harás mal si aventuras,
remitiendo esta jornada
a una lança y a una espada, 2405
lo que en tantas te aseguras,
    y viendo en braço tan fiero
el azerada cuchilla...

ARIAS.
Y ¿no hay espada en Castilla
que sea también de azero? 2410

DIEGO.
    ¿Faltará acá un Castellano,

---

[40] *Rodamonte...Milón:* respectivamente, personaje de *Orlando furioso*, épica renacentista de Ludovico Ariosto (1474-1535), y famoso atleta griego del S. VI y V a.C.

[41] *Alcides...Adlante:* respectivamente, otro nombre para Hércules, e hijo de Júpiter, que pertenecía a la especie de los gigantes.

si hay allá un Aragonés,
para basa de tus pies,
para valor de tu mano?
    ¿Ha de faltar un Adlante   2415
que apoye tu pretensión,
un árbol a esse Milón,
y un David[42] a esse gigante?

REY.
    Días ha que en mi corona
miran mi respuesta en duda,   2420
y no hay un hombre que acuda
a ofrecerme su persona.

PERANS.
    Temen el valor profundo
deste hombre, y no es maravilla
que atemorize a Castilla   2425
un hombre que asombra el mundo.

DIEGO.
    ¡Ah, Castilla!, ¿a qué has llegado?

ARIAS.
Con espadas y consejos
no han de faltarte los viejos,
pues los moços te han faltado.   2430
    Yo saldré, y, Rey, no te espante
el fiar de mí este hecho;
que qualquier honrado pecho
tiene el coraçón gigante.

REY.
    ¡Arias Gonçalo!...

ARIAS.
                Señor,   2435
de mí te sirve y confía,
que aún no es mi sangre tan fría,
que no yerba en mi valor.

REY.
Yo estimo essa voluntad
al peso de mi corona;   2440
pero ¡alçad!, vuestra persona
no ha de aventurarse ¡alçad!
    no digo por una Villa,
mas por todo el interés
del mundo.

ARIAS.
          Señor, ¿no ves   2445
que pierde opinión Castilla?

REY.
    No pierde; que a cargo mío,
que le di tanta opinión,
queda su heroyco blasón
que de mis gentes confío,   2450
 y ganará el interés
no sólo de Calahorra,

---

[42] *y un David:* David venció al gigante Goliat con su honda en el *Antiguo Testamento.*

	mas pienso hazelle que corra	
	todo el Reyno Aragonés.—	
	Hazed que entre don Martín.	2455

Vase un CRIADO *y entra* OTRO

CRIADO.	Rodrigo viene.
REY.	¡A buena hora!
	¡Entre!
DIEGO.	¡Ay, cielo!
REY.	En todo agora
	espero dichoso fin.

Salen por una puerta DON MARTÍN GONÇALES, *y por otra* RODRIGO.

D. MAR.	Rey poderoso en Castilla...	
ROD.	Rey, en todo el mundo, Magno...	2460
D. MAR.	¡Guárdete el cielo!	
ROD.	Tu mano	
	honre al que a tus pies se humilla.	
REY.	Cubríos, don Martín.—Mió Cid,	
	levantaos.—Embaxador,	
	sentaos.	
D. MAR.	Assí estoy mejor.	2465
REY.	Assí os escucho; dezid.	
D. MAR.	Sólo suplicarte quiero...	
ROD.	—¡Notable arrogancia es esta!— (*Aparte.*)	
D. MAR.	... que me des una respuesta	
	que ha dos meses que la espero.	2470
	¿Tienes algún Caballero,	
	a quien tu justicia des,	
	que espere un Aragonés	
	cuerpo a cuerpo y mano a mano?	
	Pronuncie una espada el fallo,	2475
	dé una vitoria la ley;	
	gane Calahorra el Rey	
	que tenga mejor vasallo.	
	Dexe Aragón y Castilla	
	de verter sangre Española,	2480
	pues basta una gota sola	
	para el precio de una Villa.	
REY.	En Castilla hay tantos buenos,	
	que puedo en su confiança	
	mi justicia y mi esperança	2485
	fiarle al que vale menos.	

                    Y a qualquier señalaría
                    de todos, si no pensase,
                    que si a uno señalase,
                    los demás ofendería.   2490
                        Y assí, para no escoger,
                    ofendiendo tanta gente,
                    mi justicia solamente
                    fiaré de mi poder.
                        Arbolaré mis banderas   2495
                    con divisas diferentes;
                    cubriré el suelo de gentes
                    naturales y estrangeras;
                        marcharán mis Capitanes
                    con ellas; verá Aragón   2500
                    la fuerça de mi razón
                    escrita en mis tafetanes.[43]
                        Esto haré; y lo que le toca
                    hará tu Rey contra mí.

D. MAR.   Essa respuesta le di,   2505
                    antes de oílla en tu boca;
                        porque teniendo esta mano
                    por suya el Aragonés,
                    no era justo que a mis pies
                    se atreviera un Castellano.   2510

ROD.   —¡Rebiento!... —Con tu licencia
                    quiero responder, Señor;
                    que ya es falta de valor
                    sobrar tanto la paciencia.—
                        Don Martín, los Castellanos,   2515
                    con los pies a vencer hechos,
                    suelen romper muchos pechos,
                    atropellar muchas manos,
                        y sugetar muchos cuellos;
                    y por mí su Magestad   2520
                    te hará ver esta verdad
                    en favor de todos ellos.

D. MAR.   El que está en aquella silla
                    tiene prudencia y valor:
                    no querrá...

ROD.   ¡Buelve, Señor,   2525
                    por la opinión de Castilla!
                        Esto el mundo ha de saber,
                    esso el cielo ha de mirar;

_____

[43] *tafetanes:* aquí, banderas.

sabes que sé pelear
y sabes que sé vencer.   2530
   Pues ¿cómo, Rey, es razón
que por no perder Castilla
el interés de una Villa
pierda un mundo de opinión?
   ¿Qué dirán, Rey soberano,   2535
el Alemán y el Francés,
que contra un Aragonés
no has tenido un Castellano?
   Si es que dudas en el fin
de esta empresa, a que me obligo,   2540
¡salga al campo don Rodrigo
aunque vença don Martín!
   Pues es tan cierto y sabido
quánto peor viene a ser
el no salir a vencer,   2545
que saliendo, el ser vencido.

REY.   Levanta, pues me levantas
el ánimo. En ti confío,
Rodrigo; el imperio mío
es tuyo.

ROD.   Beso tus plantas.   2550
REY.   ¡Buen Cid!
ROD.   ¡El cielo te guarde!
REY.   Sal en mi nombre a esta lid.
D. MAR. ¿Tú eres a quien llama Cid
algún Morillo covarde?
ROD.   Delante mi Rey estoy,
mas yo de daré en campaña   2555
la respuesta.
D. MAR.   ¿Quién te engaña?
¿Tú eres Rodrigo?
ROD.   Yo soy.
D. MAR.   ¿Tú, a campaña?
ROD.   ¿No soy hombre?
D. MAR. ¿Conmigo?
ROD.   ¡Arrogante estás!   2560
Sí; y allí conocerás
mis obras como mi nombre.
D. MAR.   Pues ¿tú te atreves, Rodrigo,
no tan sólo a no temblar
de mí, pero a pelear,   2565
y quando menos, conmigo?
   ¿Piensas mostrar tus poderes,

no contra arneses y escudos,
sino entre pechos desnudos,
con hombres medio mugeres, 2570
　　con los Moros, en quien son
los alfanges de oropel,
las adargas de papel,
y los braços de algodón?
　　¿No adviertes que quedarás 2575
sin el alma que te anima,
si dexo caerte encima
una manopla no más?
　　¡Ve allá, y vence a tus Morillos,
y huye aquí de mis rigores! 2580

ROD. ¡Nunca perros ladradores[44]
tienen valientes colmillos!
　　Y assí, sin tanto ladrar,
sólo quiero responder
que, animoso por vencer, 2585
saldré al campo a pelear;
　　y fundado en la razón
que tiene su Magestad
pondré yo la voluntad,
y el cielo la permisión. 2590

D. MAR. ¡Ea!, pues quieres morir,
con matarte, pues es justo,
a dos cosas de mi gusto
con una quiero acudir.
　　¿Al que diere la cabeça　(Al REY.) 2595
de Rodrigo, la hermosura
de Ximena no asegura
en un pregón vuestra Alteza?

REY. Sí, aseguro.
D. MAR. 　　　　　　Y yo soy quien
me ofrezco dicha tan buena; 2600
porque, ¡por Dios, que Ximena
me ha parecido muy bien!
　　Su cabeça por los cielos,
y a mí en sus manos, verás.

ROD. —Agora me ofende más,　(Aparte.) 2605
porque me abrasa con celos.—
D. MAR. 　　Es pues, Rey, la conclusión,
en breve, por no cansarte,
que donde el término parte

---

[44] "Perro ladrador, poco mordedor" dice el refrán.

	Castilla con Aragón	2610

Castilla con Aragón   2610
será el campo, y señalados
Juezes, los dos saldremos,
y por seguro traeremos
cada quinientos soldados.
    Assí quede.

REY.   Quede assí.   2615

ROD.   Y allí verás en tu mengua
quán diferente es la lengua
que la espada.

D. MAR.   Ve, que allí
daré yo (aunque te socorra
de tu arnés la mejor pieça)   2620
a Ximena tu cabeça,
y a mi Rey a Calahorra.

ROD.   Al momento determino   (*Al* REY.)
partir, con tu bendición.

D. MAR.   Como si fuera un halcón   2625
bolaré por el camino.

REY.   ¡Ve a vencer!

DIEGO.   ¡Dios soberano
te dé la vitoria y palma
como te doy con el alma
la bendición de la mano!   2630

ARIAS.   ¡Gran Castellano tenemos
en ti!

D. MAR.   Yo voy.

ROD.   Yo te sigo.

D. MAR.   ¡Allá me verás, Rodrigo!

ROD.   ¡Martín, allá nos veremos!

Vanse.

Salen XIMENA *y* ELVIRA.

XIM.   Elvira, ya no hay consuelo   2635
para mi pecho aflixido.

ELVIRA.   Pues tú misma lo has querido
¿de quién te quexas?

XIM.   ¡Ay, cielo!

ELVIRA.   Para cumplir con tu honor
por el dezir de la gente,   2640
¿no bastaba cuerdamente
perseguir el matador
de tu padre y de tu gusto,

          y no obligar con pregones
          a tan fuertes ocasiones   2645
          de su muerte y tu disgusto?
XIM.   ¿Qué pude hazer? ¡Ay, cuytada!
          Vime amante y ofendida,
          delante del Rey corrida,
          y de corrida, turbada;   2650
              y ofrecióme un pensamiento
          para escusa de mi mengua;
          dixe aquello con la lengua,
          y con el alma lo siento,
              y más con esta esperança   2655
          que este Aragonés previene.
ELVIRA.   Don Martín Gonçales tiene
          ya en sus manos tu vengança.
              Y en el alma tu belleza
          cn tan grande extremo arrayga,   2660
          que no dudes que te trayga
          de Rodrigo la cabeça;
              que es hombre que tiene en poco
          todo un mundo, y no te asombres;
          que es espanto de los hombres,   2665
          y de los niños el coco.
XIM.   ¡Y es la muerte para mí!
          No me le nombres, Elvira;
          a mis desventuras mira.
          ¡En triste punto nací!   2670
              ¡Consuélame¡ ¿No podría
          vencer Rodrigo? ¿Valor
          no tiene? Mas es mayor
          mi desdicha, porque es mía;
              y ésta... ¡ay, cielos soberanos!—   2675
ELVIRA.   Tan aflixida no estés.
XIM.   ... será grillos de sus pies,
          será esposas de sus manos;
              ella le atará en la lid
          donde le vença el contrario.   2680
ELVIRA.   Si por fuerte y temerario
          el mundo le llama "el Cid",
              quiça vencerá su dicha
          a la desdicha mayor.
XIM.   ¡Gran prueba de su valor   2685
          será el vencer mi desdicha!

                    Sale un PAJE.

PAJE.	Esta carta te han traído:
	dizen que es de don Martín
	Gonçales.
XIM.	Mi amargo fin
	podré yo dezir que ha sido. 2690
	¡Vete!—¡Elvira, llega, llega!

Vase el PAJE.

ELVIRA.	La carta puedes leer.
XIM.	Bien dizes, si puedo ver;
	que de turbada estoy ciega. (*Lee la carta.*)
	"El luto dexa, Ximena, 2695
	ponte vestidos de bodas,
	si es que mi gloria acomodas
	donde quitaré tu pena.
	De Rodrigo la cabeça
	te promete mi valor, 2700
	por ser esclavo y Señor
	de tu gusto y tu belleza.
	Agora parto a vencer
	vengando al Conde Loçano;
	espera alegre una mano 2705
	que tan dichosa ha de ser.
	Don Martín". —¡Ay, Dios! ¿qué siento?
ELVIRA.	¿Dónde vas?... Hablar no puedes.
XIM.	¡A lastimar las paredes
	de mi cerrado aposento, 2710
	a gemir, a suspirar!...
ELVIRA.	¡Jesús!
XIM.	¡Voy ciega, estoy muerta!
	Ven, enséñame la puerta
	por donde tengo de entrar...
ELVIRA.	¿Dónde vas?
XIM.	Sigo, y adoro 2715
	las sombras de mi enemigo.
	¡Soy desdichada!... ¡Ay, Rodrigo,
	yo te mato, y yo te lloro!

Vanse.

Salen el REY DON FERNANDO, ARIAS GONÇALO, DIEGO LAÍNEZ *y*
PERANSULES.

REY.	De Don Sancho la braveza,

que, como sabéys, es tanta   2720
que casi casi se atreve˙
al respeto de mis canas;
viendo que por puntos crecen
el desamor, la arrogancia,
el desprecio, la aspereza   2725
con que a sus hermanos trata;
como, en fin, padre, entre todos
me ha obligado a que reparta
mis Reynos y mis estados,
dando a pedaços el alma.   2730
Desta piedad, ¿qué os parece?
Dezid, Diego.

DIEGO.   Que es estraña,
y a toda razón de estado
haze grande repugnancia.
Si bien, lo adviertes, Señor,   2735
mal prevalece una casa
cuyas fuerças, repartidas,
es tan cierto el quedar flacas.
Y el Príncipe, mi Señor,
si en lo que dizes le agravias,   2740
pues le dió el cielo braveza,
tendrá razón de mostralla.

PERANS.   Señor, Alonso y García,
pues es una mesma estampa,
pues de una materia misma   2745
los formó quien los ampara,
si su hermano los persigue,
si su hermano los maltrata,
¿qué será quando suceda
que a ser escuderos vayan   2750
de otros Reyes a otros Reynos?
¿Quedará Castilla honrada?

ARIAS.   Señor, también son tus hijas
doña Elvira y doña Urraca,
y no prometen buen fin   2755
mujeres desheredadas.

DIEGO.   ¿Y si el príncipe don Sancho,
cuyas bravezas espantan,
cuyos prodigios admiran,
adviertese que le agravias?   2760
¿Qué señala, qué promete,
sino incendios en España?
Assì que, si bien lo miras,

	la misma, la misma causa	
	que a lo que dizes te incita,	2765
	te obliga a que no lo hagas.	
ARIAS.	Y ¿es bien que su Magestad,	
	por temer essas desgracias,	
	pierda sus hijos, que son	
	pedaços de sus entrañas?	2770
DIEGO	Siempre el provecho común	
	de la Religión cristiana	
	importó más que los hijos;	
	demás que será sin falta,	
	si mezclando disensiones	2775
	unos a otros se matan,	
	que los perderá también.	
PERANS.	Entre dilaciones largas	
	esso es dudoso, esto cierto.	
REY	Podrá ser, si el brío amayna	2780
	don Sancho con la igualdad,	
	que se humane.	
DIEGO.	No se humana	
	su indomable coraçón	
	ni aun a las estrellas altas.	
	Pero llámale, Señor,	2785
	y tu intención le declara,	
	y assí verás si en la suya	
	tiene paso tu esperança.	
REY.	Bien dizes.	
DIEGO.	Ya viene allí.	

Sale el PRÍNCIPE

REY.	Pienso que mi sangre os llama.	2790
	Llegad, hijo; sentaos, hijo.	
D. SAN.	Dame la mano.	
REY.	Tomalda.	
	Como el peso de los años,	
	sobre la ligera carga	
	del cetro y de la corona,	2795
	más presto a los Reyes cansa,	
	para que se eche de ver	
	lo que va en la edad cansada	
	de los trabajos del cuerpo	
	a los cuuydados del alma	2800
	—siendo la veloz carrera	
	de la frágil vida humana	

un hoy en lo poseído,
y en lo esperado un mañana—,
yo, hijo, que de mi vida   2805
en la segunda jornada,
triste el día y puesto el Sol,
con la noche me amenaça,
quiero, hijo, por salir
de un cuydado, cuyas ansias   2810
a mi muerte precipitan
quando mi vida se acaba,
que oyáys de mi testamento
bien repartidas las mandas,
por saber si vuestro gusto   2815
asegura mi esperança.

D. SAN.   ¿Testamento hazen los Reyes?
REY.   —¡Qué con tiempo se declara!— (*Aparte.*)
No, hijo, de lo que heredan,
mas pueden de lo que ganan.   2820
Vos heredáys, con Castilla,
la Estremadura y Navarra,
quanto hay de Pisuerga a Ebro.[45]

D. SAN.   Esso me sobra.
REY.   —En la cara (*Aparte.*)
se le ha visto el sentimiento.—   2825
D. SAN.   —¡Fuego tengo en las entrañas!— (*Aparte.*)
REY.   De don Alonso es León
y Asturias, con quanto abraça
Tierra de Campos; y dexo
a Galicia y a Vizcaya   2830
a don García. A mis hijas
doña Elvira y doña Urraca
doy a Toro y a Zamora,
y que igualmente se partan
el Infantado. Y con esto,   2835
si la del cielo os alcança
con la bendición que os doy,
no podrán fuerças humanas
en vuestras fuerças unidas,
atropellar vuestras armas;   2840
que son muchas fuerças juntas
como un manojo de varas,
que a rompellas no se atreve

---

[45] *Pisuerga ... Ebro:* ríos de España; el primero atraviesa **Valladolid**, y el segundo desemboca en el Mediterráneo tras pasar por Zagaroza desde su nacimiento **en la** zona vasco-cantábrica.

	mano que no las abarca,	
	mas de por sí cada una,	2845
	qualquiera las despedaça.	
D. SAN.	Si en esse exemplo te fundas,	
	Señor, ¿es cosa acertada	
	el dexallas divididas	
	tú, que pudieras juntallas?	2850
	¿Por qué no juntas en mí	
	todas las fuerças de España?	
	En quitarme lo que es mío,	
	¿no ves, padre, que me agravias?	
REY.	Don Sancho, Príncipe, hijo,	2855
	mira mejor que te engañas.	
	Yo sólo heredé a Castilla;	
	de tu madre doña Sancha	
	fue León, y lo demás	
	de mi mano y de mi espada.	2860
	Lo que yo gané ¿no puedo	
	repartir con manos francas	
	entre mis hijos, en quien	
	tengo repartida el alma?	
D. SAN.	Y a no ser Rey de Castilla,	2865
	¿con qué gentes conquistaras	
	lo que repartes agora?	
	¿con qué haveres, con qué armas?	
	Luego, si Castilla es mía	
	por derecho, cosa es clara	2870
	que al caudal, y no a la mano,	
	se atribuye la ganancia.	
	Tú, Señor, mil años bivas;	
	pero si mueres... ¡mi espada	
	juntará lo que me quitas,	2875
	y hará una fuerça de tantas!	
REY.	¡Inobediente, rapaz,	
	tu sobervia y tu arrogancia	
	castigaré en un castillo!	
PERANS.	—¡Notable altivez!— (*Aparte, a* ARIAS.)	
ARIAS.	—¡Estraña!—	2880
D. SAN.	Mientras bives, todo es tuyo.	
REY.	¡Mis maldiciones te caygan	
	si mis mandas no obedeces!	
D. SAN.	No siendo justas, no alcançan.	
REY	Estoy...	
DIEGO.	Mire vuestra Alteza (*A* D. SAN.)	2885
	lo que dize; que más calla	

	quién más siente.	
D. SAN.	Callo agora.—	
DIEGO.	En esta experiencia clara (*Al* REY.)	
	verás mi razón, Señor.	
REY.	¡El coraçón se me abrasa!—	2890
DIEGO.	¿Qué novedades son éstas?	
	¿Ximena con oro y galas?	
REY.	¿Cómo sin luto Ximena?	
	¿Qué ha sucedido?, ¿qué pasa?	

Sale XIMENA *vestida de gala.*

XIM.	—¡Muerto traygo el coraçón! (*Aparte.*)	2895
	¡Cielo! ¿Si podré fingir?—	
	Acabé de recebir	
	esta carta de Aragón;	
	y como me da esperança	
	de que tendré buena suerte,	2900
	el luto que di a la muerte	
	me le quito a la vengança.	
DIEGO.	Luego... ¿Rodrigo es vencido?	
XIM.	Y muerto lo espero ya.	
DIEGO.	¡Ay, hijo!...	
REY.	Presto vendrá	2905
	certeza de lo que ha sido.	
XIM.	—Essa he querido saber, (*Aparte.*)	
	y aqueste achaque he tomado.—	
REY.	Sosegaos. (*A* DIEGO LAÍNEZ.)	
DIEGO.	¡Soy desdichado!...	
	Cruel eres. (*A* XIMENA.)	
XIM.	Soy muger.	2910
DIEGO.	Agora estarás contenta,	
	si es que murió mi Rodrigo.	
XIM.	—Si yo la vengança sigo, (*Aparte.*)	
	corre el alma la tormenta.—	

Sale un CRIADO.

REY.	¿Qué nuevas hay?	
CRIADO.	Que ha llegado	2915
	de Aragón un Caballero.	
DIEGO.	¿Venció don Martín? ¡Yo muero!	
CRIADO.	Devió de ser...	
DIEGO.	¡Ay, cuytado!	
CRIADO.	... Que éste trae la cabeça	

	de Rodrigo, y quiere dalla	2920
	a Ximena.	
Xim.	—¡De tomalla (*Aparte.*)	
	me acabará la tristeza!—	
D. San.	¡No quedara en Aragón	
	una almena, bive el cielo!	
Xim.	—¡Ay, Rodrigo! ¡Este consuelo (*Aparte.*)	2925
	me queda en esta aflicción!—	

	¡Rey Fernando! ¡Cavalleros!
	Oid mi desdicha inmensa,
	pues no me queda en el alma
	más sufrimiento y más fuerça.

De Rodrigo de Bivar

¡Rey Fernando! ¡Cavalleros!
Oid mi desdicha inmensa,
pues no me queda en el alma
más sufrimiento y más fuerça.   2930
¡A bozes quiero dezillo,
que quiero que el mundo entienda
quánto me cuesta el ser noble,
y quánto el honor me cuesta!
De Rodrigo de Bivar   2935
adoré siempre las prendas
y por cumplir con las leyes
—¡que nunca el mundo tuviera!—
procuré la muerte suya,
tan a costa de mis penas,   2940
que agora la misma espada
que ha cortado su cabeça
cortó el hilo de mi vida...

Sale Doña Urraca.

Urra.	Como he sabido tu pena	
	he venido; —¡y como mía, (*Aparte.*)	2945
	hartas lágrimas me cuesta!	
Xim.	.. Mas, pues soy tan desdichada,	
	tu Magestad no consienta	
	que esse don Martin Gonçales	
	essa mano injusta y fiera	2950
	quiera dármela de esposo:	
	conténtese con mi hazienda.	
	Que mi persona, Señor,	
	si no es que el cielo la lleva,	
	llevaréla a un monasterio...	2955
Rey.	Consolaos, alçad, Ximena...	

Sale Rodrigo.

Diego.	¡Hijo! ¡Rodrigo!

XIM.	¡Ay, de mí!
	¿Si son soñadas quimeras?
D. SAN.	¡Rodrigo!
ROD.	Tu Magestad (*Al* REY.)
	me dé los pies, —y tu Alteza. (*A* DON
	SANCHO.) 2960
URRA.	—Bivo le quiero, aunque ingrato.—
	(*Aparte.*)
REY.	De tan mentirosas nuevas
	¿dónde está quien fue el autor?
ROD.	Antes fueron verdaderas.
	Que si bien lo adviertes, yo 2965
	no mandé dezir en ellas
	sino sólo que venía
	a presentalle a Ximena
	la cabeça de Rodrigo
	en tu estrado, en tu presencia, 2970
	de Aragón un Cavallero;
	y esto es, Señor, cosa cierta,
	pues yo vengo de Aragón,
	y no vengo sin cabeça,
	y la de Martín Gonçales 2975
	está en mi lança allí fuera;
	y ésta le presento agora
	en sus manos a Ximena.
	Y pues ella en sus pregones
	no dixo biva, ni muerta, 2980
	no cortada, pues le doy
	de Rodrigo la cabeça,
	ya me deve el ser mi esposa;
	mas si su rigor me niega
	este premio, con mi espada 2985
	puede cortalla ella mesma.
REY.	Rodrigo tiene razón;
	yo pronuncio la sentencia
	en su favor.
XIM.	—¡Ay, de mí! (*Aparte.*)
	Impídeme la vergüenza.— 2990
D. SAN.	¡Ximena, hazedlo por mí!
ARIAS.	¡Essas dudas no os detengan!
PERANS.	Muy bien os está, sobrina.
XIM.	Haré lo que el cielo ordena.
ROD.	¡Dicha grande! ¡Soy tu esposo! 2995
XIM.	¡Y yo tuya!
DIEGO.	¡Suerte inmensa!

URRA.	—¡Ya del coraçón te arrojo, (*Aparte.*)
	ingrato!—
REY.	Esta noche mesma
	vamos, y os desposará
	el Obispo de Placencia.	3000
D. SAN.	Y yo he de ser el Padrino.
ROD.	Y acaben de esta manera
	las *Mocedades del Cid*,
	y las bodas de Ximena.

FIN

GABRIEL TÉLLEZ (TIRSO DE MOLINA (¿1581-1648))

VIDA

Madrileño de nacimiento, cierta crítica lo considera hijo ilegítimo de un noble, el Duque de Osuna, aunque otros críticos niegan la validez de semejante teoría que, en realidad, sí parece algo dudosa (más sobre esto en la parte dedicada a sus obras). Fraile mercedario, teólogo, su afición teatral llegó a ocasionarle serios problemas con la Orden, alcanzando el extremo de prohibírsele escribir comedias, y enviársele lejos de la corte, a Trujillo, Extremadura, en 1625 y hasta 1629. Ya para ese entonces había regresado de La Española (actual República Dominicana), donde residió entre 1616 y 1618, y donde dictó cursos de teología. También existe una teoría —igualmente problemática— de que fue allí, en Santo Domingo, donde conoció, ya bien personalmente, ya bien a través de relatos populares, a un gran amante de mujeres, sobre el cual modeló la figura de su don Juan después. Los trajines de la Orden lo llevan a varias regiones de la Península, y una vez más, en 1640, su vocación literaria le acarrea disgustos cuando el visitador oficial de la Orden, en Madrid, en lo que parece ser un ataque directo a Tirso, prohibe que los frailes escriban o lean libros profanos. En 1634, Tirso había publicado cuatro tomos de sus obras teatrales, si bien en 1635, quizá adelantándose a posibles reproches, publicó *Deleitar aprovechando*, donde recopila obras suyas estrictamente religiosas. Pero quizá ahora, en 1640, por no seguir la prohibición del visitador, fuera desterrado brevemente Tirso a Soria, regresando dentro de poco tiempo a Madrid. En 1645, no obstante, es nombrado prior del convento de Soria, en cuya provincia moriría en 1648.

OBRA

Con el nombre de Tirso de Molina, escribe fray Gabriel Téllez, a quien se califica con frecuencia, junto a Lope y Calderón, como uno de los tres grandes dramaturgos del Siglo de Oro. Discípulo indiscutible del primero, se acerca igualmente a Calderón por su drama de trama más elaborada y compleja. De modo que, careciendo de la espontaneidad de Lope, y acercándose a la elaboración calderoniana, Tirso viene a ser algo así como un puente que se tiende entre los dos dramaturgos más representativos de los dos ciclos del teatro del Siglo de Oro. Por otro lado, su don satírico lo acerca ahora a Ruiz de Alarcón, si bien en tales comedias como *Don Gil de las calzas verdes* abunda todo tipo de humor. Escribió también comedias de carácter religioso, a veces basadas en personajes bíblicos, así como comedias que rebuscan en la historia ahora para sus personajes y asuntos (*La prudencia en la mujer*, que trata de María de Molina, por ejemplo), y en cuanto al drama teológico, rara vez ha alcanzado la altura de su *El condenado por desconfiado*.

EL BURLADOR DE SEVILLA Y CONVIDADO DE PIEDRA (c. 1630)

Aunque no el fundador de la leyenda de don Juan —uno de los grandes mitos universales de la literatura española— Tirso sí fue el primero en darle una profunda cohesión a la tradición de ese mozo a la vez disoluto y arrogante, que después sufrirá grandes alteraciones por parte de innumerables autores, y hasta de compositores como Mozart. Ya el rico *Romancero* recoge poemas dedicados a un joven licensioso, y otros, a la intrepidez de la juventud personificada por el joven que desafía a la muerte. Tirso reúne ambas leyendas en su don Juan. Existe además, un texto de la época titulado *Tan largo me lo fiáis*, y atribuído tanto a Calderón como a Tirso (tesis que nos parece más probable), sin saberse la fecha exacta, y sin poder determinarse así si es anterior o no al *Burlador*, muchos de cuyos versos se repiten aquí.

De suma importancia es el título de la obra que presenta en su forma ya definitiva a la figura de don Juan, *El burlador de Sevilla* y *convidado de piedra*. La palabra "burlador" encierra la clave barroca tanto del personaje como de la obra en general. Tirso y su público entendían sobre todo que la nota más sobresaliente de don Juan era su representación de la burla barroca, el engaño, la mentira, la apariencia y el desorden, en contraposición con la verdad y el orden. En términos aún más concretos, y en palabras del propio don Juan:

> Sevilla a voces me llama
> *el Burlador*, y el mayor
> gusto que en mí puede haber
> es burlar una mujer
> y dejalla sin honor   (II, 1315-1319)

El honor era el valor más sagrado en la sociedad española del Siglo de Oro. La mujer así, mediante un código de honor indudablemente machista, se convertía en portadora del honor del hombre: si ella perdía la honra, su marido, padre o hermano la perdía igual e inevitablemente. Y don Juan viene a ser ni más ni menos que una amenaza viva a este código social rígido. Al menos, esta concepción del honor es la que se da en la literatura de la época, mientras que críticos e historiadores discuten si de veras la realidad se ceñía siempre y tan literalmente a un sistema tan férreo. Parece que no, pero, en todo caso, lo que nos interesa a la hora de leer la obra de Tirso, o, en ese caso, cualquier obra, es la actitud recogida por la literatura como meta o ideal social. Sabido es que la literatura suele reflejar la época, pero no siempre lo hace de forma concreta y detallada, sino que a veces, como parece ser el caso ahora, la realidad literaria representa y refleja más bien una aspiración ideal, con su remite real, y la relación entre ambos ha de valorarse en términos relativos más que literales o estrictos.

Violador del honor, el más alto valor de aquella sociedad, don Juan de este modo adquiere con bastante facilidad la representación del mal en general, y hasta de una fuerza satánica, como da a entender claramente la obra en determinados momentos que ya señalaremos. El fin moralizante de Tirso y su *Burlador* queda, pues, bastante obvio. Luego, una cosa es la intención del autor, y otra puede ser el verdadero resultado literario de la obra. La literatura abunda de casos donde un autor intenta lograr un determinado fin que su obra, tras un atento análisis por parte del lector, contradice. De ahí que don Juan el galán seductor y arrogante, que no dejará de manifestar valentía, y hasta magnanimidad (al salvar a Catalinón del mar), haya atraído más a los espectadores —y quizá al propio público barroco— que la imágen de don Juan como pecador y mal del mundo.

La condición de religioso, y hasta de teólogo, por parte de Tirso sirve para explicar este enigma. Inmerso dentro de la literatura religiosa de la época, y en lo que al teatro respecta, dentro del drama moralizante, queda poca duda de que Tirso, al escribir su *Burlador*, pensaba en este tipo de obra. De hecho, su otra gran obra, *El condenado por desconfiado*, según decíamos antes, es un brillante ejemplo de drama teológico y de pecador arrepentido (como *La devoción de la Cruz* de Calderón, o *El esclavo del demonio* de Mira de Amescua); pero, al lado del pecador arrepentido que se salva en esa obra de Tirso, se registra el caso de un hombre santo que termina condenándose. En el *Burlador*, el pecador don Juan no se arrepiente a tiempo, y por confiar demasiado en la gracia divina, se condena. Luego, desde el momento que el público siente una fuerte identificación con la figura de don Juan (ejemplo del mal y del pecado a evitar) que implica cierta admiración, habría que empezar a pensar en un fracaso de intención por parte de Tirso, por extraordinario como sea el resultado final de la obra, que es, desde luego, lo que tenemos que apreciar y valorar a la hora de establecer un criterio. Una vez más, pues, vemos la prioridad del texto sobre el de las intenciones, o incluso, sobre el de la biografía del autor.

EL BURLADOR DE SEVILLA Y CONVIDADO DE PIEDRA

PERSONAS

DON DIEGO TENORIO, *viejo.*
DON JUAN TENORIO, *su hijo.*
CATALINÓN, *lacayo.*
EL REY DE NÁPOLES.
EL DUQUE OCTAVIO.
DON PEDRO TENORIO.
EL MARQUÉS DE LA MOTA.
DON GONZALO DE ULLOA.
EL REY DE CASTILLA.
DOÑA ANA DE ULLOA.

FABIO, *criado.*
ISABELA, *duquesa.*
TISBEA, *pescadora.*
BELISA, *villana.*
ANFRISO, *pescador.*
CORIDÓN, *pescador.*
GASENO, *labrador.*
BATRICIO, *labrador.*
RIPIO, *criado.*
AMINTA, *villana.*

JORNADA PRIMERA

Salen DON JUAN *y* ISABELA, *duquesa*

ISABELA.	Duque Octavio, por aquí	
	podrás salir más seguro.	
D. JUAN.	Duquesa, de nuevo os juro	
	de cumplir el dulce sí[1].	
ISABELA.	¿Mis glorias serán verdades,	5
	promesas y ofrecimientos	
	regalos y cumplimientos	
	voluntades y amistades?	
D. JUAN.	Sí, mi bien.	
ISABELA.	Quiero sacar	
	una luz.	10
D. JUAN.	Pues ¿para qué?	
ISABELA.	Para que el alma dé fe	

---

[1] *el dulce sí:* promesa de matrimonio. Obsérvese que más abajo don Juan, en efecto, dice que sí, pero contestando a una pregunta que nada tiene que ver con la cuestión matrimonial. Es una sutil forma de engañar que responde muy bien al epíteto de burlador. Se manifestarán otros ejemplos de esta índole.

	del bien que llego a gozar.	
D. JUAN.	Mataréte la luz yo.[2]	
ISABELA.	¡Ah, cielo! ¿Quién eres, hombre?	
D. JUAN.	¿Quién soy? Un hombre sin nombre.	15
ISABELA.	¿Que no eres el duque?	
D. JUAN.	No.	
ISABELA.	¡Ah, de palacio![3]	
D. JUAN.	Detente:	
	dame, duquesa, la mano.	
ISABELA.	No me detengas, villano	
	¡Ah, del rey! ¡Soldados, gente!	20

Sale el REY DE NÁPOLES *con una vela en un candelero*

REY.	¿Qué es esto?	
ISABELA.	(*Ap.*) ¡El rey! ¡Ay, triste!	
REY.	¿Quién eres?	
D. JUAN.	¿Quién ha de ser?	
	Un hombre y una mujer.	
REY.	(*Ap.*) Esto en prudencia consiste.—	
	¡Ah, de mi guarda! Prendé	25
	a este hombre.	
ISABELA.	¡Ay, perdido honor!	

(*Vase* ISABELA.)

Salen DON PEDRO TENORIO, *embajador de España, y* GUARDA

D. PED.	¡En tu cuarto, gran señor,	
	voces! ¿Quién la causa fue?	
REY.	Don Pedro Tenorio, a vos	
	esta prisión os encargo.	30
	Siendo corto, andad vos largo;[4]	
	mirad quién son estos dos.	
	Y con secreto ha de ser,	
	que algún mal suceso creo,	
	porque si yo aquí lo veo	35

---

[2] *Mataréte... yo:* empieza a verse ya la identificación de don Juan con el poder de la oscuridad, sinónimo al desorden, el mal, Satanás; lo mismo que al responder don Juan abajo que es "Un hombre sin nombre", se impone una interpretación igualmente simbólica.

[3] *¡Ah, de palacio!:* grito de alarma a los guardias del palacio.

[4] *Si... largo:* evitar el escándalo, guardando las apariencias: "si yo limito mi acción, exagerad vos la vuestra". Queda implícito que por limitar o exagerar, lo importante es no alcanzar el blanco, o sea, no dar con el culpable, evitando así un escándalo en la corte, ya bien quedando corto o sobrepasando la meta. Repárese en que ya comienza Tirso su ataque a la corte y el mundo de la nobleza, el cual aquí se destaca por su hipocresía, como en otros casos por sus abusos, privilegios, etc.

	no me queda más que	
	ver. *(Vase.)*	
D. PED.	Prendelde.	
D. JUAN.	¿Quién ha de osar?	
	Bien puedo perder la vida;	
	mas ha de ir tan bien vendida,	
	que a alguno le ha de pesar.	40
D. PED.	¡Matalde!	
D. JUAN.	¿Quién os engaña?	
	Resuelto en morir estoy,	
	porque caballero soy	
	del embajador de España.	
	Llegue; que solo ha de ser	45
	quien me rinda.	
D. PED.	Apartad;	
	a ese cuarto os retirad	
	todos con esa mu-	
	jer. *(Vanse.)*	
	Ya estamos solos dos dos;	
	muestra aquí tu esfuerzo y brío.	50
D. JUAN.	Aunque tengo esfuerzo, tío,	
	no le tengo para vos.	
D. PED.	¡Di quién eres!	
D. JUAN.	Ya lo digo;	
	tu sobrino.	
D. PED.	*(Ap.)* ¡Ay, corazón,	
	que temo alguna traición!	55
	¿Qué es lo que has hecho, enemigo?	
	¿Cómo estás de aquesa suerte?	
	Dime presto lo que ha sido.	
	¡Desobediente, atrevido!...	
	Estoy por darte la muerte.	60
	Acaba.	
D. JUAN.	Tío y señor,	
	mozo soy y mozo fuiste;	
	y pues que de amor supiste,	
	tenga disculpa mi amor.	
	Y, pues a decir me obligas	65
	la verdad, oye y diréla:	
	yo engañé y gocé a Isabela	
	la duquesa...	
D. PED.	No prosigas,	
	tente. ¿Cómo la engañaste?	
	Habla quedo o cierra el labio.	70
D. JUAN.	Fingí ser el duque Octavio...	

D. PED.	No digas más, calla, basta.—

D. PED.   No digas más, calla, basta.—
　　　　　　　　(*Ap.*) Perdido soy si el rey sabe
　　　　　　　　este caso. ¿Qué he de hacer?
　　　　　　　　Industria me ha de valer　　　　　　　75
　　　　　　　　en un negocio tan grave.—
　　　　　　　　　Di, vil: ¿no bastó emprender
　　　　　　　　con ira y con fuerza extraña
　　　　　　　　tan gran traición en España
　　　　　　　　con otra noble mujer,　　　　　　　　80
　　　　　　　　　sino en Nápoles también
　　　　　　　　y en el palacio real,
　　　　　　　　con mujer tan principal?
　　　　　　　　¡Castíguete el cielo, amén!
　　　　　　　　Tu padre desde Castilla　　　　　　　85
　　　　　　　　a Nápoles te envió,
　　　　　　　　y en sus márgenes te dio
　　　　　　　　tierra la espumosa orilla
　　　　　　　　　del mar de Italia, atendiendo[5]
　　　　　　　　que el haberte recebido　　　　　　　90
　　　　　　　　pagaras agradecido,
　　　　　　　　¡y estás su honor ofendiendo,
　　　　　　　　　y en tal principal mujer!
　　　　　　　　Pero en aquesta ocasión
　　　　　　　　nos daña la dilación;　　　　　　　　95
　　　　　　　　mira qué quieres hacer.

D. JUAN.   No quiero daros disculpa,
　　　　　　　　que la habré de dar siniestra.
　　　　　　　　Mi sangre es, señor, la vuestra;
　　　　　　　　sacalda, y pague la culpa.　　　　　　100
　　　　　　　　　A esos pies estoy rendido,
　　　　　　　　y ésta es mi espada, señor.

D. PED.   Álzate y muestra valor,
　　　　　　　　que esa humildad me ha vencido.
　　　　　　　　　¿Atreveráste a bajar
　　　　　　　　por eso balcón?　　　　　　　　　　105

D. JUAN.   Sí atrevo,
　　　　　　　　que alas en tu favor llevo.

D. PED.   Pues yo te quiero ayudar.
　　　　　　　　　Vete a Sicilia o Milán,
　　　　　　　　donde vivas encubierto.　　　　　　110

D. JUAN.   Luego[6] me iré.

D. PED.   ¿Cierto?

---

[5] *atendiendo:* esperando.
[6] *Luego:* en seguida, significado aún vigente en algunas regiones de Hispanoamérica.

JUAN.	Cierto.
PED.	Mis cartas te avisarán
	en qué para este suceso
	triste, que causado has.
JUAN.	(*Ap.*) Para mí alegre, dirás.— 115
	Que tuve culpa, confieso.
PED.	Esa mocedad te engaña.
	Baja, pues, ese balcón.
JUAN.	(*Ap.*) Con tan justa pretensión
	gozoso me parto a España. 120

Vase DON JUAN *y entra el* REY

PED.	Ejecutando, señor,
	lo que mandó vuestra alteza,
	el hombre....
EY.	¿Murió?
PED.	Escapóse
	de las cuchillas soberbias.
EY.	¿De qué forma?
PED.	Desta forma: 125

Aun no lo mandaste apenas,
cuando, sin dar más disculpa,
la espada en la mano aprieta,
revuelve la capa al brazo, 130
y con gallarda presteza,
ofendiendo a los soldados
y buscando su defensa,
viendo vecina la muerte,
por el balcón de la huerta
se arroja desesperado. 135
Siguióle con diligencia
tu gente; cuando salieron
por esa vecina puerta,
le hallaron agonizando
como enroscada culebra. 140
Levantóse, y al decir
los soldados: "¡muera, muera!",
bañado de sangre el rostro,
con tan heroica presteza
se fue, que quedé confuso 145
La mujer, que es Isabela,
—que para admirarte nombro—
retirada en esa pieza,
dice que es el duque Octavio

que, con engaño y cautela,
la gozó.

REY. ¿Qué dices?

D. PED. Digo
lo que ella propia confiesa.

REY. (*Ap.*) ¡Ah, pobre honor! Si eres alma
del hombre, ¿por qué te dejan
en la mujer inconstante
si es la misma ligereza?[7]—
¡Hola!

Sale un CRIADO

CRIADO. ¡Gran señor!

REY. Traed
delante de mi presencia
esa mujer.

D. PED. Ya la guardia
viene, gran señor, con ella.

Trae la GUARDA *a* ISABELA

ISABELA. (*Ap.*) ¿Con qué ojos veré al rey?

REY. Idos, y guardad la puerta
de esa cuadra[8].—Di, mujer:
¿qué rigor, qué airada estrella
te incitó, que en mi palacio,
con hermosura y soberbia,
profanases sus umbrales?

ISABELA. Señor...

REY. Calla, que la lengua
no podrá dorar el yerro
que has cometido en mi ofensa.
¿Aquél era el duque Octavio?

ISABELA. Señor...

REY. ¡Que no importan fuerzas,[9]
guarda, criados, murallas,
fortalecidas almenas
para amor, que la de un niño[10]

---

[7] *¡Ah, pobre* ... Pasaje antifeminista que se queja del código de la época, según el cual e honor del hombre dependía de la mujer, a la cual se califica aquí de veleidosa o inestable

[8] *cuadra:* cuarto.

[9] *fuerzas:* fortalezas.

[10] *la ... niño:* la fuerza de Cupido. El elipsis aquí restituye el sentido más común a "fuerza" que no significa ahora fortaleza.

	hasta los muros penetra!	
	Don Pedor Tenorio: al punto	
	a esa mujer llevad presa	
	a una torre, y con secreto	
	haced que al duque le prendan,	180
	que quiero hacer que le cumpla	
	la palabra o la promesa.	
ISABELA.	Gran señor, volvedme el rostro.	
REY.	Ofensa a mi espalda hecha	
	es justicia y es razón	185
	castigalla a espaldas vueltas.	*(Vase el*
	REY.)	
D. PED.	Vamos, duquesa.	
ISABELA.	Mi culpa	
	no hay disculpa que la venza;	
	mas no será el yerro tanto	
	si el duque Octavio lo enmienda.	190

Vanse y salen el DUQUE OCTAVIO *y* RIPIO, *su criado*

RIPIO.	¿Tan de mañana, señor,	
	te levantas?	
OCTAV.	No hay sosiego	
	que pueda apagar el fuego	
	que enciende en mi alma amor.	
	Porque, como al fin es niño,	195
	no apetece cama blanda,	
	entre regalada holanda,	
	cubierta de blanco armiño.	
	Acuéstase, no sosiega,	
	siempre quiere madrugar	200
	por levantarse a jugar,	
	que, al fin, como niño, juega.	
	Pensamientos de Isabela	
	me tienen, amigo, en calma,	
	que como vive en el alma	205
	anda el cuerpo siempre en pena,	
	guardando ausente y presente	
	el castillo del honor.	
RIPIO.	Perdóname, que tu amor	
	es amor impertinente.	210
OCTAV.	¿Qué dices, necio?	
RIPIO.	Esto digo:	
	impertinencia es amar	

	como amas; ¿quiés[11] escuchar?	
OCTAV.	Ea, prosigue.	
RIPIO.	Ya prosigo.	

¿Quiérete Isabela a ti?   215

OCTAV. ¿Eso, necio, has de dudar?
RIPIO. No; mas quiero preguntar:
        ¿y tú, no la quieres?
OCTAV.   Sí.
RIPIO.   Pues ¿no seré majadero,   220
        y de solar conocido,
        si pierdo yo mi sentido
        por quien me quiere y la quiero?
            Si ella a ti no te quisiera,
        fuera bien el porfialla,
        regalalla y adoralla,   225
        y aguardar que se rindiera;
            mas si los dos os queréis
        con una mesma igualdad,
        dime: ¿hay más dificultad
        de que luego os desposéis?   230
OCTAV.   Eso fuera, necio, a ser
        de lacayo o lavandera
        la boda.
RIPIO.   Pues, ¿es quienquiera
        una lavandriz mujer,
        lavando y fregatrizando,[12]   235
        defendiendo y ofendiendo,
        los paños suyos tendiendo,
        regalando y remedando?
            Dando dije, porque al dar
        no hay cosa que se le iguale,   240
        y si no a Isabela dale,
        a ver si sabe tomar.

Sale un CRIADO

CRIADO.   El embajador de España
        en este punto se apea
        en el zaguán, y desea,   245
        con ira y fiereza extraña,
            hablarte, y si no entendí
        yo mal, entiendo es prisión

---

[11] *quiés:* quieres.
[12] *fregatrizando:* fregando.

OCTAV.	¡Prisión! Pues ¿por qué ocasión?
	Decid que entre.

Entra DON PEDRO TENORIO, *con guardas*

D. PED.	Quien así	250
	con tanto descuido duerme,	
	limpia tiene la conciencia,	
OCTAV.	Cuando viene vuexcelencia	
	a honrarme y favorecerme	
	no es justo que duerma yo;	255
	velaré toda mi vida.	
	¿A qué y por qué es la venida?	
D. PED.	Por que aquí el rey me envió.	
OCTAV.	Si el rey, mi señor, se acuerda	
	de mí en aquesta ocasión,	260
	será justicia y razón	
	que por él la vida pierda.	
	Decidme, señor, ¿qué dicha	
	o qué estrella me ha guiado,	
	que de mí el rey se ha acordado?	265
D. PED.	Fue, duque, vuestra desdicha.	
	Embajador del rey soy;	
	dél os traigo una embajada.[13]	
OCTAV.	Marqués, no me inquieta nada;	
	decid, que aguardando estoy.	270
D. PED.	A prenderos me ha enviado	
	el rey; no os alborotéis.	
OCTAV.	¡Vos por el rey me prendéis!	
	Pues ¿en qué he sido culpado?	
D. PED.	Mejor lo sabéis que yo;	275
	mas, por si acaso me engaño,	
	escuchad el desengaño,	
	y a lo que el rey me envió,	
	Cuando los negros gigantes,	
	plegando funestos toldos,	280
	ya del crepúsculo huyen,	
	tropezando unos con otros,[14]	
	estando yo con su alteza	
	tratando ciertos negocios	
	—porque antípodas del sol	285
	son siempre los poderosos—,[15]	

---

[13] *embajada:* misión, recado, encomienda.

[14] *Cuando ... otros:* perífrasis que puede significar o la noche o el alba.

[15] *antípodas ... poderosos:* otra perífrasis para decir que los hombres en el poder trabajan hasta altas horas de la noche, y por eso son antípodas, o contrarios, al sol.

　　　　　voces de mujer oímos
　　　　　cuyos ecos, menos roncos
　　　　　por los artesones sacros,
　　　　　nos repitieron "¡socorro!"　　　　　290
　　　　　A las voces y al ruido
　　　　　acudió, duque, el rey propio,
　　　　　halló a Isabela en los brazos
　　　　　de algún hombre poderoso;
　　　　　mas quien al cielo se atreve,　　　　295
　　　　　sin duda es gigante o monstruo.
　　　　　Mandó el rey que los prendiera;
　　　　　quedé con el hombre solo;
　　　　　llegué y quise desarmalle;
　　　　　pero pienso que el Demonio　　　　　300
　　　　　en él tomó forma humana,
　　　　　pues que, vuelto en humo y polvo,
　　　　　se arrojó por los balcones,
　　　　　entre los pies de esos olmos
　　　　　que coronan, del palacio,　　　　　305
　　　　　los chapiteles hermosos.
　　　　　Hice prender la duquesa,
　　　　　y en la presencia de todos
　　　　　dice que es el duque Octavio
　　　　　el que con mano de esposo　　　　　310
　　　　　la gozó.

OCTAV.　　　　　　　¿Qué dices?

D. PED.　　　　　　　　　Digo
　　　　　lo que al mundo es ya notorio
　　　　　y que tan claro se sabe:
　　　　　que Isabela por mil modos...

OCTAV.　　　　　Dejadme, no me digáis　　　315
　　　　　tan gran traición de Isabela.
　　　　　Mas si fue su amor cautela,
　　　　　proseguid, ¿por qué calláis?
　　　　　Mas si veneno me dais,
　　　　　que a un firme corazón toca,　　　　320
　　　　　y así a decir me provoca,
　　　　　que imita a la comadreja,
　　　　　que concibe por la oreja
　　　　　para parir por la boca[16].
　　　　　¿Será verdad que Isabela,　　　　　325
　　　　　alma, se olvidó de mí

---

[16] *comadreja:* antigua leyenda, que se registra ya en la *Metamorfosis* de Ovidio (43 a.C. - 17 d. C), IX, 306-321, según la cual la comadreja pare por la boca.

para darme muerte? Sí,
que el bien suena y el mal vuela.
Ya el pecho nada recela
juzgando si son antojos;   330
que, por darme más enojos,
al entendimiento entró,
y por la oreja escuchó
lo que acreditan los ojos.

    Señor marqués, ¿es posible   335
que Isabela me ha engañado,
y que mi amor ha burlado?
¡Parece cosa imposible!
¡Oh, mujer¡ ¡Ley tan terrible
de honor, a quien me provoco   340
a emprender! Mas ya no toco
en tu honor esta cautela.
¿Anoche con Isabela
hombre en palacio?... ¡Estoy loco!

D. PED.   Como es verdad que en los vientos   345
hay aves, en el mar peces,
que participan a veces
de todos cuatro elementos;
como en la gloria hay contentos,
lealtad en el buen amigo,   350
traición en el enemigo,
en la noche escuridad
y en el día claridad,
así es verdad lo que digo.

OCTAV.   Marqués, yo os quiero creer.   355
Ya no hay cosa que me espante,
que la mujer más constante
es, en efeto, mujer.
No me queda más que ver,
pues es patente mi agravio.   360

D. PED.   Pues que sois prudente y sabio,
elegid el mejor medio.

OCTAV.   Ausentarme es mi remedio.

D. PED.   Pues sea presto, duque Octavio.

OCTAV.   Embarcarme quiero a España,   365
y darle a mis males fin.

D. PED.   Por la puerta del jardín,
duque, esta prisión se engaña.

OCTAV.   ¡Ah, veleta! ¡Débil caña!
A más furor me provoco,   370
y extrañas provincias toco

huyendo desta cautela.
¡Patria, adiós! ¿Con Isabela
hombre en palacio? ¡Estoy loco!

Vanse y sale TISBEA, *pescadora, con una caña de pescar en la mano.*

TISBEA.   Yo, de cuantas el mar,—[17]   375
         pies de jazmín y rosa,—
         en sus riberas besa
         con fugitivas olas,
         sola de amor esenta,
         como en ventura sola,   380
         tirana me reservo
         de sus prisiones locas,
         aquí donde el sol pisa,
         soñolientas las ondas,
         alegrando zafiros   385
         las que espantaba sombras.[18]
         Por la menuda arena,
         (unas veces aljófar
         y átomos otras veces
         del sol que así la adora),   390
         oyendo de las aves
         las quejas amorosas,
         y los combates dulces
         del agua entre las rocas;
         ya con la sutil caña[19.]   395
         que al débil peso dobla
         del necio pececillo
         que el mar salado azota;
         o ya con la atarraya[20]
         (que en sus moradas hondas   400
         prenden cuantos habitan
         aposentos de conchas),
         segura me entretengo,

---

[17] 375-516: este monólogo de Tisbea es uno de los pasajes más difíciles de la obra, incluso, de todo el drama del Siglo de Oro, pues abunda de recursos poéticos identificados con el poeta más representativo del esplendor barroco, Luis de Góngora (1561-1627). Un fuerte hipérbaton es el responsable de la confusión que se da en los primeros seis versos: "Yo sola de todas me reservo de las cadenas del amor, siendo así tirana de él" vendría a ser el significado de esos versos.

[18] *aquí ... sombras:* el sol al amanecer torna en azul (zafiros) las aguas antes oscuras de sombras de la noche.

[19] *caña:* Tisbea está pescando, lo cual resultará irónico, pues terminará "pescando" a D. Juan, quien a su vez la "pescará" a ella.

[20] *atarraya:* red para pescar.

que en libertad se goza
el alma que amor áspid   405
no le ofende ponzoña.[21]
En pequeñuelo esquife,
y en compañía de otras,
tal vez al mar le peino
la cabeza espumosa;[22]   410
y cuanto más perdidas
querellas de amor forman,
como de todo río
envidia soy de todas.
¡Dichosa yo mil veces,   415
amor, pues me perdonas,
si ya, por ser humilde,
no desprecias mi choza!
Obeliscos de paja
mi edificio coronan,   420
nidos, si no hay cigarras,
a tortolillas locas.
Mi honor conservo en pajas,
como fruta sabrosa,
vidrio guardado en ellas   425
para que no se rompa.
De cuantos pescadores
con fuego[23] Tarragona
de piratas defiende
en la argentada costa,   430
desprecio soy y encanto;
a sus suspiros, sorda;
a sus ruegos, terrible;
a sus promesas, roca.
Anfriso, a quien el cielo   435
con mano poderosa,
prodigio en cuerpo y alma,
dotó de gracias todas,
medido en las palabras,
liberal en las obras,   440
sufrido en los desdenes,
modesto en las congojas,
mis pajizos umbrales,
que heladas noches ronda,

---

[21] *que ... ponzoña:* el amor no le pica con su veneno.
[22] *al ... espumosa:* peinar el mar, o sea, navegar sobre él.
[23] *fuego:* para prevenir los ataques de piratas, se encendían fuegos en la costa.

a pesar de los tiempos,   445
las mañanas remoza;
pues con los ramos verdes
que de los olmos corta,
mis pajas amanecen
ceñidas de lisonjas.   450
Ya con vigüelas[24] dulces
y sutiles zampoñas
músicas me consagra;
y todo no me importa,
porque en tirano imperio   455
vivo, de amor señora;
que hallo gusto en sus penas
y en sus infiernos gloria.
Todas por él se mueren,
y yo, todas las horas,   460
le mato con desdenes:
de amor condición propia,
querer donde aborrecen,
despreciar donde adoran;
que si le alegran, muere,   465
y vive si le oprobian.
En tan alegre día
segura de lisonjas,
mis juveniles años,
amor no los malogra;   470
que en edad tan florida,
amor, no es suerte poca
no ver entre estas redes
las tuyas amorosas.
Pero, necio discurso   475
que mi ejercicio estorbas,
en él no me diviertas
en cosa que no importa.
Quiero entregar la caña
al viento, y a la boca   480
del pececillo el cebo.
Pero al agua se arrojan
dos hombres de una nave,
antes que el mar la sorba,
que sobre el agua viene   485
y en un escollo aborda;
como hermoso pavón,

---

[24] *vigüelas:* vihuelas o guitarras.

hace las velas cola,
adonde los pilotos
todos los ojos pongan.   490
Las olas va escarbando;
y ya su orgullo y pompa
casi la desvanece.
Agua un costado toma...
Hundióse y dejó al viento   495
la gavia[25], que la escoja
para morada suya,
que un loco en gavias mora.
(*Dentro:* ¡Que me ahogo!)
Un hombre al otro aguarda
que dice que se ahoga   500
¡Gallarda cortesía!
En los hombros le toma.
Anquises le hace Eneas,[26]
si el mar está hecho Troya.
Ya, nadando, las aguas   505
con valentía corta,
y en la playa no veo
quien le ampare y socorra.
Daré voces. ¡Tirseo,
Anfriso, Alfredo, hola!   510
Pescadores me miran,
¡plega a Dios que me oigan!
Mas milagrosamente
ya tierra los dos toman:
sin aliento el que nada,   515
con vida el que le estorba.

Saca en brazos CATALINÓN *a* DON JUAN, *mojados*

CATAL.   ¡Válgame la cananea,[27]
y qué salado está el mar!
Aquí puede bien nadar
el que salvarse desea,   520

---

[25] *gavia:* vela del mastelero mayor de una nave, y también jaula para encerrar a locos, siendo este último significado el que se ve dos versos más abajo.

[26] *Anquises ... Eneas:* el primero se convierte en el segundo: Eneas, hijo de Anquises, lo cargó sobre sus espaldas, salvándole del incendio de Troya. Aquí, don Juan, tras salvar a Catalinón, quedará exhausto, y así el paje salvado lo saca del mar en la próxima acotación abajo.

[27] *cananea:* juramento de la época, donde cananea parece confundirse con hacanea, que dará el moderno jaca, o yegua joven. Según Corominas, hacanea se deriva del francés antiguo *haque*, que dará en inglés moderno *hackney.*

que allá dentro es desatino,
donde la muerte se fragua;
donde Dios juntó tanta agua,
no juntara tanto vino.

    Agua salada: ¡estremada   52
cosa para quien no pesca!
Si es mala aun el agua fresca,
¿qué será el agua salada?

    ¡Oh, quién hallara una fragua
de vino, aunque algo encendido!   53
Si del agua que he bebido
espapo yo, no más agua.

    Desde hoy abernuncio[28] della,
que la devoción me quita
tanto, que aun agua bendita   53
no pienso ver, por no vella.

    ¡Ah, señor! Helado y frío
está. ¿Si estará ya muerto?
Del mar fue este desconcierto,
y mío este desvarío.   54

    ¡Mal haya aquel que primero
pinos en la mar sembró,[29]
y que sus rumbos midió
con quebradizo madero![30]

    ¡Maldito sea el vil sastre   54
que cosió el mar que dibuja
con astronómica aguja,
causa de tanto desastre!
¡Maldito sea Jasón
y Tifis[31] maldito sea!   55
Muerto está, no hay quien lo crea;
¡mísero Catalinón!

    ¿Qué he de hacer?

TISBEA.   Hombre, ¿qué tienes
en desventuras iguales?

CATAL.   Pescadora, muchos males,   555
y falta de muchos bienes.

    Veo, por librarme a mí,
sin vida a mi señor. Mira
si es verdad.

---

[28] *abernuncio:* renuncio.
[29] *pinos ... sembró:* metonimia por "naves a la mar lanzó".
[30] *madero:* otra metonimia por nave.
[31] *Jasón ... Tifis:* héroes de los Argonautas, quienes fueron en busca del vellocino de oro en la nave "Argos".

TISBEA.	No, que aun respira.
CATAL.	¿Por dónde? ¿Por aquí?
TISBEA.	Sí;	560

pues ¿por dónde?

| CATAL. | Bien podía |

respirar por otra parte.[32]

| TISBEA. | Necio estás. |
| CATAL. | Quiero besarte |

las manos de nieve fría.

| TISBEA. | Ve a llamar los pescadores | 565 |

que en aquella choza están.

| CATAL. | Y si los llamo, ¿vernán?[33] |
| TISBEA. | Vendrán presto. No lo ignores. |

¿Quién es este caballero?

| CATAL. | Es hijo aqueste señor | 570 |

del camarero mayor
del rey, por quien ser espero
    antes de seis días conde
en Sevilla, donde va,
y adonde su alteza está, | 575 |
si a mi amistad corresponde.

| TISBEA. | ¿Cómo se llama? |
| CATAL. | Don Juan |

Tenorio.

| TISBEA. | Llama mi gente. |
| CATAL. | Ya voy. |

Coge en el regazo TISBEA *a* DON JUAN

| TISBEA. | Mancebo excelente, |

gallardo, noble y galán. | 580 |
    Volved en vos, caballero.

| D. JUAN. | ¿Dónde estoy? |
| TISBEA. | Ya podéis ver: |

en brazos de una mujer.

| D. JUAN. | Vivo en vos, si en el mar muero. |

    Ya perdí todo el recelo, | 585 |
que me pudiera anegar,
pues del infierno del mar
salgo a vuestro claro cielo.[34]
    Un espantoso huracán

---

[32] Chiste grosero, propio del gracioso.

[33] *vernán;* vendrán.

[34] *cielo:* como abajo "oriente" (vs. 593) alude a la faz y ojos de Tisbea.

dio con mi nave al través   59(

para arrojarme a esos pies

que abrigo y puerto me dan.

    Y en vuestro divino oriente

renazco, y no hay que espantar,

pues veis que hay de amar a mar[35]   59!

una letra solamente.

TISBEA.   Muy grande aliento tenéis

para venir sin aliento,

y tras de tanto tormento

muy gran contento ofrecéis.   60(

    Pero si es tormento el mar

y son sus ondas crueles,

la fuerza de los cordeles,[36]

pienso que os hace hablar.

    Sin duda que habéis bebido   60!

del mar la oración pasada,

pues, por ser de agua salada,

con tan grande sal ha sido.

    Mucho habláis cuando no habláis,

y cuando muerto venís   61(

mucho al parecer sentís;

¡plega a Dios que no mintáis!

    Parecéis caballo griego[37]

que el mar a mis pies desagua,

pues venís formado de agua,   61!

y estáis preñado de fuego.

    Y si mojado abrasáis,

estando enjuto, ¿qué haréis?

Mucho fuego prometéis;

¡plega a Dios que no mintáis!   620

D. JUAN.   A Dios, zagal, plugiera

que en el agua me anegara

para que cuerdo acabara

y loco en vos no muriera;

    que el mar pudiera anegarme   625

entre sus olas de plata

que sus límites desata;

mas no pudiera abrasarme.

    Gran parte del sol mostráis,

pues que el sol os da licencia,   630

---

[35] *amar a mar:* juego de palabras, en los que se deleitaba con frecuencia Tirso.
[36] *cordeles:* cordeles de potro, o de tortura.
[37] *caballo griego:* alusión al caballo de Troya.

	pues sólo con la apariencia,	
	siendo de nieve abrasáis.	
TISBEA.	Por más helado que estáis,	
	tanto fuego en vos tenéis,	
	que en este mío os ardéis.	635
	¡Plega a Dios que no mintáis!	

Salen CATALINÓN, CORIDÓN *y* ANFRISO, *pescadores*

CATAL.	Ya vienen todos aquí.	
TISBEA.	Y ya está tu dueño vivo.	
D. JUAN.	Con tu presencia recibo	
	el aliento que perdí.	640
CORID.	¿Qué nos mandas?	
TISBEA.	Coridón,	
	Anfriso, amigos...	
CORID.	Todos	
	buscamos por varios modos	
	esta dichosa ocasión.	
	Di que nos mandas, Tisbea,	645
	que por labios de clavel	
	no lo habrás mandado a aquel	
	que idolatrarte desea,	
	apenas, cuando al momento	
	sin cesar, en llano o sierra,	650
	surque el mar, tale la tierra,	
	pise el fuego, y pare el viento.[38]	
TISBEA.	(*Aparte.*) ¡Oh, qué mal me parecían	
	estas lisonjas ayer,	
	y hoy echo en ellas de ver	655
	que sus labios no mentían!—	
	Estando, amigos, pescando	
	sobre este peñasco, vi	
	hundirse una nave allí,	
	y entre las olas nadando	660
	dos hombres; y compasiva,	
	di voces, y nadie oyó;	
	y en tanta aflicción, llegó	
	libre de la furia esquiva	
	del mar, sin vida a la arena,	665
	déste en los hombres cargado,	
	un hidalgo ya anegado,	
	y envuelta en tan triste pena	

---

[38] *apenas ... viento:* Coridón hará lo que sea necesario para obedecer y complacer a Tisbea.

	a llamaros envié.	
ANFRIS.	Pues aquí todos estamos,	670
	manda que tu gusto hagamos,	
	lo que pensando no fue.	
TISBEA.	Que a mi choza los llevemos,	
	quiero, donde, agradecidos,	
	reparemos sus vestidos,	675
	y allí los regalaremos;	
	que mi padre gusta mucho	
	desta debida piedad.	
CATAL.	¡Estremada es su beldad!	
D. JUAN.	Escucha aparte.	
CATAL.	Ya escucho.	680
D. JUAN.	Si te pregunta quién soy	
	di que no sabes.	
CATAL.	¡A mí...	
	quieres advertirme a mí	
	lo que he de hacer!	
D. JUAN.	Muerto voy	
	por la hermosa pescadora.	685
	Esta noche he de gozalla.	
CATAL.	¿De qué suerte?	
D. JUAN.	Ven y calla.	
CORID.	Anfriso: dentro de una hora	
	los pescadores prevén	
	que canten y bailen.	
ANFRIS.	Vamos,	690
	y esta noche nos hagamos	
	rajas y palos también.³⁹	
D. JUAN.	Muerto soy.	
TISBEA.	¿Cómo, si andáis?	
D. JUAN.	Ando en pena, como veis.	
TISBEA.	Mucho habláis.	
D. JUAN.	Mucho entendéis.	695
TISBEA.	¡Plega a Dios que no mintáis!	

(*Vanse.*)

Salen DON GONZALO DE ULLOA *y el* REY DON ALFONSO DE CASTILLA

REY.	¿Cómo os ha sucedido en la embajada,
	comendador mayor?⁴⁰

---

³⁹ *rayas y palos:* nos divertiremos en exceso.

⁴⁰ Anacronismo, pues el rey Alfonso XI de Castilla muere en 1350, mientras que Juan I de Portugal, a quién supuestamente le envía una embajada, muere en 1433, habiendo nacido en 1357. Alfonso XI nació en 1312.

D. GON.	Hallé en Lisboa

D. GON.   Hallé en Lisboa
al rey don Juan, tu primo, previniendo
treinta naves de armada.

REY.   ¿Y para dónde?   700

D. GON. Para Goa[41] me dijo; mas yo entiendo
que a otra empresa más fácil apercibe.
A Ceuta o Tánger pienso que pretende
cercar este verano.

REY.   Dios le ayude,
y premie el celo de aumentar su gloria.   705
¿Qué es lo que concertasteis?

D. GON.   Señor, pide
a Serpa y Mora, y Olivencia y Toro;
y por eso te vuelve a Villaverde,
al Almendral, a Mértola y Herrera
entre Castilla y Portugal.

REY.   Al punto   710
se firmen los conciertos, don Gonzalo.
Mas decidme primero cómo ha ido
en el camino, que vendréis cansado
y alcanzado también.

D. GON.   Para serviros,
nunca, señor, me canso.

REY.   ¿Es buena tierra   715
Lisboa?[42]

D. GON.   La mayor ciudad de España;
y si mandas que diga lo que he visto
de lo exterior y célebre en un punto
en tu presencia te pondré un retrato.

REY. Yo gustaré de oíllo. Dadme silla.   720

D. GON. Es Lisboa una otava maravilla.
   De las entrañas de España,
que son las tierras de Cuenca,
nace el caudaloso Tajo,
que media España atraviesa.   725
Entra en el mar Oceano,
en las sagradas riberas
de esta ciudad, por la parte
del sur; mas antes que pierda
su curso y su claro nombre,   730
hace un puerto entre dos sierras,
donde están de todo el orbe

---

[41] *Para Goa:* aunque Ceuta fuera conquistada por los portugueses en 1415, Goa no lo fue
hasta el siglo XVI.

[42] *Lisboa:* téngase en cuenta que Portugal estuvo anexionado a España entre 1580 y 1640.

barcas, naves, carabelas.
Hay galeras y saetías[43]
tantas, que desde la tierra   73
parece una gran ciudad
adonde Neptuno[44] reina.
A la parte del poniente
guardan del puerto dos fuerzas
de *Cascaes* y *San Gian*,[45]   74(
las más fuertes de la tierra.
Está, desta gran ciudad,
poco más de media legua,
Belén,[46] convento del santo
conocido por la piedra,[47]   74:
y por el león[48] de guarda,
donde los reyes y reinas
católicos y cristianos
tienen sus casas perpetuas.
Luego esta máquina insigne,   75(
desde Alcántara comienza
una gran legua a tenderse
al convento de Jabregas.[49]
En medio está el valle hermoso
coronado de tres cuestas,   75:
que quedara corto Apeles[50]
cuando pintarlas quisiera;
porque, miradas de lejos,
parecen piñas de perlas
que están pendientes del cielo,   76(
en cuya grandeza inmensa
se ven diez Romas cifradas
en conventos y en iglesias,
en edificios y calles,
en solares y encomiendas,   765
en las letras y en las armas,
en la justicia tan recta,
y en una *Misericordia*[51]

---

[43] *saetías:* embarcación de tres palos y una sola cubierta.
[44] *Neptuno:* dios del mar.
[45] *Cascaes y San Gian:* dos fuertes o fortalezas.
[46] *Belén:* convento de la orden de los Jerónimos construido en 1499.
[47] San Jerónimo solía castigarse golpeándose el pecho con una piedra.
[48] *león:* guardián del convento: suele retratarse con San Jerónimo.
[49] *Jabregas:* convento franciscano fundado en 1508.
[50] *Apeles:* pintor griego del S. III a. C.
[51] *Misericordia:* alude a un hospital cuya construcción se terminó en 1534 bajo el reinado de Juan III. Fue arrasado por completo por el gran terremoto de 1755.

que está honrando su ribera,
y pudiera honrar a España   770
y aun enseñar a tenerla.
    Y en lo que yo más alabo
desta máquina soberbia,
es que del mismo castillo
en distancia de seis leguas,   775
se ven sesenta lugares
que llega el mar a sus puertas,
uno de los cuales es
el convento de Odivelas,
en el cual vi por mis ojos   780
seiscientas y treinta celdas,
y entre monjas y beatas
pasan de mil y doscientas.
Tiene desde allí Lisboa,
en distancia muy pequeña,   785
mil y ciento y treinta quintas,
que en nuestra provincia Bética[52]
llaman cortijos, y todas
con sus huertos y alamedas.
En medio de la ciudad   790
hay una plaza soberbia
que se llama del *Rucío*
grande, hermosa y bien dispuesta,
que habrá cien años y aun más
que el mar bañaba su arena,   795
y ahora della a la mar
hay treinta mil casas hechas,
que, perdiendo el mar su curso,
se tendió a partes diversas.
Tiene una calle que llaman   800
rua Nova o calle Nueva,
donde se cifra el Oriente
en grandezas y riquezas;
tanto, que el rey me contó
que hay un mercader en ella   805
que, por no poder contarlo,
mide el dinero a fanegas.
El terreno, donde tiene
Portugal su casa regia,
tiene infinitos navíos,   810
varados siempre en la tierra,

---

[52] *Bética:* Andalucía.

de sólo cebada y trigo
de Francia y Ingalaterra.
Pues el palacio real,
que el Tajo sus manos besa,					815
es edificio de Ulises,[53]
que basta para grandeza,
de quien toma la ciudad
nombre en la latina lengua,
llamándose Ulisibona,						820
cuyas armas son la esfera,
por pedestal de las llagas
que en la batalla sangrienta
al rey don Alfonso Enríquez[54]
dio la Majestad Inmensa.					825
Tiene en su gran tarazana[55]
diversas naves, y entre ellas,
las naves de la conquista,
tan grandes, que de la tierra
miradas, juzgan los hombres				830
que tocan en las estrellas.
Y lo que desta ciudad
te cuento por excelencia
es, que estando sus vecinos
comiendo, desde las mesas				835
ven los copos del pescado
que junto a sus puertas pescan,
que, bullendo entre las redes,
vienen a entrarse por ellas;
y sobre todo, el llegar					840
cada tarde a su ribera
más de mil barcos cargados
de mercancías diversas,
y de sustento ordinario:
pan, aceite, vino y leña,					845
frutas de infinita suerte,
nieve de Sierra de Estrella
que por las calles a gritos,
puestas sobre las cabezas
las venden. Mas, ¿qué me canso?			850
porque es contar las estrellas

---

[53] *Ulises:* alusión a la leyenda que atribuye la fundación de Lisboa al gran héroe de Homero.
[54] *Alfonso Enríquez:* Alfonso I (1111-1185), primer rey de Portugal. Recordado por su triunfo sobre los almorávides en la batalla de Ourique (1139).
[55] *tarazana:* arsenal.

	querer contar una parte	
	de la ciudad opulenta.	
	Ciento y treinta mil vecinos	
	tiene, gran señor, por cuenta,	855
	y por no cansarte más,	
	un rey que tus manos besa.	
REY.	Más estimo, don Gonzalo,	
	escuchar de vuestra lengua	
	esa relación sucinta,[56]	860
	que haber visto su grandeza.	
	¿Tenéis hijos?	

D. GON.   Gran señor,
una hija hermosa y bella,
en cuyo rostro divino
se esmero naturaleza.   865

REY.   Pues yo os la quiero casar
de mi mano.

D. GON.   Como sea
tu gusto, digo, señor,
que yo lo acepto por ella.
Pero ¿quién es el esposo?   870

REY.   Aunque no está en esta tierra,
es de Sevilla, y se llama
don Juan Tenorio.

D. GON.   Las nuevas
voy a llevar a doña Ana.
. . . . [57]

REY.   Id en buen hora, y volved,   875
Gonzalo, con la respuesta.

Vanse y salen DON JUAN TENORIO *y* CATALINÓN

D. JUAN.   Esas dos yeguas prevén,
pues acomodadas son.

CATAL.   Aunque soy Catalinón,[58]
soy, señor, hombre de bien;   880
que no se dijo por mí:
"Catalinón es el hombre";
que sabes que aquese nombre

---

[56] *esa relación sucinta:* termina aquí el hiperbólico cuadro que nos pinta Tirso de Lisboa, y cuya relación con el resto de la obra ha dado que pensar a la crítica. Aunque parezca una digresión, no obstante se puede justificar por el contraste que ofrece la ciudad portuguesa a la corrompida Sevilla de su época, según se verá unos versos más adelante.

[57] Falta verso

[58] *Catalinón:* significa "cobarde".

	me asienta al revés a mí.	
D. JUAN.	Mientras que los pescadores	885
	van de regocijo y fiesta,	
	tú las dos yeguas apresta,	
	que de sus pies voladores	
	sólo nuestro engaño fío.	
CATAL.	Al fin ¿pretendes gozar	890
	a Tisbea?	
D. JUAN.	Si burlar	
	es hábito antiguo mío,	
	¿qué me preguntas, sabiendo	
	mi condición?	
CATAL.	Ya sé que eres	
	castigo de las mujeres.	895
D. JUAN.	Por Tisbea estoy muriendo,	
	que es buena moza.	
CATAL.	¡Buen pago	
	a su hospedaje deseas!	
D. JUAN.	Necio, lo mismo que Eneas[59]	
	con la reina de Cartago.	900
CATAL.	Los que fingís y engañáis	
	las mujeres de esa suerte	
	lo pagaréis con la muerte.	
D. JUAN.	¡Qué largo me lo fiáis!	
	Catalinón con razón	905
	te llaman.	
CATAL.	Tus pareceres	
	sigue, que en burlar mujeres	
	quiero ser Catalinón.	
	Ya viene la desdichada.	
D. JUAN.	Vete, y las yeguas prevén.	910
CATAL.	¡Pobre mujer! Harto bien	
	te pagamos la posada.	

CATALINÓN *y sale* TISBEA

TISBEA.	El rato que sin ti estoy	
	estoy ajena de mí	
D. JUAN.	Por lo que finges ansí,	915
	ningún crédito te doy.	
TISBEA.	¿Por qué?	
D. JUAN.	Porque, si me amaras,	
	mi alma favorecieras.	

---

[59] *Eneas:* en la *Eneida* de Virgilio, Eneas abandona a Dido, reina de Cartago, quien le había entregado su amor.

TISBEA.	Tuya soy.
D. JUAN.	Pues di, ¿qué esperas,
	o en qué, señora, reparas? 920
TISBEA.	Reparo en que fue castigo
	de amor el que he hallado en ti.
D. JUAN.	Si vivo, mi bien, en ti
	a cualquier cosa me obligo.
	Aunque yo sepa perder 925
	en tu servicio la vida,
	la diera por bien perdida,
	y te prometo de ser
	tu esposo.
TISBEA.	Soy desigual
	a tu ser. 930
D. JUAN.	Amor es rey
	que iguala con justa ley
	la seda con el sayal.
TISBEA.	Casi te quiero creer;
	mas sois los hombres traidores. 935
D. JUAN.	¿Posible es, mi bien, que ignores
	mi amoroso proceder?
	Hoy prendes con tus cabellos
	mi alma.
TISBEA.	Yo a ti me allano
	bajo la palabra y mano 940
	de esposo.
D. JUAN.	Juro, ojos bellos,[60]
	que mirando me matáis,
	de ser vuestro esposo.
TISBEA.	Advierte,
	mi bien, que hay Dios y que hay muerte.
D. JUAN.	¡Qué largo me lo fiáis!
	Y mientras Dios me dé vida, 945
	yo vuestro esclavo seré.
	Esta es mi mano y mi fe.
TISBEA.	No seré en pagarte esquiva.
D. JUAN.	Ya en mí mismo no sosiego.
TISBEA.	Ven, y será la cabaña 950
	del amor que me acompaña
	tálamo de nuestro fuego.
	Entre estas cañas te esconde
	hasta que tenga lugar.[61]

---

[60] *ojos bellos:* otro ejemplo de engaño sutil, como el que vimos en el vs. 4, (véase n.1).
[61] *lugar:* tiempo.

D. JUAN.	¿Por dónde tengo de entrar?	955
TISBEA.	Ven y te diré por dónde.	
D. JUAN.	Gloria al alma, mi bien, dais.	
TISBEA.	Esa voluntad te obligue,	
	y si no, Dios te castigue.	
D. JUAN.	¡Qué largo me lo fiáis!	960

Vanse y salen CORIDÓN, ANFRISO, BELISA *y* MÚSICOS

CORID.	Ea, llamad a Tisbea,	
	y los zagales llamad	
	para que en la soledad	
	el huésped la corte vea.	
ANFRIS.	¡Tisbea, Usindra, Atandria!	965
	No vi cosa más cruel.	
	¡Triste y mísero de aquel	
	que en su fuego es salamandria![62]	
	Antes que el baile empecemos	
	a Tisbea prevengamos.	970
BELISA.	Vamos a llamarla.	
CORID.	Vamos.	
BELISA.	A su cabaña lleguemos.	
CORID.	¿No ves que estará ocupada	
	con los huéspedes dichosos,	
	de quien may mil envidiosos?	975
ANFRIS.	Siempre es Tisbea envidiada.	
BELISA.	Cantad algo mientras viene,	
	porque queremos bailar.	
ANFRIS.	¿Cómo podrá descansar	
	cuidado que celos tiene?	980
	(*Cantan*):	
	A pescar salió la niña	
	tendiendo redes;	
	y, en lugar de peces,	
	las almas prende.	

Sale TISBEA

TISBEA.	¡Fuego, fuego[63], que me quemo,	985
	que mi cabaña se abrasa!	

---

[62] *salamandria:* espíritu elemental del fuego.

[63] *¡Fuego, fuego!:* sin descartarse aquí la interpretación de un fuego literal que don Juan ocasiona, ya pien por puro sadismo, ya bien para mejor huir, lo más probable es que el significadosea metafórico, o el fuego de la pasión de Tisbea.

Repicad a fuego, amigos,
que ya dan mis ojos agua.
Mi pobre edificio queda
hecho otra Troya en las llamas,   990
que después que faltan Troyas
quiere amor quemar cabañas.
Mas si amor abrasa peñas
con gran ira y fuerza extraña,
mal podrán de su rigor   995
reservarse humildes pajas.
¡Fuego, zagales, fuego, agua, agua!
¡Amor, clemencia, que se abrasa el alma!
        ¡Ay, choza, vil instrumento
de mi deshonra y mi infamia!   1000
        ¡Cueva de ladrones fiera,
que mis agravios ampara!
Rayos de ardientes estrellas
en tus cabelleras caigan,
porque abrasadas estén,   1005
si del viento mal peinadas
¡Ah, falso huésped, que dejas
una mujer deshonrada!
Nube que del mar salió
para anegar mis entrañas.   1010
¡Fuego, fuego, zagales, agua, agua!
¡Amor, clemencia, que se abrasa el alma!
        Yo soy la que hacía siempre
de los hombres burla tanta;
que siempre las que hacen burla,   1015
vienen a quedar burladas.
Engañóme el caballero
debajo de fe y palabra
de marido, y profanó
mi honestidad y mi cama.   1020
Gozóme al fin, y yo propia
le di a su rigor las alas
en dos yeguas que crié,
con que me burló y se escapa.
Seguilde todos, seguilde.   1025
Mas no importa que se vaya,
que en la presencia del rey
tengo que pedir venganza.
¡Fuego, fuego, zagales, agua, agua!
¡Amor, clemencia, que se abrasa el alma!   1030

                              (*Váse* TISBEA.)

CORID.	Seguid al vil caballero.
ANFRIS.	¡Triste del que pena y calla!
	Mas ¡vive el cielo! que en él,
	me he de vengar desta ingrata.
	Vamos tras ella nosotros, 1035
	porque va desesperada,
	y podrá ser que ella vaya
	buscando mayor desgracia.
CORID.	Tal fin la soberbia tiene.
	¡Su locura y confianza 1040
	paró en esto!

(*Dice* TISBEA *dentro:* ¡Fuego, fuego!)

ANFRIS.	Al mar se arroja.
CORID.	Tisbea, detente y para.
TISBEA.	¡Fuego, fuego, zagales, agua agua!
	¡Amor[64], clemencia, que se abrasa el ama! 1045

---

[64] *¡Amor ...:* en la mejor tradición lopesca, termina Tirso el acto con una escena de ascenso y gran dramatismo.

JORNADA SEGUNDA

Salen el REY DON ALONSO *y* DON DIEGO TENORIO, *de barba*

REY.	¿Qué me dices?
D. DIEG.	Señor, la verdad digo.

Por esta carta estoy del caso cierto,
que es de tu embajador y de mi hermano:
halláronle en la cuadra del rey mismo
con una hermosa dama de palacio.　　　　　　1050

REY.	¿Qué calidad?
D. DIEG.	Señor, es la duquesa

Isabela.

REY.	¿Isabela?
D. DIEG.	Por lo menos...
REY.	¡Atrevimiento temerario! ¿Y dónde

ahora está?

D. DIEG.	Señor, a vuestra alteza

no he de encubrille la verdad: anoche　　　　1055
a Sevilla llegó con un criado

REY.　　Ya conocéis, Tenorio, que os estimo,
y al rey[65] informaré del caso luego,
casando a ese rapaz con Isabela,
volviendo a su sosiego al duque Octavio,　　1060
que inocente padece; y lluego al punto
haced que don Juan salga desterrado.

D. DIEG.	¿Adónde, mi señor?
REY.	Mi enojo vea

en el destierro de Sevilla; salga
a Lebrija esta noche, y agradezca　　　　　　1065
sólo al merecimiento de su padre...
Pero, decid, don Diego, ¿qué diremos
a Gonzalo de Ulloa, sin que erremos?
Caséle con su hija, y no sé cómo
lo puedo ahora remediar.

D. DIEG.	Pues mira,　　　　1070

gran señor, qué mandas que yo haga

---

[65] *al rey:* de Nápoles.

	que esté bien al honor de esta señora,	
	hija de un padre tal.	
REY.	Un medio tomo,	
	con que absolvello del enojo entiendo:	
	mayordomo mayor pretendo hacelle.	1075

Sale un CRIADO

CRIADO.	Un caballero llega de camino,	
	y dice, señor, que es el duque Octavio.	
REY.	¿El duque Octavio?	
CRIADO.	Sí, señor.	
REY.	Sin duda	
	que supo de don Juan el desatino,	
	y que viene, incitado a la venganza,	1080
	a pedir que le otorgue desafío.	
D. DIEG.	Gran señor, en tus heroicas manos	
	está mi vida, que mi vida propia	
	es la vida de un hijo inobediente;	
	que, aunque mozo, gallardo y valeroso,	1085
	y le llaman los mozos de su tiempo	
	el Héctor[66] de Sevilla, porque ha hecho	
	tantas y tan extrañas mocedades,	
	la razón puede mucho. No permitas	
	el desafío, si es posible.	
REY.	Basta.	1090
	Ya os entiendo, Tenorio: honor de padre.	
	Entre el duque.	
D. DIEG.	Señor, dame esas plantas.	
	¿Cómo podré pagar mercedes tantas?	

Sale el DUQUE OCTAVIO, *de camino*

OCTAV.	A esos pies, gran señor, un peregrino,	
	mísero y desterrado, ofrece el labio,	1095
	juzgando por más fácil el camino	
	en vuestra gran presencia.	
REY.	Duque Octavio...	
OCTAVIO.	Huyendo vengo el fiero desatino	
	de una mujer, el no pensado agravio	
	de un caballero que la causa ha sido	1100
	de que así a vuestros pies haya venido.	

---

[66] *Héctor:* héroe de *La Ilíada,* de Homero.

REY.	Ya, duque Octavio, sé vuestra inocencia.	
	Yo al rey escribiré que os restituya	
	en vuestro estado, puesto que[67] el ausencia	
	que hicisteis algún daño os atribuya.	1105
	Yo os casaré en Sevilla con licencia	
	y también con perdón y gracia suya,	
	que puesto que Isabela un ángel sea,	
	mirando la que os doy, ha de ser fea.	
	Comendador mayor de Calatrava[68]	1110
	es Gonzalo de Ulloa, un caballero	
	a quien el moro por temor alaba,	
	que siempre es el cobarde lisonjero.	
	Éste tiene una hija en quien bastaba	
	en dote la virtud, que considero,	1115
	después de la beldad, que es maravilla;	
	y es sol de las estrellas de Sevilla.	
	Ésta quiero que sea vuestra esposa.	
OCTAV.	Cuando este viaje le emprendiera	
	a sólo esto, mi suerte era dichosa	
	sabiendo yo que vuestro gusto fuera.	1120
REY.	Hospedaréis al duque, sin que cosa	
	en su regalo falte.	
OCTAV.	Quien espera	
	en vos, señor, saldrá de premios lleno.	
	Primero Alfonso sois, siendo el onceno.	1125

Vanse el REY *y* DON DIEGO, *y sale* RIPIO

RIPIO.	¿Qué ha sucedido?	
OCTAV.	Que he dado	
	el trabajo recebido,	
	conforme me ha sucedido,	
	desde hoy por bien empleado.	
	Hablé al rey, vióme y honróme.	1130
	César con el César fui,	
	pues vi, peleé y vencí;	
	y hace que esposa tome	
	de su mano, y se prefiere	
	a desenojar al rey[69]	1135
	en la fulminada ley.	
RIPIO.	Con razón el nombre adquiere	
	de generoso en Castilla.	

---

[67] *puesto que* por aunque.

[68] *Calatrava:* veáse n.3 de *Fuenteovejuna.*

[69] *al rey:* de Nápoles otra vez.

Al fin, ¿te llegó a ofrecer
mujer?

OCTAV.   Sí, amigo, mujer   1140
de Sevilla, que Sevilla
    da, si averiguallo quieres,
porque de oíllo te asombres,
si fuertes y airosos hombres,
también gallardas mujeres.   1145
    Un manto tapado, un brío,
donde un puro sol se asconde,
si no es en Sevilla, ¿adónde
se admite? El contento mío
    es tal que ya me consuela   1150
en mi mal.

Salen DON JUAN *y* CATALINÓN

CATAL.   Señor: detente,
que aquí está el duque, inocente
Sagitario de Isabela,
aunque mejor le diré
Capricornio.[70]

D. JUAN.   Disimula.   1155
CATAL.   Cuando le vende la adula.
D. JUAN.   Como a Nápoles dejé
    por enviarme a llamar
con tanta priesa mi rey,
y como su gusto es ley,   1160
no tuve, Octavio, lugar
    de despedirme de vos
de ningún modo.

OCTAV.   Por eso,
don Juan, amigo os confieso:
que hoy nos juntamos los dos   1165
    en Sevilla.

D. JUAN.   ¡Quién pensara,
duque, que en Sevilla os viera
para que en ella os sirviera,
como yo lo deseaba!
    ¿Vos Puzol[71], vos la ribera   1170

---

[70] *Capricornio:* alusión a los "cuernos", señal de engaño amoroso, atribuídos al Duque Octavio, si bien, en su caso, el engaño ha sido involuntario, ya que Isabela creía que hacía el amor con él, y no con don Juan.

[71] *Puzol:* situado en la provincia italiana de Nápoles, españolizándose el italiano Pozzuoli, que es lo que exige el sentido aquí, y no el Puzol de la provincia de Valencia.

	dejáis? Mas aunque es lugar	
	Nápoles tan excelente,	
	por Sevilla solamente	
	se puede, amigo, dejar.	
OCTAV.	Si en Nápoles os oyera	1175
	y no en la parte que estoy,	
	del crédito que ahora os doy	
	sospecho que me riera.	
	Mas llegándola a habitar	
	es, por lo mucho que alcanza,	1180
	corta cualquiera alabanza	
	que a Sevilla queréis dar.	
	¿Quién es el que viene allí?	
D. JUAN.	El que viene es el marqués	
	de la Mota. Descortés	1185
	es fuerza ser.	
OCTAV.	Si de mí	
	algo hubiéreis menester,	
	aquí espada y brazo está.	
CATAL.	(*Ap.*) Y si importa gozará	
	en su nombre otra mujer;	1190
	que tiene buena opinión.	
D. JUAN.	De vos estoy satisfecho.	
CATAL.	Si fuere de algún provecho,	
	señores, Catalinón,	
	vuarcedes[72] continuamente	1195
	me hallarán para servillos.	
RIPIO.	¿Y dónde?	
CATAL.	En los Pajarillos,	
	tabernáculo[73] excelente.	

Vanse OCTAVIO *y* RIPIO, *y sale el* MARQUÉS DE LA MOTA

MOTA.	Todo hoy os ando buscanto,	
	y no os he podido hallar.	1200
	¿Vos, don Juan, en el lugar,	
	y vuestro amigo penando	
	en vuestra ausencia?	
D. JUAN.	¡Por Dios,	
	amigo, que me debéis	
	esa merced que me hacéis!	1205
CATAL.	(*Ap.*) Como no le entreguéis vos	

---

[72] *vuarcedes:* vuestras mercedes.
[73] *tabernáculo* por taberna.

	moza o cosa que lo valga,	
	bien podéis fiaros dél;	
	que en cuanto en esto es cruel,	
	tiene condición hidalga.	1210

D. JUAN. ¿Qué hay de Sevilla?

MOTA.   Está ya
toda esta corte mudada.

D. JUAN. ¿Mujeres?

MOTA.   Cosa juzgada.

D. JUAN. ¿Inés?

MOTA.   A Vejel se va.

D. JUAN. Buen lugar para vivir   1215
la que tan dama nació.

MOTA. El tiempo la desterró
a Vejel.[74]

D. JUAN.   Irá a morir.
¿Constanza?

MOTA.   Es lástima vella
lampiña de frente y ceja   1220
Llámale el portugués vieja,
y ella imagina que bella.

D. JUAN.   Sí, que *velha* en portugués
suena vieja en castellano.
¿Y Teodora?

MOTA.   Este verano   1225
se escapó del mal francés[75]
    por un río de sudores;
y está tan tierna y reciente,
que anteayer me arrojó un diente
envuelto entre muchas flores.   1230

D. JUAN.   ¿Julia, la del Candilejo?[76]

MOTA. Ya con sus afeites lucha.

D. JUAN. ¿Véndese siempre por trucha?

MOTA. Ya se da por abadejo.

D. JUAN.   El barrio de Cantarranas,   1235
¿tiene buena población?

MOTA. Ranas[77] las más dellas son.

D. JUAN. ¿Y viven las dos hermanas?

MOTA.   Y la mona de Tolú[78]

---

[74] *Vejel:* Vejer de la Frontera, en la provincia de Cádiz. Juego con vejez, que continúa unos versos más abajo con el portugués *velha*.

[75] *mal francés:* sífilis.

[76] *Candilejo:* calle de Sevilla.

[77] *Ranas:* doble acepción: mujer de mucho y vano hablar, o mujer poco apreciable.

[78] *Tolú:* puerto del mar Caribe en Colombia, muy conocido por sus monos.

	de su madre Celestina	1240
	que les enseña doctrina.	
D. JUAN.	¡Oh, vieja de Bercebú![79]	
	¿Cómo la mayor está?	
MOTA.	Blanca, sin blanca ninguna;	
	tiene un santo a quien ayuna.	1245
D. JUAN.	¿Agora en vigilias da?	
MOTA.	Es firme y santa mujer.	
D. JUAN.	¿Y esotra?	
MOTA.	Mejor principio	
	tiene; no desecha ripio.[80]	
D. JUAN.	Buen albañir quiere ser	1250
	Marqués: ¿qué hay de perros muertos?[81]	
MOTA.	Yo y don Pedro de Esquivel	
	dimos anoche un cruel,	
	y esta noche tengo ciertos	
	otros dos.	
D. JUAN.	Iré con vos,	1255
	que también recorreré	
	cierto nido que dejé	
	en güevos[82] para los dos.	
	¿Qué hay de terrero?[83]	
MOTA.	No muero	
	en terrero, que en-terrado	1260
	me tiene mayor cuidado.	
D. JUAN.	¿Cómo?	
MOTA.	Un imposible quiero.	
D. JUAN.	Pues ¿no os corresponde?	
MOTA.	Sí,	
	me favorece y estima.	
D. JUAN.	¿Quién es?	
MOTA.	Doña Ana, mi prima,	1265
	que es recién llegada aquí.	
D. JUAN.	Pues ¿dónde ha estado?	
MOTA.	En Lisboa,	
	con su padre en la embajada.	
D. JUAN.	¿Es hermosa?	
MOTA.	Es estremada,	
	porque en doña Ana de Ulloa	1270

---

[79] *Bercebú:* Belcebú, otro nombre para el diablo.

[80] *ripio:* nada; "no pierde ocasión."

[81] *perros muertos:* engaños, especialmente a una dama, y más aún, al juzgar por el contexto aquí, engañar a una prostituta no pagándole sus servicios.

[82] *güevos:* huevos.

[83] *terrero:* terreno abierto frente al edificio, donde se solía cortejar a las mujeres. Obsérvese el juego de palabras con "en terrado" abajo.

	se estremó naturaleza.	
D. JUAN.	¿Tan bella es esa mujer?	
	¡Vive Dios que la he de ver!	
MOTA.	Veréis la mayor belleza	
	que los ojos del rey ven.	1275
D. JUAN.	Casaos, pues es estremada.	
MOTA.	El rey la tiene casada,	
	y no se sabe con quién.	
D. JUAN.	¿No os favorece?	
MOTA.	Y me escribe.	
CATAL.	[Ap.] No prosigas, que te engaña	1280
	el gran burlador de España.	
D. JUAN.	Quien tan satisfecho vive	
	de su amor, ¿desdichas teme?	
	Sacalda, solicitalda,	
	escribilda y engañalda,	1285
	y el mundo se abrase y queme.	
MOTA.	Agora estoy aguardando	
	la postrer resolución.	
D. JUAN.	Pues no perdáis la ocasión	
	que aquí estoy aguardando.	1290
MOTA.	Ya vuelvo.	

Vanse el MARQUÉS *y el* CRIADO

CATAL.	Señor Cuadrado[84]	
	o señor Redondo, adiós.	
CRIADO..	Adiós.	
D. JUAN.	Pues solos los dos,	
	amigo, habemos quedado,	
	síguele el paso al marqués,	1295
	que en el palacio se entró.	

(*Vase* CATALINÓN.)

Habla por una reja una MUJER

MUJER.	Ce, ¿a quién digo?	
D. JUAN.	¿Quién llamó?	
MUJER.	Pues sois prudente y cortés	
	y su amigo, dalde luego	
	al marqués este papel;	1300
	mirad que consiste en él	

---

[84] *Cuadrado:* nombre del criado del marqués, que le sirve a Catalinón para hacer un juego con "redondo" en seguida.

	de una señora el sosiego.	
D. JUAN.	Digo que se lo daré:	
	soy su amigo y caballero.	
MUJER.	Basta, señor forastero.[85]	1305
	Adiós.	
D. JUAN.	Ya la voz se fue.	

¿No parece encantamiento
esto que agora ha pasado?
A mí el papel ha llegado
por la estafeta del viento.   1310

Sin duda que es de la dama
que el marqués me ha encarecido:
venturoso en esto he sido.
Sevilla a voces me llama
el *Burlador*, y el mayor   1315
gusto que en mí puede haber
es burlar una mujer
y dejalla sin honor.[86]

¡Vive Dios, que le he de abrir,
pues salí de la plazuela!   1320
Mas, ¿si hubiese otra cautela?...
Gana me da de reír.

Ya está abierto el tal papel;
y que es suyo es cosa llana,
porque firma doña Ana.   1325
Dice así: *"Mi padre infiel*
en secreto me ha casado
sin poderme resistir;
no sé si podré vivir,
porque la muerte me ha dado.   1330
Si estimas, como es razón,
mi amor y mi voluntad,
y si tu amor fue verdad,
muéstralo en esta ocasión.

Por que veas que te estimo,   1335
ven esta noche a la puerta,
que estará a las once abierta,
donde tu esperanza, primo,
goces, y el fin de tu amor.
Traerás, mi gloria, por señas   1340
de Leonorilla y las dueñas,

---

[85] *forastero:* la mujer asume que don Juan, que acaba de llegar a Sevilla, es extranjero.
[86] *y el mayor ... sin honor:* palabras claves para entender la sicología de don Juan, para quien la destrucción de la mujer, y el honor, parecen tomar precedencia sobre cualquier otro factor, incluyendo el del placer.

una capa de color.
  Mi amor todo de ti fío,
y adiós." ¡Desdichado amante!
¿Hay suceso semejante?   1345
Ya de la burla me río.
  Gozárela, ¡vive Dios!,
con el engaño y cautela
que en Nápoles a Isabela.

                        Sale CATALINÓN

CATAL.	Ya el marqués viene.
D. JUAN.	Los dos 1350
	aquesta noche tenemos
	que hacer.
CATAL.	¿Hay engaño nuevo?
D. JUAN.	Estremado.
CATAL.	No lo apruebo.

  Tú pretendes que escapemos
    una vez, señor, burlados;   1355
que el que vive de burlar
burlado habrá de escapar
pagando tantos pecados
    de una vez

D. JUAN.	¿Predicador
	te vuelves, impertinente? 1360
CATAL.	La razón hace al valiente.
D. JUAN.	Y al cobarde hace el temor.

  El que se pone a servir
voluntad no ha de tener,
y todo ha de ser hacer,   1365
y nada de ser decir.
  Sirviendo, jugando estás,
y si quieres ganar luego,
haz siempre, porque en el juego,
quien más hace gana más.   1370

CATAL.	Y también quien hace y dice
	pierde por la mayor parte.
D. JUAN.	Esta vez quiero avisarte.
	porque otra vez no te avise.
CATAL.	Digo que de aquí adelante 1375

lo que me mandas haré,
y a tu lado forzaré   .
un tigre y un elefante.
  Guárdese de mí un prior,

	que si me mandas que calle	1380
	y le fuerce, he de forzalle	
	sin réplica, mi señor.	
D. JUAN.	Calla, que viene el marqués.	
CATAL.	Pues, ¿ha de ser el forzado?	

Sale el MARQUÉS DE LA MOTA

D. JUAN.	Para vos, marqués, me han dado	1385
	un recaudo harto cortés	
	por esa reja, sin ver	
	el que me lo daba allí;	
	sólo en la voz conocí	
	que me lo daba mujer.	1390
	Dícete al fin que a las doce	
	vayas secreto a la puerta	
	(que estará a las once abierta),	
	donde tu esperanza goce	
	la posesión de tu amor;	1395
	y que llevases por señas	
	de Leonorilla y las dueñas	
	una capa de color.	
MOTA.	¿Qué dices?	
D. JUAN.	Que este recaudo	
	de una ventana me dieron,	1400
	sin ver quién.	
MOTA.	Con él pusieron	
	sosiego en tanto cuidado.	
	¡Ay amigo! Sólo en ti	
	mi esperanza renaciera.	
	Dame esos pies.	
D. JUAN.	Considera	1405
	que no está tu prima en mí.	
	Eres tú quien ha de ser	
	quien la tiene de gozar,	
	¿y me llegas a abrazar	
	los pies?	
MOTA.	Es tal el placer,	1410
	que me ha sacado de mí.	
	¡Oh sol!, apresura el paso.	
D. JUAN.	Ya el sol camina al ocaso.	
MOTA.	Vamos, amigos, de aquí,	
	y de noche nos pondremos.[87].	1415

---

[87] *de noche nos pondremos:* vestirse para salir de noche.

	¡Loco voy!	
D. JUAN.	(*Ap.*) Bien se conoce;	
	mas yo bien sé que a las doce	
	harás mayores estremos.	
MOTA.	¡Ay, prima del alma, prima,	
	que quieres premiar mi fe!	1420
CATAL.	(*Ap.*) ¡Vive Cristo, que no dé	
	una blanca por su prima!	

Vase el MARQUÉS *y sale* DON DIEGO

D. DIEG.	¿Don Juan?	
CATAL.	Tu padre te llama.	
D. JUAN.	¿Qué manda vueseñoría?	
D. DIEG.	Verte más cuerdo quería,	1425
	más bueno y con mejor fama.	
	¿Es posible que procuras	
	todas las horas mi muerte?	
D. JUAN.	¿Por qué vienes desa suerte?	
D. DIEG.	Por tu trato y tus locuras.	1430
	Al fin el rey me ha mandado	
	que te eche de la ciudad,	
	porque está de una maldad	
	con justa causa indignado	
	Que, aunque me lo has encubierto,	1435
	ya en Sevilla el rey lo sabe,	
	cuyo delito es tan grave,	
	que a decírtelo no acierto.	
	¿En el palacio real	
	traición y con un amigo?	1440
	Traidor, Dios te dé el castigo	
	que pide delito igual.	
	Mira que, aunque al parecer	
	Dios te consiente y aguarda,	
	su castigo no se tarda,	1445
	y que castigo ha de haber	
	para los que profanáis	
	su nombre, que es jüez fuerte	
	Dios en la muerte.	
D. JUAN.	¿En la muerte?	
	¿Tan largo me lo fiáis?	1450
	De aquí allá hay gran jornada.	
D. DIEG.	Breve te ha de parecer.	
D. JUAN.	Y la que tengo de hacer,	
	pues a su alteza le agrada,	

	agora, ¿es larga también?	1455
D. DIEG.	Hasta que el injusto agravio	
	satisfaga el duque Octavio,	
	y apaciguados estén	
	en Nápoles de Isabela	
	los sucesos que has causado,	1460
	en Lebrija retirado	
	por tu traición y cautela,	
	quiere el rey que estés agora:	
	pena a tu maldad ligera.	
CATAL.	(*Aparte.*) Si el caso también supiera	1465
	de la pobre pescadora,	
	más se enojara el buen viejo.	
D. DIEG.	Pues no te vence castigo	
	con cuanto hago y cuanto digo,	
	a Dios tu castigo	
	dejo. (*Vase.*)	1470
CATAL.	Fuese el viejo enternecido.	
D. JUAN.	Luego las lágrimas copia,	
	condición de viejo propia,	
	Vamos, pues ha anochecido,	
	a buscar al marqués.	
CATAL.	Vamos,	1475
	y al fin gozarás su dama.	
D. JUAN.	Ha de ser burla de fama.	
CATAL.	Ruego al cielo que salgamos	
	della en paz.	
D. JUAN.	¡Catalinón,	
	en fin!	
CATAL.	Y tú, señor, eres	1480
	langosta[88] de las mujeres,	
	y con público pregón,	
	porque de ti se guardara	
	cuando a noticia viniera	
	de la que doncella fuera,	1485
	fuera bien se pregonara:	
	"Guárdense todos de un hombre	
	que a las mujeres engaña,	
	y es el burlador de España."	
D. JUAN.	Tú me has dado gentil nombre.	1490

Sale el MARQUÉS, *de noche, con* MÚSICOS, *y pasea el tablado,
y se entran cantando*

---

[88] *langosta:* plaga, castigo.

MÚSIC.	*El que un bien gozar espera,*
	cuanto espera desespera.
D. JUAN.	¿Qués es esto?
CATAL.	Música es.
MOTA.	Parece que habla conmigo
	el poeta. ¿Quién va?
D. JUAN.	Amigo. 1495
MOTA.	¿Es don Juan?
D. JUAN.	¿Es el marqués?
MOTA.	¿Quién puede ser sino yo?
D. JUAN.	Luego que la capa vi,
	que érades vos conocí.
MOTA.	Cantad, pues don Juan llegó. 1500
	(*Cantan.*)
	El que un bien gozar espera,
	cuanto espera desespera.
D. JUAN.	¿Qué casa es la que miráis?
MOTA.	De don Gonzalo de Ulloa.
D. JUAN.	¿Dónde iremos?
MOTA.	A Lisboa.[89] 1505
D. JUAN.	¿Cómo, si en Sevilla estáis?
MOTA.	Pues ¿aqueso os maravilla?
	¿No vive, con gusto igual,
	lo peor de Portugal
	en lo mejor de Castilla? 1510
D. JUAN.	¿Dónde viven?
MOTA.	En la calle
	de la Sierpe, donde ves,
	a Adán vuelto en portugués;[90]
	que en aqueste amargo valle
	con bocados solicitan 1515
	mil Evas que, aunque dorados,
	en efecto, son bocados
	con que el dinero nos quitan.
CATAL.	Ir de noche no quisiera
	por esa calle cruel, 1520
	pues lo que de día es miel
	entonces lo dan en cera.[91]
	Una noche, por mi mal,
	la vi sobre mí vertida,
	y hallé que era corrompida 1525

---

[89] *A Lisboa:* por mujeres de Lisboa que, como se verá unos versos después, vivían en la calle Sierpes (antiguamente Sierpe, como en el texto).

[90] *vuelto en portugués:* estar enamorado, condición que se le atribuía a los portugueses.

[91] *cera* por excremento.

	la cera de Portugal.	
D. JUAN.	Mientras a la calle vais,	
	yo dar un perro[92] quisiera.	
MOTA.	Pues cerca de aquí me espera	
	un bravo.[93]	
D. JUAN.	Si me dejáis,	1530
	señor marqués, vos veréis	
	cómo de mí no se escapa.	
MOTA.	Vamos, y poneos mi capa,	
	para que mejor lo deis.	
D. JUAN.	Bien habéis dicho. Venid,	1535
	y me enseñaréis la casa.	
MOTA.	Mientras el suceso pasa,	
	la voz y el habla fingid.	
	¿Veis aquella celosía?[94]	
D. JUAN.	Ya la veo.	
MOTA.	Pues llegad	1540
	y decid: "Beatriz", y entrad.	
D. JUAN.	¿Qué mujer?	
MOTA.	Rosada y fría.	
CATAL.	Será mujer cantimplora.	
MOTA.	En Gradas[95] os aguardamos.	
D. JUAN.	Adiós, marqués.	
CATAL.	¿Dónde vamos?	1545
D. JUAN.	Calla, necio, calla agora;	
	adonde la burla mía	
	ejecute.	
CATAL.	No se escapa	
	nadie de ti.	
D. JUAN.	El trueque adoro.	
CATAL.	Echaste la capa al toro.	
D. JUAN.	No, el toro me echó la capa.	1550

[*Vanse* DON JUAN *y* CATALINÓN.]

MOTA.	La mujer ha de pensar	
	que soy él.	
MÚSICOS.	¡Qué gentil perro!	
MOTA.	Esto es acertar por yerro.	
MÚSIC.	Todo este mundo es errar.	1555
	(*Cantan*)	

---

[92] *dar un perro:* engañar.

[93] *bravo:* se refiere a "perro", o sea, un engaño bravo o difícil.

[94] *celosía:* enrejado, ya bien de madera o de hierro, que se coloca en una ventana.

[95] *Gradas:* paseo que rodea la catedral y lugar de reunión o de paseo.

> *El que un bien gozar espera,*
> *cuanto espera desespera.*

(*Vanse, y dice* DOÑA ANA *dentro.*)

ANA.   ¡Falso!, no eres el marqués
que me has engañado.
D. JUAN.   Digo
que lo soy.
ANA.   ¡Fiero enemigo,   1560
mientes, mientes!

Sale DON GONZALO *con la espada desnuda*

D. GON.   La voz es
de doña Ana la que siento.
ANA.   (*Dentro.*) ¿No hay quien mate este traidor,
homicida de mi honor?
D. GON.   ¿Hay tan grande atrevimiento?   1565
         Muerto honor, dijo, ¡ay de mí!,
y es su lengua tan liviana
que aquí sirve de campana.
ANA.   Matalde.

Salen DON JUAN *y* CATALINÓN *con las espadas desnudas*

D. JUAN.   ¿Quién está aquí?
D. GON.   La barbacana[96] caída   1570
de la torre de mi honor,
echaste en tierra, traidor,
donde era alcaide la vida.
D. JUAN.   Déjame pasar.
D. GON.   ¿Pasar?
Por la punta desta espada.   1575
D. JUAN.   Morirás.
D. GON.   No importa nada.
D. JUAN.   Mira que te he de matar.
D. GON.   ¡Muere, traidor!
D. JUAN.   Desta suerte
muero.
CATAL.   Si escapo de aquesta,
no más burlas, no más fiesta.   1580
D. GON.   ¡Ay, que me has dado la muerte!

---

[96] *barbacana:* fortificación, y obsérvese otro juego con "barba cana."

D. JUAN.	Tú la vida te quitaste.
D. GON.	¿De qué la vida servía?
D. JUAN.	Huye.

(*Vanse* DON JUAN *y* CATALINÓN.)

D. GON.	Aguarda que es sangría,	
	con que el valor aumentaste.	1585
	Muerto soy; no hay quien aguarde.	
	Seguiráte mi furor;	
	que es traidor, y el que es traidor	
	es traidor porque es cobarde.	

Entran muerto a DON GONZALO, *y salen el* MARQUÉS DE LA MOTA *y* MÚSICOS

MOTA.	Presto las doce darán,	1590
	y mucho don Juan se tarda:	
	¡fiera prisión del que aguarda!	

Salen DON JUAN *y* CATALINÓN

D. JUAN.	¿Es el marqués?	
MOTA.	¿Es don Juan?	
D. JUAN.	Yo soy; tomad vuestra capa.	
MOTA.	¿Y el perro?	
D. JUAN.	Funesto ha sido.	1595
	Al fin, marqués, muerto ha habido.	
CATAL.	Señor, del muerto te escapa.	
MOTA.	¿Búrlaste, amigo? ¿Qué haré?	
CATAL.	(*Aparte.*) También vos sois el burlado.	
D. JUAN.	Cara la burla ha costado.	1600
MOTA.	Yo, don Juan, lo pagaré,	
	porque estará la mujer	
	quejosa de mí.	
D. JUAN.	Las doce	
	darán.	
MOTA.	Como mi bien goce,	
	nunca llegue a amanecer.	1605
D. JUAN.	Adiós, marqués.	
CATAL.	Muy buen lance	
	el desdichado hallará.	
D. JUAN.	Huyamos.	
CATAL.	Señor, no habrá	
	aguilita que me alcance.	(*Vanse.*)

MOTA.	Vosotros os podéis ir todos a casa, que yo he de ir solo.	1610
CRIADOS.	Dios crió las noches para dormir.	

Vanse y queda el MARQUÉS DE LA MOTA

	(*Dentro.*) ¿Vióse desdicha mayor, y vióse mayor desgracia?	1615
MOTA.	¡Válgame Dios! Voces siento en la plaza del Alcázar. ¿Qué puede ser a estas horas? Un hielo el pecho me arraiga	
	Desde aquí parece todo una Troya que se abrasa, porque tantas luces juntas hacen gigantes de llamas	1620
	Un grande escuadrón de hachas se acerca a mí: ¿por qué anda el fuego emulando estrellas, dividiéndose en escuadras? Quiero saber la ocasión.	1625

Sale DON DIEGO TENORIO *y la* GUARDIA *con hachas*

D. DIEG.	¿Qué gente?	
MOTA.	Gente que aguarda saber de aqueste ruido el alboroto y la causa.	1630
D. DIEG.	Prendeldo.	
MOTA.	¿Prenderme a mí? (*Mete mano a la espada.*)	
D. DIEG.	Volved la espada a la vaina, que la mayor valentía es no tratar de las armas.	1635
MOTA.	¿Cómo al marqués de la Mota hablan ansí?	
D. DIEG.	Dad la espada, que el rey os manda prender.	
MOTA.	¡Vive Dios!	

Salen el REY *y acompañamiento*

REY.	En toda España	

	no ha de caber, ni tampoco	1640
	en Italia, si va a Italia.	
D. DIEG.	Señor, aquí está el marqués.	
MOTA.	¿Vuestra alteza a mí me manda	
	prender.	
REY.	Llevalde y ponelde	
	la cabeza en una escarpia.	
	¿En mi presencia te pones?	1645
MOTA.	¡Ah, glorias de amor tiranas,	
	siempre en el pasar ligeras,	
	como en el vivir pesadas!	
	Bien dijo un sabio que había	
	entre la boca y la taza	1650
	peligro; mas el enojo	
	del rey me admira y espanta.	
	No sé por lo que voy preso.[97]	
D. DIEG.	¿Quién mejor sabrá la causa	
	que vueseñoría?	1655
MOTA.	¿Yo?	
D. DIEG.	Vamos.	
MOTA.	¡Confusión extraña!	
REY.	Fulmínesele el proceso	
	al marqués luego, y mañana	
	le cortarán la cabeza.	1660
	Y al comendador, con cuanta	
	solemnidad y grandeza	
	se da a las personas sacras	
	y reales, el entierro	
	se haga; en bronce y piedras varias	1665
	un sepulcro con un bulto	
	le ofrezcan, donde en mosaicas	
	labores, góticas letras	
	den lenguas a sus venganzas.	
	Y entierro, bulto y sepulcro	1670
	quiero que a mi costa se haga.	
	¿Dónde doña Ana se fue?	
D. DIEG.	Fuese al sagrado, doña Ana,	
	de mi señora la reina.	
REY.	Ha de sentir esta falta	1675
	Castilla; tal capitán	
	ha de llorar Calatrava. (*Vanse todos.*)	

Sale BATRICIO, , *desposado con* AMINTA; GASENO, *viejo;*
BELISA *y* PASTORES *músicos*

---

[97] *No sé ...:* no se da cuenta el marqués que la capa que lleva es la causa de su detención.

(*Cantan.*)
> *Lindo sale el sol de abril*
> *con trébol y torongil,*
> *y aunque le sirva de estrella,*   1680
> *Aminta sale más bella.*

BATRIC.   Sobre esta alfombra florida,
adonde, en campos de escarcha,
el sol sin aliento marcha
con su luz recién nacida,   1685
os sentad, pues nos convida
al tálamo el sitio hermoso.

AMINTA.   Cantalde a mi dulce esposo
favores de mil en mil.
(*Cantan.*)
> *Lindo sale el sol de abril*   1690
> *con trébol y torongil,*
> *y aunque le sirva de estrella,*
> *Aminta sale más bella.*

GASENO.   Muy bien lo habéis solfeado;
no hay más sones en el kiries.[98]   1695

BATRIC.   Cuando con sus labios tiries[99]
vuelve en púrpura los labios
saldrán, aunque vergonzosas,
afrentando el sol de abril.

AMINTA.   Batricio, yo lo agradezco;   1700
falso y lisonjero estás;
mas si tus rayos me das,
por ti ser luna merezco;
tú eres el sol por quien crezco
después de salir menguante.   1705
Para que el alba te cante
la salva en tono sutil,
(*Cantan.*)
Lindo sale el sol, etc.

Sale CATALINÓN, *de camino*

CATAL.   Señores, el desposorio
huéspedes ha de tener.   1710

GASENO.   A todo el mundo ha de ser
este contento notorio.
¿Quién viene?

---

[98] *kiries: kirieleisón:* "¡Señor, ten piedad!", en griego, rezo que se hace durante la misa.
[99] *tiries:* rojo purpúreo como de Tiro, conocido por su industria lanar y sus tintes de púrpura.

350

CATAL.	Don Juan Tenorio.
GASENO.	¿El viejo?
CATAL.	No ese don Juan.
BELISA.	Será su hijo galán.	1715
BATRIC.	Téngolo por mal agüero,
	que galán y caballero
	quitan gusto y celos dan.
	Pues ¿quién noticia les dió
	de mis bodas?
CATAL.	De camino	1720
	pasa a Lebrija.
BATRIC.	Imagino
	que el demonio le envió.
	Más, ¿de qué me aflijo yo?
	Vengan a mis dulces bodas
	del mundo las gentes todas.	1725
	Mas, con todo, un caballero
	en mis bodas, ¡mal agüero!
GASENO.	Venga el Coloso de Rodas,[100]
	venga el Papa, el Preste Juan[101]
	y don Alfonso el Onceno	1730
	con su corte, que en Gaseno
	ánimo y valor verán.
	Montes en casa hay de pan,
	Guadalquivides de vino,
	Babilonias de tocino,	1735
	y entre ejércitos cobardes
	de aves, para que las lardes,
	el pollo y el palomino.
	Venga tan gran caballero
	a ser hoy en Dos Hermanas[102]	1740
	honra destas viejas canas.
BELISA.	El hijo del camarero
	mayor...
BATRIC.	(Ap.) Todo es mal agüero
	para mí, pues le han de dar
	junto a mi esposa lugar.	1745
	Aun no gozo, y ya los cielos
	me están condenando a celos.
	Amor, sufrir y callar.

Sale DON JUAN TENORIO

---

[100] *Coloso de Rodas:* la estatua de Helios o Apolo.

[101] *el Preste Juan:* nombre de los emperadores de Etiopía.

[102] *Dos Hermanas:* pueblo de la provincia de Sevilla.

D. JUAN.	Pasando acaso he sabido
	que hay bodas en el lugar,
	y dellas quise gozar
	pues tan venturoso he sido.
GASENO.	Vueseñoría ha venido
	a honrallas y engrandecellas.
BATRIC.	Yo, que soy el dueño dellas,
	digo entre mí que vengáis
	en hora mala.
GASENO.	¿No dais
	lugar a este caballero?
D. JUAN.	Con vuestra licencia quiero
	sentarme aquí.

D. JUAN.   Pasando acaso he sabido
que hay bodas en el lugar,   1750
y dellas quise gozar
pues tan venturoso he sido.

GASENO.   Vueseñoría ha venido
a honrallas y engrandecellas.

BATRIC.   Yo, que soy el dueño dellas,   1755
digo entre mí que vengáis
en hora mala.

GASENO.   ¿No dais
lugar a este caballero?

D. JUAN.   Con vuestra licencia quiero
sentarme aquí.

(*Siéntase junto a la novia.*)

BATRIC.   Si os sentáis   1760
delante de mí, señor,
seréis de aquesa manera
el novio.

D. JUAN.   Cuando lo fuera,
no escogiera lo peor.

GASENO.   ¡Que es el novio!

D. JUAN.   De mi error   1765
e ignorancia perdón pido.

CATAL.   (*Ap.*) ¡Desventurado marido!

D. JUAN.   (*Ap.*) Corrido está.

CATAL.   (*Ap.*)   No lo ignoro;
mas si tiene de ser toro,
¿qué mucho que esté corrido?   1770
No daré por su mujer
ni por su honor un cornado.
¡Desdichado tú, que has dado
en manos de Lucifer!

D. JUAN.   ¿Posible es que vengo a ser,   1775
señora, tan venturoso?
Envidia tengo al esposo.

AMINTA.   Parecéisme lisonjero.

BATRIC.   Bien dije que es mal agüero
en bodas un poderoso.   1780

GASENO.   Ea, vamos a almorzar
por que pueda descansar
un rato su señoría.

(*Tómale* DON JUAN *la mano a la novia.*)

D. JUAN.	¿Por qué la escondéis?
AMINTA.	Es mía.
GASENO.	Vamos.
BELISA.	Volved a cantar. 1785
D. JUAN.	¿Qué dices tú?
CATAL.	¿Yo? que temo muerte vil destos villanos.
D. JUAN.	Buenos ojos, blancas manos, en ellos me abraso y quemo.
CATAL.	¡Almagrar y echar a extremo![103] 1790 Con ésta cuatro serán.
D. JUAN.	Ven, que mirándome están.
BATRIC.	En mis bodas, caballero, ¡mal agüero!
GASENO.	Cantad.
BATRIC.	Muero.
CATAL.	Canten, que ellos llorarán. 1795

(*Vanse todos, con que da fin la segunda jornada.*)

---

[103] *¡Almagrar y echar a extremo!:* terminología de pastoreo, que significa señalar y apartar un carnero, que en este caso viene a ser Aminta, nueva víctima de don Juan.

JORNADA TERCERA

Sale BATRACIO, *pensativo*

BATRIC.
Celos, reloj de cuidados,
que a todas horas dais
tormentos con que matáis
aunque dais desconcertados
    celos, del vivir desprecios,   1800
con que ignorancias hacéis,
pues todo lo que tenéis
de ricos, tenéis de necios;
    dejadme de atormentar,
pues es cosa tan sabida   1805
que, cuando amor me da vida,
la muerte me queréis dar.
    ¿Qué me queréis, caballero,
que me atormentáis ansí?
Bien dije cuando le vi   1810
en mis bodas, "¡mal agüero!"
    ¿No es bueno que se sentó
a cenar con mi mujer,
y a mí en el plato meter
la mano no me dejó?   1815
    Pues cada vez que quería
metella la desviaba,
diciendo a cuanto tomaba:
"¡Grosería, grosería!"
    Pues llegándome a quejar   1820
a algunos, me respondían
y con risa me decían:
"No tenéis de qué os quejar;
    eso no es cosa que importe;
no tenéis de qué temer;   1825
callad, que debe de ser
uso de allá de la corte".
    ¡Buen uso, trato estremado!
Mas no se usara en Sodoma:[104]

---

[104] *Sodoma:* ciudad identificada en el *Antiguo Testamento* con el pecado, y con la práctica homosexual.

que otro con la novia coma, 1830
y que ayune el desposado.
    Pues el otro bellacón
a cuanto comer quería:
"¿Esto no come?", decía:
"No tenéis, señor, razón"; 1835
    y de delante al momento
me lo quitaba. Corrido
estoy; bien sé yo que ha sido
culebra[105] y no casamiento.
    Ya no se puede sufrir 1840
ni entre cristianos pasar;
y acabando de cenar
con los dos, ¿mas que a dormir
    se ha de ir también, si porfía,
con nosotros, y ha de ser, 1845
el llegar yo a mi mujer,
"grosería, grosería?"
    Ya viene, no me resisto.
Aquí me quiero esconder;
pero ya no puede ser, 1850
que imagino que me ha visto.

            Sale DON JUAN TENORIO

D. JUAN.   Batricio.
BATRIC.   Su señoría
            ¿qué manda?
D. JUAN.   Haceros saber...
BATRIC.   (*Ap.*) ¿Mas que ha de venir a ser
            alguna desdicha mía? 1855
D. JUAN.   Que ha muchos días Batricio,
            que a Aminta el alma le di
            y he gozado...
BATRIC.   ¿Su honor?
D. JUAN.   Sí.
BATRIC.   (*Ap.*) Manifiesto y claro indicio
            de lo que he llegado a ver; 1860
            que si bien no le quisiera
            nunca a su casa viniera.
            Al fin, al fin es mujer.
D. JUAN.   Al fin, Aminta celosa,
            o quizá desesperada 1865

---

[105] *culebra:* broma extremada, cruel.

de verse de mí olvidada
y de ajeno dueño esposa,
   esta carta me escribió
enviándome a llamar,
y yo prometí gozar   1870
lo que el alma prometió.
   Esto pasa de esta suerte.
Dad a vuestra vida un medio:
que le daré sin remedio
a quien lo impida, la muerte.   1875

BATRIC.   Si tú en mi elección lo pones,
tu gusto pretendo hacer,
que el honor y la mujer
son males en opiniones.[106]
   La mujer en opinion   1880
siempre más pierde que gana,
que son como la campana,
que se estima por el son.
   Y así es cosa averiguada
que opinión viene a perder,   1885
cuando cualquiera mujer
suena a campana quebrada.
   No quiero, pues me reduces
el bien que mi amor ordena,
mujer entre mala y buena,   1890
que es moneda entre dos luces.
   Gózala, señor, mil años,
que yo quiero resitir,
desengañar y morir,
y no vivir con engaños.   (*Vase.*) 1895

D. JUAN.   Con el honor[107] le vencí,
porque siempre los villanos
tienen su honor en las manos,
y siempre miran por sí.
   Que por tantas falsedades,   1900
es bien que se entienda y crea,
que el honor se fue al aldea
huyendo de las ciudades.

---

[106] *en opiniones:* en boca ajena, son motivo de chisme.

[107] *Con el honor ...:* obsérvese el ataque aquí y en lo que sigue a la ciudad y la alabanza de aldea, aunque ese ataque y alabanza sean involúntarios de parte de don Juan. Debe relacionarse este pasaje con el de Aminta que viene poco después, y especialmente los vs. (1926-1927) "La desvergüenza en España/se ha hecho caballería", con lo cual la crítica se extiende a la clase noble. Véase n. 20 de *Fuenteovejuna.*

Pero antes de hacer el daño
le pretendo reparar: 1905
a su padre voy a hablar
para autorizar mi engaño.
    Bien lo supe negociar:
gozarla esta noche espero.
La noche camina, y quiero   1910
su viejo padre llamar.
    Estrellas que me alumbráis,
dadme en este engaño suerte,
si el galardón en la muerte
tan largo me lo guardáis.   (*Vase.*) 1915

        Salen AMINTA *y* BELISA

BELISA.   Mira que vendrá tu esposo:
entra a desnudarte, Aminta.

AMINTA.   De estas infelices bodas
no sé que siento, Belisa.
Todo hoy mi Batricio ha estado   1920
bañado en melancolía,
todo es confusión y celos;
¡mirad qué grande desdicha!
Di, ¿qué caballero es éste
que de mi esposo me priva?   1925
La desvergüenza en España
se ha hecho caballería.
Déjame, que estoy sin seso,
déjame, que estoy corrida.
¡Mal hubiese el caballero   1930
que mis contentos me priva!

BELISA.   Calla, que pienso que viene,
que nadie en la casa pisa
de un desposado, tan recio.

AMINTA.   Queda adiós, Belisa mía.   1935
BELISA.   Desenójale en los brazos.
AMINTA.   ¡Plega a los cielos que sirvan
mis suspiros de requiebros,
mis lágrimas de caricias!

    Salen DON JUAN, CATALINÓN *y* GASENO

D. JUAN.   Gaseno, quedad con Dios.   1940
GASENO.   Acompañaros querría,
por dalle desta ventura

	el parabién a mi hija.	
D. JUAN.	Tiempo mañana nos queda.	
GASENO.	Bien decís: el alma mía	1945
	en la muchacha os ofrezco (*Vase.*)	
D. JUAN.	Mi esposa decid.	
	(*A Catal.*) Ensilla,	
	Catalinón.	
CATAL.	¿Para cuándo?	
D. JUAN.	Para el alba, que de risa	
	muerta, ha de salir mañana,	1950
	de este engaño.	
CATAL.	Allá, en Lebrija,	
	señor, nos está aguardando	
	otra boda. Por tu vida,	
	que despaches presto en ésta.	
D. JUAN.	La burla más acogida	1955
	de todas ha de ser ésta.	
CATAL.	Que saliésemos querría	
	de todas bien.	
D. JUAN.	Si es mi padre	
	el dueño de la justicia,	
	y es la privanza del rey,	1960
	¿qué temes?	
CATAL.	De los que privan	
	suele Dios tomar venganza,	
	si delitos no castigan;	
	y se suelen en el juego	
	perder también los que miran.	1965
	Yo he sido mirón del tuyo,	
	y por mirón no querría	
	que me cogiese algún rayo	
	y me trocase en ceniza.	
D. JUAN.	Vete, ensilla, que mañana	1970
	he de dormir en Sevilla.	
CATAL.	¿En Sevilla?	
D. JUAN.	Sí.	
CATAL.	¿Qué dices?	
	Mira lo que has hecho, y mira	
	que hasta la muerte, señor,	
	es corta la mayor vida,	1975
	y que hay tras la muerte infierno.	
D. JUAN.	Si tan largo me lo fías,	
	vengan engaños.	
CATAL.	Señor...	
D. JUAN.	Vete, que ya me amohinas	

	con tus temores estraños.	1980
CATAL.	Fuerza al turco, fuerza al scita,	

CATAL.   Fuerza al turco, fuerza al scita,
          al persa y al garamante,[108]
          al gallego, al troglodita,
          al alemán y al japón,
          al sastre con la agujita   1985
          de oro en la mano, imitando
          contino a la *Blanca* niña   (*Vase.*)

DON JUAN

          La noche en negro silencio
          se estiende, y ya las cabrillas[109]
          entre racimos de estrellas   1990
          el polo más alto pisan.
          Yo quiero poner mi engaño
          por obra. El amor me guía
          a mi inclinación, de quien
          no hay hombre que se resista.   1995
          Quiero llegar a la cama.
          ¡Aminta!

Sale AMINTA *como que está acostada*

AMINTA.   ¿Quién llama a Aminta?
          ¿Es mi Batricio?
D. JUAN.   No soy
          tu Batricio.
AMINTA.   Pues ¿quién?
D. JUAN.   Mira
          de espacio, Aminta, quién soy.   2000
AMINTA.   ¡Ay de mí! ¡yo soy perdida!
          ¿En mi aposento a estas horas?
D. JUAN. Éstas son las horas mías.[110]
AMINTA   Volveos, que daré voces.
          No excedáis la cortesía   2005
          que a mi Batricio se debe.
          Ved que hay romanas Emilias
          en Dos-Hermanas también,
          y hay Lucrecias[111] vengativas.

---

[108] *garamante:* nombre de los antiguos habitantes de Libia.
[109] *cabrillas:* constelación de las Pléyades.
[110] *Éstas son las horas mías:* nueva identificación de don Juan con la noche y lo oscuro.
[111] *Emilias ... Lucrecias:* respectivamente, dama romana del S. II a. C., conocida por su fidelidad conyugal, y dama también romana del S. VI a. C. que se mató al ser ultrajada.

D. JUAN.	Escúchame dos palabras, 2010
	y esconde de las mejillas
	en el corazón la grana,
	por ti más preciosa y rica.
AMINTA	Vete, que vendrá mi esposo.
D. JUAN.	Yo lo soy; ¿de qué te admiras? 2015
AMINTA	¿Desde cuándo?
D. JUAN.	Desde agora.
AMINTA	¿Quién lo ha tratado?
D. JUAN.	Mi dicha.
AMINTA	¿Y quién nos casó?
D. JUAN.	Tus ojos.
AMINTA	¿Con qué poder?
D. JUAN.	Con la vista.
AMINTA	¿Sábelo Batricio?
D. JUAN.	Sí, 2020
	que te olvida.
AMINTA	¿Que me olvida?
D. JUAN.	Sí, que yo te adoro.
AMINTA	¿Cómo?
D. JUAN.	Con mis dos brazos.
AMINTA	Desvía.
D. JUAN.	¿Cómo puedo, si es verdad
	que muero?
AMINTA	¡Qué gran mentira! 2025
D. JUAN.	Aminta, escucha y sabrás,
	si quieres que te lo diga,
	la verdad, que las mujeres
	sois de verdades amigas.
	Yo soy noble caballero, 2030
	cabeza de familia
	de los Tenorios, antiguos
	ganadores de Sevilla.
	Mi padre, después del rey,
	se reverencia y estima, 2035
	y en la corte, de sus labios
	pende la muerte o la vida.
	Corriendo el camino acaso,
	llegué a verte, que amor guía
	tal vez las cosas de suerte, 2040
	que él mismo dellas se olvida.
	Vite, adoréte, abraséme
	tanto, que tu amor me anima
	a que contigo me case;
	mira qué acción tan precisa. 2045

	Y aunque lo mormure el reino	
	y aunque el rey lo contradiga,	
	y aunque mi padre enojado	
	con amenazas lo impida,	
	tu esposo tengo de ser.	2050
	¿Qué dices?	

AMINTA   No sé qué diga,
que se encubren tus verdades
con retóricas mentiras.
Porque si estoy desposada,
como es cosa conocida,
con Batricio, el matrimonio   2055
no se absuelve aunque él desista.

D. JUAN.   En no siendo consumado,
por engaño o por malicia
puede anularse.

AMINTA.   En Batricio   2060
puede anularse.

D. JUAN.   Ahora bien: dame esa mano,
y esta voluntad confirma
con ella.

AMINTA.   ¿Qué no me engañas?   2065

D. JUAN.   Mío el engaño sería.

AMINTA.   Pues jura que cumplirás
la palabra prometida.

D. JUAN.   Juro a esta mano, señora,[112]
infierno de nieve fría,
de cumplirte la palabra.   2070

AMINTA.   Jura a Dios que te maldiga
si no la cumples.

D. JUAN.   Si acaso
la palabra y la fe mía
te faltare, ruego a Dios
que a traición y alevosía   2075
me dé muerte un hombre... (*Ap.*) muerto:
que, vivo, ¡Dios no permita!)

AMINTA.   Pues con ese juramento
soy tu esposa.

D. JUAN.   El alma mía
entre los brazos te ofrezco.   2080

AMINTA.   Tuya es el alma y la vida.

D. JUAN.   ¡Ay, Aminta de mis ojos!

---

[112] Otro juramento casuístico, mediante el cual don Juan vuelve a revelarnos su naturaleza engañosa, y su afán casi compulsivo a burlar y engañar.

Mañana sobre virillas[113]
de tersa plata estrellada
con clavos de oro de Tíbar,[114]   2085
pondrás los hermosos pies,
y en prisión de gargantillas
la alabastrina garganta,
y los dedos en sortijas,
en cuyo engaste parezcan   2090
trasparentes perlas finas.

AMINTA.   A tu voluntad, esposo,
la mía desde hoy se inclina:
tuya soy.

D. JUAN.   (Ap.)   ¡Qué mal conoces
al *Burlador de Sevilla!*
                              (*Vanse.*)   2095

                Salen ISABELA *y* FABIO, *de camino*

ISABELA.   ¡Que me robase el dueño,
la prenda que estimaba y más quería!
¡Oh, riguroso empeño
de la verdad! ¡Oh, máscara del día!
¡Noche al fin, tenebrosa   2100
antípoda del sol, del sueño esposa!

FABIO.   ¿De qué sirve, Isabela,
la tristeza en el alma y en los ojos,
si amor todo es cautela,
y en campos de desdenes causa enojos,   2105
si el que se ríe agora
en breve espacio desventuras llora?
El mar está alterado
y en grave temporal, riesgo se corre.
El abrigo han tomado   2110
las galeras, duquesa, de la torre
que esta playa corona.

ISABELA.   ¿Dónde estamos ahora?

FABIO.   En Tarragona.
De aquí a poco espacio
daremos en Valencia, ciudad bella,   2115
del mismo sol palacio.
Divertiráste algunos días en ella,
y después a Sevilla,

---

[113] *virillas:* adorno de calzado.
[114] *Tíbar:* la Costa de Oro, región africana, conocida por la pureza de ese metal.

	irás a ver la octava maravilla.	
	Que si Octavio perdiste,	2120
	más galán es don Juan, y de Tenorio	
	solar. ¿De qué estás triste?	
	Conde dicen que es ya don Juan Tenorio;	
	el rey con él te casa,	
	y el padre es la privanza de su casa.	2125
ISABELA.	No nace mi tristeza	
	de ser esposa de don Juan, que el mundo	
	conoce su nobleza;	
	en la esparcida voz mi agravio fundo,	
	que esta opinión perdida	2130
	es de llorar mientras tuviere vida.	
FABIO.	Allí una pescadora	
	tiernamente suspira y se lamenta,	
	y dulcemente llora.	
	Acá viene, sin duda, y verte intenta.	2135
	Mientras llamo tu gente,	
	lamentaréis las dos más dulcemente.	

Vase FABIO *y sale* TISBEA

TISBEA.	Robusto mar de España,[115]	
	ondas de fuego, fugitivas ondas,	
	Troya de mi cabaña,	2140
	que ya el fuego, por mares y por ondas,	
	en sus abismos fragua,	
	y el mar forma, por las llamas, agua.	
	¡Maldito el leño sea	
	que a tu amargo cristal halló carrera,	2145
	antojo de Medea,[116]	
	tu cáñamo primero o primer lino,	
	aspado de los vientos	
	para telas de engaños e instrumentos!	
ISABELA.	¿Por qué del mar te quejas	2150
	tan tiernamente, hermosa pescadora?	
TISBEA.	Al mar formo mil quejas.	
	¡Dichosa vos, que en su tormento, agora	
	dél os estáis riendo!	
ISABELA.	También quejas del mar estoy haciendo.	2155
	¿De dónde sois?	

---

[115] *mar de España:* Mediterráneo.
[116] *Medea:* personaje de Eurípides en la obra que lleva su nombre, conocida tanto por su ira vengativa, en contra de su marido, Jasón, como por haber dirigido la expedición en busca del vellocino de oro (véase, n. 31).

TISBEA.	De aquellas
	cabañas que miráis del viento heridas
	tan vitorioso entre ellas,
	cuyas pobres paredes desparcidas
	van en pedazos graves,	2160
	dando en mil grietas nidos a las aves.
	En sus pajas me dieron
	corazón de fortísimo diamante;
	mas las obras me hicieron,
	deste monstruo que ves tan arrogante,	2165
	ablandarme de suerte,
	que al sol la cera es más robusta y fuerte.
	¿Sois vos la Europa[117] hermosa?
	¿Que esos toros os llevan?[118]

ISABELA.	A Sevilla
	llévanme a ser esposa	2170
	contra mi voluntad.

TISBEA.	Si mi mancilla
	a lástima os provoca,
	y si injurias del mar os tienen loca,
	en vuestra compañía,
	para serviros como humilde esclava	2175
	me llevad; que querría,
	si el dolor o la afrenta no me acaba,
	pedir al rey justicia
	de un engaño cruel, de una malicia.
	Del agua derrotado,	2180
	a esta tierra llegó don Juan Tenorio,
	difunto y anegado:
	ampárele, hospedéle en tan notorio
	peligro, y el vil güésped
	víbora fue a mi planta en tierno césped.	2185
	Con palabra de esposo,
	la que de esta costa burla hacía,
	se rindió al engañoso:
	¡Mal haya la mujer que en hombres fía!
	Fuese al fin y dejóme:	2190
	mira si es justo que venganza tome.

| ISABELA. | ¡Calla, mujer maldita! |
| | Vete de mi presencia, que me has muerto. |

---

[117] *Europa:* alusión al rapto de Europa por Júpiter en forma de toro, tema mitológico muy tratado en la época, tanto en la pintura (Rubens, Tiziano) como en la literatura (Góngora en *Las soledades*).

[118] *Que esos toros os llevan:* se refiere a la costumbre de arrastrar las naves con bueyes, aludiendo simultáneamente al rapto de Europa por Júpiter convertido en toro.

	Mas si el dolor te incita,	
	no tienes culpa tú, prosigue el cuento	2195
TISBEA.	La dicha fuera mía.	
ISABELA.	¡Mal haya la mujer que en hombres fía!	
	¿Quién tiene de ir contigo?	
TISBEA.	Un pescador, Anfriso; un pobre padre	
	de mis males testigo.	2200
ISABELA.	(*Ap.*) No hay venganza que a mi mal tanto	
	Ven en mi compañía. [le cuadre.	
TISBEA.	¡Mal haya la mujer que en hombres fía![119]	

(*Vanse.*)

Salen DON JUAN *y* CATALINÓN

CATAL.	Todo en mal estado está.	
D. JUAN.	¿Cómo?	
CATAL.	Que Octavio ha sabido	2205
	la traición de Italia ya,	
	y el de la Mota ofendido	
	de ti justas quejas da,	
	y dice, que fue el recaudo,	
	que de su prima le diste	2210
	fingido y disimulado,	
	y con su capa emprendiste	
	la traición que le ha infamado.	
	Dice que viene Isabela	
	a que seas su marido,	2215
	y dicen...	
D. JUAN.	¡Calla!	
CATAL.	Una muela	
	en la boca me has rompido.	
D. JUAN.	Hablador, ¿quién te revela	
	tantos disparates juntos?	
CATAL.	¡Disparate, disparate!	2220
	Verdades son.	
D. JUAN.	No pregunto	
	si lo son. Cuando me mate	
	Octavio: ¿estoy yo difunto?	
	¿No tengo manos también?	
	¿Dónde me tienes posada?	2225
CATAL.	En la calle, oculta.	
D. JUAN.	Bien.	

---

[119] Como estamos viendo, el antifeminismo de Tirso no excluye una crítica en contra de los hombres también. El amor (las relaciones entre hombre y mujer) como engaño bien podía ser la última lección para el espectador de esa doble crítica.

CATAL.	La iglesia es tierra sagrada.
D. JUAN.	Di que de día me den
	en ella la muerte. ¿Viste
	al novio de Dos-Hermanas? 2230
CATAL.	También le vi ansiado y triste.
D. JUAN.	Aminta, estas dos semanas,
	no ha de caer en el chiste.
CATAL.	Tan bien engañada está,
	que se llama doña Aminta. 2235
D. JUAN.	¡Graciosa burla será!
CATAL.	Graciosa burla y sucinta,
	mas siempre la llorará.

(*Descúbrese un sepulcro de* DON GONZALO DE ULLOA.)

D. JUAN.	¿Qué sepulcro es éste?
CATAL.	Aquí
	don Gonzalo está enterrado. 2240
D. JUAN.	Éste es al que muerte di.
	¡Gran sepulcro le han labrado!
CATAL.	Ordenólo el rey ansí.
	¿Cómo dice este letrero?
D. JUAN.	"Aquí aguarda del Señor, 2245
	el más leal caballero,
	la venganza de un traidor."
	Del mote reírme quiero.
	¿Y habéisos vos de vengar,
	buen viejo, barbas de piedra? 2250
CATAL.	No se las podrás pelar,
	que en barbas muy fuertes medra.
D. JUAN.	Aquesta noche a cenar
	os aguardo en mi posada.
	Allí el desafío haremos, 2255
	si la venganza os agrada;
	aunque mal reñir podremos,
	si es de piedra vuestra espada.
CATAL.	Ya, señor, ha anochecido;
	vámonos a recoger. 2260
D. JUAN.	Larga esta venganza ha sido.
	Si es que vos la habéis de hacer,
	importa no estar dormido,
	que si a la muerte aguardáis
	la venganza, la esperanza 2265
	agora es bien que perdáis,
	pues vuestro enojo y venganza

tan largo me lo fiáis.

Vanse y ponen la mesa dos CRIADOS

C. 1.º	Quiero apercebir la cena,	
	que vendrá a cenar don Juan.	2270
C. 2.º	Puestas las mesas están.	
	¡Qué flema tiene si empieza!	
	Ya tarda como solía	
	mi señor; no me contenta;	
	la bebida se calienta	2275
	y la comida se enfría.	
	Mas, ¿quién a don Juan ordena	
	esta desorden?	

Entran DON JUAN *y* CATALINÓN

D. JUAN.	¿Cerraste?	
CATAL.	Ya cerré como mandaste.	
D. JUAN.	¡Hola! Tráiganme la cena.	2280
C. 2.º	Ya está aquí.	
D. JUAN.	Catalinón,	
	siéntate.	
CATAL.	Yo soy amigo	
	de cenar despacio.	
D. JUAN.	Digo	
	que te sientes.	
CATAL.	La razón	
	haré.[120]	
C. 1.º	También es camino[121]	2285
	éste, si come con él.	
D. JUAN.	Siéntate.	

(*Un golpe dentro.*)

CATAL.	Golpe es aquél.	
D. JUAN.	Que llamaron imagino;	
	mira quién es.	
C. 1.º	Voy volando.	
CATAL.	¿Si es la justicia, señor?	2290
D. JUAN.	Sea, no tengas temor.	

---

[120] *La razón haré:* de acuerdo, haré lo que mandas.

[121] *camino:* por estar de viaje, o en camino, se le permite al criado sentarse en la mesa con el señor.

(*Vuelve el* CRIADO, *huyendo,*)

	¿Quién es? ¿De qué estás temblando?	
CATAL.	De algún mal de testimonio.	
D. JUAN.	Mal mi cólera resisto.	
	Habla, responde, ¿qué has visto?	2295
	¿Asombróte algún demonio?	
	Ve tú, y mira aquella puerta:	
	¡presto, acaba!	
CATAL.	¿Yo?	
D. JUAN.	Tú, pues.	
	Acaba, menea los pies.	
CATAL.	A mi agüela hallaron muerta	2300
	como racimo colgada,	
	y desde entonces se suena	
	que anda siempre su alma en pena.	
	Tanto golpe no me agrada.	
D. JUAN.	Acaba.	
CATAL.	Señor, si sabes	2305
	que soy un Catalinón...	
D. JUAN.	Acaba.	
CATAL.	¡Fuerte ocasión!	
D. JUAN.	¿No vas?	
CATAL.	¿Quién tiene las llaves	
	de la puerta?	
C. 2.º	Con la aldaba	2310
	está cerrada no más.	
D. JUAN.	¿Qué tienes? ¿Por qué no vas?	
CATAL.	Hoy Catalinón acaba.	
	¿Mas si las forzadas vienen	
	a vengarse de los dos?	

(*Llega* CATALINÓN *a la puerta, y viene corriendo; cae y levántase.*)

	¿Qué es eso?	
D. JUAN.	¿Qué es eso?	
CATAL.	¡Válgame Dios!	2315
	¡Que me matan, que me tienen!	
D. JUAN.	¿Quién te tiene, quién te mata?	
	¿Qué has visto?	
CATAL.	Señor, yo allí	
	vide cuando... luego fui...	
	¿Quién me ase, quién me arrebata?	2320
	Llegué, cuando despés ciego...	
	cuando vile, ¡juro a Dios!...	
	Habló y dijo, ¿quién sois vos?...	

	respondió, y respondí luego...	
	topé y vide...	
D. JUAN.	¿A quién?	
CATAL.	No sé.	2325
D. JUAN.	¡Cómo el vino desatina!	
	Dame la vela, gallina,	
	y yo a quien llama veré.	

(*Toma* DON JUAN *la vela y llega a la puerta. Sale al encuentro* DON GONZALO, *en la forma que estaba en el sepulcro, y* DON JUAN *se retira atrás turbado, empuñando la espada, y en la otra la vela, y* DON GONZALO *hacia él con pasos menudos, y al compás* DON JUAN, *retirándose hasta estar en medio del teatro.*)

D. JUAN.	¿Quién va?	
D. GON.	Yo soy.	
D. JUAN.	¿Quién sois vos?	
D. GON.	Soy el caballero honrado	2330
	que a cenar has convidado.	
D. JUAN.	Cena habrá para los dos,	
	y si vienen más contigo,	
	para todos cena habrá.	
	Ya puesta la mesa está.	2335
	Siéntate.	
CATAL.	¡Dios sea conmigo!	
	¡San Panuncio, San Antón!	
	Pues ¿los muertos comen, di?	
	Por señas dice que sí.	
D. JUAN.	Siéntate, Catalinón.	2340
CATAL.	No, señor, yo lo recibo	
	por cenado.	
D. JUAN.	Es desconcierto:	
	¡qué temor tienes a un muerto!	
	¿Qué hicieras estando vivo?	
	Necio y villano temor.	2345
CATAL.	Cena con tu convidado,	
	que yo, señor, ya he cenado.	
D. JUAN.	¿He de enojarme?	
CATAL.	Señor,	
	¡vive Dios que güelo mal!	
D. JUAN.	Llega, que aguardando estoy.	2350
CATAL.	Yo pienso que muerto soy,	
	y está muerto mi arrabal.[122]	

---

[122] *arrabal:* J. Corominas, en su *Diccionario crítico etimológico* (Madrid: Gredos, 1974), p. 274, alude precisamente a este verso del *Burlador* para señalar como el significado jocoso de arrabal el del trasero o nalgas.

D. JUAN.	Y vosotros, ¿qué decís?
	¿Qué hacéis? ¡Necio temblar!
CATAL.	Nunca quisiera cenar 2355
	con gente de otro país.
	¿Yo, señor, con *convidado*
	de piedra?
D. JUAN.	¡Necio temer!
	Si es piedra, ¿qué te ha de hacer?
CATAL.	Dejarme descalabrado. 2360
D. JUAN.	Háblale con cortesía.
CATAL.	¿Está bueno? ¿Es buena tierra
	la otra vida? ¿Es llano o sierra?
	¿Prémiase allá la poesía?
C. 1.º	A todo dice que sí, 2365
	con la cabeza.
CATAL.	¿Hay allá
	muchas tabernas? Sí habrá,
	si Noé[123] reside allí.
D. JUAN.	¡Hola! dadnos de beber.
CATAL.	Señor muerto, ¿allá se bebe 2370

Así, que hay nieve:
buen país.

| D. JUAN. | Si oír cantar |
| | queréis, cantarán. |

Baja la
cabeza.)

C. 2.º	Sí, dijo.
D. JUAN.	Cantad.
CATAL.	Tiene el seor muerto
	buen gusto.
C. 1.º	Es noble, por cierto, 2375
	y amigo de regocijo.

(Señor muerto, ¿allá se bebe con nieve?) (*Baja la cabeza.*)

(*Cantan dentro:*)
Si de mi amor aguardáis,
señora, de aquesta suerte
el galardón en la muerte,
¡qué largo me lo fiáis! 2380

| CATAL. | O es sin duda veraniego[124] |

---

[123] *Noé:* alusión a la embriaguez de Noé en el *Antiguo Testamento.*
[124] *veraniego:* durante la época de calor, disminuye supuestamente el apetito.

el seor muerto, o debe ser
hombre de poco comer.
Temblando al plato me llego.
        Poco beben por allá;   (*Bebe.*)   2385
yo beberé por lo dos.
Brindis de piedra ¡por Dios!
menos temor tengo ya.

                (*Cantan:*)

        Si ese plazo me convida
para que gozaros pueda,   2390
pues larga vida me queda,
dejad que pase la vida.
        Si de mi amor aguardáis,
señora, de aquesta suerte
el galardón en la muerte,   2395
¡qué largo me lo fiáis!

CATAL.   ¿Con cuál de tantas mujeres
        como has burlado, señor,
        hablan?
D. JUAN.   De todas me río,
        amigo, en esta ocasión.   2400
        En Nápoles a Isabela...
CATAL. Esa, señor, ya no es hoy
        burlada, porque se casa
        contigo, como es razón.
        Burlaste a la pescadora   2405
        que del mar te redimió,
        pagándola el hospedaje
        en moneda de rigor.
        Burlaste a doña Ana...
D. JUAN.   Calla,
        que hay parte aquí que lastó[125]   2410
        por ella, y vengarse aguarda.
CATAL. Hombre es de mucho valor,
        que él es piedra, tú eres carne:
        no es buena resolución.

    (*Hace señas que se quite la mesa y queden solos.*)

D. JUAN. ¡Hola! quitad esa mesa,   2415
        que hace señas que los dos

---
[125] *lastó:* pagar caro.

	nos quedemos, y se vayan	
	los demás.	
CATAL.	¡Malo, por Dios!	
	No te quedes, porque hay muerto	
	que mata de un mojicón	2420
	a un gigante.	
D. JUAN.	Salíos todos.	
	¡A ser yo Catalinón...!	
	Vete, que viene.	

(*Vanse, y quedan los dos solos, y hace señas que cierre la puerta.*)

D. JUAN.	La puerta	
	ya está cerrada. Ya estoy	
	aguardando. Di, ¿qué quieres,	2425
	sombra o fantasma o visión?	
	Si andas en pena o si aguardas	
	alguna satisfación	
	para tu remedio, dilo,	
	que mi palabra te doy	2430
	de hacer lo que me ordenares.	
	¿Estás gozando de Dios?	
	¿Dite la muerte en pecado?	
	Habla, que suspenso estoy.	

(*Habla paso, como cosa del otro mundo*)

D. GON.	¿Cumplirásme una palabra	2435
	como caballero?	
D. JUAN.	Honor	
	tengo, y las palabras cumplo,	
	porque caballero soy.	
D. GON.	Dame esa mano, no temas.	
D. JUAN.	¿Eso dices? ¿Yo temor?	2440
	Si fueras el mismo infierno	
	la mano te diera yo. (*Dale la*	
	mano.)	
D. GON.	Bajo esta palabra y mano,	
	mañana a las diez estoy	
	para cenar aguardando.	2445
	¿Irás?	
D. JUAN.	Empresa mayor	
	entendí que me pedías.	
	Mañana tu güesped soy.	
	¿Dónde he de ir?	

D. GON.	A mi capilla.
D. JUAN.	¿Iré solo?
D. GON.	No, los dos; 2450
	y cúmpleme la palabra
	como la he cumplido yo.
D. JUAN.	Digo que la cumpliré;
	que soy Tenorio.
D. GON.	Yo soy
	Ulloa.
D. JUAN.	Yo iré sin falta. 2455
D. GON.	Yo lo creo. Adiós.

(*Va la puerta.*)

D. JUAN.	Adiós.
	Aguarda, iréte alumbrando.
D. GON.	No alumbres, que en gracia estoy.

(*Vase muy poco a poco, mirando a* DON JUAN, *y* DON JUAN *a él, hasta que desaparece, y queda* DON JUAN *con pavor.*)

D. JUAN.	¡Válgame Dios! todo el cuerpo
	se ha bañado de un sudor, 2460
	y dentro de las entrañas
	se me hiela el corazón.
	Cuando me tomó la mano,
	de suerte me la apretó
	que un infierno parecía: 2465
	jamás vide tal calor.
	Un aliento respiraba,
	organizando la voz,
	tan frío, que parecía
	infernal respiración. 2470
	Pero todas son ideas
	que da la imaginación:
	el temor y temer muertos
	es más villano temor;
	que si un cuerpo noble, vivo, 2475
	con potencias y razón
	y con alma, no se teme,
	¿quién cuerpos muertos temió?
	Mañana iré a la capilla

<pre>
                    donde convidado soy,   2480
                    por que se admire y espante
                    Sevilla de mi valor.   (Vase.)
</pre>

Salen el REY *y* DON DIEGO TENORIO *y acompañamiento*

REY.	¡Llegó al fin Isabela?
D. DIEG.	Y disgustada.
REY.	Pues ¿no ha tomado bien el casamiento?
D. DIEG.	Siente, señor, el nombre de infamada.

<pre>
REY.   De otra causa procede su tormento.
            ¿Dónde está?
D. DIEG.   En el convento está alojada
            de las Descalzas.
REY.   Salga del convento
            luego al punto, que quiero que en palacio
            asista con la reina más de espacio.   2490
D. DIEG.   Si ha de ser con don Juan el desposorio,
            manda, señor, que tu presencia vea.
REY.   Véame, y galán salga, que notorio
            quiero que este placer al mundo sea.
            Conde será desde hoy don Juan Tenorio   2495
            de Lebrija; él la mande y la posea,
            que si Isabela a un duque corresponde,
            ya que ha perdido a un duque, gane un
            conde.
D. DIEG.   Todos por la merced tus pies besamos.
REY.   Merecéis mi favor tan dignamente,   2500
            que si aquí los servicios ponderamos,
            me quedo atrás con el favor presente.
            Paréceme, don Diego, que hoy hagamos
            las bodas de doña Ana juntamente.
D. DIEG.   ¿Con Octavio?
REY.   No es bien que el duque
                           Octavio   2505
            sea el restaurador de aqueste agravio.
              Doña Ana con la reina me ha pedido
            que perdone al marqués, porque doña Ana,
            ya que el padre murió, quiere marido;
            porque si le perdió, con él le gana.   2510
            Iréis con poca gente y sin ruido
            luego a hablalle a la fuerza¹²⁶ de Triana;
</pre>

---

¹²⁶ *fuerza:* fortaleza.

374

	por su satisfacción y por su abono	
	de su agraviada prima, le perdono.	
D. DIEG.	Ya he visto lo que tanto deseaba.	2515
REY.	Que esta noche han de ser, podéis decille,	
	los desposorios.	
D. DIEG.	Todo en bien se acaba.	
	Fácil será al marqués el persuadille.	
	que de su prima amartelado estaba.	
REY.	También podéis a Octavio prevenille.	2520
	Desdichado es el duque con mujeres;	
	son todas opinión y pareceres.	
	Hanme dicho que está muy enojado	
	con don Juan.	
D. DIEG.	No me espanto si ha sabido	
	de don Juan el delito averiguado,	2525
	que la causa de tanto daño ha sido.	
	El duque viene.	
REY.	No dejéis mi lado,	
	que en el delito sois comprehendido.	

Sale el DUQUE OCTAVIO

OCTAV.	Los pies, invicto rey, me dé tu alteza.	
REY.	Alzad, duque, y cubrid vuestra cabeza.	2530
	. ¿Qué pedís?	
OCTAV.	Vengo a pediros,	
	postrado ante vuestras plantas,	
	una merced, cosa justa,	
	digna de serme otorgada.	
REY.	Duque, como justa sea,	2535
	digo que os doy mi palabra	
	de otorgárosla. Pedid.	
OCTAV.	Ya sabes, señor, por cartas	
	de tu embajador, y el mundo	
	por la lengua de la fama	2540
	sabe, que don Juan Tenorio,	
	con española arrogancia,	
	en Nápoles una noche	
	para mí noche tan mala,	
	con mi nombre profanó	2545
	el sagrado de una dama.	
REY.	No pases más adelante.	
	Ya supe vuestra desgracia.	
	En efeto: ¿qué pedís?	

Octav.	Licencia que en la campaña 2550
	defienda como es traidor.
D. Dieg.	Eso no. Su sangre clara
	es tan honrada...
Rey.	¡Don Diego!
D. Dieg.	Señor.
Octav.	¿Quién eres que hablas
	en la presencia del rey 2555
	de esa suerte?
D. Dieg.	Soy quien calla
	porque me lo manda el rey;
	que si no, con esta espada
	te respondiera.
Octav.	Eres viejo.
D. Dieg.	Ya he sido mozo en Italia, 2560
	a vuestro pesar, un tiempo;
	ya conocieron mi espada
	en Nápoles y Milán.
Octav.	Tienes ya la sangre helada.
	No vale *fui,* sino *soy.* 2565
D. Diego.	Pues fuy y soy (*Empuña.*)
Rey.	Tened; basta;
	bueno está. Callad, don Diego,
	que a mi persona se guarda
	poco respeto. Y vos, duque,
	después que las bodas se hagan, 2570
	más de espacio hablaréis.
	Gentilhombre de mi cámara
	es don Juan, y hechura mía;
	y de aqueste tronco rama:
	mirad por él.
Octav.	Yo lo haré, 2575
	gran señor, como lo mandas.
Rey.	Venid conmigo, don Diego.
D. Dieg.	(Ap.) ¡Ay hijo! ¡qué mal me pagas
	el amor que te he tenido!
Rey.	Duque.
Octav.	Gran señor.
Rey.	Mañana 2580
	vuestras bodas se han de hacer.
Octav.	Háganse, pues tú lo mandas.

Vanse el Rey *y* Don Diego, *y salen* Gaseno *y* Aminta

Gaseno.	Este señor nos dirá

	dónde está don Juan Tenorio.	
	Señor, ¿si está por acá	2585
	un don Juan a quien notorio	
	ya su apellido será?	
OCTAV.	Don Juan Tenorio diréis.	
AMINTA.	Sí, señor; ese don Juan.	
OCTAV.	Aquí está: ¿qué le queréis?	2590
AMINTA.	Es mi esposo ese galán.	
OCTAV.	¿Cómo?	
AMINTA.	Pues, ¿no lo sabéis	
	siendo del alcázar vos?	
OCTAV.	No me ha dicho don Juan nada.	
GASENO.	¿Es posible?	
OCTAV.	Sí, por Dios.	2595
GASENO.	Doña Aminta es muy honrada.	
	Cuando se casen los dos,	
	que cristiana vieja es	
	hasta los güesos, y tiene	
	de la hacienda el interés,	2600
	. . . . [127]	
	más bien que un conde, un marqués.	
	Casóse don Juan con ella,	
	y quitósela a Batricio.	
AMINTA.	Decid cómo fue doncella	
	a su poder.	
GASENO.	No es juicio	2605
	esto, ni aquesta querella.	
OCTAV.	(Ap.) Esta burla de don Juan,	
	y para venganza mía	
	éstos diciéndola están.	
	¿Qué pedís, al fin?	
GASENO.	Querría,	2610
	porque los días se van,	
	que se hiciese el casamiento,	
	o querellarme ante el rey.	
OCTAV.	Digo que es justo ese intento.	
GASENO.	Y razón y justa ley.	2615
OCTAV.	(Ap.) Medida a mi pensamiento	
	ha venido la ocasión.	
	En el alcázar tenéis	
	bodas.	
AMINTA.	¿Si las mías son?	
OCTAV.	(Ap.) Quiero, para que acertemos,	2620
	valerme de una invención.	

---

[127] Falta un verso.

	Venid donde os vestiréis,	
	señora, a lo cortesano,	
	y a un cuarto del rey saldréis	
	conmigo.	
AMINTA.	Vos de la mano	2625
	a don Juan me llevaréis.	
OCTAV.	Que de esta suerte es cautela.	
GASENO.	El arbitrio me consuela.	
OCTAV.	(*Ap.*) Estos venganza me dan	
	de aqueste traidor don Juan	2630
	y el agravio de Isabela.	*Vanse.*)

Salen DON JUAN *y* CATALINÓN

CATAL.	¿Cómo el rey te recibió?	
D. JUAN.	Con más amor que mi padre.	
CATAL.	¿Viste a Isabela?	
D. JUAN.	También.	
CATAL.	¿Cómo viene?	
D. JUAN.	Como un ángel.	2635
CATAL.	¿Recibióte bien?	
D. JUAN.	El rostro	
	bañado de leche y sangre,	
	como la rosa que al alba	
	revienta la verde cárcel.	
CATAL.	Al fin, ¿esta noche son	2640
	las bodas?	
D. JUAN.	Sin falta.	
CATAL.	Si antes	
	hubieran sido, no hubieras,	
	señor, engañado a tantas;	
	pero tú tomas esposa,	
	señor, con cargas muy grandes.	2645
D. JUAN.	Di: ¿comienzas a ser necio?	
CATAL.	Y podrás muy bien casarte	
	mañana, que hoy es mal día.	
D. JUAN.	Pues ¿qué día es hoy?	
CATAL.	Es martes.[128]	
D. JUAN.	Mil embusteros y locos	2650
	dan en esos disparates.	
	Sólo aquel llamo mal día,	
	acïago y detestable,	

---

[128] *Es martes:* alusión al refrán: "En martes ni te cases ni te embarques".

	en que no tengo dineros;	
	que lo demás es donaire.	2655
CATAL.	Vamos, si te has de vestir,	
	que te aguardan, y ya es tarde.	
D. JUAN.	Otro negocio tenemos	
	que hacer, aunque nos aguarden.	
CATAL.	¿Cuál es?	
D. JUAN.	Cenar con el muerto.	2660
CATAL.	Necedad de necedades.	
D. JUAN.	¿No ves que di mi palabra?	
CATAL.	Y cuando se la quebrantes,	
	¿que importa? ¿Ha de pedirte	
	una figura de jaspe	2665
	la palabra?	
D. JUAN.	Podrá el muerto	
	llamarme a voces infame.	
CATAL.	Ya está cerrada la iglesia.	
D. JUAN.	Llama.	
CATAL.	¿Qué importa que llame?	
	¿Quién tiene de abrir, que están	2670
	durmiendo los sacristanes?	
D. JUAN.	Llama a este postigo.	
CATAL.	Abierto	
	está.	
D. JUAN.	Pues entra.	
CATAL.	Entre un fraile	
	con su hisopo y estola.	
D. JUAN.	Sígueme y calla.	
CATAL.	¿Que calle?	2675
D. JUAN.	Sí.	
CATAL.	Dios en paz.	
	destos convites me saque.	

(*Entran por una puerta y salen por otra.*)

	¡Qué escura que está la iglesia,	
	señor, para ser tan grande!	
	¡Ay de mí! ¡Tenme, señor,	2680
	porque de la capa me asen!	

Sale DON GONZALO *como de antes, y encuéntrase con ellos*

D. JUAN.	¿Quién va?	
D. GON.	Yo soy.	
CATAL.	¡Muerto estoy!	

D. GON.	El muerto soy, no te espantes.
	No entendí que me cumplieras
	la palabra, según haces 2685
	de todos burla,
D. JUAN.	¿Me tienes
	en opinión de cobarde?
D. GON.	Sí, que aquella noche huiste
	de mí cuando me mataste.
D. JUAN.	Huí de ser conocido; 2690
	mas ya me tienes delante.
	Di presto lo que me quieres.
D. GON.	Quiero a cenar convidarte.
CATAL.	Aquí escusamos la cena,
	que toda ha de ser fiambre, 2695
	pues no parece cocina.
D. JUAN.	Cenemos.
D. DIEG.	Para cenar
	es menester que levantes
	esa tumba.
D. JUAN.	Y si te importa,
	levantaré esos pilares. 2700
D. GON.	Valiente estás.
D. JUAN.	Tengo brío
	y corazón en las carnes.
CATAL.	Mesa de Guinea es ésta.
	Pues ¿no hay por allá quien lave?
D. GON.	Siéntate.
D. JUAN.	¿Adónde?
CATAL.	Con sillas 2705
	vienen ya dos negros pajes.

(*Entran dos enlutados con sillas.*)

	¿También acá se usan lutos
	y bayeticas de Flandes?
D. GON.	Siéntate tú.
CATAL.	Yo, señor,
	he merendado esta tarde. 2710
D. GON.	No repliques.
CATAL.	No replico.
	Dios en paz de esto me saque.
	¿Qué plato es éste, señor?
D. GON.	Este plato es de alacranes
	y víboras.
CATAL.	¡Gentil plato! 2715

D. GON.	Estos son nuestros manjares.
	¿No comes tú?
D. JUAN.	Comeré,
	si me dieses áspid y áspides
	cuantos el infierno tiene.
D. GON.	También quiero que te canten. 2720
CATAL.	¿Qué vino beben acá?
D. GON.	Pruébalo.
CATAL.	Hiel y vinagre
	es este vino.
D. GON.	Este vino
	esprimen nuestros lagares.

(*Cantan*:)

Adviertan los que de Dios, 2725
juzgan los castigos grandes,
que no hay plazo que no llegue
ni deuda que no se pague.

CATAL.	¡Malo es esto, vive Cristo!
	que he entendido este romance, 2730
	y que con nosotros habla.
D. JUAN.	Un hielo el pecho me parte.

(*Cantan*:)

Mientras en el mundo viva,
no es justo que diga nadie:
¡qué largo me lo fiáis! 2735
siendo tan breve el cobrarse.

CATAL.	¿De qué es este guisadillo?
D. GON.	De uñas.
CATAL.	De uñas de sastre
	será, si es guisado de uñas.
D. JUAN.	Ya he cenado; haz que levanten 2740
	la mesa.
D. GON.	Dame esa mano;
	no temas, la mano dame.
D. JUAN.	¿Eso dices? ¿Yo temor?
	¡Que me abraso! ¡No me abrases
	con tu fuego!
D. GON.	Éste es poco 2745
	para el fuego que buscaste.
	Las maravillas de Dios
	son, don Juan, investigables,
	y así quiere que tus culpas
	a manos de un muerto pagues, 2750
	y si pagas desta suerte,
	ésta es justicia de Dios:

	"quien tal hace, que tal pague".	
D. JUAN.	¡Que me abraso, no me aprietes!	
	Con la daga he de matarte.	2755
	Mas ¡ay! que me canso en vano	
	de tirar golpes al aire.	
	A tu hija no ofendí,	
	que vio mis engaños antes.	
D. GON.	No importa, que ya pusiste	2760
	tu intento.	
D. JUAN.	Deja que llame	
	quien me confiese y absuelva.	
D. GON.	No hay lugar; ya acuerdas tarde.	
D. JUAN.	¡Que me quemo! ¡Que me abraso!	
	¡Muerto soy! *(Cae*	
	muerto.)	
CATAL.	No hay quien escape,	2765
	que aquí tengo de morir	
	también por acompañarte.	
D. GON.	Ésta es justicia de Dios:	
	"quien tal hace que tal pague".	

(Húndese el sepulcro con DON JUAN *y* DON GONZALO, *con mucho ruido, y sale* CATALINÓN *arrastrando.)*

CATAL.	¡Válgame Dios! ¿Qué es aquesto?	2770
	Toda la capilla se arde,	
	y con el muerto he quedado	
	para que le vele y guarde.	
	Arrastrando como pueda	
	iré a avisar a su padre.	2775
	¡San Jorge, San *Agnus Dei*,	
	sacadme en paz a la calle! *(Vase.)*	

Salen el REY, DON DIEGO *y acompañamiento*

D. DIEG.	Ya el marqués, señor, espera	
	besar vuestros pies reales.	
REY.	Entre luego y avisad	2780
	al conde, porque no aguarde.	

Salen BATRICIO *y* GASENO

BATRIC.	¿Dónde, señor, se permite	
	desenvolturas tan grandes,	
	que tus criados afrenten	
	a los hombres miserables?	2785

Rey.	¿Qué dices?
Batric.	Don Juan Tenorio,

alevoso y detestable,
la noche del casamiento,
antes que le consumase,
a mi mujer me quitó;   2790
testigos tengo delante.

Salen Tisbea *y* Isabela *y acompañamiento*

Tisbea.

Si vuestra alteza, señor,
de don Juan Tenorio no hace
justicia, a Dios y a los hombres,
mientras viva, he de quejarme.   2795
Derrotado le echó el mar;
dile vida y hospedaje,
y pagóme esta amistad
con mentirme y engañarme
con nombre de mi marido.   2800

Rey.	¿Qué dices?
Isabela.	Dice verdades.

Salen Aminta *y el* duque Octavio

Aminta.	¿Adónde mi esposo está?
Rey.	¿Quién es?
Aminta.	Pues ¿aun no lo sabe?

El señor don Juan Tenorio,
con quien vengo a desposarme,   2805
porque me debe el honor,
y es noble y no ha de negarme.
Manda que nos desposemos.
. . . .[129]

Sale el Marqués de la Mota

Mota.

Pues es tiempo, gran señor,
que a luz verdades se saquen,   2810
sabrás que don Juan Tenorio
la culpa que me imputaste
tuvo él, pues como amigo,
pudo el crüel engañarme;
de que tengo dos testigos.   2815

---

[129] Falta un verso.

REY.	¿Hay desvergüenza tan grande?
	Prendelde y matalde luego.
D. DIEG.	En premio de mis servicios
	haz que le prendan y pague
	sus culpas, porque del cielo 2820
	rayos contra mí no bajen,
	si es mi hijo tan malo.
REY.	¡Esto mis privados hacen!

Sale CATALINÓN

CATAL.	Señores, todos oíd
	el suceso más notable 2825
	que en el mundo ha sucedido,
	y oyéndome, matadme.
	Don Juan, del Comendador
	haciendo burla, una tarde,
	después de haberle quitado 2830
	las dos prendas que más valen,
	tirando al bulto de piedra
	la barba por ultraje,
	a cenar le convidó:
	¡nunca fuera a convidarle! 2835
	Fué el bulto y convidóle;
	y agora porque no os canse,
	acabando de cenar,
	entre mil presagios graves,
	de la mano le tomó 2840
	y le aprieta hasta quitalle
	la vida, diciendo: "Dios
	me manda que así te mate,
	castigando tus delitos.
	Quien tal hace que tal pague". 2845
REY.	¿Qué dices?
CATAL.	Lo que es verdad,
	diciendo antes que acabase,
	que a doña Ana no debía
	honor, que le oyeron antes
	del engaño.
MOTA.	Por las nuevas 2850
	mil albricias pienso darte.
REY.	¡Justo castigo del cielo!
	Y agora es bien que se casen
	todos, pues la causa es muerta,
	vida de tantos desastres. 2855

OCTAV.	Pues ha enviudado Isabela,
	quiero con ella casarme.
MOTA.	Yo con mi prima.
BATRIC.	Y nosotros
	con las nuestras, porque acabe
	El Convidado de piedra. 2860
REY.	Y el sepulcro se traslade
	en San Francisco en Madrid,
	para memoria más grande.

FIN

JUAN RUIZ ALARCON (¿1581-1639) Y MENDOZA

VIDA

Mexicano, es el único de los grandes dramaturgos del Siglo de Oro procedente de América, si bien su compatriota, Sor Juana Inés de la Cruz, es una excelente autora de autos sacramentales. Reside en España entre aproximadamente 1600 y 1608, cuando regresa a México, tras haber recibido el título de bachiller en cánones por Salamanca, y haber ejercido abogacía en Sevilla. Sobre 1614 está de vuelta en la Península, de la cual no volverá a salir. Fue nombrado oficial del Consejo de Indias, logrando así una holgada posición económica. Entró con dificultad dentro del ambiente teatral madrileño, ya que tanto por su físico como por las peculiaridades de su obra (conforme comentaremos en el apartado próximo), fue víctima de crueles burlas y desprecios. Jorobado y pelirrojo (varias supersticiones condenaban este color de cabello) además de indiano, Alarcón pronto se convirtió en blanco del mundillo literario, y contra él dirigieron sus plumas y bromas pesadas (tales como boicotear las representaciones de sus obras mediante escándalos y alborotos desde el público) tales figuras ilustres como el propio Lope de Vega, Mira de Amescua, y Quevedo. Por otro lado, las veinte comedias que llegó a escribir Alarcón, exigían una sensibilidad algo diferente a la que estaba acostumbrado el público de la época, formado en este sentido por la moda avasalladora de Lope. De ahí el mutuo desprecio entre Alarcón y el público teatral, acentuado quizá por cierta manía del dramaturgo de alardear de su linaje noble, acaso como compensación sicológica por su físico.

OBRA

En un sentido, puede afirmarse que parte de la incomprensión de la época hacia la obra de Ruiz de Alarcón se debe a su carácter adelantado con respecto a España y la época. Nada extraña que haya sido fuera de España donde más nítidamente se ha manifestado su huella, desde *Le Menteur* de Pierre Corneille (1606-1648), hasta *Il bugiardo* de Carlo Goldoni (1707-1793). Es verdad que el primero también pidió prestado a Guillén de Castro para su *Le Cid*, así como que el teatro francés de su época se nutre en general de la comedia española del Siglo de Oro (piénsese, sin ir más lejos, en el *Don Juan* de Molière, 1662-1673), pero ello no basta para negar ese espíritu más europeo y menos contrarreformista de la obra de Alarcón que le acerca a dramaturgos ultrapirenaicos. De hecho, no resultaría nada excesivo afirmar que el espíritu de Alarcón preludia ya el cada vez más afrancesado que terminará por prevalecer en la cultura europea durante la Ilustración.

A los grandes y apasionantes problemas barrocos de héroes correspondientemente atormentados en términos grandiosos (la pérdida de la honra y la dignidad en *Fuenteovejuna*, la salvación del alma en *El burlador de Sevilla*) suceden ahora con Alarcón un tema y personaje más cotidianos: basta un vicio y una situación más comunes a los hombres para crear una trama. Así, en *La verdad sospechosa*, el mentiroso habitual recibirá su merecido al final al perder la posibilidad de casarse con la dama de la que está enamorado como castigo por su feo vicio. Pero la obra, en realidad, como tantas de Alarcón, es una crítica acérrima —rayando a ratos en el cinismo— de la sociedad española contemporánea del autor. Fustiga muy especialmente Alarcón la hipocresía y falsedad sociales, descubriendo las artimañas y los extremos a los que está dispuesto a llegar el hombre con tal de mantener una apariencia que no se corresponde con la realidad. En este sentido, la dualidad barroca orden-desorden, apariencia-realidad, es innegable en la obra del mexicano, pero en otros, está igual de clara su visión más clásica y racionalista del mundo.

LA VERDAD SOSPECHOSA (1634)

El hombre como animal social, pues, y como víctima de un sistema social corrompido que acepta sin cuestionar, se convierte en el gran tema de Alarcón. Al rebajarse el tono alto y aquella grandiosidad del Barroco, la obra de Alarcón puede resultar de una lectura lenta y de una representación ciertamente menos dramática y teatral que la de sus contemporáneos. No obstante, el fino sentido del humor, rematado tantas veces por el agudo don conceptista que nos brinda su obra, y muy especialmente, la mayor identificación entre lector y espectador moderno y los personajes y problemas de Alarcón, avivan el interés y entusiasmo ante su obra. Porque si nos es difícil hoy concebirnos con características y problemas semejanes a los que evidencian los grandes héroes y protagonistas barrocos, todos, en cambio, podemos establecer una mayor empatía y simpatía con los temas más comunes y cotidianos de la obra alarconiana, la cual, como hemos dicho, se adelanta a la gran comedia burguesa posterior, cuya influencia en el teatro actual aún pervive en muchos sentidos.

La misma estructura de *La verdad sospechosa* delata dicha tendencia clásica, al constar en ella una sola trama, prescindiendo, pues, el dramaturgo de la doble trama lopesca y barroca. Asimismo, hay un intento de analizar —de racionalizar— la conducta humana. Semejante a lo que hará Molière con su don Juan (explicarlo sicológicamente), también Alarcón nos da una serie de claves que pueden explicar el porqué de la conducta social de su protagonista. Es más, a un nivel de aún mayor profundidad, la conducta del padre resultará igualmente reprehensible y no menos ciega que la del hijo mentiroso, como veremos a su debido tiempo. Esta tendencia hacia el análisis de sus personajes por parte del dramaturgo, termina por engrandecerlos, humanizándolos del todo, pues aunque son portadores de determinados vicios, no por eso dejan de ser patéticos seres humanos que en su desesperada búsqueda de aceptación, llegan a perjudicar, no sólo a los demás, sino a sí mismos también.

Mucho se ha comentado respecto a la posible relación entre los sufrimientos del dramaturgo por su condición física y su obra que tan cáusticamente retrata al hombre en sociedad (observación que podría extenderse al antifeminismo de quien sin duda debió sentir asimismo el rechazo de las mujeres por esa misma condición). En efecto, su texto parece reflejar semejante relación tan triste. No obstante, cabe recordar aquí el viejo refrán de que no hay mal que por bien no venga, pues al trasmutar en arte su dolor, Ruiz de Alarcón nos lega una de las obras que mejor y más certeramente explica y presenta uno de los problemas que caracteriza al hombre moderno, y que cada día, de hecho, parece más vigente, pues precisamente en nuestra época la relación entre el hombre y su sociedad va complicándose en el mundo entero.

Conforme anunciamos bajo "Criterio editorial" en la "Introducción", retenemos aquí una grafía más afín a la original, para que el estudiante tenga otra muestra (junto con las *Mocedades del Cid*) de un texto dramático del Siglo de Oro en su forma más afín a esa grafía de la época.

LA VERDAD SOSPECHOSA

PERSONAS

DON GARCÍA, *galán.*
DON JUAN, *galán.*
DON FELIS, *galán.*
DON BELTRÁN, *viejo grave.*
DON SANCHO, *viejo grave.*
DON JUAN, *viejo grave.*
TRISTÁN, *gracioso.*

Un LETRADO.
CAMINO, *escudero.*
Un PAGE.
JACINTA, *dama.*
LUCRECIA, *dama.*
ISABEL, *criada.*
Un CRIADO.

Época: actual (siglo XVII).

ACTO PRIMERO

Sala en casa de Don Beltrán.

Salen por una puerta DON GARCÍA *y un* LETRADO *viejo, de estudiantes, de camino; y, por otra,* DON BELTRÁN *y* TRISTÁN.

D. BELTRÁN.	Con bien vengas, hijo mío.
D. GARCÍA.	Dame la mano, señor.
D. BELTRÁN.	¿Cómo vives?
D. GARCÍA.	El calor

del ardiente y seco estío
   me ha afligido de tal suerte,   5
que no pudiera llevallo,
señor, a no mitigallo
con la esperança de verte.

D. BELTRÁN.	Entra, pues, a descansar.

Dios te guarde. ¡Qué hombre vienes!—   10
¿Tristán?...

TRISTÁN.	¿Señor?...
D. BELTRÁN.	Dueño tienes

nuevo ya de quien cuydar.
   Sirve desde oy a García;
que tú eres diestro en la Corte
y él bisoño.

TRISTÁN.	En lo que importe, 15
	yo le serviré de guía.
D. BELTRÁN.	No es criado el que te doy;
	mas consejero y amigo.
D. GARCÍA.	Tendrá esse lugar conmigo.

Vase.

TRISTÁN.	Vuestro humilde esclavo soy. 20

Vase.

ESCENA II

D. BELTRÁN.	Déme, señor Licenciado,
	los braços.
LETRADO.	Los pies os pido.
D. BELTRÁN.	Alce ya. ¿Cómo ha venido?
LETRADO.	Bueno, contento, honrado
	de mi señor don García, 25
	a quien tanto amor cobré,
	que no sé cómo podré
	vivir sin su compañía.
D. BELTRÁN.	Dios le guarde, que, en efeto,
	siempre el señor Licenciado 30
	claros indicios ha dado
	de agradecido y discreto.
	Tan precisa obligación
	me huelgo que aya cumplido
	García, y que aya acudido 35
	a lo que es tanta razón.
	Porque le asseguro yo
	que es tal mi agradecimiento,
	que, como un corregimiento[1]
	mi intercessión le alcançó 40
	(según mi amor, desigual),[2]
	de la misma suerte hiziera
	darle también, si pudiera,
	plaça en Consejo Real.
LETRADO.	De vuestro valor[3] lo fío. 45
D. BELTRÁN.	Sí, bien lo puede creer.
	Mas yo me doy a entender

---

[1] *corregimiento:* corregidor.
[2] *desigual:* inferior.
[3] *valor:* capacidad, y aquí, más bien influencia.

	que, si con el favor mío	
	en esse escalón primero	
	se ha podido poner, ya	50
	sin mi ayuda subirá	
	con su virtud al postrero.	
LETRADO.	En qualquier tiempo y lugar	
	he de ser vuestro crïado.	
D. BELTRÁN.	Ya, pues, señor Licenciado	55
	que el timón ha de dexar	
	de la nave de García,	
	y yo he de encargarme dél,	
	que hiziesse por mí y por él	
	solo una cosa querría.	60
LETRADO.	Ya, señor, alegre espero	
	lo que me queréys mandar.	
D. BELTRÁN.	La palabra me ha de dar	
	de que lo ha de hazer, primero.	
LETRADO.	Por Dios juro de cumplir,	65
	señor, vuestra voluntad.	
D. BELTRÁN.	Que me diga una verdad	
	le quiero sólo pedir.	
	Ya sabe que fue mi intento	
	que el camino que seguía	70
	de las letras, don García,	
	fuesse su acrecentamiento;	
	que, para un hijo segundo,	
	como él era, es cosa cierta	
	que es éssa la mejor puerta	75
	para las honras del mundo.	
	Pues como Dios se sirvió	
	de llevarse a don Gabriel,	
	mi hijo mayor, con que él	
	mi mayorazgo quedó,	80
	determiné que, dexada	
	essa professión, viniesse	
	a Madrid, donde estuviesse,	
	como es cosa acostumbrada	
	entre ilustres cavalleros	85
	en España; porque es bien	
	que las nobles casas den	
	a su Rey sus herederos.	
	Pues como es ya don García	
	hombre que no ha de tener	90
	maestro, y ha de correr	
	su govierno a cuenta mía,	

y mi paternal amor
con justa razón dessea
que, ya que el mejor no sea,   95
no le noten por peor,
  quiero, señor Licenciado,
que me diga claramente,
sin lisonja, lo que siente
(supuesto que le ha crïado)   100
  de su modo y condición,
de su trato y exercicio,
y a qué género de vicio
muestra más inclinación.
  Si tiene alguna costumbre   105
que yo cuyde de enmendar,
no piense que me ha de dar
con dezirlo pesadumbre:
  que él tenga vicio es forçoso;
que me pese, claro está;   110
mas saberlo me será
útil, quando no gustoso.
  Antes en nada, a fe mía,
hazerme puede mayor
plazer, o mostrar mejor   115
lo bien que quiere a García,
  que en darme este desengaño,
quando provechoso es,
si he de saberlo despés
que aya sucedido un daño,   120

LETRADO.   Tan estrecha prevención,
señor, no era menester
para reduzirme a hazer
lo que tengo obligación.
  Pues es caso averiguado   125
que, quando entrega al señor
un cavallo el picador
que lo ha impuesto y enseñado,
  si no le informa del modo
y los resabios que tiene,   130
un mal suceso previene,
al cavallo dueño y todo.
  Deziros verdad es bien;
que, demás del juramento,
daros una purga intento   135
que os sepa mal y haga bien.
  De mi señor don García

todas las acciones tienen
cierto accento, en que convienen
con su alta genealogía. 140

Es magnánimo y valiente,
es sagaz y es ingenioso,
es liberal y piadoso;
si repentino, impaciente.

No trato de las passiones 145
propias de la mocedad,
porque, en essas, con la edad
se mudan las condiciones.

Mas una falta no más
es la que le he conocido, 150
que, por más que le he reñido,
no se ha enmendado jamás.

D. BELTRÁN.   ¿Cosa que a su calidad[4]
será dañosa en Madrid?

LETRADO.   Puede ser.

D. BELTRÁN.   ¿Quál es? Dezid. 155

LETRADO.   No dezir siempre verdad.

D. BELTRÁN.   ¡Jesús, qué cosa tan fea
en hombre de obligación!

LETRADO.   Yo pienso que, o condición,
o mala costumbre sea. 160

Con la mucha autoridad
que con él tenéys, señor,
junto con que ya es mayor
su cordura con la edad,
esse vicio perderá. 165

D. BELTRÁN.   Si la vara no ha podido,
en tiempo que tierna ha sido,
endereçarse, ¿qué hará
siendo ya tronco robusto?

LETRADO.   En Salamanca, señor, 170
son moços, gastan humor,
sigue cada qual su gusto;
hazen donayre del vicio,
gala de la travessura,
grandeza de la locura: 175
haze, al fin, la edad su oficio.

Mas, en la Corte, mejor
su enmienda esperar podemos,
donde tan validas vemos
las escuelas del honor. 180

---

[4] *calidad:* opinión social de la persona.

D. BELTRÁN.　　　　　Casi me mueve a reyr
ver quán ignorante está
de la Corte. ¿Luego acá
no ay quien le enseñe a mentir?

En la Corte, aunque aya sido　　　　　185
un estremo don García,
ay quien le dé cada día
mil mentiras de partido.[5]

Y si aquí miente el que está
en un puesto levantado,　　　　　190
en cosa en que al engañado
la hazienda o honor le va,

¿no es mayor inconveniente
quien por espejo está puesto
al reyno? Dexemos esto,　　　　　195
que me voy a maldiziente.

Como el toro a quien tiró
la vara una diestra mano
arremete al más cercano
sin mirar a quien le hirió,　　　　　200

assí yo, con el dolor
que esta nueva me ha causado,
en quien primero he encontrado
executé mi furor.

Créame, que si García　　　　　205
mi hazienda, de amores ciego,
dissipara, o en el juego
consumiera noche y día;

si fuera de ánimo inquieto
y a pendencias inclinado,　　　　　210
si mal se hubiera casado,
si se muriera, en efeto,

no lo llevara tan mal
como que su falta sea
mentir. ¡Qué cosa tan fea!　　　　　215
¡Qué opuesta a mi natural!

Aora bien: lo que he de hazer
es casarle brevemente,
antes que este inconveniente
conocido venga a ser[6].　　　　　220

---

[5] *mil mentiras de partido:* de ventaja, es decir, aunque le dé esa ventaja de mil, todavía mentirá más.

[6] La solución de don Beltrán bien merece reflexionarse. Alarcón no siempre es tan transparente como podría parecer a primera vista, conforme anunciamos en el apartado dedicado a esta obra.

	Yo quedo muy satisfecho	
	de su buen zelo y cuydado,	
	y me confiesso obligado	
	del bien que en esto me ha hecho.	
	¿Quándo ha de partir?	
LETRADO.	Querría	225
	luego.[7]	
D. BELTRÁN.	¿No descansará	
	algún tiempo y gozará	
	de la Corte?	
LETRADO.	Dicha mía	
	fuera quedarme con vos;	
	pero mi officio me espera.	230
D. BELTRÁN.	Ya entiendo: volar quisiera	
	porque va a mandar.— Adiós.	

Vase.

LETRADO.	Guárdeos Dios.— Dolor estraño	
	le dió al buen viejo la nueva.	
	Al fin, el más sabio lleva	235
	agramente un desengaño.	

Vase.[8]

Las Platerías.

ESCENA III

Salen DON GARCÍA, *de galán, y* TRISTÁN.

D. GARCÍA.	¿Dízeme bien este trage?	
TRISTÁN.	Divinamente, señor.	
	¡Bien huviesse el inventor	
	deste olandesco follaje![9]	240
	Con un cuello apanalado[10]	

---

[7] *luego:* véase n. 67 de *Fuenteovejuna.*

[8] Compárese este comienzo de *La verdad sospechosa* con otros en esta antología, y se empezará a apreciar ya el carácter más lento y menos dramático de este teatro alarconiano, el cual se complace más en lo cotidiano y común, acercándose, pues, a una visión más dieciochesca del hombre y de la sociedad, como comentábamos en las palabras preliminares a esta obra.

[9] *olandesco follaje:* cuello holandés.

[10] *cuello apanalado:* adorno de lienzo en forma de molde y cañón. El pasaje entero que sigue alude a cómo la ropa puede ocultar determidados defectos físicos, tema que preocupaba a Ruiz de Alarcón, cuyo físico no muy agraciado le convirtió repetidas veces en blanco de bromas y burlas, con frecuencia despiadadas, por parte de otros escritores de la época, destacándose quizá más que otros Quevedo con su temible pluma.

¿qué fealdad no se enmendó?
Yo sé una dama a quien dio
cierto amigo gran cuydado
    mientras con cuello le vía;   245
y una vez que llegó a verle
sin él, la obligó a perderle
quanta afición le tenía,
    porque ciertos costurones
en la garganta cetrina   250
publicavan la ruyna
de pasados lamparones.
    Las narizes le crecieron,
mostró un gran palmo de oreja
y las quixadas, de vieja,   255
en lo enxuto, parecieron.
    Al fin el galán quedó
tan otro del que solía,
que no le conocería,
la madre que le parió.   260

D. GARCÍA.
    Por essa y otras razones
me holgara de que saliera
premática[11] que impidiera
essos vanos cangilones.[12]
    Que, demás de essos engaños,   265
con su olanda el estrangero
saca de España el dinero
para nuestros proprios daños.
    Una baloncilla angosta,
usándose, le estuviera   270
bien al rostro, y se anduviera
más a gusto a menos costa.
    Y no que, con tal cuydado
sirve un galán a su cuello,
que, por no descomponello,   275
se obliga a andar empalado.

TRISTÁN.
    Yo sé quien tuvo ocasión
de gozar su amada bella,
y no osó llegarse a ella
por no ajar un cangilón.   280
    Y esto me tiene confuso:
todos dizen que se holgaran
de que balonas se usaran,

---

[11] *premática:* decretos que fijaban la moda, tal como el de 1623.
[12] *cangilones:* cada uno de los pliegues con molde y forma de cañón que se lucían en los cuellos aplanados.

	y nadie comiença el uso.	
D. GARCÍA.	De governar nos dexemos	285
	el mundo. ¿ Qué ay de mugeres ?	
TRISTÁN.	¿ El mundo dexas y quieres	
	que la carne governemos?	
	¿ Es más fácil ?	
D. GARCÍA.	Más gustoso.	
TRISTÁN.	¿ Eres tierno ?	
D. GARCÍA.	Moço soy.	290
TRISTÁN.	Pues en lugar entras oy	
	donde Amor no vive ocioso.	

Resplandecen damas bellas
en el cortesano suelo,
de la suerte que en el cielo   295
brillan luzientes estrellas.

En el vicio y la virtud
y el estado ay diferencia,
como es varia su inflüencia,
resplandor y magnitud.   300

La señoras, no es mi intento
que en este número estén,
que son ángeles a quien
no se atreve el pensamiento.

Sólo te diré de aquéllas   305
que son, con almas livianas,
siendo divinas, humanas;
corruptibles, siendo estrellas.

Bellas casadas verás,
conversables y discretas,   310
que las llamo yo planetas
porque resplandecen más.

Éstas, con la conjunción
de maridos placenteros,
influyen en estrangeros   315
dadivosa condición.

Otras ay cuyos maridos
a comissiones se van,
o que en las Indias están,
o en Italia, entretenidos.   320

No todas dizen verdad
en esto, que mil taymadas
suelen fingirse casadas
por vivir con libertad.

Verás de cautas passantes   325
hermosas rezientes hijas:

éstas son estrellas fixas,
y sus madres son errantes.

   Ay una gran multitud
de señoras del tusón,   330
que, entre cortesanas, son
de la mayor magnitud.

   Síguense tras las tusonas
otras que serlo dessean,
y, aunque tan buenas no sean,   335
son mejores que busconas.

   Éstas son unas estrellas
que dan menor claridad;
mas, en la necesidad,
te avrás de alumbrar con ellas.   340

   La buscona, no la cuento
por estrella, que es cometa;
pues ni su luz es perfeta
ni conocido su assiento.

   Por las mañanas se ofrece   345
amenaçando al dinero,
y, en cumpliéndose el agüero,
al punto desaparece.

   Niñas salen que procuran
gozar todas ocasiones: 350
éstas son exalaciones
que, mientras se queman, duran.

   Pero que adviertas es bien,
si en estas estrellas tocas,
que son estables muy pocas,   355
por más que un Perú les den.

   No ignores, pues yo no ignoro,
que un signo el de Virgo es,
y los de cuernos son tres:
Aries, Capricornio y Toro.   360

   Y assí, sin fiar en ellas,
lleva un presupuesto solo,
y es que el dinero es el polo
de todas estas estrellas.[13]

D. GARCÍA.   ¿Eres astrólogo?

TRISTÁN.   Ohí,   365
el tiempo que pretendía
en Palacio, Astrología.

---

[13] Como se habrá visto, aquí termina un pasaje repleto de conceptismos y de un humor digno de las mejores plumas de la época, sin excluir ésa de Quevedo.

D. GARCÍA.	¿Luego has pretendido?
TRISTÁN.	Fuı
	pretendiente por mi mal.
D. GARCÍA.	¿Cómo en servir has parado? 370
TRISTÁN.	Señor, porque me han faltado
	la fortuna y el caudal;
	aunque quien te sirve, en vano
	por mejor suerte suspira.
D. GARCÍA.	Dexa lisonjas y mira 375
	el marfil de aquella mano;
	el divino resplandor
	de aquellos ojos, que, juntas,
	despiden entre las puntas
	flechas de muerte y amor. 380
TRISTÁN.	¿Dizes aquella señora
	que va en el coche?
D. GARCÍA.	Pues ¿quál
	merece alabança ygual?
TRISTÁN.	¡Qué bien encaxaba agora
	esto de coche de sol, 385
	con todos sus adherentes
	de rayos de fuego ardientes
	y deslumbrante arrebol!
D. GARCÍA.	¿La primer dama que vi
	en la Corte me agradó? 390
TRISTÁN.	La primera en tierra.
D. GARCÍA.	No:
	la primera en cielo, sí,
	que es divina esta muger.
TRISTÁN.	Por puntos las toparás
	tan bellas, que no podrás 395
	ser firme en un parecer.
	Yo nunca he tenido aquí
	constante amor ni desseo,
	que siempre por la que veo
	me olvido de la que vi. 400
D. GARCÍA.	¿Dónde ha de aver resplandores
	que borren los de estos ojos?
TRISTÁN.	Míraslos ya con antojos,
	que hazen las cosas mayores.
D. GARCÍA.	¿Conoces, Tristán? . . .
TRISTÁN.	No humanes[14] 405
	lo que por divino adoras;
	porque tan altas señoras

---

[14] *No humanes:* no rebajes.

	no tocan a los Tristanes.	
D. García.	Pues yo, al fin, quien fuere, sea,	
	la quiero y he de servilla.	410
	Tú puedes, Tristán, seguilla.	
Tristán.	Detente, que ella se apea	
	en la tienda.	
D. García.	Llegar quiero.	
	¿Úsase en la corte?	
Tristán.	Sí,	
	con la regla que te di	415
	de que es el polo el dinero.	
D. García.	Oro traigo.	
Tristán.	¡Cierra, España![15]	
	que a César[16] llevas contigo.	
	Mas mira si en lo que digo	
	mi pensamiento se engaña;	420
	advierte, señor, si aquélla	
	que tras ella sale agora	
	puede ser sol de su aurora,	
	ser aurora de su estrella.	
D. García.	Hermosa es también.	
Tristán.	Pues mira	425
	si la crïada es peor.	
D. García.	El coche es arco de amor,	
	y son flechas quantas tira.	
	Yo llego.	
Tristán.	A lo dicho advierte...	
D. García.	¿Y es ...?	
Tristán.	Que a la mujer rogando,[17]	430
	y con el dinero dando.	
D. García.	¡Consista en esso mi suerte!	
Tristán.	Pues yo, mientras hablas, quiero	
	que me haga relación	
	el cochero de quién son.	435
D. García.	¿Dirálo?	
Tristán.	Sí, que es cochero.	

Vase.

---

[15] *¡Cierra, España!:* cerrar filas la tropa al comenzar el ataque, o sea, el grito de guerra, aquí, por supuesto, en sentido humorístico.

[16] *César:* se refiere, claro está, al dinero antes mencionado (vs. 416).

[17] *Que a la mujer:...* alusión al conocido refrán "A Dios rogando y con el mazo dando" que significa que, además de rezar, hay que trabajar para que se logre algo.

Salen JACINTA, LUCRECIA, ISABEL, *con mantos; cae* JACINTA, *y llega* DON
GARCÍA *y dale la mano.*

JACINTA.	¡Válgame Dios!
D. GARCÍA.	Esta mano

os servid de que os levante,
si merezco ser Atlante[18]
de un cielo tan soberano.   440

JACINTA.   Atlante debéys de ser,
pues lo llegáys a tocar.

D. GARCÍA.   Una cosa es alcançar
y otra cosa merecer.
         ¿Qué vitoria es la beldad   445
alcançar, por quien me abraso,
si es favor que devo al caso,
y no a vuestra voluntad?
         Con mi propia mano así
el cielo; mas ¿qué importó,   450
si ha sido porque él cayó,
y no porque yo subí?

JACINTA.   ¿Para qué fin se procura
merecer?

D. GARCÍA.   Para alcançar.

JACINTA.   Llegar al fin, sin passar   455
por los medios, ¿no es ventura?

D. GARCÍA.   Sí.

JACINTA.   Pues ¿cómo estáys quexoso
del bien que os ha sucedido,
si el no averlo merecido
os haze más venturoso?   460

D. GARCÍA.   Porque, como las acciones
del agravio y el favor
reciben todo el valor
sólo de las intenciones,
         por la mano que os toqué   465
no estoy yo favorecido,
si averlo vos consentido
con essa intención no fue.
         Y, assí, sentir me dexad
que, quando tal dicha gano,   470
venga sin alma la mano
y el favor sin voluntad.

---

[18] *Atlante:* titán que se rebeló contra Zeus, y como castigo, fue condenado a sostener el cielo
sobre las espaldas.

JACINTA.	Si la vuestra no sabía,	
	de que agora me informáys,	475
	injustamente culpáys	
	los defetos de la mía.	

ESCENA V

Sale TRISTÁN.

TRISTÁN (*ap.*).	El cochero hizo su oficio:	
	nuevas tengo de quién son.—	
D. GARCÍA.	¿Que hasta aquí de mi afición	
	nunca tuvistes indicio?	480
JACINTA.	¿Cómo, si jamás os vi?	
D. GARCÍA.	¿Tampoco ha valido ¡ay Dios!	
	más de un año que por vos	
	he andado fuera de mí?	
TRISTÁN (*ap.*).	¿Un año, y ayer llegó	485
	a la Corte?—	
JACINTA.	¡Bueno a fe!	
	¿Más de un año? Juraré	
	que no os vi en mi vida yo.	
D. GARCÍA.	Quando del indiano suelo	
	por mi dicha llegué aquí,	490
	la primer cosa que vi	
	fue la gloria de esse cielo.	
	Y aunque os entregué al momento	
	el alma, avéyslo ignorado	
	porque ocasión me ha faltado	495
	de deziros lo que siento.	
JACINTA.	¿Soys indiano?	
D. GARCÍA.	Y tales son	
	mis riquezas, pues os vi,	
	que al minado Potosí	
	le quitó la presunción.	500
TRISTÁN. (*ap.*).	¿Indiano?—	
JACINTA.	¿Y sois tan guardoso	
	como la fama los haze?	
D. GARCÍA.	Al que más avaro nace,	
	haze el amor dadivoso.	
JACINTA.	¿Luego, si dezís verdad,	505
	preciosas ferias espero?	
D. GARCÍA.	Si es que ha de dar el dinero	
	crédito a la voluntad,	
	serán pequeños empleos,	

	para mostrar lo que adoro,	510
	daros tantos mundos de oro
	como vos me days desseos.
	Mas ya que ni al merecer
	de essa divina beldad,
	ni a mi inmensa voluntad	515
	ha de ygualar el poder,
	por lo menos os servid
	que esta tienda que os franqueo
	dé señal de mi deseo.

JACINTA (*ap.*). No vi tal hombre en Madrid. 520
Lucrecia ¿qué te parece
del indiano liberal?

LUCRECIA. Que no te parece mal,
Jacinta, y que lo merece.—

D. GARCÍA. Las joyas que gusto os dan, 525
tomad deste aparador.

TRISTÁN (*aparte a su amo.*).
Mucho te arrojas, señor.—

D. GARCÍA (*a* TRISTÁN).
¡Estoy perdido, Tristán!—

ISABEL (*aparte a las damas.*)
Don Juan viene.—

JACINTA. Yo agradezco,
señor, lo que me ofrecéys. 530

D. GARCÍA. Mirad que me agraviaréys
si no lográys lo que ofrezco.

JACINTA. Yerran vuestros pensamientos,
cavallero, en presumir
que puedo yo recebir 535
más que los ofrecimientos.

D. GARCÍA. Pues ¿qué ha alcanzado de vos
el coraçón que os he dado?

JACINTA. El averos escuchado.

D. GARCÍA. Yo lo estimo.

JACINTA. Adiós.

D. GARCÍA. Adiós, 540
y para amaros me dad
licencia.

JACINTA. Para querer,
no pienso que ha menester
licencia la voluntad.

Vanse las mugeres.

DON GARCÍA, TRISTÁN.

D. GARCÍA.	Síguelas.
TRISTÁN.	Si te fatigas, 545

señor, por saber la casa
de la que en amor te abrasa,
ya la sé.

D. GARCÍA.   Pues no las sigas;
que suele ser enfadosa
la diligencia importuna.   550

TRISTÁN.   «Doña Lucrecia de Luna
se llama la más hermosa,
    que es mi dueño; y la otra dama
que acompañándola viene,
sé dónde la casa tiene;   555
mas no sé cómo se llama».
    Esto respondió el cochero.

D. GARCÍA.   Si es Lucrecia la más bella,
no ay más que saber, pues ella
es la que habló, y la que quiero;   560
    que, como el autor del día
las estrellas dexa atrás,
de essa suerte a las demás,
la que me cegó, vencía.

TRISTÁN.   Pues a mí la que calló   565
me pareció más hermosa.

D. GARCÍA.   ¡Qué buen gusto!

TRISTÁN.   Es cierta cosa
que no tengo voto yo.
    Mas soy tan aficionado
a cualquier muger que calla,   570
que bastó para juzgalla
más hermosa aver callado.
    Mas dado, señor, que estés
errado tú, presto espero,
preguntándole al cochero   575
la casa, saber quién es.

D. GARCÍA.   Y Lucrecia, ¿dónde tiene
la suya?

TRISTÁN.   Que a la Vitoria[19]
dixo, si tengo memoria.

---

[19] *la Vitoria:* calle madrileña.

D. García.	Siempre esse nombre conviene 580
	a la esfera venturosa
	que da eclíptica[20] a tal luna[21].

ESCENA VII

Salen Don Juan *y* Don Felis *por otra parte.*

D. Juan.	¿Música y cena? ¡A, fortuna!
D. García.	¿No es éste don Juan de Sosa?
Tristán.	El mismo.
D. Juan.	¿Quién puede ser 585
	el amante venturoso
	que me tiene tan zeloso?
D. Felis.	Que lo vendréys a saber
	a pocos lances, confío.
D. Juan.	¡Que otro amante le aya dado, 590
	a quien mía se ha nombrado,
	música y cena en el río!
D. García.	¡Don Juan de Sosa!
D. Juan.	¿Quién es?
D. García.	¿Ya olvidáys a don García?
D. Juan.	Veros en Madrid lo hazía, 595
	y el nuevo trage.
D. García.	Después
	que en Salamanca me vistes,
	muy otro devo de estar.
D. Juan.	Más galán soys de seglar
	que de estudiante lo fuystes. 600
	¿Venís a Madrid de assiento?
D. García.	Sí.
D. Juan.	Bien venido seáys.
D. García.	Vos, don Felis, ¿cómo estáys?
D. Felis.	De veros, por Dios, contento.
	Vengáys bueno en hora buena. 605
D. García.	Para serviros.—¿Qué hazéys?
	¿De qué habláys? ¿En qué entendéys?
D. Juan.	De cierta música y cena
	que en el río dio un galán
	esta noche a una señora, 610
	era la plática agora.
D. García.	¿Música y cena, don Juan?
	¿Y anoche?

---

[20] *eclíptica:* círculo máximo de la esfera celeste.

[21] *luna:* alusión a doña Lucrecia de Luna, y juego de palabras, pues, con lo anterior ("eclíptica").

D. JUAN.	Sí.
D. GARCÍA.	¿Mucha cosa?
	¿Grande fiesta?
D. JUAN.	Assí es la fama.
D. GARCÍA.	¿Y muy hermosa la dama?	615
D. JUAN.	Dízenme que es muy hermosa.
D. GARCÍA.	¡Bien!
D. JUAN.	¿Qué mysterios hazéys?
D. GARCÍA.	De que alabéys por tan buena
	essa dama y essa cena,
	si no es que alabando estéys	620
	mi fiesta y mi dama assí.
D. JUAN.	¿Pues tuvistes también boda
	anoche en el río?
D. GARCÍA.	Toda
	en esso la consumí.
TRISTÁN (*ap.*).	¿Qué fiesta o qué dama es ésta,	625
	si a la Corte llegó ayer?—
D. JUAN.	¿Ya tenéys a quien hazer,
	tan rezién venido, fiesta?
	Presto el amor dio con vos.
D. GARCÍA.	No ha tan poco que he llegado	630
	que un mes no aya descansado.
TRISTÁN (*ap.*).	¡Ayer llegó, voto a Dios!
	Él lleva alguna intención.—
D. JUAN.	No lo he sabido, a fe mía,
	que al punto acudido avría	635
	a cumplir mi obligación.
D. GARCÍA.	He estado hasta aquí secreto.
D. JUAN.	Essa la causa avrá sido
	de no averlo yo sabido.
	Pero la fiesta, ¿en efeto	640
	fue famosa?
D. GARCÍA.	Por ventura,
	no la vio mejor el río.
D. JUAN (*ap.*).	¡Ya de zelos desvarío!—
	¿Quién duda que la espessura
	del Sotillo[22] el sitio os dió?	645
D. GARCÍA.	Tales señas me vays dando,
	don Juan, que voy sospechando
	que la sabéys como yo.
D. JUAN.	No estoy de todo ignorante,
	aunque todo no lo sé:	650

---

[22] *del Sotillo:* el Sotillo era el lugar donde los madrileños celebraban fiestas, a orillas del Manzanares.

<pre>
                    dixéronme no sé qué,
                    confusamente, bastante
                    a tenerme desseoso
                    de escucharos la verdad,
                    forçosa curiosidad   655
                    en un cortesano ocioso...
    (Aparte.)   O en un amante con zelos.—
D. FELIS. (a DON JUAN aparte).
                    Advertid quán sin pensar
                    os han venido a mostrar
                    vuestro contrario los cielos.—   660
D. GARCÍA.   Pues a la fiesta atended:
                    contaréla, ya que veo
                    que os fatiga esse desseo.
D. JUAN.   Haréysnos mucha merced.
D. GARCÍA.   Entre las opacas sombras   665
                    y opacidades espessas
                    que el soto formava de olmos
                    y la noche de tinieblas,
                    se ocultava una quadrada,
                    limpia y olorosa mesa,   670
                    a lo italiano curiosa,
                    a lo español opulenta.
                    En mil figuras prensados
                    manteles y servilletas,
                    sólo invidiaron las almas   675
                    a las aves y a las fieras.
                    Quatro aparadores puestos
                    en quadra correspondencia,
                    la plata blanca y dorada,
                    vidrios y barros ostentan.   680
                    Quedó con ramas un olmo
                    en todo el Sotillo apenas,
                    que dellas se edificaron,
                    en varias partes, seys tiendas.
                    Quatro coros diferentes   685
                    ocultan las quatro dellas;
                    otra, principios y postres,
                    y las vïandas, la sesta.
                    Llegó en su coche mi dueño,
                    dando embidia a las estrellas;   690
                    a los ayres, suavidad,
                    y alegría a la ribera.
                    Apenas el pie que adoro
                    hizo esmeraldas la yerva,
</pre>

hizo crystal la corriente,   695
las arenas hizo perlas,
quando, en copia disparados
cohetes, bombas y ruedas,
toda la región del fuego
baxó en un punto a la tierra.   700
Aun no las sulfúreas luzes
se acabaron, quando empieçan
las de veynte y quatro antorchas
a obscurecer las estrellas.
Empeçó primero el coro   705
de chirimías; tras ellas,
el de las vigüelas de arco
sonó en la segunda tienda.
Salieron con suavidad
las flautas de la tercera,   710
y, en la quarta, quatro vozes,
con guitarras y arpas suenan.
Entre tanto, se sirvieron
treynta y dos platos de cena,
sin los principios y postres,   715
que casi otros tantos eran.
Las frutas y las bevidas,
en fuentes y taças hechas
del cristal que da el invierno
y el artificio conserva,   720
de tanta nieve se cubren,
que Mançanares sospecha,
quando por el Soto passa,
que camina por la sierra.
El olfato no está ocioso   725
quando el gusto se recrea,
que de espíritus süaves,
de pomos y caçolejas
y distilados sudores
de aromas, flores y yervas   730
en el Soto de Madrid
se vio la región sabea.[23]
En un hombre de diamantes,
delicadas de oro flechas,
que mostrassen a mi dueño   735
su crueldad y mi firmeza,
al sauce, al junco y al mimbre
quitaron su preeminencia:

---

[23] *región sabea:* alusión a Saba, lugar famoso por sus perfumes.

	que han de ser oro[24] las pajas	
	quando los dientes son perlas.	740
	En esto, juntas en folla,	
	los quatro coros comiençan,	
	desde conformes distancias,	
	a suspender las esferas;	
	tanto que, invidioso Apolo,[25]	745
	apressuró su carrera,	
	porque el principio del día	
	pusiesse fin a la fiesta.	
D. JUAN	¡Por Dios, que la avéys pintado	
	de colores tan perfetas,	750
	que no trocara el oyrla	
	por averme hallado en ella	
TRISTÁN. (*ap.*).	¡Válgate el diablo por hombre!	
	¡Que tan de repente pueda	
	pintar un combite tal	755
	que a la verdad misma vença!—	
D. JUAN (*aparte a* DON FELIS.)		
	¡Rabio de zelos!	
D. FELIS.	No os dieron	
	del combite tales señas.	
D. JUAN.	¿Qué importa, si en la substancia,	
	el tiempo y lugar concuerdan?—	760
D. GARCÍA.	¿Qué dezís?	
D. JUAN	Que fue el festín	
	más célebre que pudiera	
	hazer Alexandro Magno[26].	
D. GARCÍA.	¡O! Son niñerías éstas	
	ordenadas de repente.	765
	Dadme vos que yo tuviera	
	para prevenirme un día,	
	que a las romanas y griegas	
	fiestas que al mundo admiraron	
	nueva admiración pusiera.	770

Mira adentro.

---

[24] *que han de ser oro:* para entender este pasaje, desde el verso 733, conviene saber que "hombre de diamantes" se refiere al criado que brindaba a los huéspedes palillos de dientes, los cuales en la época podían alcanzar gran lujo. Así "las pajas" son palillos.

[25] *Apolo:* el sol.

[26] *Alexandro Magno:* además de un gran militar, era conocido por su generosidad. Vivió entre 356 y 323 a.C.

D. FELIS. (a DON JUAN *aparte*.)
                    Jacinta es la del estribo,
                    en el coche de Lucrecia.—
D. JUAN (*a* DON FELIS *aparte*.)
                    Los ojos a don García
                    se le van, por Dios, tras ella.
D. FELIS.   Inquieto está y divertido.   775
D. JUAN.   Ciertas son ya mis sospechas.—

                    Juntos DON JUAN *y* DON GARCÍA.

D. JUAN.
D. GARCÍA.   } Adiós.
D. FELIS.   Entrambos a un punto
                    fuistes a una cosa mesma.

                    Vanse DON JUAN, *y* DON FELIS.

                    ESCENA VIII

                    DON GARCÍA, TRISTÁN.

TRISTÁN (*ap.*)   No vi jamás despedida
                    tan conforme y tan resuelta.—   780
D. GARCÍA.   Aquel cielo, primer móbil
                    de mis acciones, que lleva
                    arrebatado tras sí.
TRISTÁN.   Dissimula y ten paciencia,
                    que al mostrarse muy amante,   785
                    antes daña que aprovecha,
                    y siempre he visto que son
                    venturosas las tibiezas.
                    Las mugeres y los diablos
                    caminan por una senda,   790
                    que a las almas rematadas
                    ni las siguen ni las tientan;
                    que el tenellas ya seguras
                    les haze olvidarse dellas,
                    y sólo de las que pueden   795
                    escapárseles se acuerdan.
D. GARCÍA.   Es verdad, mas no soy dueño
                    de mí mismo.
TRISTÁN.   Hasta que sepas
                    extensamente su estado,
                    no te entregues tan de veras;   800

	que suele dar, quien se arroja	
	creyendo las apariencias,	
	en un pantano cubierto	
	de verde, engañosa yerva.	
D. García.	Pues oy te informa de todo.	805
Tristán.	Esso queda por mi cuenta.	
	Y agora, antes que rebiente,	
	dime, por Dios: ¿qué fin lleva	
	en las ficciones que he oydo?	
	Siquiera para que pueda	810
	ayudarte, que cogernos	
	en mentira será afrenta.	
	Perulero[27] te fingiste	
	çon las damas.	

D. García.   Cosa es cierta,
                                 Tristán, que los forasteros   815
                                 tienen más dicha con ellas,
                                 y más si son de las Indias,
                                 información de riqueza.

Tristán.	Esse fin está entendido;	
	mas pienso que el medio yerras,	820
	pues han de saber al fin	
	quién eres.	

D. García.   Quando lo sepan,
                                 avré ganado en su casa
                                 o en su pecho ya las puertas
                                 con esse medio, y después,   825
                                 yo me entenderé con ellas.

Tristán.	Digo que me has convencido,	
	señor; mas agora venga	
	lo de aver un mes que estás	
	en la Corte. ¿Qué fin llevas	830
	aviendo llegado ayer?	
D. García.	Ya sabes[28] tú que es grandeza	
	esto de estar encubierto	
	o retirado en su aldea,	
	o en su casa descansando.	835
Tristán.	¡Vaya muy en hora buena!	
	Lo del combite éntre agora.	
D. García.	Fingílo, porque me pesa	
	que piense nadie que ay cosa	

---

[27] *Perulero:* oriundo de Perú, pero se usaba especialmente para referirse al indiano que volvía rico a España.

[28] *Ya sabes...:* aquí, y en los parlamentos que siguen, revela D. García los motivos sicológicos que lo llevan a mentir constantemente.

	que mover mi pecho pueda	840
	a invidia o admiración,	
	passiones que al hombre afrentan.	
	Que admirarse es ignorancia,	
	como imbidiar es baxeza.	
	Tú no sabes a qué sabe,	845
	quando llega un portanuevas	
	muy orgulloso a contar	
	una hazaña o una fiesta,	
	taparle la boca yo	
	con otra tal, que se buelva	850
	con sus nuevas en el cuerpo	
	y que rebiente con ellas.	
TRISTÁN.	¡Caprichosa prevención,	
	si bien peligrosa treta!	
	La fábula de la Corte	855
	serás, si la flor te entrevan[29].	
D. GARCÍA.	Quien vive sin ser sentido,	
	quien sólo el número aumenta	
	y haze lo que todos hazen,	
	¿en qué difiere de bestia?	860
	Ser famoso es gran cosa,	
	el medio qual fuere sea.	
	Nómbrenme a mí en todas partes,	
	y murmúrenme siquiera;	
	pues, uno, por ganar nombre,	865
	abrasó el templo de Efesia[30].	
	Y, al fin, es éste mi gusto,	
	que es la razón de más fuerça.	
TRISTÁN.	Juveniles opiniones	
	sigue tu ambiciosa idea,	870
	y cerrar has menester,	
	en la Corte, la mollera.	

Vanse.

Sala en casa de Don Sancho.

ESCENA IX

Salen JACINTA *y* ISABEL, *con mantos, y* DON BELTRÁN *y* DON SANCHO.

---

[29] *si la flor te entrevan:* terminología del mundo de los naipes que significa descubrir una trampa o truco.

[30] *Efesia:* Erostrato quemó este famoso templo en 356 a.C. dedicado a Diana en Efesia, hoy **Efeso,** antigua ciudad del Asia Menor.

414

| JACINTA. | ¿Tan grande merced? |
| D. BELTRÁN. | No ha sido |

amistad de un solo día
la que esta casa y la mía,   875
si os acordáys, se han tenido;
    y assí, no es bien que estrañéys
mi visita.

| JACINTA. | Si me espanto |

es, señor, por aver tanto
que merced no nos hazéys.   880
    Perdonadme que, ignorando
el bien que en casa tenía,
me tardé en la Platería,
ciertas joyas concertando.

| D. BELTRÁN. | Feliz pronóstico days   885 |

al pensamiento que tengo,
pues quando a casaros vengo
comprando joyas estáys,
    Con don Sancho, vuestro tío,
tengo tratado, señora,   890
hazer parentesco agora
nuestra amistad, y confío
    (puesto que, como discreto,
dize don Sancho que es justo
remitirse a vuestro gusto)   895
que esto ha de tener efeto.
    Que, pues es la hazienda mía
y calidad tan patente,
sólo falta que os contente
la persona de García.   900
    Y aunque ayer a Madrid vino
de Salamanca el mancebo,
y de invidia el rubio Febo[31]
le ha abrasado en el camino,
    bien me atreveré a ponello   905
ante vuestros ojos claros,
fiando que ha de agradaros
desde la planta al cabello,
    si licencia le otorgáys
para que os bese la mano.   910

| JACINTA. | Encarecer lo que gano |

en la mao que me days,
    si es notorio, es vano intento,
que estimo de tal manera

---

[31] *rubio Febo:* otro nombre para Apolo, o el sol.

las prendas vuestras, que diera 915
luego mi consentimiento
　a no aver de parecer
—por mucho que en ello gano—
arrojamiento liviano
en una honrada mujer. 920
　Que el breve determinarse
en cosas de tanto peso,
o es tener muy poco seso
o gran gana de casarse.
　Y en quanto a que yo lo vea 925
me parece, si os agrada,
que, para no arriesgar nada,
passando la calle sea.
　Que si, como puede ser
y sucede a cada passo, 930
después de tratarlo, acaso
se viniesse a deshazer,
　¿de qué me huvieran servido,
o qué opinión me darán,
las visitas de un galán 935
con licencias de marido?

D. BELTRÁN.　　　Ya por vuestra gran cordura,
si es mi hijo vuestro esposo,
le tendré por tan dichoso
como por vuestra hermosura. 940

D. SANCHO.　　　De prudencia puede ser
un espejo la que oys.

D. BELTRÁN.　No sin causa os remitís,
don Sancho, a su parecer.
　Esta tarde, con García, 945
a cavallo passaré
vuestra calle.

JACINTA.　　　　　　Yo estaré
detrás de essa celosía.

D. BELTRÁN.　Que le miréys bien os pido,
que esta noche he de bolver, 950
Jacinta hermosa, a saber
cómo os aya parecido

JACINA.　　¿Tan apriessa?

D. BELTRÁN.　　　　　　Este cuydado
no admiréys, que es ya forçoso;
pues si vine desseoso, 955
buelvo agora enamorado.
　Y adiós.

JACINTA.	Adiós.	
D. BELTRÁN (*a* D. SANCHO.)	¿Dónde vays?	
D. SANCHO.	A serviros.[32]	
D. BELTRÁN.	No saldré.	

Vase.

D. SANCHO.	Al corredor llegaré	
	con vos, si licencia days.	960

Vase.

ESCENA X

JACINTA, ISABEL.

ISABEL.	Mucha priessa te da el viejo.	
JACINTA.	Yo se la diera mayor,	
	pues también le está a mi honor,	
	si a diferente consejo	
	no me obligara el amor;	965
	que, aunque los impedimentos	
	del hábito[33] de don Juan	
	—dueño de mis pensamientos—	
	forçosa causa me dan	
	de admitir otros intentos,	970
	como su amor no despido,	
	por mucho que lo deseo	
	—que vive en el alma asido—,	
	tiemblo, Isabel, quando creo	
	que otro ha de ser mi marido.	975
ISABEL.	Yo pensé que ya olvidavas	
	a don Juan, viendo que davas	
	lugar a otras pretensiones.	
JACINTA.	Cáusanlo estas ocasiones,	
	Isabel, no te engañavas.	980
	Que como ha tanto que está	
	el hábito detenido,	
	y no ha de ser mi marido	
	si no sale, tengo ya	
	este intento por perdido.	985
	Y, assí, para no morirme,	
	quiero hablar y divertirme,	

---

[32] *A serviros:* a acompañar a la puerta.
[33] *hábito:* el de una de las cuatro órdenes de caballería, sin especificarse aquí cuál.

pues en vano me atormento;
que en un impossible intento
no apruevo el morir de firme. 990

Por ventura encontraré
alguno que tal merezca,
que mano y alma le dé.

ISABEL. No dudo que el tiempo ofrezca
sujeto digno a tu fe; 995
y, si no me engaño yo,
oy no te desagradó
el galán indiano.

JACINTA. Amiga,
¿quieres que verdad te diga?
Pues muy bien me pareció. 1000
Y tanto, que te prometo
que si fuera tan discreto,
tan gentilhombre y galán
el hijo de don Beltrán,
tuviera la boda efeto. 1005

ISABEL. Esta tarde le verás
con su padre por la calle.

JACINTA. Veré solo el rostro y talle;
el alma, que importa más,
quisiera ver con hablalle. 1010

ISABEL. Háblale.

JACINTA. Hase de ofender
don Juan si llega a sabello,
y no quiero, hasta saber
que de otro dueño he de ser,
determinarme a perdello. 1015

ISABEL. Pues da algún medio, y advierte
que siglos passas en vano,
y conviene resolverte,
que don Juan es, desta suerte,
el perro del hortelano.[34] 1020
Sin que lo sepa don Juan
podrás hablar, si tú quieres,
al hijo de don Beltrán;
que, como en su centro, están
las traças[35] en las mugeres. 1025

JACINTA. Una pienso que podría
en este caso importar.
Lucrecia es amiga mía:

---

[34] *el perro:* "El perro del hortelano, ni come ni deja comer" dice el conocido refrán.
[35] *traças:* hoy trazas, o recurso, truco.

1030

ella puede hazer llamar
de su parte a don García;
　que, como secreta esté
yo con ella en su ventana,
este fin conseguiré.

ISABEL.　　Industria tan soberana
sólo de tu ingenio fue.　　　　　　1035

JACINTA.　　　Pues parte al punto, y mi intento
le di a Lucrecia, Isabel.

ISABEL.　Sus alas tomaré al viento.

JACINTA.　La dilación de un momento
le di que es un siglo en él.　　　　1040

ESCENA XI

DON JUAN encuentra a ISABEL *al salir.*—JACINTA.

D. JUAN.　　　¿Puedo hablar a tu señora?

ISABEL.　　Sólo un momento ha de ser,
que de salir a comer
mi señor don Sancho es hora.

Vase.

D. JUAN.　　　Ya, Jacinta, que te pierdo,　　1045
ya que yo me pierdo, ya...

JACINTA.　¿Estás loco?

D. JUAN.　　　　　　¿Quién podrá
estar con tus cosas cuerdo?

JACINTA.　　Rèpórtate y habla passo,
que está en la quadra[36] mi tío.　　1050

D. JUAN.　Quando a cenar vas al río,
¿cómo hazes dél poco caso?

JACINTA.　　¿Qué dices? ¿Estás en ti?

D. JUAN.　Quando para trasnochar
con otro tienes lugar,　　　　　　1055
¿tienes tío para mí?

JACINTA.　　¿Trasnochar con otro? Advierte
que, aunque esso fuesse verdad,
era mucha libertad
hablarme a mí de essa suerte;　　1060
　quanto más que es desvarío
de tu loca fantasía.

---

[36] *quadra:* habitación cuadrada.

D. Juan.
Ya sé que fue don García
el de la fiesta del río;
   ya los fuegos que a tu coche,   106
Jacinta, la salva hizieron;
ya las antorchas que dieron
sol al soto a media noche;
   ya los quatro aparadores
con vaxillas varïadas;   107
las quatro tiendas pobladas
de instrumentos y cantores.
   Todo lo sé; y sé que el día
te halló, enemiga, en el río:
di agora que es desvarío   107
de mi loca fantasía.
   Di agora que es libertad
el tratarte desta suerte,
quando obligan a ofenderte
mi agravio y tu liviandad.   108

Jacinta.
   ¡Plega a Dios!...
D. Juan.
                              Dexa invenciones;
calla, no me digas nada,
que en ofensa averiguada
no sirven satisfaciones.
   Ya, falsa, ya sé mi daño;   108
no niegues que te he perdido;
tu mudança me ha ofendido,
no me ofende el desengaño.
   Y aunque niegues lo que ohí,
lo que vi confessarás;   109
que oy lo que negando estás
en sus mismos ojos vi.
   Y su padre ¿qué quería
agora aquí? ¿Qué te dixo?
¿De noche estás con el hijo   1095
y con el padre de día?
   Yo lo vi; ya mi esperança
en vano engañar dispones;
ya sé que tus dilaciones
son hijas de tu mudança.   1100
   Mas, crüel, ¡viven los cielos,
que no has de vivir contenta!
Abrásete, pues rebienta,
este vulcán de mis zelos.
   El que me haze desdichado   1105
te pierda, pues yo te pierdo.

420

ACINTA.	¿Tú eres cuerdo?
). JUAN.	¿Cómo cuerdo,

amante y desesperado?

ACINTA.	Buelve, escucha; que si vale
	la verdad, presto verás 1110
	qué mal informado estás
). JUAN	Voyme, que tu tío sale.
ACINTA.	No sale; escucha, que fío
	satisfazerte.
). JUAN	Es en vano,
	si aquí no me das la mano. 1115
ACINTA.	¿La mano?— Sale mi tío.

ACTO SEGUNDO

Sala en casa de Don Beltrán.

ESCENA I

Salen DON GARCÍA, *en cuerpo, leyendo un papel, y* TRISTÁN *y* CAMINO.

D. GARCÍA.	"La fuerça de una ocasión me haze exceder del orden de mi estado. Sabrá la v. m. esta noche por un balcón que le enseñará el portador, con lo demás que no es para escrito, y guarde N. Señor..."
	¿Quién este papel me escrive?
CAMINO.	Doña Lucrecia de Luna.
D. GARCÍA.	El alma, sin duda alguna,
	que dentro en mi pecho vive. 1120
	¿No es ésta una dama hermosa
	que oy, antes de medio día,
	estava en la Platería?
CAMINO.	Sí, señor.
D. GARCÍA.	¡Suerte dichosa!
	Informadme, por mi vida, 1125
	de las partes desta dama.
CAMINO.	Mucho admiro que su fama
	esté de vos escondida.
	Porque la avéys visto, dexo
	de encarecer que es hermosa; 1130
	es discreta y virtuosa;
	su padre es viudo y es viejo;
	dos mil ducados de renta
	los que ha de heredar serán,
	bien hechos.
D. GARCÍA.	¿Oyes, Tristán? 1135
TRISTÁN.	Oygo, y no me descontenta.
CAMINO.	En quanto a ser principal,
	no ay que hablar: Luna es su padre
	y fue Mendoça[37] su madre,

---

[37] *Luna... Mendoça:* familias nobles, siendo Alvaro de Luna (1390?-1453) condestable de Castilla y su tío Pedro (+1414), condestable y maestre de Santiago, dos de sus más famosos miembros, mientras que por los Mendozas, con los cuales estaba emparentado Alarcón por la rama materna, estarían Iñigo López de Mendoza, Marqués de Santillana (1398-1458) y Diego Hurtado de Mendoza (1503-1575), autor de la *Guerra de Granada.*

	tan finos como un coral.	1140
	Doña Lucrecia, en efeto,	
	merece un rey por marido.	
D. García.	¡Amor, tus alas te pido	
	para tan alto sujeto!—	
	¿Dónde vive?	
Camino.	A la Vitoria.	1145
D. García.	Cierto es mi bien.— Que seréys,	
	dize aquí, quien me güiéys	
	al cielo de tanta gloria.	
Camino.	Serviros pienso a los dos.	
D. García.	Y yo lo agradeceré.	1150
Camino.	Esta noche bolveré,	
	en dando las diez, por vos.	
D. García.	Esso le dad por respuesta	
	a Lucrecia.	
Camino.	Adiós quedad.[38]	

Vase.

ESCENA II

Don García, Tristán.

D. García.	¡Cielos! ¿Qué felicidad,	1155
	Amor, qué ventura es ésta?	
	¿Ves, Tristán, cómo llamó	
	la más hermosa el cochero	
	a Lucrecia, a quien yo quiero?	
	Que es cierto que quien me habló	1160
	es la que el papel me embía.	
Tristán.	Evidente presunción.	
D. García.	Que la otra, ¿qué ocasión	
	para escrivirme tenía?	
Tristán.	Y a todo mal suceder,	1165
	presto de duda saldrás,	
	que esta noche la podrás,	
	en la habla conocer.	
D. García.	Y que no me engañe es cierto,	
	según dexó en mi sentido	1170
	impresso el dulce sonido	
	de la voz con que me ha muerto.	

---

[38] *Adiós quedad:* literalmente "quedad con Dios".

Sale un PAGE *con un papel; dalo a* DON GARCÍA.

PAGE.   Éste, señor don García,
es para vos.

D. GARCÍA.   No esté assí.

PAGE.   Criado vuestro nací.   1175

D. GARCÍA.   Cúbrase, por vida mía.

                    (*Lee a solas* DON GARCÍA.)
          "Averiguar cierta cosa
importante a solas quiero
con vos. A las siete espero
en San Blas."³⁹— *Don Juan de Sosa.*   1180

(*Aparte.*)   ¡Válgame Dios! Desafío.
¿Qué causa puede tener
don Juan, si yo vine ayer
y él es tan amigo mío—
          Dezid al señor don Juan   1185
que esto será assí

Vase el PAGE.

TRISTÁN.   Señor,
mudado estás de color.
¿Qué ha sido?

D. GARCÍA.   Nada, Tristán.

TRISTÁN.   ¿No puedo saberlo?

D. GARCÍA.   No.

TRISTÁN.   Sin duda es cosa pesada.   1190

Vase TRISTÁN.

D. GARCÍA.   Dame la capa y espada.—
¿Qué causa le he dado yo?

ESCENA IV

Sale DON BELTRÁN. DON GARCÍA; *después* TRISTÁN.

D. BELTRÁN.   ¿García?...

D. GARCÍA.   ¿Señor?

D. BELTRÁN.   Los dos
a cavallo hemos de andar

---

³⁹ *San Blas:* lugar donde se celebraban los duelos.

	juntos oy, que he de tratar	1195
	cierto negocio con vos.	
D. García.	¿Mandas otra cosa?	
D. Beltrán.	¿Adónde	
	vays quando el sol echa fuego?	

Sale Tristán *y dale de vestir a* Don García.

D. García.	Aquí a los trucos[40] me llego	
	de nuestro vezino el Conde.	1200
D. Beltrán.	No apruevo que os arrojéys,	
	siendo venido de ayer,	
	a daros a conocer	
	a mil que no conocéys;	
	si no es que dos condiciones	1205
	guardéys con mucho cuydado,	
	y son: que juguéys contado	
	y habléys contadas razones.	
	Puesto que mi parecer	
	es éste, hazed vuestro gusto.	1210
D. García.	Seguir tu consejo es justo.	
D. Beltrán.	Hazed que a vuestro plazer	
	adereço se prevenga	
	a un cavallo para vos.	
D. García.	A ordenallo voy.	

Vase.

| D. Beltrán. | Adiós. | 1215 |

ESCENA V

Don Beltrán, Tristán.

D. Beltrán (*ap.*)	¡Que tan sin gusto me tenga	
	lo que su ayo me dixo!—	
	¿Has andado con García,	
	Tristán?	
Tristán.	Señor, todo el día.	
D. Beltrán.	Sin mirar en que es mi hijo,	1220
	si es que el ánimo fiel	
	que siempre en tu pecho he hallado	
	agora no te ha faltado	
	me di lo que sientes dél.	

---

40 *trucos:* se refiere aquí a una especie de billar.

TRISTÁN.	¿Qué puedo yo aver sentido	1225
	en un término tan breve?	
D. BELTRÁN.	Tu lengua es quien no se atreve,	
	que el tiempo bastante ha sido,	
	y más a tu entendimiento.	
	Dímelo, por vida mía,	1230
	sin lisonja.	
TRISTÁN.	Don García,	
	mi señor, a lo que siento,	
	que he de dezirte verdad,	
	pues que tu vida has jurado...	
D. BELTRÁN.	De essa suerte has obligado	1235
	siempre a mí tu voluntad.	
TRISTÁN.	... Tiene un ingenio excelente,	
	con pensamientos sutiles;	
	mas caprichos juveniles	
	con arrogancia imprudente.	1240
	De Salamanca reboça	
	la leche,[41] y tiene en los labios	
	los contagiosos resabios	
	de aquella caterva moça.	
	Aquel hablar arrojado,	1245
	mentir sin recato y modo;	
	aquel jactarse de todo	
	y haçerse en todo estremado...	
	Oy, en término de un hora,	
	echó cinco o seys mentiras.	1250
D. BELTRÁN.	¡Válgame Dios!	
TRISTÁN.	¿Qué te admiras?	
	pues lo peor falta agora:	
	que son tales, que podrá	
	cogerle en ellas qualquiera.	
D. BELTRÁN.	¡A, Dios!	
TRISTÁN.	Yo no te dixera	1255
	lo que tal pena te da	
	a no ser de ti forçado.	
D. BELTRÁN.	Tu fe conozco y tu amor.	
TRISTÁN.	A tu prudencia, señor,	
	advertir será escusado	1260
	el riesgo que correr puedo	
	si esto sabe don García,	
	mi señor.	
D. BELTRÁN.	De mí confía;	

---

[41] *De Salamanca reboça la leche:* está recién salido de la Universidad de Salamanca, es aún muy joven.

pierde, Tristán, todo el miedo.
  Manda luego adereçar   1265
los cavallos.

ESCENA VI

DON BELTRÁN.

D. BELTRÁN.   Santo Dios,
pues esto permitís vos,
esto deve de importar.
  ¿A un hijo solo, a un consuelo
que en la tierra le quedó   1270
a mi vejez triste, dio
tan gran contrapeso el cielo?
  Aora bien, siempre tuvieron
los padres disgustos tales:
siempre vieron muchos males   1275
los que mucha edad vivieron.
  ¡Paciencia! Oy he de acabar,
si puedo, su casamiento.
Con la brevedad intento
este daño remediar,   1280
  antes que su liviandad,
en la Corte conocida,
los casamientos le impida
que pide su calidad.
  Por dicha, con el cuydado   1285
que tal estado acarrea,
de una costumbre tan fea
se vendrá a aver enmendado.
  Que es vano pensar que son
el reñir y aconsejar   1290
bastantes para quitar
una fuerte inclinación.

ESCENA VII

Sale TRISTÁN.— DON BELTRÁN.

TRISTÁN.   Ya los cavallos están,
viendo que salir procuras,

	provando las herraduras	1295
	en las guijas del çaguán.	
	Porque con las esperanças	
	de tan gran fiesta, el overo[42]	
	a solas está, primero,	
	ensayando sus mudanças;	1300
	y el bayo, que ser procura	
	émulo al dueño que lleva,	
	estudia con alma nueva	
	movimiento y compostura.	
D. BELTRÁN.	Avisa, pues, a García.	1305
TRISTÁN.	Ya te espera tan galán,	
	que en la Corte pensarán	
	que a estas horas sale el día.	

Vanse.

Sala en casa de Don Sancho.

ESCENA VIII

Salen ISABEL *y* JACINTA.

	La pluma tomó al momento	
ISABEL.	La pluma tomó al momento	
	Lucrecia, en execución	1310
	de tu agudo pensamiento,	
	y esta noche en su balcón,	
	para tratar cierto intento,	
	le escrivió que aguardaría,	
	para que puedas en él	1315
	platicar con don García.	
	Camino llevó el papel:	
	persona de quien se fía.	
JACINTA.	Mucho Lucrecia me obliga.	
ISABEL.	Muestra en qualquier ocasión	1320
	ser tu verdadera amiga.	
JACINTA.	¿Es tarde?	
ISABEL.	Las cinco son.	
JACINTA.	Aun durmiendo me fatiga	
	la memoria de don Juan,	
	que esta siesta le he soñado	1325
	zeloso de otro galán.	

Miran adentro.

---

[42] *overo:* caballo color de melocotón.

ISABEL.	¡Ay, señora! Don Beltrán
	y el perulero a su lado.
JACINTA.	¿Qué dizes?
ISABEL.	Digo que aquel
	que oy te habló en la Platería 1330
	viene a cavallo con él.
	Mírale.
JACINTA.	¡Por vida mía
	que dizes verdad, que es él!
	¿Ay tal? ¿Cómo el embustero
	se nos fingió perulero, 1335
	si es hijo de don Beltrán?
ISABEL.	Los que intentan siempre dan
	gran presunción al dinero
	y con esse medio, hallar
	entrada en tu pecho quiso, 1340
	que devió de imaginar
	que aquí le ha de aprovechar
	más ser Midas que Narciso.⁴³
JACINTA.	En dezir que ha que me vio
	un año, también mintió, 1345
	porque don Beltrán me dixo
	que ayer a Madrid su hijo
	de Salamanca llegó.
ISABEL.	Si bien lo miras, señora,
	todo verdad puede ser, 1350
	que entonces te pudo ver,
	yrse de Madrid, y agora,
	de Salamanca bolver.
	Y quando no, ¿qué te admira
	que, quien a obligar aspira 1355
	prendas de tanto valor,
	para acreditar su amor,
	se valga de una mentira?
	Demás que tengo por llano,
	si no miente mi sospecha, 1360
	que no lo encarece en vano:
	que hablarte oy su padre, es flecha
	que ha salido de su mano.
	No ha sido, señora mía,
	acaso que el mismo día 1365

---

⁴³ *Midas...Narciso:* el primero (c. 715-676 a.C.), rey de Frigia, gozó de la fama de convertir en oro todo lo que tocaba, y el segundo, figura mitológica que al contemplar su belleza en una fuente, se convierte en la flor que lleva su mismo nombre, aunque según otra versión, cae en la fuente enamorado de sí mismo y se ahoga.

que él te vio y mostró quererte,
venga su padre a ofrecerte
por esposo a don García.

JACINTA.   Diçes bien; mas imagino
que el término que passó   1370
desde que el hijo me habló
hasta que su padre vino,
fue muy breve.

ISABEL.   Él conoció
quién eres; encontraría
su padre en la Platería;   1375
hablóle, y él, que no ignora
tus calidades y adora
justamente a don García,
vino a tratarlo al momento.

JACINTA.   Al fin, como fuere, sea.   1380
De sus partes me contento;
quiere el padre, él me dessea:
da por hecho el casamiento.

Vanse.

Paseo de Atocha.

ESCENA IX

Salen DON BELTRÁN *y* DON GARCÍA.

D. BELTRÁN.   ¿Qué os parece?

D. GARCÍA.   Que animal
no mi mejor en mi vida.   1385

D. BELTRÁN.   ¡Linda bestia!

D. GARCÍA.   Corregida
de espíritu racional.
¡Qué contento y bizarría!

D. BELTRÁN.   Vuestro hermano don Gabriel,
que perdone Dios, en él   1390
todo su gusto tenía.

D. GARCÍA.   Ya que combida, señor,
de Atocha la soledad,
declara tu voluntad.

D. BELTRÁN.   Mi pena, diréys mejor.   1395
¿Soys cavallero, García?

D. GARCÍA.   Téngome por hijo vuestro.

D. BELTRÁN.   ¿Y basta ser hijo mío

430

	para ser vos cavallero?	
D. García.	Yo pienso, señor, que sí.	1400
D. Beltrán.	¡Qué engañado pensamiento!	
	Sólo consiste en obrar	
	como cavallero el serlo.	
	¿Quién dio principio a las casas	
	nobles? Los ilustres hechos	1405
	de sus primeros autores.	
	Sin mirar sus nacimientos,	
	hazañas de hombres humildes	
	honraron sus herederos.	
	Luego en obrar mal o bien	1410
	está el ser malo o ser bueno.	
	¿Es assí?	
D. García.	Que las hazañas	
	den nobleza, no lo niego;	
	mas no neguéys que sin ellas	
	también la da el nacimiento.	1415
D. Beltrán.	Pues si honor puede ganar	
	quien nacio sin él, ¿no es cierto	
	que, por el contrario, puede,	
	quien con él nació, perdello?	
D. García.	Es verdad.	
D. Beltrán.	Luego si vos	1420
	obráys afrentosos hechos,	
	aunque seáys hijo mío,	
	dexáys de ser cavallero;	
	luego si vuestras costumbres	
	os infaman en el pueblo,	1425
	no importan paternas armas,	
	no sirven altos abuelos.	
	¿Qué cosa es que la fama	
	diga a mis oydos mesmos	
	que a Salamanca admiraron	1430
	vuestras mentiras y enredos?	
	¡Qué cavallero y qué nada!	
	Si afrenta al noble y plebeyo	
	sólo el dezirle que miente,	
	dezid ¿qué será el hazerlo,	1435
	si vivo sin honra yo,	
	según los humanos fueros,	
	mientras de aquél que me dixo	
	que mentía no me vengo?	
	¿Tan larga tenéys la espada,	1440
	tan duro tenéys el pecho,	

que penséys poder vengaros,
diziéndolo todo el pueblo?
¿Possible es que tenga un hombre
tan humildes pensamientos   1445
que viva sujeto al vicio
más sin gusto y sin provecho?
El deleyte natural
tiene a los lacivos presos;
obliga a los cudiciosos   1450
el poder que da el dinero;
el gusto de los manjares,
al glotón; el passatiempo
y el cebo de la ganancia,
a los que cursan el juego;   1455
su vengança, al homicida;
al robador, su remedio;
la fama y la presunción,
al que es por la espada inquieto.
Todos los vicios, al fin,   1460
o dan gusto o dan provecho;
mas de mentir, ¿qué se saca
sino infamia y menosprecio?

D. GARCÍA.   Quien dize que miento yo,
ha mentido.

D. BELTRÁN.   También esso   1465
es mentir, que aun desmentir
no sabéys sino mintiendo.

D. GARCÍA.   ¡Pues si days en no creerme...

D. BELTRÁN.   ¿No seré necio si creo
que vos dezís verdad solo   1470
y miente el lugar entero?
Lo que importa es desmentir
esta fama con los hechos,
pensar que éste es otro mundo,
hablar poco y verdadero;   1475
mirar que estáys a la vista
de un Rey[44] tan santo y perfeto,
que vuestros yerros no pueden
hallar disculpa en sus yerros;
que tratáys aquí con grandes,   1480
títulos y cavalleros,
que, si os saben la flaqueza,
os perderán el respeto;
que tenéys barba en el rostro,

---

[44] *Rey:* Felipe III, quien reinó desde 1958 hasta 1621.

	que al lado ceñís azero,	1485
	que nacistes noble al fin,	
	y que yo soy padre vuestro.	
	Y no he de deziros más,	
	que esta sofrenada espero	
	que baste para quien tiene	1490
	calidad y entendimiento.	
	Y agora, porque entendáys	
	que en vuestro bien me desvelo,	
	sabed que os tengo, García,	
	tratado un gran casamiento.	1495

GARCÍA (*ap.*) ¡Ay, mi Lucrecia!

BELTRÁN.   Jamás
pusieron, hijo, los Cielos
tantas, tan divinas partes
en un humano sujeto,
como en Jacinta, la hija   1500
de don Fernando Pacheco,
de quien mi vejez pretende
tener regalados nietos.

GARCÍA (*ap.*) ¡Ay, Lucrecia! Si es possible,
tú sola has de ser mi dueño,   1505

BELTRÁN. ¿Qué es esto? ¿No respondéys?

GARCÍA. ¡Tuyo he de ser, vive el Cielo!

BELTRÁN. ¿Qué os entristecéys? Hablad;
no me tengáys más suspenso.

GARCÍA. Entristézcome porque es   1510
impossible obedeceros.

BELTRÁN. ¿Por qué?

GARCÍA.   Porque soy casado.

BELTRÁN. ¡Casado! ¡Cielos! ¿Qué es esto?
¿Cómo, sin saberlo yo?

GARCÍA. Fue fuerça, y está secreto.   1515

BELTRÁN. ¡Ay padre más desdichado!

GARCÍA. No os aflijáys, que, en sabiendo
la causa, señor, tendréys
por venturoso el efeto.

BELTRÁN. Acabad, pues, que mi vida   1520
pende sólo de un cabello.

GARCÍA (*ap.*) Agora os he menester
sutilezas de mi ingenio.
    En Salamanca, señor,
ay un cavallero noble,   1525
de quien es la alcuña[45] Herrera

---

[45] *alcuña:* alcurnia.

y don Pedro el propio nombre.
A éste dio el Cielo otro cielo
por hija, pues, con dos soles,
sus dos purpúreas mexillas   1530
hazen claros orizontes.
Abrevio, por yr al caso,
con dezir que quantas dotes
pudo dar naturaleza
en tierna edad, la componen.   1535
Mas la enemiga fortuna,
observante en su desorden,
a sus méritos opuesta,
de sus bienes la hizo pobre;
que, demás de que su casa   1540
no es tan rica como noble,
al mayorazgo nacieron,
antes que ella, dos varones.
A ésta, pues, saliendo al río,
la vi una tarde en su coche,   1545
que juzgara el de Faetón[46]
si fuesse Erídano el Tormes.
No sé quién los atributos
del fuego en Cupido pone,
que yo, de un súbito yelo,   1550
me sentí ocupar entonces.
¿Qué tienen que ver del fuego
las inquietudes y ardores
con quedar absorta un alma,
con quedar un cuerpo inmóbil?   1555
Caso fue, verla, forçoso;
viéndola, cegar de amores;
pues, abrasado, seguirla,
júzguelo un pecho de bronze.
Passé su calle de día,   1560
rondé su puerta de noche;
con terceros y papeles,
le encarecí mis passiones;
hasta que, al fin, condolida
o enamorada, responde,   1565
porque también tiene Amor
jurisdición en los dioses.
Fuy acrecentando finezas
y ella aumentando favores,

---

[46] *Faetón:* hijo de Helios, cayó al Río Erídano, hoy el Pó, al conducir descuidadamente el carro del sol. Para otra versión, véase la n. 2 de *La vida es sueño.*

hasta ponerme en el cielo   1570
de su aposento una noche.
Y, quando solicitavan
el fin de mi pena enorme,
conquistando honestidades,
mis ardientes pretensiones,   1575
siento que su padre viene
a su aposento: llamóle,
porque jamás tal hazía,
mi fortuna aquella noche.
Ella, turbada, animosa,   1580
¡muger al fin! a empellones
mi casi difunto cuerpo
detrás de su lecho esconde.
Llegó don Pedro, y su hija,
fingiendo gusto, abraçóle,   1585
por negar el rostro en tanto
que cobrava sus colores.
Assentáronse los dos,
y él, con prudentes razones,
le propuso un casamiento   1590
con uno de los Monroyes.
Ella, honesta como cauta,
de tal suerte le responde,
que ni a su padre resista,
ni a mí, que la escucho, enoje.   1595
Despidiéronse con esto,
y, quando ya casi pone
en el umbral de la puerta
el viejo los pies, entonces...,
¡mal aya, amén, el primero   1600
que fue inventor de reloxes!,
uno que llevava yo,
a dar començó las doze.
Oyólo don Pedro, y buelto
hazia su hija: "¿De dónde   1605
vino esse relox?", le dixo.
Ella respondió: "Embióle,
para que se le aderecen,
mi primo don Diego Ponce,
por no aver en su lugar   1610
reloxero ni reloxes".
"Dádmele, dixo su padre,
porque yo esse cargo tome".
Pues entonces doña Sancha,

que éste es de la dama el nombre,   1615
a quitármele del pecho,
cauta y prevenida corre,
antes que llegar él mismo
a su padre se le antoje.
Quitémele yo, y al darle,   1620
quiso la suerte que toquen
a una pistola que tengo
en la mano los cordones.
Cayo el gatillo, dio fuego;
al tronido desmayóse   1625
doña Sancha; alborotado
el viejo, empeçó a dar vozes.
Yo, viendo el cielo en el suelo
y eclipsados sus dos soles,
juzgué sin duda por muerta   1630
la vida de mis acciones,
pensando que cometieron
sacrilegio tan enorme,
del plomo de mi pistola,
los breves, volantes orbes.   1635
Con esto, pues, despechado,
saqué rabioso el estoque:
fueran pocos para mí,
en tal ocasión, mil hombres.
A impedirme la salida,   1640
como dos bravos leones,
con sus armas sus hermanos
y sus crïados se oponen;
mas, aunque fácil por todos
mi espada y mi furia rompen,   1645
no ay fuerça humana que impida
fatales disposiciones;
pues, al salir por la puerta,
como yva arrimado, asióme
la alcayata de la aldava,   1650
por los tiros del estoque.[47]
Aquí, para desasirme,
fue fuerça que atrás me torne,
y, entre tanto, mis contrarios,
muros de espadas me oponen.   1655
En esto cobró su acuerdo
Sancha, y para que se estorve
el triste fin que prometen

---

[47] *tiros del estoque:* cinto del que colgaba la espada.

esos sucessos atroces,
la puerta cerró, animosa,   1660
del aposento, y dexóme
a mí con ella encerrado,
y fuera a mis agresores.
Arrimamos a la puerta
bahúles, arcas y cofres,   1665
que al fin son de ardientes yras
remedio las dilaciones.
Quisimos hazernos fuertes;
mas mis contrarios, ferozes,
ya la pared me derriban   1670
y ya la puerta me rompen.
Yo, viendo que, aunque dilate,
no es possible que revoque
la sentencia de enemigos
tan agraviados y nobles,   1675
viendo a mi lado la hermosa
de mis desdichas consorte,
y que hurtava a sus mexillas
el temor sus arreboles;
viendo quán sin culpa suya   1680
conmigo fortuna corre,
pues con industria deshaze
quanto los hados disponen,
por dar premio a sus lealtades,
por dar fin a sus temores,   1685
por dar remedio a mi muerte
y dar muerte a más passiones,
huve de darme a partido,
y pedirles que conformen
con la unión de nuestras sangres   1690
tan sangrientas dissenciones.
Ellos, que ven el peligro
y mi calidad conocen,
lo acetan, después de estar
un rato entre sí discordes.   1695
Partió a dar cuenta al Obispo
su padre, y bolvió con orden
de que el desposorio pueda
hazer qualquier sacerdote.
Hízose, y en dulce paz   1700
la mortal guerra trocóse,
dándote la mejor nuera
que nació del Sur al Norte.

Mas en que tú no lo sepas
quedamos todos conformes,   1705
por no ser con gusto tuyo
y por ser mi esposa pobre;
pero, ya que fue forçoso
saberlo, mira si escoges
por mejor tenerme muerto   1710
que vivo y con muger noble.

D. BELTRÁN.   Las circunstancias del caso
son tales, que se conoce
que la fuerça de la suerte
te destinó essa consorte,   1715
y assí, no te culpo en más
que en callármelo.

D. GARCÍA.   Temores
de darte pesar, señor,
me obligaron.

D. BELTRÁN.   Si es tan noble,
¿qué importa que pobre sea?   1720
¡Quánto es peor que lo ignore,
para que, aviendo empeñado
mi palabra, agora torne
con esso a doña Jacinta!
¡Mira en qué lance me pones!   1725
Toma el cavallo, y temprano,
por mi vida, te recoje,
porque de espacio tratemos
de tus cosas esta noche.

Vase.

D. GARCÍA.   Yré a obedecerte al punto   1730
que toquen las oraciones.

ESCENA X

DON GARCÍA.

Dichosamente se ha hecho.
Persuadido el viejo va:
ya del mentir no dirá
que es sin gusto y sin provecho;   1735
pues es tan notorio gusto
el ver que me aya creydo,

y provecho aver huydo
de casarme a mi disgusto.
  ¡Bueno fue reñir conmigo   1740
porque en cuanto digo miento,
y dar crédito al momento
a quantas mentiras digo!
  ¡Qué fácil de persuadir
quien tiene amor suele ser!   1745
Y ¡que fácil en creer
el que no sabe mentir!
  Mas ya me aguarda don Juan.—

Dirá adentro.

¡Ola! Llevad el cavallo.—
Tan terribles cosas hallo   1750
que sucediéndome van
  que pienso que desvarío:
vine ayer y, en un momento,
tengo amor y casamiento
y causa de desafío.   1755

ESCENA XI

Sale Don Juan.— Don García.

D. Juan.	Como quien soys lo avéys hecho, don García.
D. García.	¿Quién podía sabiendo la sangre mía, pensar menos de mi pecho?

  Mas vamos, don Juan, al caso   1760
porque llamado me avéys.
Dezid, ¿qué causa tenéys,
(que por sabella me abraso)
  de hazer este desafío?

D. Juan. Essa dama a quien hizistes,   1765
conforme vos me dixistes,
anoche fiesta en el río,
  es causa de mi tormento,
y es con quien dos años ha
que, aunque se dilata, está   1770
tratado mi casamiento.
  Vos ha un mes que estáys aquí,
y de esso, como de estar
encubierto en el lugar

todo esse tiempo de mí,   177

    colijo que, aviendo sido
tan público mi cuydado,
vos no lo avéys ignorado,
y, assí, me avéys ofendido.

    Con esto que he dicho, digo   178
quanto tengo que dezir,
y es que, o no avéys de seguir
el bien que ha tanto que sigo,

    o, si acaso os pareciere
mi petición mal fundada,   178
se remita aquí a la espada,
y la sirva el que venciere.

D. GARCÍA.   Pésame que, sin estar
del caso bien informado,
os ayáys determinado   179
a sacarme a este lugar.

    La dama, don Juan de Sosa,
de mi fiesta, vive Dios
que ni la avéys visto vos,
ni puede ser vuestra esposa;   179
que es casada esta muger,
y ha tan poco que llegó
a Madrid, que sólo yo
sé que la he podido ver.

    Y, quando éssa huviera sido,   180
de no verla más os doy
palabra, como quien soy,
o quedar por fementido.

D. JUAN.   Con esso se asseguró
la sospecha de mi pecho   180
y he quedado satisfecho.

D. GARCÍA. Falta que lo quede yo,
    que averme desafiado
no se ha de quedar assí;
libre fue el sacarme aquí,   181
mas, aviéndome sacado,

    me obligastes, y es forçoso,
puesto que tengo que hazer
como quien soy, no bolver
sino muerto o vitorioso.   181

D. JUAN.   Pensando, aunque a mis desvelos
ayáys satisfecho assí,
que aún dexa cólera en mi
la memoria de mis zelos.

ESCENA XII

Sale DON FELIS.— DICHOS.

D. FELIS.	Deténganse, cavalleros,	1820
	que estoy aquí yo.	
D. GARCÍA.	¡Que venga	
	agora quien me detenga!	
D. FELIS.	Vestid los fuertes azeros,	
	que fue falsa la ocasión	
	desta pendencia.	
D. JUAN.	Ya avía	1825
	dícholo assí don García;	
	pero, por la obligación	
	en que pone el desafío,	
	desnudó el valiente azero.	
D. FELIS.	Hizo como cavallero	1830
	de tanto valor y brío.	
	Y, pues bien quedado avéys	
	con esto, merezca yo	
	que, a quien de zeloso erró,	
	perdón y las manos deys. (*Danse las manos.*)	1835
D. GARCÍA.	Ello es justo, y lo mandáys.	
	Mas mirad de aquí adelante,	
	en caso tan imporante,	
	don Juan, cómo os arrojáys.	
	Todo lo avéys de intentar	1840
	primero que el desafío,	
	que empeçar es desvarío	
	por donde se ha de acabar.	

Vase.

ESCENA XIII

DON JUAN, DON FELIS.

D. FELIS.	Estraña ventura ha sido	
	aver yo a tiempo llegado.	1845
D. JUAN.	¿Que en efeto me he engañado?	
D. FELIS.	Sí.	
D. JUAN.	¿De quién lo avéys sabido?	
D. FELIS.	Súpelo de un escudero	
	de Lucrecia.	

D. JUAN.	Dezid, pues
	¿cómo fue?
D. FELIS.	La verdad es 1850

D. JUAN.   Dezid, pues
¿cómo fue?

D. FELIS.   La verdad es   1850
que fue el coche y el cochero
de doña Jacinta anoche
al Sotillo, y que tuvieron
gran fiesta las que en él fueron;
pero fue prestado el coche.   1855
Y el caso fue que, a las horas
que fue a ver Jacinta bella
a Lucrecia, ya con ella
estavan las matadoras,
las dos primas de la quinta.[48]   1860

D. JUAN. ¿Las que en el Carmen[49] vivieron?

D. FELIS. Sí. Pues ellas le pidieron
el coche a doña Jacinta,
y con él, con la oscura noche,
fueron al río las dos.   1865
Pues vuestro paje, a quien vos
dexastes siguiendo el coche,
como en él dos damas vio
entrar quando anochecía,
y noticia no tenía   1870
de otra visita, creyó
ser Jacinta la que entrava
y Lucrecia.

D. JUAN.   Justamente.

D. FELIS. Siguió el coche diligente
y, quando en el soto estava,   1875
entre la música y cena
lo dexó y bolvió a buscaros
a Madrid, y fue el no hallaros
ocasión de tanta pena;
porque, yendo vos allá,   1880
se deshiziera el engaño.

D. JUAN. En esso estuvo mi daño.
Mas tanto gusto me da
el saber que me engañé,
que doy por bien empleado   1885
el disgusto que he passado.

D. FELIS. Otra cosa averigüé,
que es bien graciosa.

---

[48] *matadoras...primas...quinta:* otra vez, términos de juegos de naipes.
[49] *Carmen:* nombre de calle madrileña.

D. JUAN.	Dezid.

D. JUAN.   Dezid.

D. FELIS.   Es que el dicho don García
             llegó ayer en aquel día   1890
             de Salamanca a Madrid,
                 y en llegando se acostó,
             y durmió la noche toda,
             y fue embeleco la boda
             y festín que nos contó.   1895

D. JUAN.   ¿Qué dezís?

D. FELIS.   Esto es verdad.

D. JUAN.   ¿Embustero es don García?

D. FELIS.   Esso un ciego lo vería;
             porque tanta variedad
                 de tiendas, aparadores,   1900
             vaxillas de plata y oro,
             tanto plato, tanto coro
             de instrumentos y cantores,
                 ¿no eran mentira patente?

D. JUAN.   Lo que me tiene dudoso   1905
             es que sea mentiroso
             un hombre que es tan valiente;
                 que de su espada el furor
             diera a Alcides[50] pesadumbre.

D. FELIS.   Tendrá el mentir por costumbre   1910
             y por herencia el valor.

D. JUAN.   Vamos, que a Jacinta quiero
             pedille, Felis, perdón,
             y dezille la ocasión
             con que esforçó este embustero   1915
                 mi sospecha.

D. FELIS.   Desde aquí
             nada le creo, don Juan.

D. JUAN.   Y sus verdades serán
             ya consejos para mí.

Vanse.

Calle.

ESCENA XIV

Salen TRISTÁN, DON GARCÍA *y* CAMINO, *vestidos en traje de noche.*

---

[50] *Alcides:* otro nombre para Hércules.

D. García.	Mi padre me dé perdón,	1920
	que forçado le engañé.	
Tristán.	¡Ingeniosa escusa fue!	
	Pero, dime: ¿qué invención	
	agora piensas hazer	
	con que no sepa que ha sido	1925
	el casamiento fingido?	
D. García.	Las cartas le he de coger	
	que a Salamanca escriviere,	
	y, las respuestas fingiendo	
	yo mismo, yré entreteniendo	1930
	la ficción quanto pudiere.	

ESCENA XV

Salen Jacinta, Lucrecia e Isabel *a la ventana.* Don García, Tristán
y Camino, *en la calle*

Jacinta.	Con esta nueva volvió	
	don Beltrán bien descontento,	
	quando ya del casamiento	
	estava contenta yo.	1935
Lucrecia.	¿Que el hijo de don Beltrán	
	es el indiano fingido?	
Jacinta.	Sí, amiga.	
Lucrecia.	¿A quién has oydo	
	lo del banquete?	
Jacinta.	A don Juan.	
Lucrecia.	Pues ¿quándo estuvo contigo?	1940
Jacinta.	Al anochecer me vio,	
	y en contármelo gastó	
	lo que pudo estar conmigo.	
Lucrecia.	Grandes sus enredos son.	
	¡Buen castigo te merece!	1945
Jacinta.	Estos tres hombres, parece	
	que se acercan al balcón.	
Lucrecia.	Vendrá al puesto don García,	
	que ya es hora.	
Jacinta.	Tú, Isabel,	
	mientras hablamos con él,	1950
	a nuestros viejos espía.	
Lucrecia.	Mi padre está refiriendo	
	bien de espacio un cuento largo	
	a tu tío.	
Isabel.	Yo me encargo	
	de avisaros en viniendo.	1955

CAM. (*a* D. GAR). Éste es el balcón adonde
                    os espera tanta gloria.

Vase.

ESCENA XVI

DON GARCÍA *y* TRISTÁN, *en la calle;* JACINTA *y* LUCRECIA, *a la ventana.*

LUCRECIA.	Tú eres dueño de la historia;[51]	
	tú en mi nombre le responde.	
D. GARCÍA.	¿Es Lucrecia?	
JACINTA.	¿Es don García?	1960
D. GARCÍA.	Es quien oy la joya halló	
	más preciosa que labró	
	el Cielo en la Platería;	
	es quien, en llegando a vella,	
	tanto estimó su valor,	1965
	que dio, abrasado de amor,	
	la vida y alma por ella.	
	Soy, al fin, el que se precia	
	de ser vuestro, y soy quien oy	
	comienço a ser, porque soy	1970
	el esclavo de Lucrecia.	
JACINTA (*ap. a* LUCRECIA.)		
	Amiga, éste cavallero	
	para todas tiene amor.	
LUCRECIA.	El hombre es embarrador.	
JACINTA.	Él es un gran embustero.—	1975
D. GARCÍA.	Ya espero, señora mía,	
	lo que me queréys mandar.	
JACINTA.	Ya no puede aver lugar	
	lo que trataros quería...	
TRISTÁN (*al oído a* D. GARCÍA.)		
	¿Es ella?	
D. GARCÍA.	Sí.—	
JACINTA.	... Que trataros	1980
	un casamiento intenté	
	bien importante, y ya sé	
	que es impossible casaros.	
D. GARCÍA.	¿Por qué?	

---

[51] *dueño de la historia:* la interesada.

JACINTA.	Porque soys casado.
D. GARCÍA.	¿Que yo soy casado?
JACINTA.	Vos.

D. GARCÍA.   Soltero soy, vive Dios,
Quien lo ha dicho os ha engañado.

JACINTA (*ap. a* LUCRECIA.)
¿Viste mayor embustero?

LUCRECIA.   No sabe sino mentir.—

JACINTA.   ¿Tal me queréys persuadir?

D. GARCÍA.   Vive Dios, que soy soltero.

JACINTA.   ¡Y lo jura!

LUCRECIA.   Siempre ha sido
costumbre del mentiroso,
de su crédito dudoso,
jurar para ser creydo.—

D. GARCÍA.   Si era vuestra blanca mano
con la que el cielo quería
colmar la ventura mía,
no pierda el bien soberano,
pudiendo essa falsedad
provarse tan fácilmente.

JACINTA (*ap.*)   ¡Con qué confiança miente!
¿No parece que es verdad?—

D. GARCÍA.   La mano os daré, señora,
y con esso me creeréys.

JACINTA.   Vos soys tal, que la daréys
a trezientas en un hora.

D. GARCÍA.   Mal acreditado estoy
con vos.

JACINTA.   Es justo castigo;
porque mal puede conmigo
tener crédito quien hoy
dixo que era perulero
siendo en la Corte nacido;
y, siendo de ayer venido,
afirmó que ha un año entero
que está en la Corte; y aviendo
esta tarde confessado
que en Salamanca es casado,
se está agora desdiziendo;
y quien, passando en su cama
toda la noche, contó
que en el río la passó
haziendo fiesta a una dama.

TRISTÁN (*ap.*)   Todo se sabe.—

1985

1990

1995

2000

2005

2010

2015

2020

D. García.	Mi gloria,
	escuchadme, y os diré 2025
	verdad pura, que ya sé
	en qué se yerra la historia.
	Por las demás cosas passo,
	que son de poco momento,
	por tratar del casamiento, 2030
	que es lo importante del caso.
	Si vos huviérades sido
	causa de aver yo afirmado,
	Lucrecia, que soy casado,
	¿será culpa aver mentido? 2035
Jacinta.	¿Yo la causa?
D. García.	Sí, señora.
Jacinta.	¿Cómo?
D. García.	Dezíroslo quiero.
Jacinta (*ap. a* Lucrecia.)	
	Oye, que hará el embustero
	lindos enredos agora.—
D. García.	Mi padre llegó a tratarme 2040
	de darme otra muger oy;
	pero yo, que vuestro soy,
	quise con esso escusarme.
	Que, mientras hazer espero
	con vuestra mano mis bodas, 2045
	soy casado para todas,
	sólo para vos soltero.
	Y, como vuestro papel
	llegó esforçando mi intento,
	al tratarme el casamiento 2050
	puse impedimento en él.
	Este es el caso: mirad
	si esta mentira os admira,
	quando ha dicho esta mentira
	de mi afición la verdad. 2055
Lucrecia (*ap.*)	Mas ¿si lo fuesse?—
Jacinta (*ap.*)	¡Qué buena
	la traçó, y qué de repente!—
	Pues ¿cómo tan brevemente
	os puedo dar tanta pena?
	¡Casi aun no visto me avéys 2060
	y ya os mostráys tan perdido!
	¿Aún no me avéys conocido
	y por muger me queréys?
D. García.	Oy vi vuestra gran beldad

la vez primera, señora;   2065
que el amor me obliga agora
a deziros la verdad.

   Mas si la causa es divina,
milagro el efeto es,
que el dios niño,[52] no con pies,   2070
sino con alas camina.

   Dezir que avéys menester
tiempo vos para matar,
fuera, Lucrecia, negar
vuestro divino poder.   2075

   Dezís que sin conoceros
estoy perdido: ¡pluguiera
a Dios que no os conociera,
por hazer más en quereros!

   Bien os conozco: las partes   2080
sé bien que os dio la fortuna,
que sin eclypse soys luna,
que soys mudança sin martes,[53]

   que es difunta vuestra madre,
que soys sola en vuestra casa,   2085
que de mil doblones passa
la renta de vuestro padre.

   Ved si estoy mal informado.
¡Oxalá, mi bien, que assí
lo estuviérades de mí!   2090

LUCRE (*ap.*)   Casi me pone en cuydado.—

JACINTA.   Pues Jacinta ¿no es hermosa?
¿No es discreta, rica y tal
que puede el más principal
dessealla por esposa?   2095

D. GARCÍA.   Es discreta, rica y bella;
mas a mí no me conviene.

JACINTA.   Pues, dezid, ¿qué falta tiene?

D. GARCÍA.   La mayor, que es no querella.

JACINTA.   Pues yo con ella os quería   2100
casar, que essa sola fue
la intención con que os llamé.

D. GARCÍA.   Pues será vana porfía;
que por aver intentado
mi padre, don Beltrán, oy   2105

---

[52] *el dios niño:* Cupido, dios del amor.
[53] *martes:* doble juego de palabra a través de una doble alusión: al planeta Martes, tras haber mencionado la luna en el verso anterior, y a la idea supersticiosa de que el martes es día de mala suerte.

lo mismo, he dicho que estoy
en otra parte casado.

Y si vos, señora mía,
intentáys hablarme en ello,
perdonad, que por no hazello 2110
seré casado en Turquía.[54]

Esto es verdad, vive Dios,
porque mi amor es de modo
que aborrezco aquello todo,
mi Lucrecia, que no es vos. 2115

LUCRE (*ap.*) ¡Oxalá!—

JACINTA. ¡Que me tratéys
con falsedad tan notoria!
Dezid, ¿no tenéys memoria,
o vergüença no tenéys?

¿Cómo, si oy dixistes vos 2120
a Jacinta que la amáys,
agora me lo negáys?

D. GARCÍA. ¡Yo a Jacinta! Vive Dios,
que sola con vos he hablado
desde que entré en el lugar. 2125

JACINTA. Hasta aquí pudo llegar
el mentir desvergonçado.

Si en lo mismo que yo vi
os atrevéys a mentirme,
¿qué verdad podréys dezirme? 2130
Ydos con Dios, y de mí
podéys desde aquí pensar
—si otra vez os diere oydo—
que por divertirme ha sido:
como quien, para quitar 2135
el enfadoso fastidio
de los negocios pesados,
gasta los ratos sobrados
en las fábulas de Ovidio.[55]

Vase.

D. GARCÍA. Escuchad, Lucrecia hermosa. 2140

LUCRE (*ap.*) Confusa quedo.

Vase.

---

[54] *seré casado en Turquía:* casado muchas veces.

[55] *Ovidio:* escritor romano (43 a.C. a 17 d. C.) autor de la *Metamorfosis* y del *Arte de amar,* entre otras obras.

D. García.	¡Estoy loco!
	¿Verdades valen tan poco?
Tristán.	En la boca mentirosa.
D. García.	¡Que haya dado en no creer
	quanto digo!
Tristán.	¿Qué te admiras,

si en quatro o cinco mentiras
te ha acabado de coger?

   De aquí, si lo consideras,
conocerás claramente
que, quien en las burlas miente,
pierde el crédito en las veras.

214:

215(

ACTO TERCERO

Sala en casa de Don Juan de Luna.

ESCENA I

Sale CAMINO *con un papel; dalo a* LUCRECIA.

CAMINO.	Éste me dio para ti	
	Tristán, de quien don García	
	con justa causa confía,	
	lo mismo que tú de mí;	2155
	que, aunque su dicha es tan corta	
	que sirve, es muy bien nacido,	
	y de suerte ha encarecido	
	lo que tu respuesta importa,	
	que jura que don García	2160
	está loco.	
LUCRECIA.	¡Cosa estraña!	
	¿Es possible que me engaña	
	quien desta suerte porfía?	
	El más firme enamorado	
	se cansa si no es querido,	2165
	¿y éste puede ser fingido,	
	tan constante y desdeñado?	
CAMINO.	Yo, al menos, si en las señales	
	se conoce el coraçón,	
	ciertos juraré que son,	2170
	por las que he visto, sus males.	
	Que quien tu calle passea	
	tan constante noche y día,	
	quien tu espessa celosía	
	tan atento bruxulea;[56]	2175
	quien ve que de tu balcón,	
	quando él viene, te retiras,	
	y ni te ve ni le miras,	
	y está firme en tu afición;	
	quien llora, quien desespera,	2180

---

[56] *bruxulea:* espia, vigila.

	quien, porque contigo estoy,	
	me da dineros—que es oy	
	la señal más verdadera—,	
	yo me afirmo en que dezir	
	que miente es gran desatino.	2185

LUCRECIA.　Bien se echa de ver, Camino,
que no le has visto mentir.
　　¡Pluguiera a Dios fuera cierto
su amor! Que, a dezir verdad,
no tarde en mi voluntad　　　　　　　　　2190
hallaran sus ansias puerto.
　　Que sus encarecimientos,
aunque no los he creydo,
por lo menos han podido
despertar mis pensamientos.　　　　　　　2195
　　Que, dado que es necedad
dar crédito al mentiroso,
como el mentir no es forçoso
y puede dezir verdad,
　　oblígame la esperança　　　　　　　　2200
y el proprio amor a creer
que conmigo puede hazer
en sus costumbres mudança.
　　Y assí—por guardar mi honor,
si me engaña lisonjero,　　　　　　　　　2205
y, si es su amor verdadero,
porque es digno de mi amor—,
　　quiero andar tan advertida
a los bienes y a los daños,
que ni admita sus engaños　　　　　　　　2210
ni sus verdades despida.

CAMINO.　　De esse parecer estoy.

LUCRECIA.　Pues dirásle que, crüel,
rompí, sin vello, el papel;
que esta respuesta le doy.　　　　　　　　2215
　　Y luego, tú, de tu aljava,[57]
le di que no desespere,
y que, si verme quisiere,
vaya esta tarde a la otava
de la Madalena.[58]

CAMINO.　　　　　　　　Voy.　　　　　　　2220

---

[57] *de tu aljava:* expresión para significar "de tu parte". Aljava (hoy se escribe con b) es la caja donde se llevaban las flechas.

[58] *Madalena:* el convento de la Magdalena, situado en la calle del mismo nombre, el cual fue derruido el pasado siglo.

LUCRECIA.	Mi esperança fundo en ti.
CAMINO.	No se perderá por mí,
	pues ves que Camino soy.

Vanse.

Sala en casa de Don Beltrán.

ESCENA II

Salen DON BELTRÁN, DON GARCÍA *y* TRISTÁN. DON BELTRÁN *saca una carta abierta; dala a* DON GARCÍA.

D. BELTRÁN.	¿Avéys escrito, García?	
D. GARCÍA.	Esta noche escriviré.	2225
D. BELTRÁN.	Pues abierta os la daré;	
	por que, leyendo la mía,	
	conforme a mi parecer	
	a vuestro suegro escriváys;	
	que determino que vays	2230
	vos en persona a traer	
	vuestra esposa, que es razón;	
	porque pudiendo traella	
	vos mismo, embïar por ella	
	fuera poca estimación.	2235
D. GARCÍA.	Es verdad; mas sin efeto	
	será agora mi jornada.	
D. BELTRÁN.	¿Por qué?	
D. GARCÍA.	Porque está preñada;	
	y hasta que un dichoso nieto	
	te dé, no es bien arriesgar	2240
	su persona en el camino.	
D. BELTRÁN.	¡Jesús! Fuera desatino	
	estando assí caminar.	
	Mas dime: ¿cómo hasta aquí	
	no me lo has dicho, García?	2245
D. GARCÍA.	Porque yo no lo sabía;	
	y en la que ayer recebí	
	de doña Sancha, me dize	
	que es cierto el preñado ya.	
D. BELTRÁN.	Si un nieto varón me da	2250
	hará mi vejez felice.	
	Muestra: que añadir es bien	
	Tómale la carta que le avía dado.	
	quánto con esto me alegro.	

	Mas di, ¿quál es de tu suegro	
	el propio nombre?	
D. García.	¿De quién?	2255
D. Beltrán.	De tu suegro.	
D. García (*ap.*)	Aquí me pierdo.—	
	Don Diego.	
D. Beltrán.	O yo me he engañado,	

o otras veces le has nombrado
don Pedro.

D. García.   Tambien me acuerdo
de esso mismo; pero son   2260
suyos, señor, ambos nombres.

D. Beltrán.   ¿Diego y Pedro?

D. García.   No te asombres;
que, por una condición,
"don Diego" se ha de llamar
de su casa el sucessor.   2265
Llamávase mi señor
"don Pedro" antes de heredar;
y como se puso luego
"don Diego" porque heredó,
después acá se llamó   2270
ya "don Pedro", ya "don Diego".

D. Beltrán.   No es nueva essa condición
en muchas casas de España.
A escrivirle voy.

Vase.

ESCENA III

Don García, Tristán

TRISTÁN.   Estraña
fué esta vez tu confusión.   2275

D. García.   ¿Has entendido la historia?

TRISTÁN.   Y huvo bien en qué entender.
El que miente ha menester
gran ingenio y gran memoria.

D. García.   Perdido me vi.

TRISTÁN.   Y en esso   2280
pararás al fin, señor.

D. García.   Entre tanto, de mi amor,
veré el bueno o mal sucesso.
¿Qué hay de Lucrecia?

CRISTÁN.	Imagino,
	aunque de dura se precia,
	que has de vencer a Lucrecia
	sin la fuerça de Tarquino.
D. GARCÍA.	¿Recibió el villete?
CRISTÁN.	Sí;
	aunque a Camino mandó
	que diga que lo rompió,
	que él lo ha fiado de mí.

2285

2290

Y, pues lo admitió, no mal
se negocia tu deseo;
si aquel epigrama creo
que a Nebia escrivió Marcial:[59]

2295

"Escriví; no respondió
Nebia: luego dura está;
mas ella se ablandará,
pues lo que escriví leyó".

D. GARCÍA. Que dice verdad sospecho.

2300

CRISTÁN. Camino está de tu parte,
y promete revelarte
los secretos de su pecho;

y que ha de cumplillo espero
si andas tú cumplido en dar,
que para hazer confessar
no ay cordel[60] como el dinero.

2305

Y aun fuera bueno, señor,
que conquistaras tu ingrata
con dádivas, pues que mata
con flechas de oro el amor.

2310

D. GARCÍA. Nunca te he visto grossero,
sino aquí, en tus pareceres.
¿Es ésta de las mugeres
que se rinden por dinero?

2315

TRISTÁN. Virgilio[61] dize que Dido
fue del troyano abrasada,
de sus dones obligada
tanto como de Cupido.[62]

¡Y era reina! No te espantes
de mis pareceres rudos,
que escudos vencen escudos,
diamantes labran diamantes.

2320

---

[59] *Marcial* (40-104 d. de C.) poeta hispano-romano.

[60] *cordel:* tormento.

[61] *Virgilio* (70-19 a.C) autor de *La Eneida*, considerada la épica nacional de Roma y del pueblo latino. En ella, Dido, reina de Cartago, se enamora de Eneas.

[62] *Cupido:* vuelva a verse nota 52.

D. GARCÍA.	¿No viste que la ofendió
	mi oferta en la Platería? 2325
TRISTÁN.	Tu oferta la ofendería,
	señor, que tus joyas no.
	Por el uso te govierna;
	que a nadie en este lugar
	por desvergonçado en dar 2330
	le quebraron braço o pierna.
D. GARCÍA.	Dame tú que ella lo quiera,
	que darle un mundo imagino.
TRISTÁN.	Camino dará camino,
	que es el polo desta esfera. 2335
	Y por que sepas que está
	en buen estado tu amor,
	ella le mandó, señor,
	que te dixesse que oy va
	Lucrecia a la Madalena 2340
	a la fiesta de la otava,
	como que él te lo avisava.
D. GARCÍA.	¡Dulce alivio de mi pena!
	¿Con esse espacio me das
	nuevas que me buelven loco? 2345
TRISTÁN.	Dóytelas tan poco a poco
	por que dure el gusto más.

Vanse

Claustro del convento de la Magdalena con puerta a la iglesia.

ESCENA IV

Salen JACINTA *y* LUCRECIA *con mantos.*

JACINTA.	Qué, ¿prosigue don García?
LUCRECIA.	De modo que, con saber
	su engañoso proceder,
	como tan firme porfía, 2350
	casi me tiene dudosa.
JACINTA.	Quiçá no eres engañada,
	que la verdad no es vedada
	a la boca mentirosa.
	Quiçá es verdad que te quiere, 2355
	y más donde tu beldad
	assegura essa verdad
	en qualquiera que te viere.

LUCRECIA.	Siempre tú me favoreces;	2360
	mas yo lo creyera assí	
	a no averte visto a ti	
	que al mismo sol obscureces.	
JACINTA.	Bien sabes tú lo que vales,	
	y que en esta competencia	2365
	nunca ha salido sentencia	
	por tener votos yguales.	
	Y no es sola la hermosura	
	quien causa amoroso ardor,	
	que también tiene el amor	2370
	su pedaço de ventura.	
	Yo me holgaré que por ti,	
	amiga, me aya trocado,	
	y que tú ayas alcançado	
	lo que yo no merecí;	2375
	porque ni tú tienes culpa	
	ni él me tiene obligación.	
	Pero ve con prevención,	
	que no te queda disculpa	
	si te arrojas en amar	2380
	y al fin quedas engañada,	
	de quien estás ya avisada	
	que sólo sabe engañar.	
LUCRECIA.	Gracias, Jacinta, te doy;	
	mas tu sospecha corrige,	2385
	que estoy por creerle dixe,	
	no que por quererle estoy.	
JACINTA.	Obligaráte el creer	
	y querrás, siendo obligada,	
	y, assí, es corta la jornada	2390
	que ay de creer a querer.	
LUCRECIA.	Pues ¿qué dirás si supieres	
	que un papel he recebido?	
JACINTA.	Diré que ya le has creído,	
	y aun diré que ya le quieres.	2395
LUCRECIA.	Erraráste; y considera	
	que tal vez la voluntad	
	haze por curiosidad	
	lo que por amor no hiziera.	
	¿Tu no le hablaste gustosa	2400
	en la Platería?	
JACINTA.	Sí.	
LUCRECIA.	¿Y fuyste, en oyrle allí,	
	enamorada o curiosa?	

JACINTA.	Curiosa.	
LUCRECIA.	Pues yo con él	
	curiosa también he sido,	2405
	como tú en averle oído,	
	en recebir su papel.	
JACINTA.	Notorio verás tu error	
	si adviertes que es el oír	
	cortesía, y admitir	2410
	un papel claro favor.	
LUCRECIA.	Esso fuera a saber él	
	que su papel recebí;	
	mas él piensa que rompí,	
	sin leello, su papel.	2415
JACINTA.	Pues, con esso, es cierta cosa	
	que curiosidad ha sido.	
LUCRECIA.	En mi vida me ha valido	
	tanto gusto el ser curiosa.	
	Y por que su falsedad	2420
	conozcas, escucha y mira	
	si es mentira la mentira	
	que más parece verdad.	

Saca un papel y ábrele, y lee en secreto

ESCENA V

Salen CAMINO, GARCÍA *y* TRISTÁN *por otra parte.* DICHAS.

CAMINO.	¿Veys la que tiene en la mano	
	un papel?	
D. GARCÍA.	Sí.	
CAMINO.	Pues aquélla	2425
	es Lucrecia.	
D. GARCÍA (*ap.*)	¡Oh, causa bella	
	de dolor tan inhumano!	
	Ya me abraso de zeloso.—	
	¡Oh, Camino, quánto os devo!	
TRISTÁN (*a* CAMINO).		
	Mañana os vestís de nuevo.[63]	2430
CAMINO.	Por vos he de ser dichoso.—	

Vase.

---

[63] *Mañana os: ...:* por la propina que recibirá.

GARCÍA.	Llegarme, Tristán, pretendo
	adonde, sin que me vea,
	si possible fuere, lea
	el papel que está leyendo. 2435
RISTÁN.	No es difícil; que si vas
	a esta capilla arrimado,
	saliendo por aquel lado,
	de espaldas lo cogerás.

Vase.

GARCÍA.	Bien dizes. Ven por aquí.	2440

Vase.

ACINTA.	Lee baxo, que darás
	mal exemplo.
UCRECIA.	No me oirás.
	Toma y lee para ti.

Da el papel a JACINTA.

ACINTA.	Esse es mejor parecer.

ESCENA VI

alen TRISTÁN *y* GARCÍA *por otra puerta, cogen de espaldas a las damas.*

RISTÁN.	Bien el fin se consiguió.	2445
. GARCÍA.	Tú, si ves mejor que yo,	
	procura, Tristán, leer.	
ACINTA (*lee*).	"Ya que mal crédito cobras	
	de mis palabras sentidas,	
	dime si serán creídas,	2450
	pues nunca mienten las obras.	
	Que si consiste el creerme,	
	señora, en ser tu marido,	
	y ha de dar el ser creído	
	materia al favorecerme,	2455
	por éste, Lucrecia mía,	
	que de mi mano te doy	
	firmado, digo que soy	
	ya *tu esposo don García*".	
. GARCÍA (*ap. a* TRISTÁN.)		
	¡Vive Dios, que es mi papel!	2460

459

TRISTÁN.	Pues qué, ¿no lo vio en su casa?
D. GARCÍA.	Por ventura lo repassa,
	regalándose con él.
TRISTÁN.	Comoquiera te está bien.
D. GARCÍA.	Comoquiera soy dichoso.—
JACINTA.	Él es breve y compendioso;
	o bien siente o miente bien.

D. GARCÍA (*a* JACINTA.)

Bolved los ojos, señora,
cuyos rayos no resisto.

Tápanse LUCRECIA *y* JACINTA.

JACINTA (*a* LUCRECIA.)

Cúbrete, pues no te ha visto,
y desengáñate agora.

LUCRECIA (*ap. a* JACINTA.)

Dissimula y no me nombres.

D. GARCÍA.

Corred los delgados velos
a esse assombro de los cielos,
a esse cielo de los hombres.

Descúbrese ella.

¿Possible es que os llego a ver,
homicida de mi vida?
Mas, como soys mi homicida,
en la iglesia huvo de ser.
Si os obliga a retraer
mi muerte, no ayáis temor,
que de las leyes de amor
es tan grande el desconcierto,
que dexan preso al que es muerto
y libre al que es matador.
Ya espero que de mi pena
estáys, mi bien, condolida,
si el estar arrepentida
os traxo a la Madalena.
Ved cómo el amor ordena
recompensa al mal que siento,
pues si yo llevé el tormento
de vuestra crueldad, señora,
la gloria me llevo agora
de vuestro arrepentimiento.

246.

247(

247:

2480

2485

2490

2495

¿No me habláys, dueño querido?
¿No os obliga el mal que passo?
¿Arrepentíos acaso
de averos arrepentido?
Que advirtáys, señora, os pido,   2500
que otra vez me mataréys.
Si porque en la iglesia os veys,
prováys en mí los azeros,
mirad que no ha de valeros
si en ella el delito hazéys.   2505

JACINTA.   ¿Conocéysme?

D. GARCÍA.   ¡Y bien, por Dios!
Tanto, que desde aquel día
que os hablé en la Platería,
no me conozco por vos;
de suerte que, de los dos,   2510
vivo más en vos que en mí;
que tanto, desde que os vi,
en vos transformado estoy,
que ni conozco el que soy
ni me acuerdo del que fuy.   2515

JACINTA.   Bien se echa de ver que estáys
del que fuystes olvidado,
pues sin ver que soys casado,
nuevo amor solicitáys.

D. GARCÍA.   ¡Yo casado! ¿En esso days?   2520

JACINTA.   ¿Pues no?

D. GARCÍA.   ¡Qué vana porfía!
Fue, por Dios, invención mía,
por ser vuestro.

JACINTA.   O por no sello;
y si os buelven a hablar dello,
seréys casado en Turquía.[64]   2525

D. GARCÍA.   Y buelvo a jurar, por Dios,
que, en este amoroso estado,
para todas soy casado
y soltero para vos.

JACINTA. (a LUCRECIA.)
            ¿Ves tu desengaño?

LUCRECIA (ap.).   ¡A, Cielos!   2530
¿Apenas una centella
siento de amor, y ya della
nacen vulcanes de zelos?

---

[64] *seréys casado: ...:* véase nota 54.

D. García.	Aquella noche, señora,
	que en el balcón os hablé, 2535
	¿todo el caso no os conté?
Jacinta.	¡A mí en balcón!
Lucrecia (*ap.*)	¡A, traydora!
Jacinta.	Advertid que os engañáys.
	¿Vos me hablastes?
D. García.	¡Bien, por Dios!
Luc (*ap.*)	¿Habláysle de noche vos, 2540
	y a mí consejos me days?
D. García.	Y el papel que recibistes,
	¿negaréyslo?
Jacinta.	¿Yo papel?
Luc (*ap.*)	¡Ved qué amiga tan fiel!
D. García.	Y sé yo que lo leystes. 2545
Jacinta.	Passar por donaire puede,
	quando no daña, el mentir;
	mas no se puede sufrir
	quando esse límite excede.
D. García.	¿No os hablé en vuestro balcón, 2550
	Lucrecia, tres noches ha?
Jac (*ap.*)	¿Yo Lucrecia? Bueno va:
	toro nuevo, otra invención.
	A Lucrecia ha conocido,
	y es muy cierto el adoralla, 2555
	pues finge, por no enojalla,
	que por ella me ha tenido.—
Luc (*ap.*)	Todo lo entiendo. ¡Ha, traydora!
	Sin duda que le avisó
	que la tapada fui yo, 2560
	y quiere enmendallo agora
	con fingir que fue el tenella
	por mí, la causa de hablalla.
Tristán (*a* Don García.)	
	Negar deve de importalla,
	por la que está junto della, 2565
	ser Lucrecia.
D. García.	Assí lo entiendo,
	que si por mí lo negara,
	encubriera ya la cara.
	Pero, no se conociendo,
	¿se hablaran las dos?
Tristán.	Por puntos[65] 2570
	suele en las iglesias verse

---

[65] *Por puntos:* por regla general.

	que parlan, sin conocerse, los que aciertan a estar juntos.	
D. García.	Dizes bien.	
Tristán.	Fingiendo agora que se engañaron tus ojos, lo enmendarás.	2575
D. García.	Los antojos de un ardiente amor, señora, me tienen tan deslumbrado, que por otra os he tenido. Perdonad, que yerro ha sido de essa cortina causado.	2580
	Que, como a la fantasía fácil engaña el desseo, qualquiera dama que veo se me figura la mía.	2585
Jacinta (*ap.*)	Entendíle la intención.	
Lucrecia (*ap.*)	Avisóle la taymada.	
Jacinta.	Según esso, la adorada es Lucrecia.	
D. García.	El coraçón, desde el punto que la vi, la hizo dueño de mi fe.	2590
Jacinta (*a* Lucrecia *ap.*)		
	¡Bueno es esto!	
Lucrecia (*ap.*)	¡Que ésta esté haziendo burla de mi!	
	No me doy por entendida, por no hazer aquí un excesso.—	2595
Jacinta.	Pues yo pienso que, a estar de esso cierta, os fuera agradecida Lucrecia.	
D. García.	¿Tratáys con ella?	
Jacinta.	Trato, y es amiga mía; tanto, que me atrevería a afirmar que en mí y en ella vive sólo un coraçón.	2600
D. García (*ap.*)	¡Si eres tú, bien claro está! ¡Qué bien a entender me da su recato y su intención!—	2605
	Pues ya que mi dicha ordena tan buena ocasión, señora, pues soys ángel, sed agora mensagera de mi pena. Mi firmeza le dezid,	2610

	y perdonadme si os doy	
	este oficio.	
TRISTÁN (*ap.*)	Oficio es oy	
	de las moças en Madrid.	
D. GARCÍA.	Persuadilda que a tan grande	
	amor ingrata no sea.	2615
JACINTA.	Hazelde vos que lo crea,	
	que yo la haré que se ablande.	
D. GARCÍA.	¿Por qué no creerá que muero,	
	pues he visto su beldad?	
JACINTA.	Porque si os digo verdad,	2620
	no os tiene por verdadero.	
D. GARCÍA.	¡Ésta es verdad, vive Dios!	
JACINTA.	Hazelde vos que lo crea.	
	¿Qué importa que verdad sea,	
	si el que la dize soys vos?	2625
	Que la boca mentirosa	
	incurre en tan torpe mengua,	
	que, solamente en su lengua,	
	es *la verdad sospechosa*.	
D. GARCÍA.	Señora...	
JACINTA.	Basta: mirad	2630
	que days nota.	
D. GARCÍA.	Yo obedezco.	
JACINTA (*a* LUCRECIA.)		
	¿Vas contenta?	

Vase.

LUCRECIA.	Yo agradezco,
	Jacinta, tu voluntad.

Vase.

ESCENA VII

DON GARCÍA, TRISTÁN.

D. GARCÍA.	¿No ha estado aguda Lucrecia?	
	¡Con qué astucia dio a entender	2635
	que le importaba no ser	
	Lucrecia!	
TRISTÁN.	A fe que no es necia.	
D. GARCÍA.	Sin duda que no quería	

	que la conociese aquella	
	que estava hablando con ella.	2640
TRISTÁN.	Claro está que no podía	
	obligalla otra ocasión	
	a negar cosa tan clara,	
	porque a ti no te negara	
	que te habló por su balcón,	2645
	pues ella mismo tocó	
	los puntos de que tratastes	
	quando por él os hablastes.	
D. GARCÍA.	En esso bien me mostró	
	que de mí no se encubría.	2650
TRISTÁN.	Y por esso dixo aquello:	
	"Y si os buelven a hablar dello,	
	seréys casado en Turquía".	
	Y esta conjetura abona	
	más claramente, el negar	2655
	que era Lucrecia y tratar	
	luego en tercera persona	
	de sus proprios pensamientos,	
	diziéndote que sabía	
	que Lucrecia pagaría	2660
	tus amorosos intentos,	
	con que tú hiziesses, señor,	
	que los llegasse a creer.	
D. GARCÍA.	¡Ay, Tristán! ¿Qué puedo hazer	
	para acreditar mi amor?	2665
TRISTÁN.	¿Tú quieres casarte?	
D. GARCÍA.	Sí.	
TRISTÁN.	Pues pídela.	
D. GARCÍA.	¿Y si resiste?	
TRISTÁN.	Parece que no le oyste	
	lo que dixo agora aquí:	
	"Hazelde vos que lo crea,	2670
	que yo la haré que se ablande".	
	¿Qué indicio quieres más grande	
	de que ser tuya dessea?	
	Quien tus papeles recibe,	
	quien te habla en sus ventanas,	2675
	muestras ha dado bien llanas	
	de la afición con que vive.	
	El pensar que eres casado	
	la refrena solamente,	
	y queda esse inconveniente	2680
	con casarte remediado;	

       pues es el mismo casarte,
siendo tan gran cavallero,
información de soltero.
    Y, quando quiera obligarte   2685
   a que des información,
por el temor con que va
de tus engaños, no está
Salamanca en el Japón.

D. García.   Sí está para quien dessea,   2690
que son ya siglos en mí
los instantes.

Tristán.   Pues aquí,
¿no avrá quien testigo sea?

D. García.   Puede ser.

Tristán.   Es fácil cosa.

D. García.   Al punto los buscaré.   2695

Tristán.   Uno, yo te lo daré.

D. García.   ¿Y quién es?

Tristán.   Don Juan de Sosa.

D. García.   ¿Quién? ¿D. Juan de Sosa?

Tristán.   Sí.

D. García.   Bien lo sabe.

Tristán.   Desde el día
que te habló en la Platería   2700
no le he visto, ni él a ti.
    Y, aunque siempre he desseado
saber qué pesar te dio
el papel que te escrivió,
nunca te lo he preguntado,   2705
   viendo que entonces, severo
negaste y descolorido;
mas agora, que he venido
tan a propósito, quiero
   pensar que puedo, señor,   2710
pues secretario me has hecho
del archivo de tu pecho,
y se passó aquel furor.

D. García.   Yo te lo quiero contar,
que, pues sé por experiencia   2715
tu secreto y tu prudencia,
bien te lo puedo fiar.
    A las siete de la tarde
me escrivió que me aguardava
en San Blas don Juan de Sosa   2720
para un caso de importancia.

Callé, por ser desafío,
que quiere, el que no lo calla,
que le estorven o le ayuden,
covardes acciones ambas.   2725
Llegué al aplazado sitio,
donde don Juan me aguardava
con su espada y con sus zelos,
que son armas de ventaja.   2730
Su sentimiento propuso,
satisfize a su demanda,
y, por quedar bien, al fin,
desnudamos las espadas.
Elegí mi medio al punto,[66]   2735
y, haziéndole una ganancia
por los grados del perfil,
le di una fuerte estocada.
Sagrado fue de su vida
un *Agnus Dei* que llevava,   2740
que, topando en él la punta,
hizo dos partes mi espada.
Él saco pies[67] del gran golpe;
pero, con ardiente rabia,
vino, tirando una punta;   2745
mas yo, por la parte flaca,
cogí su espada, formando
un atajo.[68] Él presto saca
(como la respiración
tan corta línea le tapa,   2750
por faltarle los dos tercios
a mi poco fiel espada)
la suya, corriendo filos,
y, como cerca me halla
(porque yo busqué el estrecho   2755
por la falta de mis armas),
a la cabeça, furioso,
me tiró una cuchillada.
Recibíla en el principio
de su formación, y baxa,   2760
matándole el movimiento
sobre la suya mi espada.

---

[66] *mi medio al punto:* colocarse en posición ventajosa.

[67] *sacó pies:* retirarse, pero sin dar la espalda, con dignidad, pues.

[68] *atajo:* otro término de esgrima que significa obstaculizar un golpe con la espada, hierro a hierro.

¡Aquí fue Troya![69] Saqué
un revés con tal pujança,
que la falta de mi azero
hizo allí muy poca falta;   2765
que, abriéndole en la cabeça
un palmo de cuchillada,
vino sin sentido al suelo,
y aun sospecho que sin alma.
Dexéle assí y con secreto   2770
me vine. Esto es lo que passa,
y de no verle estos días,
Tristán, es ésta la causa.

TRISTÁN. ¡Qué sucesso tan estraño!
    ¿Y si murió?

D. GARCÍA.   Cosa es clara,   2775
    porque hasta los mismos sesos
    esparzió por la campaña.

TRISTÁN. ¡Pobre don Juan...! Mas ¿no es éste
    que viene aquí?

ESCENA VIII

Salen DON JUAN *y* DON BELTRÁN *por otra parte.* DICHOS.

D. GARCÍA.   ¡Cosa estraña!

TRISTÁN. ¿También a mí me la pegas?   2780
    ¿Al secretario del alma?

(Ap.) ¡Por Dios, que se lo creí,
    con conocelle las mañas!
    Mas ¿a quién no engañarán
    mentiras tan bien trobadas?   2785

D. GARCÍA. Sin duda que le han curado
    por ensalmo.

TRISTÁN.   Cuchillada
    que rompió los mismos sesos,
    ¿en tan breve tiempo sana?

D. GARCÍA. ¿Es mucho? Ensalmo sé yo   2790
    con que un hombre, en Salamanca,
    a quien' cortaron a cercen
    un braço con media espalda,
    bolviéndosela a pegar,
    en menos de una semana   2795

---

[69] *¡Aquí fue Troya!:* refrán para aludir a una derrota, recordando la conquista de Troya por los griegos mediante el truco del caballo de madera.

	quedó tan sano y tan bueno	
	como primero.	
TRISTÁN.	¡Ya escampa!	
D. GARCÍA.	Esto no me lo contaron;	
	yo lo vi mismo.	
TRISTÁN.	Esso basta.	
D. GARCÍA.	De la verdad, por la vida,	2800
	no quitaré una palabra.	
TRISTÁN (ap.)	¡Que ninguno se conozca!—	
	Señor, mis servicios paga	
	con enseñarme esse salmo.	
D. GARCÍA.	Está en dicciones hebraycas,	2805
	y, si no sabes la lengua,	
	no has de saber pronunciarlas.	
TRISTÁN.	Y tú, ¿sábesla?	
D. GARCÍA.	¡Qué bueno!	
	Mejor que la castellana:	
	hablo diez lenguas.	
TRISTÁN (ap.)	Y todas	2810
	para mentir no te bastan.	
	"Cuerpo de verdades lleno"	
	con razón el tuyo llaman,	
	pues ninguna sale dél	
	ni ay mentira que no salga.	2815

D. BELTRÁN (a DON JUAN.)

	¿Qué dezís?	
D. JUAN.	Esto es verdad:	
	ni cavallero ni dama	
	tiene, si mal no me acuerdo,	
	de essos nombres Salamanca.	
D. BELT. (ap.)	Sin duda que fue invención	2820
	de García, cosa es clara.	
	Disimular me conviene.—	
	Gozéis por edades largas,	
	con una rica encomienda,	
	de la cruz de Calatrava.	2825
D. JUAN.	Creed que siempre he de ser	
	más vuestro quanto más valga.	
	Y perdonadme, que aora,	
	por andar dando las gracias	
	a essos señores, no os voy	2830
	sirviendo hasta vuestra casa.	

Vase.

Don Beltrán, Don García, Tristán.

D. Belt. (*ap.*)   ¡Válgame Dios! ¿Es possible
que a mí no me perdonaran
las costumbres deste moço?
¿Que aun a mí en mis propias canas,   2835
me mintiesse, al mismo tiempo
que riñéndoselo estava?
¿Y que le creyesse yo,
en cosa tan de importancia,
tan presto, aviendo yo oído   2840
de sus engaños la fama?
Mas ¿quién creyera que a mí
me mintiera, quando estava
reprehendiéndole esso mismo?
Y ¿qué juez se recelara   2845
que el mismo ladrón le robe,
de cuyo castigo trata?

Tristán (*a* García).
¿Determínaste a llegar?

D. García.   Sí, Tristán.

Tristán.   Pues Dios te valga.

D. García.   Padre...

D. Beltrán.   ¡No me llames padre,   2850
vil! Enemigo me llama,
que no tiene sangre mía
quien no me parece en nada.
Quítate de ante mis ojos,
que, por Dios, si no mirara...   2855

Tristán (*a* Don García.)
El mar está por el cielo:[70]
mejor ocasión aguarda.

D. Beltrán.   ¡Cielos! ¿Qué castigo es éste?
¿Es possible que a quien ama
la verdad como yo, un hijo   2860
de condición tan contraria
la diéssedes? ¿Es possible
que quien tanto su honor guarda
como yo, engendrasse un hijo
de inclinaciones tan baxas,   2865
y a Gabriel, que honor y vida
dava a mi sangre y mis canas,

---

[70] *El mar:...* todo está al revés.

llevássedes tan en flor?
Cosas son que, a no mirarlas
como christiano...

D. GARCÍA (*ap.*)   ¿Qué es esto?   2870

TRISTÁN (*ap. a su amo.*)

     ¡Quítate de aquí! ¿Qué aguardas?

D. BELTRÁN.   Déxanos solos, Tristán.
Pero buelve, no te vayas;
por ventura, la vergüenza
de que sepas tú su infamia   2875
podrá en él lo que no pudo
el respeto de mis canas.
Y, quando ni esta vergüença
le obligue a enmendar sus faltas,
servirále, por lo menos,   2880
de castigo el publicallas.—
Di, liviano, ¿qué fin llevas?
Loco, di, ¿qué gusto sacas
de mentir tan sin recato?
Y, quando con todos vayas   2885
tras tu inclinación, ¿conmigo
siquiera no te enfrenaras?
¿Con qué intento el matrimonio
fingiste de Salamanca,
para quitarles también   2890
el crédito a mis palabras?
¿Con qué cara hablaré yo
a los que dixe que estavas
con doña Sancha de Herrera
desposado? ¿Con qué cara,   2895
quando, sabiendo que fue
fingida esta doña Sancha,
por cómplices del embuste,
infamen mis nobles canas?
¿Qué medio tomaré yo   2900
que saque bien esta mancha,
pues, a mejor negociar,
si de mí quiero quitarla,
he de ponerla en mi hijo,
y, diziendo que la causa   2905
fuyste tú, he de ser yo mismo
pregonero de tu infamia?
Si algún cuydado amoroso
te obligó a que me engañaras,
¿qué enemigo te oprimía?   2910

¿qué puñal te amenaçava,
sino un padre, padre al fin?
Que este nombre solo basta
para saber de qué modo
le enternecieran tus ansias.   2915
¡Un viejo que fue mancebo,
y sabe bien la pujança
con que en pechos juveniles
prenden amorosas llamas!

D. GARCÍA.   Pues si lo sabes, y entonces   2920
para escusarme bastara,
para que mi error perdones
agora, padre, me valga.
Parecerme que sería
respetar poco tus canas   2925
no obedecerte, pudiendo,
me obligó a que te engañara.
Error fue, no fue delito;
no fue culpa, fue ignorancia;
la causa, amor; tú, mi padre: 2930
¡pues tú dizes que esto basta!
Y ya que el daño supiste,
escucha la hermosa causa,
porque el mismo dañador
el daño te satisfaga.   2935
Doña Lucrecia, la hija
de don Juan de Luna, es alma
desta vida, es principal
y heredera de su casa;
y, para hazerme dichoso   2940
con su hermosa mano, falta
sólo que tú lo consientas
y declares que la fama
de ser yo casado tuvo
esse principio, y es falsa.   2945

D. BELTRÁN.   No, no ¡Jesús! ¡Calla! ¿En otra
avías de meterme? Basta.
Ya, si dizes que ésta es luz,
he de pensar que me engañas.

D. GARCÍA.   No, señor; lo que a las obras   2950
se remite, es verdad clara,
y Tristán, de quien te fías,
es testigo de mis ansias.—
Dilo, Tristán.—

TRISTÁN.   Sí, señor:

472

	lo que dize es lo que passa.	2955
D. BELTRÁN.	¿No te corres desto? Di:	
	¿no te avergüença que ayas	
	menester que tu crïado	
	acredite lo que hablas?	
	Aora bien: yo quiero hablar	2960
	a don Juan, y el Cielo haga	
	que te dé a Lucrecia, que eres	
	tal, que es ella la engañada.	
	Mas primero he de informarme	
	en esto de Salamanca,	2965
	que ya temo que, en dezirme	
	que me engañaste, me engañas.	
	Que, aunque la verdad sabía	
	antes que a hablarte llegara,	
	la has hecho ya sospechosa	2970
	tú, con sólo confessarla.	

Vase.

D. GARCÍA.	¡Bien se ha hecho!	
TRISTÁN.	¡Y cómo bien!	
	Que yo pensé que oy provavas	
	en ti aquel psalmo hebreo	
	que braços cortados sana.	2975

Vanse.

Sala con vistas a un jardín, en casa de Don Juan de Luna.

ESCENA X

Salen DON JUAN, *viejo, y* DON SANCHO.

DON JUAN.	Parece que la noche ha refrescado.	
DON SANCHO.	Señor don Juan de Luna, para el río,	
	éste es fresco, en mi edad, demasiado.	
DON JUAN.	Mejor será que en esse jardín mío	
	se nos ponga la mesa, y que gozemos	2980
	la cena con sazón, templado el frío.	
DON SANCHO.	Discreto parecer. Noche tendremos	
	que dar a Mançanares más templada,	
	que ofenden la salud estos estremos.	
D. JUAN (*adentro.*)		
	Gozad de vuestra hermosa combidada	2985
	por esta noche en el jardín, Lucrecia.	

DON SANCHO	Veáysla, quiera Dios, bien empleada
	que es un ángel.
DON JUAN.	Demás de que no es necia,
	y ser, cual veys, don Sancho, tan hermosa,
	menos que la virtud la vida precia. 2990

ESCENA XI

Sale un CRIADO. DICHOS.

CRIADO (*a* DON SANCHO.)

      Preguntando por vos, don Juan de Sosa
a la puerta llegó y pide licencia.

DON SANCHO.   ¿A tal hora?

D. JUAN.   Será ocasión forçosa.

DON SANCHO.   Entre el señor don Juan.

Vase el CRIADO.

ESCENA XII

Sale DON JUAN, *galán con un papel.* DON JUAN DE LUNA, DON SANCHO

D. JUAN *galán* (*a* DON SANCHO.)   A essa presencia,
     sin el papel que veys, nunca llegara; 2995
     mas, ya con él, faltava la paciencia,
       que no quiso el amor que dilatara
     la nueva un punto, si alcanzar la gloria
     consiste en esso, de mi prenda cara.
       Ya el ábito salió: si en la memoria 3000
     la palabra tenéys que me avéys dado,
     colmaréys, con cumplirla, mi vitoria.

DON SANCHO   Mi fe, señor don Juan, avéys premiado
     con no aver esta nueva tan dichosa
     por un momento sólo dilatado. 3005
       A darle voy a mi Jacinta hermosa,
     y perdonad que, por estar desnuda,
     no la mando salir.

Vase.

D. JUAN, *viejo.*

                 Por cierta cosa
tuve siempre el vencer, que el Cielo ayuda

la verdad más oculta, y premïada[71]   3010
dilación pudo aver, pero no duda.

ESCENA XIII

Salen DON GARCÍA, DON BELTRÁN *y* TRISTÁN *por otra parte.*
DON JUAN DE LUNA, DON JUAN DE SOSA.

D. BELTRÁN.	Ésta no es ocasión acomodada
	de hablarle, que ay visita, y una cosa
	tan grave a solas ha de ser tratada.
D. GARCÍA.	Antes nos servirá don Juan de Sosa 3015
	en lo de Salamanca por testigo.
D. BELTRÁN.	¡Que lo ayáis menester! ¡Qué infame cosa!
	En tanto que a don Juan de Luna digo
	nuestra intención, podréys entretenello.
D. JUAN, *viej.*	¡Amigo don Beltrán!
D. BELTRÁN.	¡Don Juan amigo! 3020
D. JUAN, *viej.*	¿A tales horas tal excesso?
D. BELTRÁN.	En ello
	conoceréys que estoy enamorado.
D. JUAN, *viej.*	Dichosa la que pudo merecello.
D. BELTRÁN.	Perdón me avéys de dar; que aver hallado
	la puerta abierta, y la amistad que os tengo, 3025
	para entrar sin licencia me la han dado.
D. JUAN, *viej.*	Cumplimientos dexad, quando prevengo
	el pecho a la ocasión desta venida.
D. BELTRÁN.	Quiero deziros, pues, a lo que vengo.
D. GARCÍA (*a* DON JUAN DE SOSA.)	
	Pudo, señor don Juan, ser oprimida 3030
	de algún pecho de envidia emponçoñado
	verdad tan clara, pero no vencida.
	Podéys, por Dios, creer que me ha alegrado
	vuestra vitoria.
D. JUAN, *galán.*	De quien soys lo creo.
D. GARCÍA.	Del ábito gozéys encomendado, 3035
	como vos merecéys y yo desseo.
D. JUAN, *viej.*	Es en esso Lucrecia tan dichosa,
	que pienso que es soñado el bien que veo.
	Con perdón del señor don Juan de Sosa,
	oyd una palabra, don García. 3040
	Que a Lucrecia queréys por vuestra esposa
	me ha dicho don Beltrán.

---

[71] *premiada:* hoy diríamos apremiada.

D. García.	El alma mía,
	mi dicha, honor y vida está en su mano.
D. Juan, *viej.*	Yo, desde aquí, por ella os doy la mía;
	(*Danse las manos.*)
	que como yo sé en esso lo que gano, 3045
	lo sabe ella también, según la he oydo
	hablar de vos.
D. García.	Por bien tan soberano,
	los pies, señor don Juan de Luna, os pido.

ESCENA XIV

Salen Don Sancho, Jacinta *y* Lucrecia.—Dichos.

Lucrecia.	Al fin, tras tantos contrastes,
	tu dulce esperança logras. 3050
Jacinta.	Con que tú logres la tuya
	seré del todo dichosa.
D. Juan, *viej.*	Ella sale con Jacinta
	agena de tanta gloria,
	más de calor descompuesta 3055
	que adereçada de boda.
	Dexad que albricias le pida
	de una nueva tan dichosa.
D. Beltrán (*ap. a* Don García.)	
	Acá está don Sancho. ¡Mira
	en qué vengo a verme agora! 3060
D. García.	Yerros causados de amor,
	quien es cuerdo los perdona.—
Lucrecia (*a* Don Juan, *viejo.*)	
	¿No es casado en Salamanca?
D. Juan. *viej.*	Fue invención suya engañosa,
	procurando que su padre 3065
	no le casasse con otra.
Lucrecia.	Siendo assí, mi voluntad
	es la tuya, y soy dichosa.—
D. Sancho.	Llegad, ilustres mancebos,
	a vuestras alegres novias, 3070
	que dichosas se confiessan
	y os aguardan amorosas.
D. García.	Agora de mis verdades
	darán provança las obras.

Vanse Don García *y* Don Juan *a* Jacinta.

D. Juan, *gal.*	¿Adónde vays, don García? 3075
	Veys allí a Lucrecia hermosa.

D. García.	¿Cómo Lucrecia?
D. Beltrán.	¿Qué es esto?

D. García (*a* Jacinta.)

Vos sois mi dueño, señora.

D. Beltrán.	¿Otra tenemos?
D. García.	Si el nombre

erré, no erré la persona.   3080
Vos soys a quien yo he pedido,
y vos la que el alma adora.

Lucrecia.   Y este papel engañoso
                          (*Saca un papel.*)
que es de vuestra mano propria,
¿lo que dezís no desdize?   3085

D. Beltrán.   ¡Que en tal afrenta me pongas!

D. Juan, *gal.* Dadme, Jacinta, la mano,
y daréys fin a estas cosas.

D. Sancho.   Dale la mano a don Juan.

Jacinta (*a* Don Juan, *galán.*)

Vuestra soy.

D. García.   Perdí mi gloria.   3090

D. Beltrán.   ¡Vive Dios, si no recibes
a Lucrecia por esposa,
que te he de quitar la vida!

D. Juan, *viej.* La mano os he dado agora
por Lucrecia, y me la distes;   3095
si vuestra inconstancia loca
os ha mudado tan presto,
yo lavaré mi deshonra
con sangre de vuestras venas.

Tristán.   Tú tienes la culpa toda;   3100
que si al principio dixeras
la verdad, ésta es la hora
que de Jacinta gozavas.
Ya no ay remedio, perdona,
y da la mano a Lucrecia,   3105
que también es buena moça.

D. García.   La mano doy, pues es fuerça.

Tristán.   Y aquí verás quán dañosa
es la mentira; y verá
el Senado[72] que, en la boca   3110
del que mentir acostumbra,
es *La verdad sospechosa.*

FIN

---

[72] *Senado:* público, en calidad de juezes.

PEDRO CALDERÓN DE LA BARCA (1600 - 1681)

VIDA

Nace en Madrid, quedando huérfano de madre a los diez años, y de padre a los quince. La figura de éste —muy autoritaria— queda reflejada en ciertos personajes dominantes que representan al padre, y a la autoridad en general, de acuerdo a ciertos críticos. Escribano de Hacienda, el padre volvió a casarse, siendo tirantes las relaciones entre la madrastra y los tres hijos. A la muerte del padre, los hermanos pleitearon en contra de la madrastra, y, al ganar el pleito, pasaron a la custodia de un tío materno.

Tras estudiar en el Colegio Imperial de los jesuítas, pasa Calderón a estudiar derecho canónico en la Universidad de Salamanca. Su mocedad fue algo revoltosa, excomulgado en cierta ocasión por no pagar alquiler que debía a un convento, y cayendo asimismo en la cárcel de la universidad. Más grave fue su defensa del hermano menor, quien se vio enredado en un caso de honor con un tal Pedro de Villegas, hijo de un actor que hirió a dicho hermano. Al perseguir al ofensor dentro de un convento de Trinitarias (donde, por cierto, se hallaba la hija de Lope de Vega) junto con otras personas, se verá involucrado ahora Calderón en un homicidio (sin ser él el culpable), asunto resuelto mediante una indemnización por parte de los hermanos a la familia del difunto. Comienza a estrenar comedias en los corrales a principio de los veinte, aunque sus obras maestras aparecerán a partir de 1629 con *El príncipe Constante,* drama que claramente preludia la maestría de lo que será sin duda alguna su logro más rotundo, y una de las mejores muestras de todo el teatro europeo, *La vida es sueño,* escrita en 1635 y publicada un año después. De la década de los treinta, durante la cual se convierte en dramaturgo palaciego, escribiendo obras destinadas al escenario del palacio del Buen Retiro, y recibiendo la Orden de Santiago de manos del rey Felipe IV en 1637, data una serie de comedias y autos sacramentales que elevan a Calderón, ya muerto Lope en 1635, al rango de primer dramaturgo nacional. En 1640 participa en la campaña militar contra la sublevación de Cataluña, habiéndose publicado ya dos tomos de sus obras, con un total de veinticuatro piezas dramáticas. No eran momentos propicios para el teatro español, llegándose a cerrar los teatros varias veces durante esa década de los cuarenta, clima y campaña antiteatral que, como hemos visto, afectó también a Tirso. Quizá este cierre de los teatros indujera a Calderón a proseguir las viejas intenciones de su padre, y elegir una carrera eclesiástica, y en 1651 se ordena sacerdote, si bien ya para ese entonces era padre de un hijo natural nacido en 1647. No obstante, compondrá, a partir de aproximadamente 1650, autos sacramentales para la fiesta del Corpus, y asimismo comedias para el palacio, apartándose así de los corrales, contra los cuales, al parecer, iban destinadas principalmente las diatribas antiteatrales de la época. Es Calderón a la sazón capellán de honor del monarca. Con él muere el último gran dramaturgo del Siglo de Oro, dejando atrás más de ciento veinte comedias, unos ochenta autos sacramentales, además de unas veinte piezas menores entre loas, entremeses y jácaras.

OBRA

Ese mismo número más reducido de obras en comparación con las de Lope nos da ya un indicio de la distancia entre ambos dramaturgos aunque hay que repetir que, pese a toda diferencia, se trata más bien de un acoplamiento al temperamento de Calderón de las bases promulgadas y practicadas por Lope. Calderón profundiza en ellas, sintetiza, perfecciona, y si hay alguna fórmula para describir en dos palabras la diferencia fundamental con el Fénix, sería afirmando que donde éste se caracteriza por la *espontaneidad*, Calderón busca y logra la *reflexión*. En términos artísticos, ese proceso reflexivo se resume en un refinamiento de ideas que va acompañado y complementado por el correspondiente refinamiento estilístico-poético.

Al fluir lírico y libre de Lope, sucede ahora el más cerebral, elaborado e intenso de Calderón para expresar unas ideas igualmente complejas. De hecho, puede decirse que el teatro calderoniano arranca de la idea, y la acción está más o menos sometida a ilustrar uno o varios principios en términos racionales. Teatro así más intelectual, lo es también más lento a ratos, ya que lo que gana en profundidad, pierde en agilidad. Para expresar verbalmente esa mayor hondura de pensamiento, Calderón extrema el estilo barroco, retorciendo versos cargados de intricadas metáforas, imágenes, símiles, cultismos y conceptismos que dificultan aún más la comprensión al responder plenamente su forma a su fondo tan complicado.

Por otro lado, ese alarde estilístico en manos de un maestro consumado, embellece grandemente el aspecto poético del drama, a la vez que aumenta el reto tanto intelectual como estético del espectador, y la subsiguiente satisfacción que sentirá al haber asimilado esa doble complejidad.

Este carácter más intelectual del drama calderoniano exige sin duda alguna un público más culto, aunque debe tenerse en cuenta que Calderón no fue ajeno al éxito de los corrales, aun en su madurez creadora. El hecho de que ya Lope y sus discípulos habían preparado el terreno para Calderón y los suyos, podría empezar a explicar el que el público de la época —incluso el popular— llegara a aficionarse por un teatro tan difícil. Una vez más hay que insistir en que los supuestos ciclos de Lope y de Calderón son realmente uno mismo que se va complicando, hasta alcanzar la cima barroca de la estilización y complejidad con Calderón. Y si el maestro de la última etapa del teatro del Siglo de Oro logra esquivar por lo general el exceso de artificialidad en que llegó a caer el barroco tardío, lo mismo no se puede decir siempre de algunos de sus seguidores que estilizan y alambican hasta caer en un verso retórico, vacío y superficial muchas veces, vacío poético que no hace otra cosa que reflejar el vacío dramático, pues ese empeño en el virtuosismo del verso llegará a usurpar trama y posibilidades escénicas muchas veces.

LA VIDA ES SUEÑO (1636)

La vida es sueño supone el feliz resultado de un teatro cerebral y a la vez plenamente poético y dramático. Drama totalizante, proyecta además un espíritu novelesco, por cuanto abarca la experiencia humana desde tantos puntos de vista, hasta semejarse en muchos sentidos a una novela, con su mayor flexibilidad y capacidad para abrazar la vida humana en sus múltiples dimensiones. Y, sin embargo, sus 3315 versos, si bien un número mayor que el de los otros dramas aquí recogidos, tampoco suponen una gran diferencia con el resto (*La verdad sospechosa*, por ejemplo, consta de 3112 versos, mientras que *Las mocedades del Cid* tiene 3004). El libre albedrío humano, el racionalismo, el empirismo, el amor, el honor, la lucha generacional, la política, la confusión metafísica, la justicia, el poder, la ambición, todo sumergido en una visión tan profundamente sicológica del hombre hasta alcanzar Calderón muchas veces interpretaciones y posibilidades que lo acercan a una visión freudiana, *La vida es sueño* así revienta los moldes y límites de su género dramático, donde el tiempo y el espacio de la función teatral a que está destinado el drama forzosamente ciñen y reducen las posibilidades temáticas, y de este modo las interpretativas también. La doble trama lopesca y barroca, personificada por Segismundo y por Rosaura y sus respectivos problemas y luchas personales, une su doble fuerza y perspectiva de forma tan nítida y rotunda (como viene insistiendo la crítica más reciente, refutando las objeciones de cierta crítica decimonónica), que lo que a primera vista puede parecer un barroco descontrolado, termina recogiéndose serena y brillantemente en el máximo orden. El triunfo de la razón y de la justicia sobre el sueño o entorpecimiento que se identifican con las pasiones, es el máximo mensaje de la obra, reflejándose así el elogio de la razón y del pensamiento como medios para dominar la existencia del hombre, sometiéndola al fin mayor del intelecto en el plano terrenal y del espíritu en el plano religioso. A nivel simbólico, el drama refleja igualmente su extraordinaria estructura, tanto a un nivel mayor alegórico (Segismundo como figura adánica), como mediante el uso de símbolos atribuibles a diversos personajes (Basilio o el poder, Rosaura o el honor, etc.), sin por ello restar valor y profundidad humanos a esos personajes.

Sin necesidad de decirlo, sólo ese genio reductor y a la vez profundizante de Calderón puede explicar tan brillante y abarcador logro que hace de *La vida es sueño* la obra singular más elogiada del teatro del Siglo de Oro español.

LA VIDA ES SUEÑO

PERSONAS

ROSAURA, dama.
SEGISMUNDO, Príncipe.
CLOTALDO, viejo.
ESTRELLA, Infanta.
SOLDADOS.

CLARÍN, gracioso.
BASILIO, Rey.
ASTOLFO, Príncipe.
GUARDAS.
MÚSICOS.
CRIADOS

JORNADA PRIMERA

Sale en lo alto de un monte ROSAURA *en hábito de hombre de camino, y en representando los primeros versos va bajando.*

ROSAURA.

Hipogrifo[1] violento,
que corriste parejas con el viento,
     ¿dónde, rayo sin llama,
pájaro sin matiz, pez sin escama,
     y bruto sin instinto   5
natural, al confuso laberinto
     desas desnudas peñas
te desbocas, te arrastras y despeñas?[2]
     Quédate en este monte,
donde tengan los brutos su Faetonte;[3]   10
     que yo, sin más camino
que el que me dan las leyes del destino,[4]
     ciega y desesperada
bajaré la cabeza enmarañada

---

[1] *Hipogrifo:* figura mitológica con cuerpo de caballo, alas y cabeza de águila y patas delanteras de león.

[2] Polémico principio para muchos críticos de los siglos XVIII y XIX que se acercaban a la obra con un criterio neoclásico o realista, en vez del barroco y poético que, obviamente, impone el texto.

[3] *Faetonte:* hijo del sol, que cayó despeñado al mar al chocar con el carro de su padre contra la tierra. Para otra versión, véase n. 46 de *La verdad sospechosa.*

[4] *destino:* justamente el tema del destino, opuesto al del libre albedrío humano, será fundamental para la obra.

deste monte eminente   15
que abrasa al sol el ceño de la frente.
   Mal, Polonia, recibes
a un extranjero, pues con sangre escribes
   su entrada en tus arenas,
y a penas llega, cuando llega apenas.[5]   20
   Bien mi suerte lo dice;
mas ¿dónde halló piedad un infelice?

Sale CLARÍN, *gracioso.*

CLARÍN.
   Di dos, y no me dejes
en la posada a mí cuando te quejes;
   que si dos hemos sido   25
los que de nuestra patria hemos salido
   a probar aventuras;
dos los que, entre desdichas y locuras
   aquí habemos llegado,
y los dos que del monte hemos rodado,   30
   ¿no es razón que yo sienta
meterme en el pesar, y no en la cuenta?[6]

ROSAURA.
   No quise darte parte
en mis quejas, Clarín, por no quitarte,
   llorando tu desvelo,   35
el derecho que tienes al consuelo;
   que tanto gusto había
en quejarse, un filósofo decía,
   que, a trueco de quejarse,
habían las desdichas de buscarse.   40

CLARÍN.
   El filósofo era
un borracho barbón; ¡Oh, quién le diera
   más de mil bofetadas!
Quejárase después de muy bien dadas.
   Mas, ¿qué haremos, señora,   45
a pie, solos, perdidos y a esta hora,
   en un desierto monte
cuando se parte el sol a otro horizonte?

ROSAURA.
   ¿Quién ha visto sucesos tan extraños?
Mas si la vista no padece engaños   50
   que hace la fantasía,

---

[5] Obsérvese el ingenioso conceptismo de este verso.

[6] Obsérvese ahora cómo ni siquiera unos versos tan dramáticos y angustiados como los recién leídos de Rosaura logran evitar el contraste humorístico, tan típico del teatro del Siglo de Oro en su oposición al teatro clásico, pues las palabras de Clarín chocan claramente por su sentido de humor con las de Rosaura.

	a la medrosa luz[7] que aún tiene el día	
	me parece que veo	
	un edificio.	
CLARÍN.	O miente mi deseo,	
	o termino[8] las señas.	55
ROSAURA.	Rústico nace entre desnudas peñas	
	un palacio tan breve,	
	que el sol apenas a mirar se atreve.	
	Con tan rudo artificio	
	la arquitectura está de su edificio,	60
	que parece, a las plantas	
	de tantas rocas y de peñas tantas	
	que al sol tocan la lumbre,	
	peñasco que ha rodado de la cumbre.[9]	
CLARÍN.	Vámonos acercando,	65
	que éste es mucho mirar, señora, cuando	
	es mejor que la gente	
	que habita en ella, generosamente	
	nos admita.	
ROSAURA.	La puerta	
	(mejor diré funesta boca) abierta	70
	está, y desde su centro	
	nace la noche, pues la engendra dentro.	

Suena ruido de cadenas.

CLARÍN.	¡Qué es lo que escucho, cielo!	
ROSAURA.	Inmóvil bulto soy de fuego y hielo.	
CLARÍN.	Cadenita hay que suena,	75
	mátenme, si no es galeote en pena;	
	bien mi temor lo dice.	

ESCENA II

Dentro SEGISMUNDO

| SEGISMUNDO. | ¡Ay, mísero de mí, y ay, infelice! | |

---

[7] *medrosa luz:* son varias las alusiones —de carácter simbólico— al claroscuro barroco que tan gráficamente representa la mezcla de orden y desorden, apariencia y realidad, entre los que se debate el Barroco. Dicho de otra forma, el elemento teatral de luz escénica refleja un elemento dramático de índole filosófica.

[8] *termino:* determino.

[9] La descripción de este rústico palacio parece apuntar hacia la combinación algo contradictoria aquí de elementos de civilización al lado de elementos naturales, posibilidad que se verá concretada después.

ROSAURA.	¡Qué triste voz escucho!	
	Con nuevas penas y tormentos lucho.	80
CLARÍN.	Yo con nuevos temores.	
ROSAURA.	¡Clarín!	
CLARÍN.	¡Señora!	
ROSAURA.	Huigamos los rigores	

desta encantada torre.

CLARÍN.   Yo aún no tengo
ánimo de huir, cuando a eso vengo.

ROSAURA.   ¿No es breve luz aquella   85
caduca exhalación, pálida estrella,
    que en trémulos desmayos,
pulsando ardores y latiendo rayos,
    hace más tenebrosa
la obscura habitación con luz dudosa?   90
    Sí, pues a sus reflejos
puedo determinar (aunque de lejos)
    una prisión obscura,
que es de un vivo cadáver sepultura,
    y porque más me asombre,   95
en el traje de fiera yace un hombre
    de prisiones cargado
y sólo de la luz acompañado.
    Pues huir no podemos,
desde aquí sus desdichas escuchemos;   100
    sepamos lo que dice.

Descúbrese SEGISMUNDO *con una cadena y la luz,*
vestido de pieles.

SEGISMUNDO.   ¡Ay, mísero de mí, y ay, infelice![10]
    Apurar, cielos, pretendo,
    ya que me tratáis así
    qué delito cometí   105
    contra vosotros, naciendo;
    aunque si nací, ya entiendo
    qué delito he cometido:
    bastante causa ha tenido
    vuestra justicia y rigor,   110
    pues el delito mayor
    del hombre es haber nacido.[11]

---

[10] Comienza aquí el primer gran parlamento de los tres que pronunciará Segismundo, y sobre los cuales, descansa la obra hasta cierto punto, pues reflejan a perfección la evolución
de Segismundo desde la confusión o el desorden al orden o la claridad.

[11] *delito mayor...:* la idea se encuentra, no sólo en el *Antiguo Testamento* con la teoría del
pecado original, sino igualmente en el *De consolatione ad Marciam*, X, 5 de Séneca (véase
n. 35).

Sólo quisiera saber
para apurar mis desvelos
(dejando a una parte, cielos,   115
el delito de nacer),
qué más os pude ofender
para castigarme más.
¿No nacieron los demás?
Pues si los demás nacieron,   120
¿qué privilegios tuvieron
que yo no gocé jamás?

Nace el ave, y con las galas
que le dan belleza suma,
apenas es flor de pluma   125
o ramillete con alas,
cuando las etéreas salas
corta con velocidad,
negándose a la piedad
del nido que deja en calma;   130
¿y teniendo yo más alma,
tengo menos libertad?

Nace el bruto, y con la piel
que dibujan manchas bellas,
apenas signo es de estrellas   135
(gracias al docto pincel),
cuando atrevida y cruel
la humana necesidad
le enseña a tener crueldad,
monstruo de su laberinto;[12]   140
¿y yo, con mejor instinto,
tengo menos libertad?

Nace el pez, que no respira,
aborto de ovas y lamas,[13]
y apenas, bajel de escamas,   145
sobre las ondas se mira,
cuando a todas partes gira,
midiendo la inmensidad
de tanta capacidad
como le da el centro frío;   150
¿y yo, con más albedrío,
tengo menos libertad?

Nace el arroyo, culebra
que entre flores se desata,

---

[12] *monstruo de su laberinto:* alusión al minotauro del rey Minos, el cual vivía dentro de un laberinto en Creta.
[13] *ovas y lamas:* huevas y algas.

                    y apenas, sierpe de plata,   155
                    entre las flores se quiebra,
                    cuando músico celebra
                    de los cielos la piedad,
                    que le dan la majestad
                    del campo abierto a su huida;   160
                    ¿y teniendo yo más vida
                    tengo menos libertad?

                        En llegando a esta pasión,
                    un volcán, un Etna[14] hecho,
                    quisiera sacar del pecho   165
                    pedazos del corazón.
                    ¿Qué ley, justicia o razón,
                    negar a los hombres sabe
                    privilegio tan süave,
                    excepción tan principal,   170
                    que Dios le ha dado a un cristal,
                    a un pez, a un bruto y a un ave?[15]

ROSAURA.   Temor y piedad en mí
                    sus razones han causado.

SEGISMUNDO.   ¿Quién mis voces ha escuchado?   175
                    ¿Es Clotaldo?

CLARÍN.   Di que sí.

ROSAURA.   No es sino un triste (¡ay de mí!),
                    que en estas bóvedas frías
                    oyó tus melancolías.

                                (Ásela.)

SEGISMUNDO.   Pues la muerte te daré,   180
                        porque no sepas que sé
                    que sabes flaquezas mías.

                        Sólo porque me has oído,
                    entre mis membrudos brazos
                    te tengo de hacer pedazos.   185

CLARÍN.   Yo soy sordo, y no he podido
                    escucharte.

ROSAURA.   Si has nacido
                    humano, baste el postrarme
                    a tus pies para librarme.

SEGISMUNDO.   Tu voz pudo enternecerme,   190
                    tu presencia suspenderme,

---

[14] *Etna:* célebre volcán siciliano, donde se situaba la forja de Vulcano.

[15] La recopilación inversa con que termina el discurso, al recoger los elementos anteriores de forma sistemática, parece rematar el proceso lógico que utiliza aquí Segismundo, evidenciando así la capacidad de raciocinio del hombre aún en su estado más primitivo, como es el de Segismundo ahora.

y tu respeto turbarme.
      ¿Quién eres? que aunque yo aquí
tan poco del mundo sé,
que cuna y sepulcro fue   195
esta torre para mí;
y aunque desde que nací
(si esto es nacer) sólo advierto
este rústico desierto
donde miserable vivo,   200
siendo un esqueleto vivo,
siendo un animado muerto;
      y aunque nunca vi ni hablé
sino a un hombre solamente
que aquí mis desdichas siente,   205
por quien las noticias sé
de cielo y tierra; y aunque
aquí, porque más te asombres
y monstruo humano me nombres,
entre asombros y quimeras,   210
soy un hombre de las fieras
y una fiera de los hombres.[16]
      Y aunque en desdichas tan graves
la política he estudiado
de los brutos enseñado,   215
advertido de las aves;
y de los astros süaves
los círculos he medido:
tú sólo, tú, has suspendido
la pasión a mis enojos,   220
la suspensión a mis ojos,
la admiración al oído.
      Con cada vez que te veo[17]
nueva admiración me das,
y cuando te miro más,   225
aún más mirarte deseo.
Ojos hidrópicos creo
que mis ojos deben ser,
pues cuando es muerte el beber
beben más, y desta suerte,   230
viendo que el ver me da muerte
estoy muriendo por ver.

---

[16] *soy un... los hombres:* vuelve a verse aquí la combinación civilización-naturaleza.

[17] 223-242: evidencia ahora Segismundo su sensibilidad ante la belleza, pues aunque no sabe que Rosaura es mujer (y jamás ha visto a una), el lirismo poético aquí de sus palabras revela a las claras dicha sensibilidad.

Pero véate yo y muera,
que no sé, rendido ya,
si el verte muerte me da,   235
el no verte qué me diera.
Fuera más que muerte fiera,
ira, rabia y dolor fuerte;
fuera muerte, desta suerte
su rigor he ponderado,   240
pues dar vida a un desdichado
es dar a un dichoso muerte.

ROSAURA.   Con asombro de mirarte,
con admiración de oírte,
ni sé qué pueda decirte,   245
ni qué pueda preguntarte.
Sólo diré que a esta parte
hoy el cielo me ha guiado
para haberme consolado,
si consuelo puede ser   250
del que es desdichado, ver
a otro que es más desdichado.
Cuentan de un sabio, que un día
tan pobre y mísero estaba,
que sólo se sustentaba   255
de unas yerbas que cogía.
¿Habrá otro, entre sí decía,
más pobre y triste que yo?
Y cuando el rostro volvió,
halló la respuesta, viendo   260
que iba otro sabio cogiendo
las hojas que él arrojó.[18]
Quejoso de la fortuna
yo en este mundo vivía,
y cuando entre mí decía: 265
¿habrá otra persona alguna
de suerte más importuna?
piadoso me has respondido,
pues volviendo en mi sentido
hallo que las penas mías   270
para hacerlas tú alegrías
las hubieras recogido.
Y por si acaso, mis penas
pueden aliviarte en parte,
óyelas atento, y toma   275

---

[18] 253-262: bella poetización calderoniana de una anécdota recogida con bastante frecuencia
en la literatura mundial.

las que dellas me sobraren
Yo soy...

ESCENA III

Dentro CLOTALDO.

CLOTALDO.	¡Guardas desta torre
	que, dormidas o cobardes,
	disteis paso a dos personas
	que han quebrantado la cárcel![19] 280
ROSAURA.	¡Nueva confusión padezco!
SEGISMUNDO.	Este es Clotaldo, mi alcaide,
	aún no acaban mis desdichas.

(*Dentro*)

CLOTALDO.	¡Acudid, y vigilantes,
	sin que puedan defenserse, 285
	o prendeldes, o mataldes!

Dentro todos.

	¡Traición!
CLARÍN.	Guardas desta torre,
	que entrar aquí nos dejasteis,
	pues que nos dais a escoger,
	el prendernos es más fácil. 290

Sale CLOTALDO *con escopeta, y* SOLDADOS, *todos con
los rostros cubiertos*

CLOTALDO.	Todos os cubrid los rostros,
	que es diligencia importante,
	mientras estamos aquí,
	que no nos conozca naide.
CLARÍN.	¿Enmascaraditos hay? 295
CLOTALDO.	Oh, vosotros, que, ignorantes,
	de aqueste vedado sitio
	coto y término pasasteis
	contra el decreto del rey
	que manda que no ose nadie 300
	examinar el prodigio
	que entre estos peñascos yace:

---

[19] Las primeras palabras de Clotaldo son de autoridad tajante, pero su caracterización no
responde siempre a semejante aspecto.

	rendid las armas y vidas,	
	o aquesta pistola, áspid	
	de metal, escupirá	305
	el veneno penetrante	
	de dos balas, cuyo fuego	
	será escándalo del aire.	
SEGISMUNDO.	Primero, tirano dueño,	
	que los ofendas y agravies,	310
	será mi vida despojo	
	destos lazos miserables,	
	pues en ellos, vive Dios,	
	tengo de despedazarme	
	con las manos, con los dientes,	315
	entre aquestas peñas, antes	
	que su desdicha consienta	
	y que llore sus ultrajes.[20]	
CLOTALDO.	Si sabes que tus desdichas,	
	Segismundo, son tan grandes,	320
	que antes de nacer moriste	
	por ley del cielo; si sabes	
	que aquestas prisiones son	
	de tus furias arrogantes	
	un freno que las detenga,	325
	y una rienda que las pare,	
	¿por qué blasonas? La puerta	
	cerrad desa estrecha cárcel;	
	escondelde en ella.	

Ciérranle la puerta y dice dentro.

SEGISMUNDO.	¡Ah, cielos!	
	¡Qué bien hacéis en quitarme	330
	la libertad!, porque fuera	
	contra vosotros gigante	
	que, para quebrar al sol	
	esos vidrios y cristales,	
	sobre cimientos de piedra	335
	pusiera montes de jaspe.	
CLOTALDO.	Quizá, porque no los pongas	
	hoy padeces tantos males.	

---

[20] El cambio abrupto que se registra en estos versos en cuanto a la conducta de Segismundo, dispuesto ahora a morir por Rosaura y Clarín, cuando poco antes amenazaba de matarlos, ha chocado a algún crítico del pasado que no tiene en cuenta que se trata una vez más de una obra barroca, muy lejos, pues, del realismo decimonónico.

ROSAURA.	Ya que vi que la soberbia	
	te ofendió tanto, ignorante	340
	fuera en no pedirte humilde	
	vida que a tus plantas yace.	
	Muévate en mí la piedad,	
	que será rigor notable	
	que no hallen favor en ti	345
	ni soberbias ni humildades.	
CLARÍN.	Y si humildad y soberbia	
	no te obligan, personajes	
	que han movido y removido	
	mil autos sacramentales,	350
	yo, ni humilde ni soberbio,	
	sino entre las dos mitades	
	entreverado, te pido	
	que nos remedies y ampares.	
CLOTALDO.	¡Hola!	
SOLDADOS.	¡Señor!	
CLOTALDO.	A los dos	355
	quitad las armas, y ataldes	
	los ojos, porque no vean	
	cómo ni de dónde salen.	
ROSAURA.	Mi espada es ésta, que a ti	
	solamente ha de entregarse,	360
	porque, al fin, de todos eres	
	el principal y no sabe	
	rendirse a menos valor.	
CLARÍN.	La mía es tal que puede darse	
	al más ruin: tomalda vos.	365
ROSAURA.	Y si he de morir, dejarte	
	quiero, en fe desta piedad,	
	prenda que pudo estimarse	
	por el dueño que algún día	
	se la ciñó; que la guardes	370
	te encargo, porque aunque yo	
	no sé qué secreto alcance,	
	sé que esta dorada espada	
	encierra misterios grandes,	
	pues sólo fiado en ella	375
	vengo a Polonia a vengarme	
	de un agravio.	
CLOTALDO.	¡Santos cielos!	
	¿Qué es esto? Ya son más graves	

	mis penas y confusiones,	
	mis ansias y mis pesares.	380
	¿Quién te la dio?	
ROSAURA.	Una mujer.	
CLOTALDO.	¿Cómo se llama?	
ROSAURA.	Que calle	
	su nombre es fuerza.	
CLOTALDO.	¿De qué	
	infieres agora o sabes	
	que hay secreto en esta espada?	385
ROSAURA.	Quien me la dio, dijo: «Parte	
	a Polonia, y solicita	
	con ingenio, estudio o arte,	
	que te vean esa espada	
	los nobles y principales,	390
	que yo sé que alguno dellos	
	te favorezca y ampare»;	
	que, por si acaso era muerto,	
	no quiso entonces nombrarle.	
CLOTALDO.	¡Válgame el cielo! ¿qué escucho?[21]	395
	Aún no sé determinarme	
	si tales sucesos son	
	ilusiones o verdades.	
	Esta espada es la que yo	
	dejé a la hermosa Violante	400
	por señas que el que ceñida	
	la trujera, había de hallarme	
	amoroso como hijo	
	y piadoso como padre.	
	Pues ¿qué he de hacer (¡ay de mí!)	405
	en confusión semejante,	
	si quien la trae por favor,	
	para su muerte la trae,	
	pues que sentenciado a muerte	
	llega a mis pies? ¡Qué notable	410
	confusión! ¡Qué triste hado!	
	¡Qué suerte[22] tan inconstante!	
	Este es mi hijo, y las señas	

---

[21] 395-474: empieza a verse en este monólogo de Clotaldo su naturaleza indecisa que, contrario a lo que opina cierta crítica, parece delatar asimismo una sicología dependiente de la autoridad (en este caso, la monárquica). No extraña tanto, pues, que cuando Clotaldo actúe siguiendo órdenes superiores, se muestre, como le vimos al entrar en la obra, autoritario y tajante.

[22] *confusión... hado... suerte:* tres términos que se contraponen al concepto de voluntad y libre albedrío: Clotaldo, débil, parece entregarse a fuerzas ajenas, mientras que Rosaura y Segismundo, ejerciendo la voluntad, forjarán sus propias vida.

dicen bien con las señales
del corazón, que por verle   415
llama al pecho, y en él bate
las alas, y no pudiendo
romper los candados, hace
lo que aquél que está encerrado
y oyendo ruido en la calle   420
se asoma por la ventana.
Y él así, como no sabe
lo que pasa, y oye el ruido,
va a los ojos a asomarse,
que son ventanas del pecho   425
por donde en lágrimas sale.
¿Qué he de hacer? ¡Válgame el cielo!
¿Qué he de hacer? Porque llevarle
al rey, es llevarle (¡ay triste!)
a morir. Pues ocultarle   430
al rey no puedo, conforme
a la ley del homenaje.
De una parte el amor propio,
y la lealtad de otra parte
me rinden. Pero, ¿qué dudo?   435
La lealtad del rey ¿no es antes
que la vida y que el honor?
Pues ella viva y él falte.
Fuera de que, si aora atiendo
a que dijo que a vengarse   440
viene de un agravio, hombre
que está agraviado, es infame.
¡No es mi hijo, no es mi hijo
ni tiene mi noble sangre!
Pero si ya ha sucedido   445
un peligro, de quien nadie
se libró, porque el honor
es de materia tan fácil
que con una acción se quiebra
o se mancha con un aire,   450
¿qué más puede hacer, qué más,
el que es noble, de su parte,
que a costa de tantos riesgos
haber venido a buscarle?
¡Mi hijo es, mi sangre tiene,   455
pues tiene valor tan grande!
Y así entre una y otra duda,
el medio más importante

es irme al rey y decirle
que es mi hijo, y que le mate.   460
Quizá la misma piedad
de mi honor podrá obligarle;
y si le merezco vivo,
yo le ayudaré a vengarse
de su agravio; mas si el rey,   465
en sus rigores constante,
le da muerte, morirá
sin saber que soy su padre.
Venid conmigo, extranjeros.
No temáis, no, de que os falte   470
compañía en las desdichas;
pues en duda semejante
de vivir o de morir,
no sé cuáles son más grandes.

Vanse.

ESCENA V

*Sale por una parte Astolfo con acompañamiento de
soldados, y por otra Estrella con damas.
Suena música.*

ASTOLFO.   Bien al ver los excelentes   475
rayos, que fueron cometas,
mezclan salvas diferentes
las cajas y las trompetas,
los pájaros y las fuentes;
siendo con música igual,   480
y con maravilla suma,
a tu vista celestial
unos, clarines de pluma,
y otras, aves de metal;
y así os saludan, señora,   485
como a su reina, las balas,
los pájaros como a Aurora,[23]
las trompetas como a Palas,[24]

---

[23] *Aurora:* diosa de la aurora (Eos, para los griegos), durante el Barroco era frecuente verla
pintada en su carro tirado por caballos que la llevan por los cielos luminosos.

[24] *Palas:* de los tres personajes que registra la mitología con este nombre, puede referirse aquí
a la hija de Tritón, muerta por Atenea, ya que se alude a las trompetas que la acompañan,
que podrían recordar las caracolas de ese dios marino; menos probable es que se refiera
al gigante muerto por Atenea, y más seguro nos parece que aluda a Palas Atenea, diosa
de la guerra, hija de Zeus, a la que se le incorpora el nombre Palas al matar justamente
al gigante con ese mismo nombre.

y las flores como a Flora;[25]
 porque sois, burlando el día   490
que ya la noche destierra,
Aurora en el alegría,
Flora en paz, Palas en guerra,
y reina en el alma mía.

ESTRELLA.   Si la voz se ha de medir   495
con las acciones humanas,
mal habéis hecho en decir
finezas tan cortesanas
donde os pueda desmentir
 todo ese marcial trofeo   500
con quien ya atrevida lucho;
pues no dicen, según creo,
las lisonjas que os escucho
con los rigores que veo.
 Y advertid que es baja acción,   505
que sólo a una fiera toca,
madre de engaño y traición,
el halagar con la boca
y matar con la intención.

ASTOLFO.   Muy mal informada estáis,   510
Estrella, pues que la fe
de mis finezas dudáis,
y os suplico que me oigáis
la causa, a ver si la sé.
 Falleció Eustorgio tercero,   515
rey de Polonia, quedó
Basilio por heredero,
y dos hijas, de quien yo
y vos nacimos. No quiero
 cansar con lo que no tiene   520
lugar aquí. Clorilene,
vuestra madre y mi señora,
que en mejor imperio agora
dosel de luceros tiene,
 fue la mayor, de quien vos   525
sois hija; fue la segunda,
madre y tía de los dos,
la gallarda Recisunda,
que guarde mil años Dios.
 Casó en Moscovia, de quien   530
nací yo. Volver agora
al otro principio es bien.

---

[25] *Flora:* diosa de las flores.

Basilio, que ya, señora,
se rinde al común desdén
del tiempo, más inclinado   535
a los estudios, que dado
a mujeres, enviudó
sin hijos, y vos y yo
aspiramos a este Estado.

   Vos alegáis que habéis sido   540
hija de hermana mayor;
yo, que varón he nacido,
y aunque de hermana menor,
os debo ser preferido.

   Vuestra intención y la mía   545
a nuestro tío contamos;
él respondió que quería
componernos, y aplazamos
este puesto y este día.

   Con esta intención salí   550
de Moscovia y de su tierra;
con ésta llegué hasta aquí,
en vez de haceros yo guerra,
a que me la hagáis a mí.

   ¡Oh! quiera Amor, sabio Dios,   555
que el vulgo, astrólogo cierto,
hoy lo sea con los dos,
y que pare este concierto
en que seáis reina vos;

   pero reina en mi albedrío,   560
dándoos, para más honor,
su corona nuestro tío,
sus triunfos vuestro valor,
y su imperio el amor mío.

ESTRELLA.   A tan cortés bizarría,   565
menos mi pecho no muestra,
pues la imperial monarquía,
para sólo hacerla vuestra
me holgara que fuese mía;

   aunque no está satisfecho   570
mi amor de que sois ingrato,
si en cuanto decís sospecho
que os desmiente ese retrato[26]

---

[26] *retrato:* el de Rosaura. ¿Cómo es posible que olvidara Astolfo de quitárselo, justo en el mismo momento en que intenta hacerle la corte a Estrella? Como siempre en Calderón, ha de pensarse en causas más profundas, y una explicación tan sencilla como un olvido, o tan compleja como un acto fallido, viene al caso. Pronto veremos otro ejemplo de este fenómeno sicológico, el cual llamaría tanto la atención a Freud en nuestro siglo.

	que está pendiente del pecho.	
ASTOLFO.	Satisfaceros intento	575
	con él; más lugar no da	

con él; más lugar no da
tanto sonoro instrumento,
que avisa que sale ya
el rey con su Parlamento.

ESCENA VI

Tocan, y sale el REY BASILIO, *viejo, y acompañamiento.*

ESTRELLA.	Sabio Tales,[27]	
ASTOLFO.	docto Euclides,[28]	580
ESTRELLA.	que entre signos,	
ASTOLFO.	que entre estrellas,	
ESTRELLA.	hoy gobiernas,	
ASTOLFO.	hoy resides,	
ESTRELLA.	y sus caminos,	
ASTOLFO.	sus huellas	
ESTRELLA.	describes,	
ASTOLFO.	tasas y mides.[29]	
ESTRELLA.	Deja que en humildes lazos,	585
ASTOLFO.	deja que en tiernos abrazos	
ESTRELLA.	hiedra de ese tronco sea,	
ASTOLFO.	rendido a tus pies me vea.	
BASILIO.	Sobrinos, dadme los brazos,	

y creed, pues que, leales   590
a mi precepto amoroso,
venís con afectos tales,
que a nadie deje quejoso
y los dos quedéis iguales;
y así cuando me confieso,   595
rendido al prolijo peso,
sólo os pido en la ocasión
silencio, que admiración
ha de pedirla el suceso.

---

[27] *Tales:* (fines del s. VII a mital del VI a.C.): el más antiguo de los Siete Sabios de Grecia y gran matemático, astrónomo y físico.

[28] *Euclides:* aunque es posible que se refiera a Euclides de Megara (450-380 a.C.), discípulo de Sócrates y maestro de Platón, que influye también en el pensamiento de Aristóteles, el contexto matemático aquí inclina a pensar que se trata más bien del matemático Euclides del S. III a.C.

[29] 579-584: obsérvese el uso del diálogo entrecortado, señalado por la disposición tipográfica, así como por la falta de punto de uno a otro parlante, lo cual aligera y aviva el diálogo.

          Ya sabéis, estadme atentos,   600
          amados sobrinos míos,
          corte ilustre de Polonia,
          vasallos, deudos y amigos.
          Ya sabéis que yo en el mundo,
          por mi ciencia he merecido   60!
          el sobrenombre de docto;
          pues, contra el tiempo y olvido,
          los pinceles de Timantes,[30]
          los mármoles de Lisipo,[31]
          en el ámbito del orbe   61(
          me aclaman el gran Basilio.
          Ya sabéis que son las ciencias
          que más curso y más estimo,
          matemáticas sutiles,[32]
          por quien al tiempo le quito,   61!
          por quien a la fama rompo
          la jurisdicción y oficio
          de enseñar más cada día;
          pues cuando en mis tablas miro
          presentes las novedades   62(
          de los venideros siglos,
          le gano al tiempo las gracias
          de contar lo que yo he dicho.
          Esos círculos de nieve,
          esos doseles de vidrio   62!
          que el sol ilumina a rayos,
          que parte la luna a giros;

----

[30] *Timantes:* pintor griego del S. IV a.C.

[31] *Lisipo:* escultor griego, también del S. IV a.C.

[32] *matemáticas sutiles:* la importancia de las matemáticas para el pensamiento europeo será
cada vez mayor; precisamente por estos mismos años en que escribe Calderón *La vida es
sueño*, Descartes, cuyo *Discurso del método* es de 1637 (o sea, sólo un año después de la
publicación de *La vida es sueño*, aunque, como dijimos en el apartado dedicado a ella
fue escrita en 1635) era un matemático considerable, si bien su importancia como tal sería
desplazada después por Isaac Newton (1642-1727). Los lectores de *El buscón* de Quevedo
recordarán que esa afición a las matemáticas alcanzó tal grado, que llega a aplicarse hasta
a la esgrima, antojo del que el gran escritor satírico no dejará de burlarse en el capítulo
VIII de dicha novela picaresca. Ahora bien: la actitud de Quevedo, al igual que la de
Calderón aquí y de bastantes españoles, reacios a aceptar los avances de las ciencias, e
interpretándolos como especie de soberbia intelectual del hombre ante las verdades de la
Iglesia, delata un pensamiento aferrado a la tradición, contrario a otros momentos en
que Calderón —consciente o inconscientemente— parece desafiar esa supuesta mentali-
dad tradicional suya que tantas veces le ha atribuido la crítica. Ciertamente *La vida es sueño*, a través de Basilio, parece advertir en contra de la soberbia intelectual y la confianza
excesiva en la capacidad del hombre en este sentido, tema que se remonta al *Génesis* con
el motivo del fruto del bien y del mal y que Cervantes, dicho sea de paso, tampoco dejará
de recoger en la novela de "El curioso impertinente", dentro de las propias páginas del
Quijote (I, caps. 33-35).

esos orbes de diamantes,
esos globos cristalinos,
que las estrellas adornan   630
y que campean los signos,
son el estudio mayor
de mis años, son los libros,
donde en papel de diamante,
en cuadernos de zafiros,   635
escribe con líneas de oro,
en caracteres distintos
el cielo nuestros sucesos
ya adversos o ya benignos.
Estos leo tan veloz,   640
que con mi espíritu sigo
sus rápidos movimientos
por rumbos y por caminos.
¡Pluguiera al cielo, primero,
que mi ingenio hubiera sido   645
de sus márgenes comento
y de sus hojas registro!
¡Hubiera sido mi vida
el primero desperdicio
de sus iras, y que en ellas   650
mi tragedia hubiera sido,
porque de los infelices
aun el mérito es cuchillo;
¡que a quien le daña el saber,
homicida es de sí mismo!   655
Dígalo yo, aunque mejor
lo dirán sucesos míos,
para cuya admiración
otra vez silencio os pido.
En Clorilene, mi esposa,   660
tuve un infelice hijo,
en cuyo parto los cielos
se agotaron de prodigios,
antes que a la luz hermosa
le diese el sepulcro vivo   665
de un vientre, porque al nacer
y el morir son parecidos.
Su madre infinitas veces,
entre ideas y delirios
del sueño, vio que rompía   670
sus entrañas atrevido
un monstruo en forma de hombre,

y entre su sangre teñido,
le daba muerte, naciendo
víbora humana[33] del siglo.   675
Llegó de su parto el día
y, los presagios cumplidos,
(porque tarde o nunca son
mentirosos los impíos),
nació en horóscopo tal,   680
que el sol, en su sangre tinto,
entraba sañudamente
con la luna en desafío;
y siendo valla la tierra,
los dos faroles divinos   685
a luz entera luchaban,
ya que no a brazo partido.
El mayor, el más horrendo
eclipse que ha padecido
el sol, después que con sangre   690
lloró la muerte de Cristo,
éste fue; porque anegado
el orbe entre incendios vivos,
presumió que padecía
el último parasismo.   695
Los cielos se escurecieron,
temblaron los edificios,
llovieron piedras las nubes,
corrieron sangre los ríos.
En este mísero, en este   700
mortal planeta o signo
nació Segismundo, dando
de su condición indicios,
pues dio la muerte a su madre,
con cuya fiereza dijo: 705
hombre soy, pues que ya empiezo
a pagar mal beneficios.
Yo, acudiendo a mis estudios,
en ellos y en todo miro
que Segismundo sería   710
el hombre más atrevido,
el príncipe más cruel
y el monarca más impío,
por quien su reino vendría
a ser parcial[34] y diviso,   715

---

[33] *víbora humana:* según la leyenda, la víbora devora a sus engendradores.
[34] *parcial:* dividido.

escuela de las traiciones
y academia de los vicios;
y él, de su furor llevado,
entre asombros y delitos,
había de poner en mí   720
las plantas, y yo rendido
a sus pies me había de ver:
(¡con qué congoja lo digo!)
siendo alfombra de sus plantas
las canas del rostro mío.   725
¿Quién no da crédito al daño,
y más al daño que ha visto
en su estudio, donde hace
el amor propio su oficio?
Pues dando crédito yo   730
a los hados, que adivinos
me pronosticaban daños
en fatales vaticinios,
determiné de encerrar
la fiera que había nacido,   735
por ver si el sabio tenía
en las estrellas dominio.
Publicóse que el infante
nació muerto y, prevenido,
hice labrar una torre   740
entre las peñas y riscos
de esos montes, donde apenas
la luz ha hallado camino,
por defenderle la entrada,
sus rústicos obeliscos.   745
Las graves penas y leyes,
que con públicos editos
declararon que ninguno
entrase a un vedado sitio
del monte, se ocasionaron   750
de las causas que os he dicho.
Allí Segismundo vive,
mísero, pobre y cautivo,
adonde sólo Clotaldo
le ha hablado, tratado y visto: 755
éste le ha enseñado ciencias,
éste en la ley le ha instruido
católica, siendo solo
de sus miserias testigo.
Aquí hay tres cosas: la una,   760

que yo, Polonia, os estimo
tanto, que os quiero librar
de la opresión y servicio
de un rey tirano, porque
no fuera señor benigno   765
el que a su patria y su imperio
pusiera en tanto peligro.
La otra es considerar
que si a mi sangre le quito
el derecho que le dieron,   770
humano fuero y divino,
no es cristiana caridad,
pues ninguna ley ha dicho
que por reservar yo a otro
de tirano y de atrevido,   775
pueda yo serlo, supuesto
que si es tirano mi hijo,
porque él delitos no haga,
vengo yo a hacer los delitos.
Es la última y tercera,   780
el ver cuánto yerro ha sido
dar crédito fácilmente
a los sucesos previstos;
pues aunque su inclinación
le dicte sus precipicios,   785
quizá no le vencerán,
porque el hado más esquivo,
la inclinación más violenta
el planeta más impío,
sólo el albedrío inclinan,   790
no fuerzan el albedrío.
Y así, entre una y otra causa,
vacilante y discursivo,
previne un remedio tal
que os suspenda los sentidos.   795
Yo he de ponerle mañana,
sin que él sepa que es mi hijo
y rey vuestro, a Segismundo
(que aqueste su nombre ha sido)
en mi dosel, en mi silla,   800
y, en fin, en el lugar mío,
donde os gobierne y os mande
y donde todos rendidos
la obediencia les juréis;
pues con aquesto consigo   805

tres cosas, con que respondo
a las otras tres que he dicho.
Es la primera, que siendo
prudente, cuerdo y benigno,
desmintiendo en todo al hado   810
que dél tantas cosas dijo,
gozaréis el natural
príncipe vuestro, que ha sido
cortesano de unos montes
y de sus fieras vecino.   815
Es la segunda, que si él,
soberbio, osado, atrevido
y cruel, con rienda suelta
corre el campo de sus vicios,
habré yo piadoso entonces   820
con mi obligación cumplido,
y luego en desposeerle
haré como rey invicto,
siendo el volverle a la cárcel
no crueldad, sino castigo.   825
Es la tercera, que siendo
el príncipe como os digo,
por lo que os amo, vasallos,
os daré reyes más dignos
de la corona y el cetro;   830
pues serán mis dos sobrinos,
que junto en uno el derecho
de los dos, y convenidos
con la fe del matrimonio,
tendrán lo que han merecido.   835
Esto como rey os mando,
esto como padre os pido,
esto como sabio os ruego,
esto como anciano os digo.
Y si el Séneca[35] español,   840
que era humilde esclavo, dijo,
de su república un rey,
como esclavo os lo suplico.

ASTOLFO.   Si a mí el responder me toca
como el que en efecto ha sido   845
aquí el más interesado,
en nombre de todos digo
que Segismundo parezca,
pues le basta ser tu hijo.

---

[35] Séneca: filósofo hispano-romano que vivió entre 4 a.C. y 65 d.C.

TODOS.	Danos al príncipe nuestro 850
	que ya por rey le pedimos.
BASILIO.	Vasallos, esa fineza
	os agradezco y estimo.
	Acompañad a sus cuartos
	a los dos Atlantes[36] míos, 855
	que mañana le veréis.
TODOS.	¡Viva el grande rey Basilio!

Éntranse todos. Antes que se entre el REY, *sale* CLOTALDO, ROSAURA *y*
CLARÍN, *y detiene al* REY.

ESCENA VII

CLOTALDO.	¿Podréte hablar?
BASILIO.	¡Oh, Clotaldo!
	Tú seas muy bien venido.
CLOTALDO.	Aunque viniendo a tus plantas 860
	es fuerza el haberlo sido,
	esta vez rompe, señor,
	el hado triste y esquivo
	el privilegio a la ley
	y a la costumbre el estilo. 865
BASILIO.	¿Qué tienes?
CLOTALDO.	Una desdicha,
	señor, que me ha sucedido,
	cuando pudiera tenerla
	por el mayor regocijo.
BASILIO.	Prosigue.
CLOTALDO.	Este bello joven, 870
	osado o inadvertido,
	entró en la torre, señor,
	adonde al príncipe ha visto.
	Y es...
BASILIO.	No te aflijas, Clotaldo.
	Si otro día hubiera sido, 875
	confieso que lo sintiera;
	pero ya el secreto he dicho,
	y no importa que él lo sepa,
	supuesto que yo lo digo.
	Vedme después, porque tengo 880
	muchas cosas que advertiros,
	y muchas que hagáis por mí;
	que habéis de ser, os aviso,

---

[36] *Atlantes:* alusión a Atlante (véase n. 18 de *La verdad sospechosa*).

	instrumento del mayor	
	suceso que el mundo ha visto.	885
	Y a esos presos, porque al fin	
	no presumáis que castigo	
	descuidos vuestros, perdono.	
	Vase.	
CLOTALDO.	¡Vivas, gran señor, mil siglos!	

ESCENA VIII

CLOTALDO.	Mejoró el cielo la suerte.	890
	Ya no diré que es mi hijo,	
	pues que lo puedo excusar.	
	Extranjeros peregrinos,	
	libres estáis.		
ROSAURA.	Tus pies beso		
	mil veces.		
CLARÍN.	Y yo los viso;	895
	que una letra más o menos	
	no reparan dos amigos.	
ROSAURA.	La vida, señor, me has dado,	
	y pues a tu cuenta vivo,	
	eternamente seré	900
	esclavo tuyo.		
CLOTALDO.	No ha sido		
	vida la que yo te he dado,	
	porque un hombre bien nacido,	
	si está agraviado no vive;	
	y supuesto que has venido	905
	a vengarte de un agravio,	
	según tú propio me has dicho,	
	no te he dado vida yo,	
	porque tú no la has traído;	
	que vida infame no es vida.	910
	(Bien con aquesto le animo.) (*Aparte.*)	
ROSAURA.	Confieso que no la tengo	
	aunque de ti la recibo;	
	pero yo con la venganza	
	dejaré mi honor tan limpio,	915
	que pueda mi vida luego,	
	atropellando peligros,	
	parecer dádiva tuya.		
CLOTALDO.	Toma el acero bruñido		
	que trujiste, que yo sé	920

	que él baste, en sangre teñido	
	de tu enemigo, a vengarte;	
	porque acero que fue mío	
	(digo este instante, este rato	
	que en mi poder le he tenido),[37]	925
	sabrá vengarte.	

ROSAURA.   En tu nombre
segunda vez me le ciño,
y en él juro mi venganza,
aunque fuese mi enemigo
más poderoso.

CLOTALDO.   ¿Eslo mucho?   930

ROSAURA.   Tanto, que no te lo digo,
no porque de tu prudencia
mayores cosas no fío,
sino porque no se vuelva
contra mí el favor que admiro   935
en tu piedad.

CLOTALDO.   Antes fuera
ganarme a mí con decirlo;
pues fuera cerrarme el paso
de ayudar a tu enemigo.
¡Oh, si supiera quién es! (*Aparte.*)   940

ROSAURA.   Porque no pienses que estimo
tan poco esa confianza,
sabe que el contrario ha sido
no menos que Astolfo, duque
de Moscovia.

CLOTALDO.   (*Aparte.*) Mal resisto[38]   945
el dolor, porque es más grave
que fue imaginado, visto.
Apuremos más el caso.
Si moscovita has nacido,
el que es natural señor   950
mal agraviarte ha podido;
vuélvete a tu patria, pues,
y deja el ardiente brío
que te despeña.

ROSAURA.   Yo sé

---

[37] *porque acero... he tenido:* cabe aquí la posibilidad de un acto fallido por parte de Clotaldo, ya que, en efecto, es su espada de antaño. Vuelva a verse ahora la n. 26.

[38] 945-959: enfrenta aquí Calderón las dos posturas rígidas sobre el honor y la lealtad monárquica: la de Clotaldo, que se aferra por completo a lo último, y la de Rosaura que no admite que lo político pueda prevalecer sobre la dignidad humana (igual, pues, que Segismundo).

	que, aunque mi príncipe ha sido,	955
	pudo agraviarme.	
CLOTALDO.	No pudo,	
	aunque pusiera atrevido	
	la mano en tu rostro (¡Ay cielos!)	
ROSAURA.	Mayor fue el agravio mío.	
CLOTALDO.	Dilo ya, pues que no puedes	960
	decir mas que yo imagino.	
ROSAURA.	Sí dijera; mas no sé	
	con qué respeto te miro,	
	con qué afecto te venero,	
	con qué estimación te asisto,	965
	que no me atrevo a decirte	
	que es este exterior vestido	
	enigma, pues no es de quien	
	parece: juzga advertido,	
	si no soy lo que parezco,	970
	y Astolfo a casarse vino	
	con Estrella, si podrá	
	agraviarme. Harto te he dicho.	

Vanse ROSAURA *y* CLARÍN

CLOTALDO.	¡Escucha, aguarda, detente!	
	¿Qué confuso laberinto	975
	es éste, donde no puede	
	hallar la razón el hilo?	
	Mi honor es el agraviado,	
	poderoso el enemigo,	
	yo vasallo, ella mujer,	980
	descubra el cielo camino;	
	aunque no sé si podrá	
	cuando en tan confuso abismo,	
	es todo el cielo un presagio	
	y es todo el mundo un prodigio.	985

Segunda Jornada

Salen el Rey Basilio *y* Clotaldo.

ESCENA I

CLOTALDO.

Todo como lo mandaste,
queda efectuado.

BASILIO.

Cuenta.
Clotaldo, cómo pasó.

CLOTALDO.

Fue, señor, desta manera.
Con la apacible bebida,   990
que de confecciones llena
hacer mandaste, mezclando
la virtud de algunas yerbas
cuyo tirano poder
y cuya secreta fuerza   995
así el humano discurso
priva, roba y enajena,
que deja vivo cadáver
a un hombre, y cuya violencia,
adormecido, le quita   1000
los sentidos y potencias...
No tenemos que argüir,
que aquesto posible sea,
pues tantas veces, señor,
nos ha dicho la experiencia,   1005
y es cierto, que de secretos
naturales está llena
la medicina, y no hay
animal, planta ni piedra
que no tenga calidad   1010
determinada; y si llega
a examinar mil venenos
la humana malicia nuestra,
que den la muerte, ¿qué mucho
que, tamplada su violencia,   1015
pues hay venenos que maten,
haya venenos que aduerman?
Dejando aparte el dudar,

si es posible que suceda,
pues que ya queda probado   1020
con razones y evidencias;
con la bebida, en efeto,
que el opio, la adormidera
y el beleño compusieron,
bajé a la cárcel estrecha   1025
de Segismundo; con él
hablé un rato de las letras
humanas que le ha enseñado
la muda naturaleza
de los montes y los cielos,   1030
en cuya divina escuela
la retórica aprendió
de las aves y las fieras.[39]
Para levantarle más
el espíritu a la empresa   1035
que solicitas, tomé
por asunto la presteza
de un águila caudalosa,
que despreciando la esfera
del viento, pasaba a ser,   1040
en las regiones supremas
del fuego, rayo de pluma
o desasido cometa.
Encarecí el vuelo altivo,
diciendo: «Al fin eres reina   1045
de las aves, y así, a todas
es justo que las prefieras''.
Él no hubo menester más;
que en tocando esta materia
de la majestad, discurre   1050
con ambición y soberbia;
porque, en efeto, la sangre
le incita, mueve y alienta
a cosas grandes, y dijo:
«¿Que en la república inquieta   1055
de las aves también haya
quien les jure la obediencia?

---

[39] Se habrá visto que en todas las descripciones de la educación que ha recibido Segismundo a manos de Basilio falta la fase empírica. Recuérdese que, al igual que el cartesianismo, los empíricos (que en definitiva son racionalistas, desde luego) comenzaban a ejercer su influencia en este mismo momento histórico. Así, Francis Bacon, claro precursor de este pensamiento filosófico, había muerto en 1626, mientras que John Locke, acaso el mayor de los empíricos, nacerá en 1632. Al igual que don Quijote, Segismundo al final resultará un ser enseñado e iluminado por la experiencia.

En llegando a este discurso,
mis desdichas me consuelan;
pues por lo menos si estoy   106
sujeto, lo estoy por fuerza;
porque voluntariamente
a otro hombre no me rindiera.»
Viéndole ya enfurecido
con esto, que ha sido el tema   106
de su dolor, le brindé
con la pócima, y apenas
pasó desde el vaso al pecho
el licor, cuando las fuerzas
rindió al sueño, discurriendo   107
por los miembros y las venas
un sudor frío, de modo,
que a no saber yo que era
muerte fingida, dudara
de su vida. En esto llegan   107
las gentes de quien tú fias
el valor desta experiencia,
y poniéndole en un coche
hasta tu cuarto le llevan,
donde prevenida estaba   108
la majestad y grandeza
que es digna de su persona.
Allí en tu cama le acuestan,
donde al tiempo que el letargo
haya perdido la fuerza,   108
como a ti mismo, señor,
le sirvan, que así lo ordenas.
Y si haberte obedecido
te obliga a que yo merezca
galardón, sólo te pido   109
(perdona mi inadvertencia)
que me digas ¿qué es tu intento
trayendo desta manera
a Segismundo a palacio?
BASILIO.   Clotaldo, muy justa es esa   1095
duda que tienes, y quiero
sólo a vos satisfacerla.
A Segismundo, mi hijo,
el influjo de su estrella
(bien lo sabéis) amenaza   1100
mil desdichas y tragedias;
quiero examinar si el cielo,

(que no es posible que mienta,
y más habiéndonos dado
de su rigor tantas muestras   1105
en su cruel condición),
o se mitiga, o se templa
por lo menos, y vencido
con valor y con prudencia,
se desdice; porque el hombre   1110
predomina en las estrellas.
Esto quiero examinar,
trayéndole donde sepa
que es mi hijo, y donde haga
de su talento la prueba.   1115
Si magnánimo se vence,
reinará; pero si muestra
el ser cruel y tirano,
le volveré a su cadena.
Agora preguntarás,   1120
que para aquesta experiencia,
¿qué importó haberle traído
dormido desta manera?
Y quiero satisfacerte
dándote a todo respuesta.   1125
Si él supiera que es mi hijo
hoy, y mañana se viera
segunda vez reducido
a su prisión y miseria,
cierto es de su condición   1130
que desesperara en ella;
porque sabiendo quién es,
¿qué consuelo habrá que tenga?
Y así he querido dejar
abierta al daño esta puerta   1135
del decir que fue soñado
cuanto vio. Con esto llegan
a examinarse dos cosas:
su condición la primera,
pues él despierto procede   1140
en cuanto imagina y piensa;
y el consuelo la segunda,
pues aunque agora se vea
obedecido, y después
a sus prisiones se vuelva,   1145
podrá entender que soñó,
y hará bien cuando lo entienda,

	porque en el mundo, Clotaldo,	
	todos los que viven sueñan.	
CLOTALDO.	Razones no me faltaran	1150
	para probar que no aciertas,	
	mas ya no tiene remedio,	
	y según dicen las señas,	
	parece que ha despertado	
	y hacia nosotros se acerca.	1155
BASILIO.	Yo me quiero retirar;	
	tú, como ayo suyo, llega,	
	y de tantas confusiones	
	como su discurso cercan,	
	le saca con la verdad.	1160
CLOTALDO.	En fin, ¿que me das licencia	
	para que lo diga?	
BASILIO.	Sí;	
	que podrá ser, con saberla,	
	que, conocido el peligro,	
	más fácilmente se venza.	1165

Vase y sale CLARÍN

ESCENA II

CLARÍN.	A costa de cuatro palos,	
	que el llegar aquí me cuesta,	
	de un alabardero rubio	
	que barbó de su librea,[40]	
	tengo de ver cuanto pasa;	1170
	que no hay ventana[41] más cierta	
	que aquélla que, sin rogar	
	a un ministro de boletas	
	un hombre se trae consigo;	
	pues para todas las fiestas,	1175
	despojado y despejado,	
	se asoma a su desvergüenza.	
CLOTALDO.	Este es Clarín, el criado	
	de aquélla (¡ay cielos!), de aquélla	
	que tratante de desdichas,	1180
	pasó a Polonia mi afrenta.	
	Clarín, ¿qué hay de nuevo?	
CLARÍN.	Hay,	

---

[40] *barbó de su librea:* su barba era tan dorada como su librea o uniforme.

[41] *ventana:* asiento, o plaza, para los espectáculos que repartía un comisario, o "ministro de boletas".

	señor, que tu gran clemencia,	
	dispuesta a vengar agravios	
	de Rosaura, la aconseja	1185
	que tome su propio traje.	
CLOTALDO.	Y es bien, porque no parezca	
	liviandad.	
CLARÍN.	Hay que, mudando	
	su nombre, y tomando cuerda	
	nombre de sobrina tuya,	1190
	hoy tanto honor se acrecienta,	
	que dama en palacio ya	
	de la singular Estrella	
	vive.	
CLOTALDO.	Es bien que de una vez	
	tome su honor por mi cuenta.	1195
CLARÍN.	Hay que ella se está esperando	
	que ocasión y tiempo venga	
	en que vuelvas por su honor.	
CLOTALDO.	Prevención segura es ésa;	
	que al fin el tiempo ha de ser	1200
	quien haga esas diligencias.	
CLARÍN.	Hay que ella está regalada,	
	servida como una reina,	
	en fe de sobrina tuya,	
	y hay que, viniendo con ella,	1205
	estoy yo muriendo de hambre	
	y naide de mí se acuerda,	
	sin mirar que soy Clarín,	
	y que si el tal Clarín suena,	
	podrá decir cuanto pasa	1210
	al rey, a Astolfo y a Estrella;	
	porque Clarín y criado	
	son dos cosas que se llevan	
	con el secreto muy mal;	
	y podrá ser, si me deja	1215
	el silencio de su mano,	
	se cante por mí esta letra:	
	Clarín que rompe el albor,	
	no suena mejor.	
CLOTALDO.	Tu queja está bien fundada;	1220
	yo satisfaré tu queja,	
	y en tanto sírveme a mí.	
CLARÍN.	Pues ya Segismundo llega.	

Salen MÚSICOS *cantando, y* CRIADOS *dando de vestir a* SEGISMUNDO, *que sale como asombrado.*

SEGISMUNDO.	¡Válgame el cielo! ¿qué veo?
	¡Válgame el cielo! ¿qué miro? 1225
	Con poco espanto lo admiro,
	con mucha duda lo creo.
	¿Yo en palacios suntuosos?
	¿Yo entre telas y brocados?
	¿Yo cercado de criados 1230
	tan lucidos y briosos?
	¿Yo despertar de dormir
	en lecho tan excelente?
	¿Yo en medio de tanta gente
	que me sirva de vestir? 1235
	Decir que sueño es engaño,
	bien sé que despierto estoy.
	¿Yo Segismundo no soy?
	Dadme, cielos, desengaño.
	Decidme qué pudo ser 1240
	esto que a mi fantasía
	sucedió mientras dormía,
	que aquí me he llegado a ver.
	Pero sea lo que fuere,
	¿quién me mete en discurrir? 1245
	Dejarme quiero servir,
	y venga lo que viniere.
CRIADO 1.º	¡Qué melancólico está!
CRIADO 2.º	¿Pues a quién le sucediera
	esto, que no lo estuviera? 1250
CLARÍN.	A mí.
CRIADO 2.º	Llega a hablarle ya.
CRIADO 1.º	¿Volverán a cantar?
SEGISMUNDO.	No,
	no quiero que canten más.
CRIADO 2.º	Como tan suspenso estás,
	quise divertirte.
SEGISMUNDO.	Yo 1255
	no tengo de divertir
	con sus voces mis pesares;
	las músicas militares
	sólo he gustado de oír.
CLOTALDO.	Vuestra Alteza, gran señor, 1260

	me dé su mano a besar,	
	que el primero le ha de dar	
	esta obediencia mi honor.	
SEGISMUNDO.	Clotaldo es: ¿pues cómo así,	
	quien en prisión me maltrata	1265
	con tal respeto me trata?	
	¿Qué es lo que pasa por mí?	
CLOTALDO.	Con la grande confusión	
	que el nuevo estado te da,	
	mil dudas padecerá	1270
	el discurso y la razón;	
	pero ya librarte quiero	
	de todas (si puede ser)	
	porque has, señor, de saber	
	que eres príncipe heredero	1275
	de Polonia. Si has estado	
	retirado y escondido,	
	por obedecer ha sido	
	a la inclemencia del hado,	
	que mil tragedias consiente	1280
	a este imperio, cuando en él	
	el soberano laurel	
	corone tu augusta frente.	
	Mas fiando a tu atención	
	que vencerás las estrellas,	1285
	porque es posible vencellas	
	a un magnánimo varón,	
	a palacio te han traído	
	de la torre en que vivías,	
	mientras al sueño tenías	1290
	el espíritu rendido.	
	Tu padre, el rey mi señor	
	vendrá a verte, y dél sabrás,	
	Segismundo, lo demás.	
SEGISMUNDO.	¡Pues, vil, infame y traidor!	1295
	¿qué tengo más que saber,	
	después de saber quién soy	
	para mostrar desde hoy	
	mi soberbia y mi poder?	
	¿Cómo a tu patria le has hecho	1300
	tal traición, que me ocultaste	
	a mí, pues que me negaste,	
	contra razón y derecho,	
	este estado?	
CLOTALDO.	¡Ay de mí triste!	

SEGISMUNDO.	Traidor fuiste con la ley,	1305
	lisonjero con el rey,	
	y cruel conmigo fuiste;	
	y así el rey, la ley y yo,	
	entre desdichas tan fieras,	
	te condenan a que mueras	1310
	a mis manos.	
CRIADO 2.º	¡Señor!	
SEGISMUNDO.	No	
	me estorbe nadie, que es vana	
	diligencia; ¡y vive Dios!	
	si os ponéis delante vos,	
	que os eche por la ventana.	1315
CRIADO 2.º	Huye, Clotaldo.	
CLOTALDO.	¡Ay de ti	
	qué soberbia vas mostrando,	
	sin saber que estás soñando!	

Vase.

CRIADO 2.º	Advierte...	
SEGISMUNDO.	Apartad de aquí.	
CRIADO 2.º	...que a su rey obedeció.	1320
SEGISMUNDO.	En lo que no es justa ley	
	no ha de obedecer al rey,[42]	
	y su príncipe era yo.	
CRIADO 2.º	El no debió examinar	
	si era bien hecho o mal hecho.	1325
SEGISMUNDO.	Que estáis mal con vos sospecho,	
	pues me dais que replicar.	
CLARÍN.	Dice el príncipe muy bien,	
	y vos hicistes muy mal.	
CRIADO 2.º	¿Quién os dio licencia igual?	1330
CLARÍN.	Yo me la he tomado.	
SEGISMUNDO.	¿Quién	
	eres tú, di?	
CLARÍN.	Entremetido,	
	y deste oficio soy jefe,	
	porque soy el mequetrefe	
	mayor que se ha conocido.	1335
SEGISMUNDO.	Tú solo en tan nuevos mundos	
	me has agradado.	
CLARÍN.	Señor,	

---

[42] Palabras de Segismundo que vuelven a enfrentar el tema de la lealtad monárquica al de la justicia y dignidad humanas garantizadas por la ley divina. A continuación, el Criado 2.º se muestra a favor del absolutismo monárquico sin límites.

soy un grande agradador
de todos los Segismundos.

ESCENA IV

Sale ASTOLFO.

ASTOLFO. ¡Feliz mil veces el día,
oh Príncipe, que os mostráis
sol de Polonia y llenáis
de resplandor y alegría
todos estos horizontes
con tan divino arrebol,
pues que salís como el sol
de debajo de los montes!
Salid, pues, y aunque tan tarde
se corona vuestra frente
del laurel resplandeciente,
tarde muera.
SEGISMUNDO. Dios os guarde.
ASTOLFO. El no haberme conocido
sólo por disculpa os doy
de no honrarme más. Yo soy
Astolfo, duque he nacido
de Moscovia, y primo vuestro;
haya igualdad en los dos.
SEGISMUNDO. Si digo que os guarde Dios,
¿bastante agrado no os muestro?
Pero ya que, haciendo alarde
de quien sois, desto os quejáis,
otra vez que me veáis
le diré a Dios que no os guarde.
CRIADO 2.º (*A Astolfo.*) Vuestra Alteza considere
que como en montes nacido
con todos ha procedido.
(*A Segismundo.*) Astolfo, señor, prefiere...
SEGISMUNDO. Cansóme como llegó
grave a hablarme, y lo primero
que hizo, se puso el sombrero.
CRIADO 2.º Es grande.
SEGISMUNDO. Mayor soy yo.
CRIADO 2.º Con todo eso, entre los dos
que haya más respeto es bien
que entre los demás.

SEGISMUNDO. ¿Y quién
os mete conmigo a vos? 1375

ESCENA V

Sale ESTRELLA.

ESTRELLA. 　　Vuestra Alteza, señor, sea
muchas veces bien venido
al dosel que, agradecido,
le recibe y le desea,
　　adonde, a pesar de engaños, 1380
viva augusto y eminente,
donde su vida se cuente
por siglos, y no por años.
SEGISMUNDO. 　　Dime tú agora ¿quién es
esta beldad soberana? 1385
¿Quién es esta diosa humana,
a cuyos divinos pies
　　postra el cielo su arrebol?
¿Quién es esta mujer bella?
CLARÍN. Es, señor, tu prima Estrella. 1390
SEGISMUNDO. Mejor dijeras el sol.
　　Aunque el parabién es bien
darme del bien que conquisto,
que sólo haberos hoy visto
os admito el parabién; 1395
　　y así, del llegarme a ver
con el bien que no merezco,
el parabién agradezco,
Estrella, que amanecer
　　podéis, y dar alegría 1400
al más luciente farol.
¿Qué dejáis que hacer al sol,
si os levantáis con el día?
　　Dadme a besar vuestra mano,
en cuya copa de nieve 1405
el aura candores bebe.
ESTRELLA. Sed más galán cortesano.
ASTOLFO. 　　Si él toma la mano, yo
soy perdido.
CRIADO 2.º 　　　　　El pesar sé
de Astolfo, y le estorbaré. 1410
Advierte, señor, que no

	es justo atreverse así,	
	y estando Astolfo...	
SEGISMUNDO.	¿No digo	
	que vos no os metáis conmigo?	
CRIADO 2.º	Digo lo que es justo.	
SEGISMUNDO.	A mí	1415
	todo eso me causa enfado.	
	Nada me parece justo	
	en siendo contra mi gusto.[43]	
CRIADO 2.º	Pues yo, señor, he escuchado	
	de ti que en lo justo es bien	1420
	obedecer y servir.	
SEGISMUNDO.	También oíste decir	
	que por un balcón a quien	
	me canse sabré arrojar.	
CRIADO 2.º	Con los hombres como yo	1425
	no puede hacerse eso.	
SEGISMUNDO.	¿No?	
	¡Por Dios, que lo he de probar!	

Cógele en los brazos, y éntrase, y todos tras él, y torna a salir.

ASTOLFO.	¿Qué es esto que llego a ver?	
ESTRELLA.	¡Llegad todos a ayudar!	
	Vase	
SEGISMUNDO.	Cayó del balcón al mar;	1430
	¡vive Dios, que pudo ser!	
ASTOLFO.	Pues medid con más espacio	
	vuestras acciones severas,	
	que lo que hay de hombres a fieras,	
	hay desde un monte a palacio.[44]	1435
SEGISMUNDO.	Pues en dando tan severo	
	en hablar con entereza,	
	quizá no hallaréis cabeza	
	en que se os tenga el sombrero.	

Vase ASTOLFO *y Sale el* REY.

---

[43] *justo... gusto:* oposición frecuente en el Barroco, por contraponer los valores egoístas a los que la Contrarreforma consideraba verdaderos. Por otro lado, la idea de que Calderón esté aquí contraponiendo a su vez al príncipe cristiano y al príncipe maquiavélico, no tiene mucho sentido, ya que para Maquiavelo el príncipe, más que egoísta (incluso, *en vez de* egoísta) tiene que supeditar todo al bien del estado, independientemente de la ética.

[44] *monte a palacio:* conviene volver a ver la n.º 9.

BASILIO.	¿Qué ha sido esto?
SEGISMUNDO.	Nada ha sido; 1440

a un hombre, que me ha cansado,
dese balcón he arrojado.

CLARÍN.   Que es el rey está advertido.

BASILIO.   ¿Tan presto una vida cuesta
tu venida el primer día?   1445

SEGISMUNDO.   Díjome que no podía
hacerse, y gané la apuesta.

BASILIO.   Pésame mucho que cuando,
príncipe, a verte he venido,
pensando hallarte advertido,   1450
de hados y estrellas triunfando,
    con tanto rigor te vea,
y que la primera acción
que has hecho en esta ocasión,
un grave homicidio sea.   1455
    ¿Con qué amor llegar podré
a darte agora mis brazos,
si de sus soberbios lazos,
que están enseñados sé
    a dar muertes? ¿Quién llegó   1460
a ver desnudo el puñal
que dio una herida mortal,
que no temiese? ¿Quién vio
    sangriento el lugar, adonde
a otro hombre dieron muerte,   1465
que no sienta?, que el más fuerte
a su natural responde.
    Yo así, que en tus brazos miro
desta muerte el instrumento,
y miro el lugar sangriento,   1470
de tus brazos me retiro;
    y aunque en amorosos lazos
ceñir tu cuello pensé,
sin ellos me volveré,
que tengo miedo a tus brazos.   1475

SEGISMUNDO.   Sin ellos me podré estar
como me he estado hasta aquí;
que un padre que contra mí
tanto rigor sabe usar,
    que con condición ingrata   1480
de su lado me desvía,

	como a una fiera me cría,	
	y como a un monstruo me trata	
	y mi muerte solicita,	
	de poca importancia fue	1485
	que los brazos no me dé,	
	cuando el ser de hombre me quita.	
BASILIO.	Al cielo y a Dios pluguiera	
	que a dártele no llegara;	
	pues ni tu voz escuchara,	1490
	ni tu atrevimiento viera.	
SEGISMUNDO.	Si no me le hubieras dado,	
	no me quejara de ti;	
	pero una vez dado, sí,	
	por habérmele quitado;	1495
	que aunque el dar el acción es	
	más noble y más singular,	
	es mayor bajeza el dar,	
	para quitarlo después.	
BASILIO.	¡Bien me agradeces el verte,	1500
	de un humilde y pobre preso,	
	príncipe ya!	
SEGISMUNDO.	Pues en eso	
	¿qué tengo que agradecerte?	
	Tirano de mi albedrío,[45]	
	si viejo y caduco estás,	1505
	muriéndote, ¿qué me das?	
	¿Dasme más de lo que es mío?	
	Mi padre eres y mi rey;	
	luego toda esta grandeza	
	me da la naturaleza	1510
	por derechos de su ley.	
	Luego aunque esté en este estado,	
	obligado no te quedo,	
	y pedirte cuentas puedo	
	del tiempo que me has quitado	1515
	libertad, vida y honor;	
	y así, agradéceme a mí	
	que yo no cobre de ti,	
	pues eres tú mi deudor.	
BASILIO.	Bárbaro eres y atrevido:	1520

---

[45] *Tirano de mi albedrío:* no hace falta insistir sobre la importancia teológica y social que tiene el tema del libre albedrío y de la voluntad humana en toda la literatura del Siglo de Oro, y que aquí en esta obra de Calderón, como dijimos en las palabras preliminares, es uno de los temas principales de un drama que abarca múltiples temas y posibilidades interpretativas.

cumplió su palabra el cielo;
y así, para él mismo apelo,
soberbio y desvanecido.
    Y aunque sepas ya quién eres,
y desengañado estés,   1525
y aunque en un lugar te ves
donde a todos te prefieres,
    mira bien lo que te advierto,
que seas humilde y blando,
porque quizá estás soñando,   1530
aunque ves que estás despierto.

Vase.

SEGISMUNDO.   ¿Que quizá soñando estoy,
aunque despierto me veo?
No sueño, pues toco y creo
lo que he sido y lo que soy.   1535
    Y aunque agora te arrepientas,
poco remedio tendrás:
sé quien soy, y no podrás,
aunque suspires y sientas,
    quitarme el haber nacido   1540
desta corona heredero;[46]
y si me viste primero
a las prisiones rendido,
    fue porque ignoré quién era;
pero ya informado estoy   1545
de quién soy, y sé que soy
un compuesto de hombre y fiera.

ESCENA VII

Sale ROSAURA, *dama.*

ROSAURA.   Siguiendo a Estrella vengo,
y gran temor de hallar a Astolfo tengo;
    que Clotaldo desea   1550
que no sepa quién soy, y no me vea,
    porque dice que importa al honor mío;
y de Clotaldo fío

---

[46] Al argumento basado en la ley divina y humana, añade ahora Segismundo otro basado en el derecho político, pues, en efecto, él es el heredero legítimo al trono.

	su efeto, pues le debo agradecida	
	aquí el amparo de mi honor y vida.	1555
CLARÍN.	¿Qué es lo que te ha agradado	
	más de cuanto hoy has visto y admirado?	
SEGISMUNDO.	Nada me ha suspendido,	
	que todo lo tenía prevenido;	
	mas, si admirar hubiera	1560
	algo en el mundo, la hermosura fuera	
	de la mujer. Leía	
	una vez en los libros que tenía,	
	que lo que a Dios mayor estudio debe,	
	era el hombre, por ser un mundo breve;	1565
	mas ya que lo es recelo	
	la mujer, pues ha sido un breve cielo,	
	y más beldad encierra	
	que el hombre, cuanto va de cielo a tierra;	
	y más si es la que miro.	1570
ROSAURA.	El príncipe está aquí; yo me retiro.	
SEGISMUNDO.	Oye, mujer, detente;	
	no juntes el ocaso y el oriente,	
	huyendo al primer paso;	
	que juntos el oriente y el ocaso,	1575
	la lumbre y sombra fría,	
	serás sin duda síncopa del día.	
	Pero ¿qué es lo que veo?	
ROSAURA.	Lo mismo que estoy viendo dudo y creo[47]	
SEGISMUNDO.	Yo he visto esta belleza	1580
	otra vez.	
ROSAURA.	Yo esta pompa, esta grandeza	
	he visto reducida	
	a una estrecha prisión.	
SEGISMUNDO.	Ya hallé mi vida;	
	mujer, que aqueste nombre	
	es el mejor requiebro para el hombre:	1585
	¿quién eres? Que sin verte	
	adoración me debes, y de suerte	
	por la fe te conquisto,	
	que me persuado a que otra vez te he visto.	
	¿Quién eres, mujer bella?	1590
ROSAURA.	(Disimular me importa.) Soy de Estrella	
	una infelice dama.	
SEGISMUNDO.	No digas tal, di el sol, a cuya llama	
	aquella estrella vive,	

---

[47] *viendo dudo y creo:* el método de la duda, la duda metódica, como medio de llegar a la certeza, es precisamente por lo que aboga Descartes en su *Discurso del método.*

pues de tus rayos resplandor recibe; 1595
  yo vi en reino de olores
que presidía entre comunes flores
  la deidad de la rosa,
y era su emperatriz por más hermosa.
  Yo vi entre piedras finas 1600
de la docta academia de sus minas
  preferir el diamante,
y ser su emperador por más brillante.
  Yo en esas cortes bellas
de la inquieta república de estrellas, 1605
  vi en el lugar primero,
por rey de las estrellas el lucero.
  Yo en esferas perfetas
llamando el sol a cortes los planetas,
  le vi que presidía, 1610
como mayor oráculo del día.
Pues ¿cómo si entre estrellas,
piedras, planetas, flores, las más bellas
  prefieren, tú has servido
la de menos beldad, habiendo sido 1615
  por más bella y hermosa,
sol, lucero, diamante, estrella y rosa?[48]

ESCENA VIII

Sale CLOTALDO.

CLOTALDO.   A Segismundo reducir deseo,
            porque en fin le he criado; mas ¿qué veo?
ROSAURA.   Tu favor reverencio: 1620
            respóndate retórico el silencio;
              cuando tan torpe la razón se halla,
            mejor habla, señor, quien mejor calla.
SEGISMUNDO.   No has de ausentarte, espera.
              ¿Cómo quieres dejar desa manera 1625
              a escuras mi sentido?
ROSAURA.   Esta licencia a Vuestra Alteza pido.
SEGISMUNDO.   Irte con tal violencia
            no es pedir, es tomarte la licencia.

---

[48] Una vez más vemos cómo Calderón, siguiendo en esto, como en tantas otras cosa, a Lope,
acopla los versos a las circunstancias, pues las palabras que dirige aquí, y en otras partes,
Segismundo a Rosaura bien podrían representar cumbres de la poesía amorosa de la época.

ROSAURA.	Pues si tú no la das, tomarla espero. 1630
SEGISMUNDO.	Harás que de cortés pase a grosero,
	porque la resistencia
	es veneno cruel de mi paciencia.
ROSAURA.	Pues cuando ese veneno,
	de furia, de rigor y saña lleno, 1635
	la paciencia venciera,
	mi respeto no osara, ni pudiera.
SEGISMUNDO.	Sólo por ver si puedo,
	harás que pierda a tu hermosura el miedo,
	que soy muy inclinado 1640
	a vencer lo imposible; hoy he arrojado
	de ese balcón a un hombre, que decía
	que hacerse no podía;
	y así por ver si puedo, cosa es llana
	que arrojaré tu honor por la ventana. 1645
CLOTALDO.	Mucho se va empeñando.
	¿Qué he de hacer, cielos, cuando
	tras un loco deseo
	mi honor segunda vez a riesgo veo?
ROSAURA.	No en vano prevenía 1650
	a este reino infeliz tu tiranía
	escándalos tan fuertes
	de delitos, traiciones, iras, muertes.
	Mas ¿qué ha de hacer un hombre,
	que no tiene de humano más que el nombre, 1655
	atrevido, inhumano,
	cruel, soberbio, bárbaro y tirano,
	nacido entre las fieras?
SEGISMUNDO.	Porque tú ese baldón no me dijeras,
	tan cortés me mostraba, 1660
	pensando que con eso te obligaba;
	mas si lo soy hablando deste modo,
	has de decirlo, vive Dios, por todo.—
	Hola, dejadnos solos, y esa puerta
	se cierre, y no entre nadie.

Vase CLARÍN.

ROSAURA.	Yo soy muerta. 1665
	Advierte...
SEGISMUNDO.	Soy tirano,
	y ya pretendes reducirme en vano.
CLOTALDO.	¡Oh, qué lance tan fuerte!
	Saldré a estorbarlo, aunque me dé la muerte.

	Señor, atiende, mira.	1670
SEGISMUNDO.	Segunda vez me has provocado a ira,	
	viejo caduco y loco.	
	¿Mi enojo y mi rigor tienes en poco?	
	¿Cómo hasta aquí has llegado?	
CLOTALDO.	De los acentos desta voz llamado,	1675
	a decirte que seas	
	más apacible, si reinar deseas:	
	y no por verte ya de todos dueño,	
	seas cruel, porque quizá es un sueño.	
SEGISMUNDO.	A rabia me provocas,	1680
	cuando la luz del desengaño tocas.	
	Veré, dándote muerte,	
	si es sueño o si es verdad.	

Al ir a sacar la daga se la detiene CLOTALDO,
y se arrodilla:

CLOTALDO.	Yo desta suerte	
	librar mi vida espero.	
SEGISMUNDO.	Quita la osada mano del acero.	1685
CLOTALDO.	Hasta que gente venga	
	que tu rigor y cólera detenga,	
	no he de soltarte.	
ROSAURA.	¡Ay cielos!	
SEGISMUNDO.	Suelta, digo,	
	caduco loco, bárbaro enemigo,	
	o será desta suerte (*Luchan.*)	1690
	el darte agora entre mis brazos muerte.	
ROSAURA.	Acudid todos, presto,	
	que matan a Clotaldo.	

Vase.

Sale ASTOLFO *a tiempo que cae* CLOTALDO *a sus pies,*
y él se pone en medio.

ESCENA IX

ASTOLFO.	¿Pues qué es esto,	
	príncipe generoso?	
	¿Así se mancha acero tan brioso	1695
	en una sangre helada?	
	Vuelva a la vaina tu lucida espada.	

SEGISMUNDO.	En viéndola teñida en esa infame sangre.
ASTOLFO.	Ya su vida tomó a mis pies sagrado, 1700 y de algo ha de servirme haber llegado.
SEGISMUNDO.	Sírvate de morir; pues desta suerte también sabré vengarme con tu muerte de aquel pasado enojo.
ASTOLFO.	Yo defiendo mi vida;[49] así la majestad no ofendo. 1705

Sacan las espadas, y sale el Rey Basilio, y Estrella.

ESCENA X

CLOTALDO.	No le ofendas, señor.
BASILIO.	¿Pues aquí espadas?
ESTRELLA.	¡Astolfo es, ay de mí, penas airadas!
BASILIO.	¿Pues qué es lo que ha pasado?
ASTOLFO.	Nada, señor, habiendo tú llegado.
	(*Envainan.*)
SEGISMUNDO.	Mucho, señor, aunque hayas tú venido; 1710 yo a ese viejo matar he pretendido.
BASILIO.	¿Respeto no tenías a estas canas?
CLOTALDO.	Señor, ved que son mías; que no importa veréis.
SEGISMUNDO.	Acciones vanas, querer que tenga yo respeto a canas; 1715 pues aun ésas podría ser que viese a mis plantas algún día, porque aún no estoy vengado del modo injusto con que me has criado.

Vase.

BASILIO.	Pues antes que lo veas, 1720 volverás a dormir adonde creas que cuanto te ha pasado, como fue bien del mundo, fue soñado.

Vase el REY, *y* CLOTALDO.

---

[49] *Yo defiendo mi vida:* la defensa propia, y el derecho de salvaguardar la vida, priva sobre la lealtad monárquica.

529

Quedan ESTRELLA, *y* ASTOLFO.

ASTOLFO.   ¡Qué pocas veces el hado
que dice desdichas, miente!   1725
pues es tan cierto en los males,
como dudoso en los bienes.
¡Qué buen astrólogo fuera
si siempre casos crueles
anunciara, pues no hay duda   1730
que ellos fueran verdad siempre!
Conocerse esta experiencia
en mí y Segismundo puede,
Estrella, pues en los dos
hizo muestras diferentes.   1735
En él previno rigores,
soberbias, desdichas, muertes,
y en todo dijo verdad,
porque todo, al fin, sucede.
Pero en mí, que al ver, señora,   1740
esos rayos excelentes,
de quien el sol fue una sombra
y el cielo un amago breve,
que me previno venturas,
trofeos, aplausos, bienes,   1745
dijo mal, y dijo bien;
pues sólo es justo que acierte
cuando amaga con favores
y ejecuta con desdenes.

ESTRELLA.   No dudo que esas finezas   1750
son verdades evidentes;
mas serán por otra dama,
cuyo retrato pendiente
trujistes al cuello cuando
llegasteis,[50] Astolfo, a verme;   1755
y siendo así, esos requiebros
ella sola los merece.
Acudid a que ella os pague,
que no son buenos papeles
en el consejo de amor   1760
las finezas ni las fees
que se hicieron en servicio
de otras damas y otros reyes.

---

[50] Vuelva a verse la n. 26

Sale ROSAURA *al paño.*

ROSAURA.	¡Gracias a Dios que han llegado	
	ya mis desdichas crueles	1765
	al término suyo, pues	
	quien esto ve nada teme!	
ASTOLFO.	Yo haré que el retrato salga	
	del pecho, para que entre	
	la imagen de tu hermosura.	1770
	Donde entra Estrella no tiene	
	lugar la sombra, ni estrella	
	donde el sol; voy a traerle.	
	Perdona, Rosaura hermosa, (*Aparte.*)	
	este agravio, porque ausentes,	1775
	no se guardan más fe que ésta	
	los hombres y las mujeres.	

Vase.

ROSAURA.	Nada he podido escuchar,	
	temerosa que me viese.	
ESTRELLA.	¡Astrea!	
ROSAURA.	Señora mía.	1780
ESTRELLA.	Heme holgado que tú fueses	
	la que llegaste hasta aquí;	
	porque de ti solamente	
	fiara un secreto.	
ROSAURA.	Honras,	
	señora, a quien te obedece.	1785
ESTRELLA.	En el poco tiempo, Astrea,	
	que ha que te conozco, tienes	
	de mi voluntad las llaves;	
	por esto, y por ser quien eres,	
	me atrevo a fiar de ti	1790
	lo que aun de mí muchas veces	
	recaté.	
ROSAURA.	Tu esclava soy.	
ESTRELLA.	Pues para decirlo en breve,	
	mi primo Astolfo (bastara	
	que mi primo te dijese,	1795
	porque hay cosas que se dicen	
	con pensarlas solamente),	
	ha de casarse conmigo,	

si es que la fortuna quiere
que con una dicha sola   1800
tantas desdichas descuente.
Pesóme que el primer día
echado al cuello trujese
el retrato de una dama;
habléle en él cortésmente,   1805
es galán, y quiere bien;
fue por él, y ha de traerle
aquí; embarázame mucho
que él a mí a dármele llegue:
quédate aquí, y cuando venga,   1810
le dirás que te le entregue
a ti. No te digo más;
discreta y hermosa eres,
bien sabrás lo que es amor.

Vase.

ESCENA XIII

ROSAURA.   ¡Ojalá no lo supiese!   1815
                   ¡Válgame el cielo! ¿quién fuera
                   tan atenta y tan prudente,
                   que supiera aconsejarse
                   hoy en ocasión tan fuerte?
                   ¿Habrá persona en el mundo   1820
                   a quien el cielo inclemente
                   con más desdichas combata
                   y con más pesares cerque?
                   ¿Qué haré en tantas confusiones,
                   donde imposible parece   1825
                   que halle razón que me alivie,
                   ni alivio que me consuele?
                   Desde la primer desdicha,
                   no hay suceso ni accidente
                   que otra desdicha no sea;   1830
                   que unas a otras suceden,
                   herederas de sí mismas.
                   A la imitación del Fénix,[51]
                   unas de las otras nacen,
                   viviendo de lo que mueren,   1835

---

[51] *Fénix:* véase n. 55 de *El caballero de Olmedo.*

y siempre de sus cenizas
está el sepulcro caliente.
Que eran cobardes, decía
un sabio, por parecerle
que nunca andaba una sola;   1840
yo digo que son valientes,
pues siempre van adelante,
y nunca la espalda vuelven;
quien las llevare consigo,
a todo podrá atreverse,   1845
pues en ninguna ocasión
no haya miedo que le dejen.
Dígalo yo, pues en tantas
como a mi vida suceden,
nunca me he hallado sin ellas,   1850
ni se han cansado hasta verme
herida de la fortuna
en los brazos de la muerte.
¡Ay de mí! ¿qué debo hacer
hoy en la ocasión presente?   1855
Si digo quién soy, Clotaldo,
a quien mi vida le debe
este amparo y este honor,
conmigo ofenderse puede,
pues me dice que callando   1860
honor y remedio espere.
Si no he de decir quién soy
a Astolfo, y él llega a verme
¿cómo he de disimular?
Pues aunque fingirlo intenten   1865
la voz, la lengua y los ojos,
les dirá el alma que mienten.
¿Qué haré? Mas ¿para qué estudio
lo que haré, si es evidente
que por más que lo prevenga,   1870
que lo estudie y que lo piense,
en llegando la ocasión
ha de hacer lo que quisiere
el dolor?, porque ninguno
imperio en sus penas tiene.   1875
Y pues a determinar
lo que he de hacer no se atreve
el alma, llegue el dolor
hoy a su término, llegue
la pena a su extremo, y salga   1880

de dudas y pareceres
de una vez; pero hasta entonces
¡valedme, cielos, valedme!

ESCENA XIV

Sale ASTOLFO *con el retrato.*

ASTOLFO.   Éste es, señora, el retrato;
        mas ¡ay Dios!
ROSAURA.   ¿Qué se suspende   1885
        Vuestra Alteza? ¿qué se admira?
ASTOLFO.   De oirte, Rosaura, y verte.
ROSAURA.   ¿Yo Rosaura? Hace engañado
        Vuestra Alteza, ¿si me tiene
        por otra dama?; que yo   1890
        soy Astrea, y no merece
        mi humildad tan grande dicha
        que esa turbación le cueste.
ASTOLFO.   Basta, Rosaura, el engaño,
        porque el alma nunca miente,   1895
        y aunque como Astrea te mire,
        como a Rosaura te quiere.
ROSAURA.   No he entendido a Vuestra Alteza,
        y así no sé responderle.
        Sólo lo que yo diré   1900
        es que Estrella (que lo puede
        ser de Venus) me mandó
        que en esta parte lo espere,
        y de la suya le diga,
        que aquel retrato me entregue,   1905
        que está muy puesto en razón,
        y yo misma se lo lleve.
        Estrella lo quiere así,
        porque aun las cosas más leves
        como sean en mi daño,   1910
        es Estrella quien las quiere.
ASTOLFO.   Aunque más esfuerzos hagas,
        ¡oh, qué mal, Rosaura, puedes
        disimular! Di a los ojos
        que su música concierten   1915
        con la voz; porque es forzoso
        que desdiga y que disuene
        tan destemplado instrumento,

	que ajustar y medir quiere	
	la falsedad de quien dice,	1920
	con la verdad de quien siente.	
ROSAURA.	Ya digo que sólo espero	
	el retrato.	
ASTOLFO.	Pues que quieres	
	llevar al fin el engaño,	
	con él quiero responderte.	1925
	Dirásle, Astrea, a la infanta,	
	que yo la estimo de suerte	
	que, pidiéndome un retrato,	
	poca fineza parece	
	enviársele, y así,	1930
	porque le estime y le precie	
	le envío el original;	
	y tú llevársele puedes,	
	pues ya le llevas contigo,	
	como a ti misma te lleves.	1935
ROSAURA.	Cuando un hombre se dispone,	
	restado,[52] altivo y valiente,	
	a salir con una empresa,	
	aunque por trato le entreguen	
	lo que valga más, sin ella	1940
	necio y desairado vuelve.	
	Yo vengo por un retrato,	
	y aunque un original lleve	
	que vale más, volveré	
	desairada: y así, deme	1945
	Vuestra Alteza ese retrato,	
	que sin él no he de volverme.	
ASTOLFO.	¿Pues cómo, si no he de darle,	
	le has de llevar?	
ROSAURA.	Desta suerte.	
	¡Suéltale, ingrato!	
ASTOLFO.	Es en vano.	1950
ROSAURA.	¡Vive Dios, que no ha de verse	
	en manos de otra mujer!	
ASTOLFO.	Terrible estás.	
ROSAURA.	¡Y tú aleve!	
ASTOLFO.	Ya basta, Rosaura mía.	
ROSAURA.	¿Yo tuya, villano? Mientes.	1955

---

[52] *restado:* atrevido.

Sale ESTRELLA.

ESTRELLA.	Astrea, Astolfo, ¿qué es esto?
ASTOLFO.	Aquésta es Estrella.
ROSAURA.	Deme (*Aparte.*)

para cobrar mi retrato,
ingenio el amor. Si quieres
saber lo que es, yo, señora,   1960
te lo diré.

ASTOLFO.   ¿Qué pretendes?

ROSAURA.   Mandásteme que esperase
aquí a Astolfo, y le pidiese
un retrato de tu parte.
Quedé sola, y como vienen   1965
de unos discuros a otros
las noticias fácilmente,
viéndote hablar de retratos,
con su memoria acordéme
de que tenía uno mío   1970
en la manga[53], quise verle,
porque una persona sola
con locuras se divierte.
Cayóseme de la mano
al suelo; Astolfo, que viene   1975
a entregarte el de otra dama,
le levantó, y tan rebelde
está en dar el que le pides,
que en vez de dar uno, quiere
llevar otro. Pues el mío   1980
aún no es posible volverme
con ruegos y persuasiones,
colérica y impaciente
yo se le quise quitar.
Aquél que en la mano tiene   1985
es mío; tú lo verás
con ver si se me parece.

ESTRELLA.   Soltad, Astolfo, el retrato.

Quítasele.

ASTOLFO.   Señora...

ESTRELLA.   No son crueles
a la verdad los matices.   1990

---

[53] *manga:* pequeño maletín, con extremos abiertos, los cuales se cierran con cordones.

ROSAURA.	¿No es mío?
ESTRELLA.	¿Qué duda tiene?
ROSAURA.	Di que aora te entregue el otro.
ESTRELLA.	Toma tu retrato, y vete.
ROSAURA.	*(Aparte.)* Yo he cobrado mi retrato,
	venga aora lo que viniere. 1995

Vase

ESCENA XVI

ESTRELLA.   Dadme aora el retrato vos
que os pedí, que aunque no piense
veros ni hablaros jamás,
no quiero, no, que se quede
en vuestro poder, siquiera   2000
porque yo tan neciamente
le he pedido.

ASTOLFO.   ¿Cómo puedo *(Aparte.)*
salir de lance tan fuerte?
Aunque quiera, hermosa Estrella,
servirte y obedecerte,   2005
no podré darte el retrato
que me pides, porque...

ESTRELLA.   Eres
villano y grosero amante.
No quiero que me le entregues;
porque yo tampoco quiero,   2010
con tomarle, que me acuerdes
de que yo te le he pedido.

Vase.

ASTOLFO.   ¡Oye, escucha, mira, advierte!
¡Válgate Dios por Rosaura!
¿Dónde, cómo o de qué suerte   2015
hoy a Polonia has venido
a perderme y a perderte?

ESCENA XVII

Descúbrese SEGISMUNDO *como al principio, con pieles y cadena, durmiendo en el suelo. Salen* CLOTALDO, CLARÍN *y los Dos Criados.*

CLOTALDO.   Aquí le habéis de dejar,

	pues hoy su soberbia acaba	
	donde empezó.	
UN CRIADO	Como estaba	2020
	la cadena vuelvo a atar.	
CLARÍN.	No acabes de despertar,	
	Segismundo, para verte	
	perder, trocada la suerte,	
	siendo tu gloria fingida,	2025
	una sombra de la vida	
	y una llama de la muerte.	
CLOTALDO.	A quien sabe discurrir	
	así, es bien que se prevenga	
	una estancia, donde tenga	2030
	harto lugar de argüir.	
	Éste es el que habéis de asir,	
	y en ese cuarto encerrar.	
CLARÍN.	¿Por qué a mí?	
CLOTALDO.	Porque ha de estar	
	guardado en prisión tan grave,	2035
	Clarín que secretos sabe,	
	donde no pueda sonar.	
CLARÍN.	¿Yo, por dicha, solicito	
	dar muerte a mi padre? No.	
	¿Arrojé del balcón yo	2040
	al Ícaro[54] de poquito?	
	¿Yo muero ni resucito?	
	¿Yo sueño o duermo? ¿A qué fin	
	me encierran?	
CLOTALDO.	Eres Clarín.	
CLARÍN.	Pues ya digo que seré	2045
	corneta, y que callaré,	
	que es instrumento ruin.	
	Llévanle.	

ESCENA XVIII

Sale el REY BASILIO *rebozado.*

BASILIO.	Clotaldo.
CLOTALDO.	¡Señor! ¿así
	viene Vuestra Majestad?

---

[54] *Ícaro:* con alas de cera, logró volar, pero se acercó tanto al sol, que el sol derritió la cera, y cayó al mar.

BASILIO.	La necia curiosidad	2050
	de ver lo que pasa aquí	
	a Segismundo (¡ay de mí!)	
	deste modo me ha traído.	
CLOTALDO.	Mírale allí reducido	
	a su miserable estado.	2055
BASILIO.	¡Ay, príncipe desdichado,	
	y en triste punto nacido!	
	Llega a despertarle ya,	
	que fuerza y vigor perdió	
	ese lotos que bebió.	2060
CLOTALDO.	Inquieto, señor, está,	
	y hablando.	
BASILIO.	¿Qué soñará	
	agora? Escuchemos, pues.	
SEGISMUNDO.	(*En sueños.*)	
	Piadoso príncipe es	
	el que castiga tiranos:	2065
	muera Clotaldo a mis manos,	
	bese mi padre mis pies.	
CLOTALDO.	Con la muerte me amenaza.	
BASILIO.	A mí con rigor y afrenta.	
CLOTALDO.	Quitarme la vida intenta.	2070
BASILIO.	Rendirme a sus plantas traza.	
SEGISMUNDO.	(*En sueños.*)	
	Salga a la anchurosa plaza	
	del gran teatro del mundo[55]	
	este valor sin segundo,	
	porque mi venganza cuadre.	2075
	Vean triunfar de su padre	
	al príncipe Segismundo. (*Despierta.*)	
	Mas ¡ay de mí! ¿dónde estoy?	
BASILIO.	Pues a mí no me ha de ver.	
	Ya sabes lo que has de hacer,	2080
	desde allí a escucharte voy.	

Retírase.

SEGISMUNDO.	¿Soy yo por ventura? ¿soy	
	el que preso y aherrojado	
	llego a verme en tal estado?	
	¿No sois mi sepulcro vos,	2085

---

[55] *gran teatro del mundo:* título del auto sacramental de Calderón que reproducimos también en esta antología, y vertiente de ese mismo tema barroco de la vida como sueño (o teatro, ficción, espejismo, etc.).

	torre?[56] Sí. ¡Válgame Dios,	
	qué de cosas he soñado!	
CLOTALDO.	A mí me toca llegar	
	a hacer la deshecha[57] agora.	
	¿Es ya de despertar hora?	2090
SEGISMUNDO.	Sí, hora es ya de despertar.	
CLOTALDO.	¿Todo el día te has de estar	
	durmiendo? ¿Desde que yo	
	al águila que voló	
	con tarda vista seguí,	2095
	y te quedaste tú aquí,	
	nunca has despertado?	
SEGISMUNDO.	No,	
	ni aun agora he despertado,	
	que según, Clotaldo, entiendo,	
	todavía estoy durmiendo.	2100
	Y no estoy muy engañado;	
	porque si ha sido soñado,	
	lo que vi palpable y cierto,	
	lo que veo será incierto;	
	y no es mucho que rendido,	2105
	pues veo estando dormido	
	que sueñe estando despierto.	
CLOTALDO.	Lo que soñaste me di.	
SEGISMUNDO.	Supuesto que sueño fue,	
	no diré lo que soñé,	2110
	lo que vi, Clotaldo, sí.	
	Yo desperté y yo me vi	
	(¡qué crueldad tan lisonjera!)	
	en un lecho que pudiera,	
	con matices y colores,	2115
	ser el catre de las flores	
	que tejió la Primavera.	
	Allí mil nobles, rendidos	
	a mis mies, nombre me dieron	
	de su príncipe, y sirvieron	2120
	galas, joyas y vestidos.	
	La calma de mis sentidos	
	tú trocaste en alegría	
	diciendo la dicha mía:	

---

[56] *sepulcro... torre:* esta identificación de la torre con la muerte, que ya hemos visto antes (véase vs. 94), y que veremos otra vez (vs. 3297-98), induce a pensar que el hombre que se deja llevar por el sueño de la razón, o el predominio de la pasión, y de la ignorancia, no está plenamente vivo como ser humano total.

[57] *desecha:* disimulo, fingimiento.

	que aunque estoy desta manera,	2125
	príncipe en Polonia era.	
CLOTALDO.	Buenas albricias tendría.	
SEGISMUNDO.	No muy buenas: por traidor,	
	con pecho atrevido y fuerte	
	dos veces te daba muerte.	2130
CLOTALDO.	¿Para mí tanto rigor?	
SEGISMUNDO.	De todos era señor,	
	y de todos me vengaba;	
	sólo a una mujer amaba;	
	que fue verdad, creo yo,	2135
	en que todo se acabó,	
	y esto sólo no se acaba.	

Vase el rey.

CLOTALDO.	Enternecido se ha ido	
	el rey de haberle escuchado.	
	Como habíamos hablado,	2140
	de aquella águila, dormido,	
	tu sueño imperios han sido,	
	mas en sueños fuera bien	
	entonces, honrar a quien	
	te crió en tantos empeños,	2145
	Segismundo, que aun en sueños	
	no se pierde el hacer bien.	

Vase

ESCENA XIX

SEGISMUNDO.	Es verdad; pues reprimamos[58]	
	esta fiera condición,	
	esta furia, esta ambición,	2150
	por si alguna vez soñamos.	
	Y sí haremos, pues estamos	
	en mundo tan singular,	
	que el vivir sólo es soñar;	
	y la experiencia me enseña,	2155
	que el hombre que vive, sueña	
	lo que es, hasta despertar.	

---

[58] Aquí comienza el segundo gran discurso de Segismundo, con el que tan brillantemente termina la segunda jornada con una gran altura poética y dramática.

Sueña el rey que es rey, y vive
con este engaño mandando,
disponiendo y gobernando;   2160
y este aplauso, que recibe
prestado, en el viento escribe
y en cenizas le convierte
la muerte (¡desdicha fuerte!):
¡que hay quien intente reinar   2165
viendo que ha de despertar
en el sueño de la muerte!
    Sueña el rico en su riqueza,
que más cuidados le ofrece;
sueña el pobre que padece   2170
su miseria y su pobreza;
sueña el que a medrar empieza,
sueña el que afana y pretende,
sueña el que agravia y ofende,
y en el mundo, en conclusión,   2175
todos sueñan lo que son,
aunque ninguno lo entiende.
    Yo sueño que estoy aquí,
destas prisiones cargado;
y soñé que en otro estado   2180
más lisonjero me vi.
¿Qué es la vida? Un frenesí.
¿Qué es la vida? Una ilusión,
una sombra, una ficción,
y el mayor bien es pequeño;   2185
que toda la vida es sueño,
y los sueños, sueños son.

ESCENA I

Sale CLARÍN.

CLARÍN.   En una encantada torre,
                       por lo que sé, vivo preso.
                       ¿Qué me harán por lo que ignoro,   2190
                       si por lo que sé me han muerto?
                       ¿Qué un hombre con tanta hambre
                       viniese a morir viviendo?
                       Lástima tengo de mí;
                       todos dirán: «Bien lo creo»;   2195
                       y bien se puede creer,
                       pues para mí este silencio
                       no conforma con el nombre,
                       Clarín[59], y callar no puedo.
                       Quien me hace compañía   2200
                       aquí, (si a decirlo acierto),
                       son arañas y ratones,
                       ¡miren qué dulces jilgueros!
                       De los sueños desta noche
                       la triste cabeza tengo   2205
                       llena de mil chirimías,
                       de trompetas y embelecos,
                       de procesiones, de cruces,
                       de disciplinantes; y estos,
                       unos suben, otros bajan;   2210
                       otros se desmayan viendo
                       la sangre que llevan otros;
                       mas yo, la verdad diciendo,
                       de no comer me desmayo;
                       que en una prisión me veo,   2215
                       donde ya todos los días
                       en el filósofo leo
                       Nicomedes[60], y las noches

---

[59] *Clarín:* conceptismo, naturalmente, pues el clarín suena.
[60] *Nicomedes:* rey de Bitinia (279-250 a.C.), cuyo nombre se convierte aquí en otro juego de palabra: "ni comes".

en el concilio Niceno.[61]
Si llaman santo al callar,[62]   2220
como en calendario nuevo,
San Secreto es para mí,
pues le ayuno y no le huelgo;
aunque está bien merecido
el castigo que padezco,   2225
pues callé, siendo criado,
que es el mayor sacrilegio.

ESCENA II

Ruido de cajas y gente, y dicen dentro.

SOLDADO 1.º   Ésta es la torre en que está.
                 Echad la puerta en el suelo.
                 Entrad todos.

CLARÍN.   ¡Vive Dios   2230
                 que a mí me buscan! Es cierto,
                 pues que dicen que aquí estoy.
                 ¿Qué me querrán?

Salen los soldados que pudieren.

SOLDADO 1.º   Entrad dentro.
SOLDADO 2.º   Aquí está.
CLARÍN.   No está.
TODOS.   Señor...
CLARÍN.   ¿Si vienen borrachos éstos?   2235
SOLDADO 2.º   Tú nuestro príncipe eres;
                 ni admitimos ni queremos
                 sino al señor natural,
                 y no príncipe extranjero.[63]
                 A todos nos da los pies.   2240
TODOS.   ¡Viva el gran príncipe nuestro!
CLARÍN.   Vive Dios, que va de veras.
                 ¿Si es costumbre en este reino
                 prender uno cada día

---

[61] *Niceno:* nombre del Concilio de 325, que también forma otro conceptismo: "ni ceno".
[62] Refrán: "Al buen callar, llaman santo" (y también "Sancho").
[63] *sino... extranjero:* en efecto, otro argumento —de carácter político otra vez— a favor del derecho de Segismundo al trono se basa en la primacía del príncipe natural, o del país, por encima del príncipe extranjero.

	y hacerle príncipe, y luego	2245
	volverle a la torre? Sí,	
	pues cada día lo veo:	
	fuerza es hacer mi papel.	
TODOS.	Danos tus plantas.	
CLARÍN.	No puedo	
	porque las he menester	2250
	para mí, y fuera defeto	
	ser príncipe desplantado.	
SOLDADO 2.º	Todos a tu padre mesmo	
	le dijimos, que a ti sólo	
	por príncipe conocemos,	2255
	no al de Moscovia.	
CLARÍN.	¿A mi padre	
	le perdisteis el respeto?	
	Sois unos tales por cuales.	
SOLDADO 1.º	Fue lealtad de nuestros pechos,	
CLARÍN.	Si fue lealtad, yo os perdono.	2260
SOLDADO 2.º	Sal a restaurar tu imperio.	
	¡Viva Segismundo!	
TODOS.	¡Viva!	
CLARÍN.	Segismundo dicen, ¡Bueno!	
	Segismundos llaman todos	
	los príncipes contrahechos.	2265

Sale SEGISMUNDO.

ESCENA III

SEGISMUNDO.	¿Quién nombra aquí a Segismundo?	
CLARÍN.	¿Mas que soy príncipe huero?	
SOLDADO 1.º	¿Quién es Segismundo?	
SEGISMUNDO.	Yo.	
SOLDADO 2.º	¿Pues cómo, atrevido y necio,	
	tú te hacías Segismundo?	2270
CLARÍN.	¿Yo Segismundo? Eso niego.	
	Vosotros fuisteis los que	
	me segismundeasteis: luego	
	vuestra ha sido solamente	
	necedad y atrevimiento.	2275
SOLDADO 1.º	Gran príncipe Segismundo,	
	(que las señas que traemos	
	tuyas son, aunque por fe	
	te aclamamos señor nuestro).	

	Tu padre, el gran rey Basilio,	2280
	temeroso que los cielos	
	cumplan un hado, que dice	
	que ha de verse a tus pies puesto	
	vencido de ti, pretende	
	quitarte acción y derecho	2285
	y dársela a Astolfo, duque	
	de Moscovia. Para esto	
	juntó su corte, y el vulgo,	
	penetrando ya y sabiendo	
	que tiene rey natural,	2290
	no quiere que un extranjero	
	venga a mandarle. Y así,	
	haciendo noble desprecio	
	de la inclemencia del hado,	
	te ha buscado donde preso	2295
	vives, para que valido	
	de sus armas, y saliendo	
	desta torre a restaurar	
	tu imperial corona y cetro,	
	se la quites a un tirano.	2300
	Sal, pues; que en ese desierto,	
	ejército numeroso	
	de bandidos y plebeyos	
	te aclama: la libertad	
	te espera: oye sus acentos.	2305

VOCES. (*Dentro.*)
¡Viva Segismundo, viva!

SEGISMUNDO.
Otra vez, (¿qué es esto, cielos?),
¿queréis que sueñe grandezas,
que ha de deshacer el tiempo?
¿Otra vez queréis que vea   2310
entre sombras y bosquejos
la majestad y la pompa
desvanecida del viento?
¿Otra vez queréis que toque
el desengaño, o el riesgo   2315
a que el humano poder
nace humilde y vive atento?
Pues no ha de ser, no ha de ser;[64]
miradme otra vez sujeto
a mi fortuna; y pues sé   2320

---

[64] Obsérvese el cambio en Segismundo, quien ahora cuestiona la realidad, donde antes (vs. 1245) había despachado la duda y complejidad con un "¿quién me mete en discurrir?"

que toda esta vida es sueño,
idos, sombras, que fingís
hoy a mis sentidos muertos
cuerpo y voz, siendo verdad
que ni tenéis voz ni cuerpo;   2325
que no quiero majestades
fingidas, pompas no quiero
fantásticas, ilusiones
que al soplo menos ligero
del aura han de deshacerse,   2330
bien como el florido almendro,
que por madrugar sus flores,
sin aviso y sin consejo,
al primer soplo se apagan,
marchitando y desluciendo   2335
de sus rosados capillos[65]
belleza, luz y ornamento.
Ya os conozco, ya os conozco,
y sé que os pasa lo mesmo
con cualquiera que se duerme.   2340
Para mí no hay fingimientos,
que, desengañado ya,
sé bien que *la vida es sueño*.

SOLDADO 2.º   Si piensas que te engañamos,
vuelve a esos montes soberbios   2345
los ojos, para que veas
la gente que aguarda en ellos
para obedecerte.

SEGISMUNDO.   Ya
otra vez vi aquesto mesmo
tan clara y distintamente   2350
como agora lo estoy viendo,
y fue sueño.

SOLDADO 2.º   Cosas grandes
siempre, gran señor, trujeron
anuncios; y esto sería,
si lo soñaste primero.   2355

SEGISMUNDO.   Dices bien, anuncio fue,
y caso que fuese cierto,
pues que la vida es tan corta,
soñemos, alma, soñemos
otra vez; pero ha de ser   2360
con atención y consejo
de que hemos de despertar

---

[65] *capillos:* capullos.

deste gusto al mejor tiempo;
que llevándolo sabido,
será el desengaño menos; 2365
que es hacer burla del daño
adelantarle el consejo.
Y con esta prevención
de que cuando fuese cierto,
es todo el poder prestado 2370
y ha de volverse a su dueño,
atrevámonos a todo.
Vasallos, yo os agradezco
la lealtad; en mí lleváis
quien os libre osado y diestro 2375
de extranjera esclavitud.
Tocad al arma, que presto
veréis mi inmenso valor.
Contra mi padre pretendo
tomar armas, y sacar 2380
verdaderos a los cielos.
Presto he de verle a mis plantas.
Mas si antes desto despierto,
¿no será bien no decirlo,
supuesto que no he de hacerlo? 2385

TODOS. ¡Viva Segismundo, viva!

ESCENA IV

Sale CLOTALDO.

CLOTALDO. ¿Qué alboroto es éste, cielos?
SEGISMUNDO. Clotaldo.
CLOTALDO.   Señor. (*Aparte.*) En mí
su crueldad prueba.
CLARÍN.   Yo apuesto
que le despeña del monte. (*Vase.*) 2390
CLOTALDO. A tus reales plantas llego,
ya sé que a morir.
SEGISMUNDO.   Levanta,
levanta, padre, del suelo;
que tú has de ser norte y guía
de quien fíe mis aciertos; 2395
que ya sé que mi crianza
a tu mucha lealtad debo.
Dame los brazos.

CLOTALDO.	¿Qué dices?	
SEGISMUNDO.	Que estoy soñando, y que quiero	
	obrar bien[66], pues no se pierde	2400
	obrar bien, aun entre sueños.	
CLOTALDO.	Pues, señor, si el obrar bien	
	es ya tu blasón, es cierto	
	que no te ofenda el que yo	
	hoy solicite lo mesmo.	2405
	¿A tu padre has de hacer guerra?	
	Yo aconsejarte no puedo	
	contra mi rey, ni valerte.	
	A tus plantas estoy puesto,	
	dame la muerte.	
SEGISMUNDO.	¡Villano,	2410
	traidor, ingrato! Mas, ¡cielos!	
	reportarme me conviene,	
	que aun no sé si estoy despierto.	
	Clotaldo, vuestro valor	
	os envidio y agradezco.	2415
	Idos a servir al rey,	
	que en el campo nos veremos.—	
	Vosotros tocad al arma.	
CLOTALDO.	Mil veces tus plantas beso.	
SEGISMUNDO.	A reinar, fortuna, vamos;	2420
	no me despiertes si duermo,	
	y si es verdad, no me duermas.	
	Mas sea verdad o sueño,	
	obrar bien es lo que importa;	
	si fuere verdad, por serlo;	2425
	si no, por ganar amigos	
	para cuando despertemos.	

Vanse y tocan al arma.

ESCENA V

Salen el REY BASILIO *y* ASTOLFO.

BASILIO.	¿Quién, Astolfo, podrá parar prudente	
	la furia de un caballo desbocado?	
	¿Quién detener de un río la corriente	2430

---

[66] *obrar bien:* este énfasis en las buenas obras, que volveremos a ver en *El gran teatro del mundo,* es una de las respuestas de la Contrarreforma al énfasis que Lutero puso en la fe como único medio de salvación del hombre.

que corre al mar soberbio y despeñado?
¿Quién un peñasco suspender valiente
de la cima de un monte desgajado?
Pues todo fácil de parar ha sido
y un vulgo no, soberbio y atrevido.   2435

Dígalo en bandos el rumor partido,
pues se oye resonar en lo profundo
de los montes el eco repetido,
unos *¡Astolfo!* y otros *¡Segismundo!*
El dosel de la jura[67], reducido   2440
a segunda intención, a horror segundo,
teatro funesto es, donde importuna
representa tragedias la fortuna.

ASTOLFO.   Suspéndase, señor, el alegría,
cese el aplauso y gusto lisonjero,   2445
que tu mano feliz me prometía;
que si Polonia (a quien mandar espero)
hoy se resiste a la obediencia mía,
es porque la merezca yo primero.
Dadme un caballo y de arrogancia lleno,   2450
rayo descienda el que blasona trueno.

Vase.

BASILIO.   Poco reparo tiene lo infalible,
y mucho riesgo lo previsto tiene:
Si ha de ser, la defensa es imposible,
que quien la excusa más, más la previene.   2455
¡Dura ley! ¡fuerte caso! ¡horror terrible!
Quien piensa que huye el riesgo, al riesgo
                                         [viene;
con lo que yo guardaba me he perdido;
yo mismo, yo mi patria he destruido.

ESCENA VI

Sale ESTRELLA.

ESTRELLA.   Si tu presencia, gran señor, no trata   2460
de enfrenar el tumulto sucedido,
que de uno en otro bando se dilata,
por las calles y plazas dividido,

---

[67] *dosel de la jura:* trono.

verás tu reino en ondas de escarlata
nadar, entre la púrpura teñido   2465
de su sangre, que ya con triste modo,
todo es desdichas y tragedias todo.
    Tanta es la ruina de tu imperio, tanta
la fuerza del rigor duro y sangriento,
que visto admira y escuchado espanta.   2470
El sol se turba y se embaraza el viento;
cada piedra un pirámide levanta,
y cada flor construye un monumento,
cada edificio es un sepulcro altivo,
cada soldado un esqueleto vivo.   2475

ESCENA VII

Sale CLOTALDO.

CLOTALDO.   ¡Gracias a Dios que vivo a tus pies llego!
BASILIO.   Clotaldo, ¿pues qué hay de Segismundo?
CLOTALDO.   Que el vulgo, monstruo despeñado y ciego,
la torre penetró, y de lo profundo
della sacó su príncipe, que luego   2480
que vio segunda vez su honor segundo,
valiente se mostró, diciendo fiero,
que ha de sacar al cielo verdadero.
BASILIO.   Dadme un caballo, porque yo en persona
vencer valiente a un hijo ingrato quiero;   2485
y en la defensa ya de mi corona,
lo que la ciencia erró, venza el acero.

Vase.

ESTRELLA.   Pues yo al lado del sol seré Belona;[68]
poner mi nombre junto al suyo espero,
que he de volar sobre tendidas alas   2490
a competir con la deidad de Palas.[69]

Vase, y tocan al arma.

ESCENA VIII

Sale ROSAURA, *y detiene a* CLOTALDO.

ROSAURA.   Aunque el valor que se encierra
en tu pecho, desde allí

---

[68] *Belona:* diosa de la guerra.
[69] *Palas:* véase n. 24. Se refiere aquí obviamente a Palas Atenea.

da voces, óyeme a mí,
que yo sé que todo es guerra. 2495
     Ya sabes que yo llegué
pobre, humilde y desdichada
a Polonia, y amparada
de tu valor, en ti hallé
     piedad; mandásteme (¡ay cielos!) 2500
que disfrazada viviese
en palacio, y pretendiese
(disimulando mis celos),
     guardarme de Astolfo. En fin
él me vio, y tanto atropella 2505
mi honor, que viéndome, a Estrella
de noche habla en un jardín;
     déste la llave he tomado,
y te podré dar lugar
de que en él puedas entrar 2510
a dar fin a mi cuidado.
     Así, altivo, osado y fuerte,
volver por mi honor podrás,
pues que ya resuelto estás
a vengarme con su muerte. 2515

CLOTALDO.   Verdad es que me incliné,
desde el punto que te vi,
a hacer, Rosaura, por ti
(testigo tu llanto fue)
     cuanto mi vida pudiese. 2520
Lo primero que intenté,
quitarte aquel traje fue;
porque, si Astolfo te viese
     te viese en tu propio traje,
sin juzgar a liviandad 2525
la loca temeridad
que hace del honor ultraje.
     En este tiempo trazaba
cómo cobrar se pudiese
tu honor perdido, aunque fuese, 2530
tanto tu honor me arrastraba,
     dando muerte a Astolfo. ¡Mira
qué cadudo desvarío!
Si bien, no siendo rey mío,
ni me asombra ni me admira. 2535
     Darle pensé muerte, cuando
Segismundo pretendió
dármela a mí, y él llegó,

su peligro atropellando,
  a hacer en defensa mía   2540
muestras de su voluntad,
que fueron temeridad,
pasando de valentía.
  ¿Pues cómo yo agora, advierte,
teniendo alma agradecida   2545
a quien me ha dado la vida
le tengo de dar la muerte?
  Y así, entre los dos partido
el afeto y el cuidado,
viendo que a ti te la he dado,   2550
y que dél la he recibido,
    no sé a qué parte acudir:
  no sé qué parte ayudar,
si a ti me obligué con dar,
dél lo estoy con recibir;   2555
  y así, en la acción que se ofrece,
nada a mi amor satisface,
porque soy persona que hace,
y persona que padece.

ROSAURA.
  No tengo que prevenir   2560
que en un varón singular,
cuanto es noble acción el dar,
es bajeza el recibir.
  Y este principio asentado,
no has de estarle agradecido,   2565
supuesto que si él ha sido
el que la vida te ha dado,
  y tú a mí, evidente cosa
es, que él forzó tu nobleza
a que hiciese una bajeza,   2570
y yo una acción generosa.
  Luego estás dél ofendido,
luego estás de mí obligado,
supuesto que a mí me has dado
lo que dél has recibido;   2575
  y así debes acudir
a mi honor en riesgo tanto,
pues yo le prefiero, cuanto
va de dar a recibir.

CLOTALDO.
  Aunque la nobleza vive   2580
de la parte del que da,
el agradecerla está
de parte del que recibe.

    Y pues ya dar he sabido,
ya tengo con nombre honroso   2585
el nombre de generoso,
déjame el de agradecido,
    pues le puedo conseguir,
siendo agradecido, cuanto
liberal, pues honra tanto   2590
el dar como el recibir.

ROSAURA.
    De ti recibí la vida,
y tú mismo me dijiste,
cuando la vida me diste,
que la que estaba ofendida   2595
    no era vida: luego yo
nada de ti he recibido,
pues vida no vida ha sido
la que tu mano me dio.
    Y si debes ser primero   2600
liberal que agradecido,
como de ti mismo he oído,
que me des la vida espero,
    que no me la has dado; y pues
el dar engrandece más,   2605
si antes liberal, serás
agradecido después.

CLOTALDO.
    Vencido de tu argumento,
antes liberal seré.
Yo, Rosaura, te daré   2610
mi hacienda, y en un convento
    vive; que está bien pensado
el medio que solicito;
pues huyendo de un delito,
te recoges a un sagrado;   2615
    que cuando tan dividido
el reino desdichas siente,
no he de ser quien las aumente
habiendo noble nacido.
    Con el remedio elegido   2620
soy con el reino leal,
soy contigo liberal,
con Astolfo agradecido;
    y así escoge el que te cuadre,
quedándose entre los dos;   2625
que no hiciera ¡vive Dios!
más, cuando fuera tu padre.

ROSAURA.
    Cuando tú mi padre fueras,

	sufriera esa injuria yo;	
	pero no siéndolo, no.	2630
CLOTALDO.	¿Pues qué es lo que hacer esperas?	
ROSAURA.	Matar al duque.	
CLOTALDO.	¿Una dama,	
	que padres no ha conocido,	
	tanto valor ha tenido?	
ROSAURA.	Sí.	
CLOTALDO.	¿Quién te alienta?	
ROSAURA.	Mi fama.	2635
CLOTALDO.	Mira que a Astolfo has de ver...	
ROSAURA.	Todo mi honor lo atropella.	
CLOTALDO.	Tu rey, y esposo de Estrella.	
ROSAURA.	¡Vive Dios que no ha de ser!	
CLOTALDO.	Es locura[70].	
ROSAURA.	Ya lo veo.	2640
CLOTALDO.	Pues véncela.	
ROSAURA.	No podré.	
CLOTALDO.	Pues perderás...	
ROSAURA.	Ya lo sé.	
CLOTALDO.	...vida y honor.	
ROSAURA.	Bien lo creo.	
CLOTALDO.	¿Qué intentas?	
ROSAURA.	Mi muerte.	
CLOTALDO.	Mira	
	que eso es despecho.	
ROSAURA.	Es honor.	2645
CLOTALDO.	Es desatino.	
ROSAURA.	Es valor.	
CLOTALDO.	Es frenesí.	
ROSAURA.	Es rabia, es ira.	
CLOTALDO.	En fin, ¿que no se da medio	
	a tu ciega pasión?	
ROSAURA.	No.	
CLOTALDO.	¿Quién ha de ayudarte?	
ROSAURA.	Yo.	2650
CLOTALDO.	¿No hay remedio?	
ROSAURA.	No hay remedio.	
CLOTALDO.	Piensa bien si hay otros modos.	
ROSAURA.	Perderme de otra manera.	
CLOTALDO.	Pues si has de perderte, espera,	
	hija y perdámonos todos. *(Vase.)*	2655

---

[70] Obsérvese que a partir de este momento el diálogo se abrevia, hasta crear un ritmo de golpe seco, aumentando así el dramatismo.

Tocan y salen marchando SOLDADOS, CLARÍN *y* SEGISMUNDO *vestido de pieles.*

SEGISMUNDO.   Si este día me viera
Roma en los triunfos de su edad primera,
       ¡oh, cuánto se alegrara
viendo lograr una ocasión tan rara
       de tener una fiera   2660
que sus grandes ejércitos rigiera;
       a cuyo altivo aliento
fuera poca conquista el firmamento!
       Pero el vuelo abatamos,
espíritu, no así desvanezcamos   2665
       aqueste aplauso incierto,
si ha de pesarme cuando esté despierto,
       de haberlo conseguido
para haberlo perdido;
       pues mientras menos fuere,   2670
menos se sentirá si se perdiere.

Dentro un clarín.

CLARÍN.   En un veloz caballo
(perdóname, que fuerza es el pintallo
       en viniéndome a cuento),
en quien un mapa se dibuja atento,   2675
       pues el cuerpo es la tierra,
el fuego el alma que en el pecho encierra,
la espuma el mar, el aire su suspiro,
en cuya confusión un caos admiro;
       pues en el alma, espuma, cuerpo, aliento,   2680
monstruo es de fuego, tierra, mar y viento,
       de color remendado,
rucio, y a su propósito rodado[71]
       del que bate la espuela,
y en vez de correr vuela;   2685
       a tu presencia llega
airosa una mujer.
SEGISMUNDO.   Su luz me ciega.
CLARÍN.   ¡Vive Dios, que es Rosaura! *(Vase.)*
SEGISMUNDO.   El cielo a mi presencia la restaura.

---

[71] *rucio... rodado:* blanco, tirando a gris, con manchas oscuras del color de la crin.

Sale ROSAURA *con baquero, espada y daga.*

ROSAURA.

Generoso Segismundo,[72]   2690
cuya majestad heroica
sale al día de sus hechos
de la noche de sus sombras;
y como el mayor planeta,
que en los brazos de la aurora   2695
se restituye luciente
a las flores y a las rosas,
y sobre mares y montes
cuando coronado asoma,
luz esparce, rayos brilla,   2700
cumbres baña, espumas borda;
así amanezcas al mundo,
luciente sol de Polonia,
que a una mujer infelice,
que hoy a tus plantas se arroja,   2705
ampares por ser mujer
y desdichada: dos cosas,
que para obligar a un hombre,
que de valiente blasona,
cualquiera de las dos basta,   2710
de las dos cualquiera sobra.
Tres veces son las que ya
me admiras, tres las que ignoras
quién soy, pues las tres me has visto
en diverso traje y forma.   2715
La primera me creíste
varón en la rigurosa
prisión, donde fue tu vida
de mis desdichas lisonja.
La segunda me admiraste   2720
mujer, cuando fue la pompa
de tu majestad un sueño,
una fantasma, una sombra.
La tercera es hoy, que siendo

---

[72] Comienza aquí la súplica de Rosaura a Segismundo, que será una dura prueba para el príncipe, y que recuerda que la obra empareja a personajes de la vieja (Basilio-Clotaldo) y la nueva generación (Segismundo-Rosaura), cobrando así una dimensión más en cuanto a sus múltiples perspectivas y posibles significados. Con razón se ha dicho que *La vida es sueño* es un "drama total", pues abarca tanto lo filosófico, como lo teológico, político, generacional, sicológico, etc., según explicamos en las palabras preliminares.

monstruo de una especie y otra,   2725
entre galas de mujer
armas de varón me adornan.
Y porque compadecido
mejor mi amparo dispongas,
es bien que de mis sucesos   2730
trágicas fortunas oigas.
De noble madre nací
en la corte de Moscovia,
que, según fue desdichada,
debió de ser muy hermosa.   2735
En ésta puso los ojos
un traidor, que no le nombra
mi voz por no conocerle,
de cuyo valor me informa
el mío; pues siendo objeto   2740
de su idea, siento agora
no haber nacido gentil,
pàra persuadirme loca
a que fue algún dios de aquellos
que en metamorfosis lloran   2745
lluvia de oro, cisne y toro
Dánae, Leda y Europa[73].
Cuando pensé que alargaba,
citando aleves historias,
el discurso, hallo que en él   2750
te he dicho en razones pocas
que mi madre, persuadida
a finezas amorosas,
fue, como ninguna, bella,
y fue infeliz como todas.   2755
Aquella necia disculpa
de fe y palabras de esposa[74]
la alcanzó tanto, que aún hoy
el pensamiento la cobra,
habiendo sido un tirano   2760
tan Eneas de su Troya[75],
que le dejó hasta la espada.
Enváinese aquí su hoja,
que yo la desnudaré

---

[73] Júpiter, transformado en lluvia de oro, cisne y toro, gozó de las tres.

[74] *palabras de esposa:* como en *El burlador de Sevilla,* y otras obras, significa promesa de matrimonio, la cual, de acuerdo al código de honor y social imperante en la época, obligaba a las partes.

[75] *Eneas de su Troya:* véase n. 26 de *El burlador de Sevilla.*

antes que acabe la historia.   2765
Deste, pues, mal dado nudo[76]
que ni ata ni aprisiona,
o matrimonio o delito,
si bien todo es una cosa,
nací yo tan parecida,   2770
que fui un retrato, una copia,
ya que en la hermosura no,
en la dicha y en las obras;
y así, no habré menester
decir que poco dichosa   2775
heredera de fortunas,
corrí con ella una propia.
Lo más que podré decirte
de mí, es el dueño que roba
los trofeos de mi honor,   2780
los despojos de mi honra.
Astolfo... ¡Ay de mí! al nombrarle
se encoleriza y se enoja
el corazón, propio efeto
de que enemigo se nombra.—   2785
Astolfo fue el dueño ingrato
que olvidado de las glorias
(porque en un pasado amor
se olvida hasta la memoria),
vino a Polonia, llamado   2790
de su conquista famosa,
a casarse con Estrella,
que fue de mi ocaso antorcha.
¿Quién creerá, que habiendo sido
una estrella quien conforma   2795
dos amantes, sea una Estrella
la que los divida agora?
Yo ofendida, yo burlada,
quedé triste, quedé loca,
quedé muerta, quedé yo,   2800
que es decir que quedó toda
la confusión del infierno
cifrada en mi Babilonia[77];
y declarándome muda

---

[76] *mal dado nudo:* lo mismo que en n. 74.

[77] *Babilonia:* alusión aquí, más que al pecado que caracteriza a esa ciudad, a la confusión lingüística relacionada con la torre de Babel, pues como castigo a la soberbia de los hombres, Dios confundió su lengua y los dispersó sobre la tierra (de donde el origen de las diferentes lenguas, según esta explicación bíblica).

(porque hay penas y congojas 2805
que las dicen los afectos
mucho mejor que la boca),
dije mis penas callando,
hasta que una vez a solas,
Violante mi madre (¡ay, cielos!) 2810
rompió la prisión, y en tropa
del pecho salieron juntas,
tropezando unas con otras.
No me embaracé en decirlas;
que en sabiendo una persona 2815
que, a quien sus flaquezas cuenta,
ha sido cómplice en otras,
parece que ya le hace
la salva y le desahoga;
que a veces el mal ejemplo 2820
sirve de algo. En fin, piadosa
oyó mis quejas, y quiso
consolarme con las propias:
juez que ha sido delincuente,
¡qué fácilmente perdona! 2825
Y escarmentado en sí misma[78],
y por negar a la ociosa
libertad, al tiempo fácil,
el remedio de su honra,
no le tuvo en mis desdichas; 2830
por mejor consejo toma
que le siga, y que le obligue,
con finezas prodigiosas,
a la deuda de mi honor;
y para que a menos costa 2835
fuese, quiso mi fortuna
que en traje de hombre me ponga.
Descolgó una antigua espada
que es ésta que ciño; agora
es tiempo que se desnude, 2840
como prometí, la hoja.
Pues confiada en sus señas,
me dijo: «Parte a Polonia,
y procura que te vean
ese acero que te adorna, 2845
los más nobles; que en alguno
podrá ser que hallen piadosa

---

[78] *escarmentando en sí misma:* tomándose como ejemplo, aprendiendo de su mala experiencia.

acogida tus fortunas,
y consuelo tus congojas.»
Llegué a Polonia, en efeto: 2850
pasemos, pues que no importa
el decirlo, y ya se sabe,
que un bruto que se desboca
me llevó a tu cueva, adonde
tú de mirarme te asombras.   2855
Pasemos que allí Clotaldo
de mi parte se apasiona,
que pide mi vida al rey,
que el rey mi vida le otorga;
que informado de quién soy,   2860
me persuade a que me ponga
mi propio traje, y que sirva
a Estrella, donde ingeniosa
estorbé el amor de Astolfo
y el ser Estrella su esposa.   2865
Pasemos que aquí me viste
otra vez confuso, y otra
con el traje de mujer
confundiste entrambas formas,
y vamos a que Clotaldo,   2870
persuadido a que le importa
que se casen y que reinen
Astolfo y Estrella hermosa,
contra mi honor me aconseja
que la pretensión deponga.   2875
Yo, viendo que tú ¡oh, valiente
Segismundo! a quien hoy toca
la venganza, pues el cielo
quiere que la cárcel rompas
desa rústica prisión,   2880
donde ha sido tu persona
al sentimiento una fiera,
al sufrimiento una roca,
las armas contra tu patria
y contra tu padre tomas,   2885
vengo a ayudarte, mezclando
entre las galas costosas
de Diana;[79] los arneses
de Palas,[80] vistiendo agora

---

[79] *Diana:* Diosa de la caza, motivo de muchas pinturas durante el Renacimiento y Barroco, en algunas de las cuales se le ve bellamente vestida de seda y telas preciosas.
[80] *Palas:* otra vez, se refiere a Palas Atenea.

ya la tela y ya el acero,   2890
que entrambos juntos me adornan.
Ea, pues, fuerte caudillo,
a los dos juntos importa
impedir y deshacer
estas concertadas bodas: 2895
a mí, porque no se case
el que mi esposo se nombra
y a ti, porque, estando juntos
sus dos estados, no pongan
con más poder y más fuerza   2900
en duda nuestra victoria.
Mujer vengo a persuadirte
al remedio de mi honra,
y varón vengo a alentarte
a que cobres tu corona.   2905
Mujer vengo a enternecerte
cuando a tus plantas me ponga
y varón vengo a servirte
cuando a tus gentes socorra.
Mujer vengo a que me valgas   2910
en mi agravio y mi congoja,
y varón vengo a valerte
con mi acero y mi persona.
Y así piensa, que si hoy
como a mujer me enamoras   2915
como varón te daré
la muerte en defensa honrosa
de mi honor, porque he de ser
en su conquista amorosa,
mujer para darte quejas,   2920
varón para ganar honras.[81]

SEGISMUNDO.   Cielos, si es verdad que sueño,
suspendedme la memoria,
que no es posible que quepan
en un sueño tantas cosas.   2925
¡Válgame Dios, quién supiera,
o saber salir de todas,
o no pensar en ninguna!

---

[81] Termina aquí el larguísimo discurso de Rosaura, el cual, desde un punto de vista teatral, puede suponer el peligro de cansar al público, si bien Calderón (que era bastante dado a semejantes discursos y disquiciones de carácter filosófico y ético) contrarresta por lo general dicho peligro mediante su brillante uso de la poesía, aunque ciertos críticos se lo sigan reprochando. Por lo demás, y desde ese mismo punto de vista teatral, piénsese en la labor del director y del actor aquí para prevenir precisamente el que la obra caiga en un descenso dramático-teatral.

¿Quién vio penas tan dudosas?
Si soñé aquella grandeza   2930
en que me vi, ¿cómo agora
esta mujer me refiere
unas señas tan notorias?
Luego fue verdad, no sueño;
y si fue verdad, que es otra   2935
confusión y no menor,
¿cómo mi vida le nombra
sueño? ¿Pues tan parecidas
a los sueños son las glorias,
que las verdaderas son   2940
tenidas por mentirosas,
y las fingidas por ciertas?
¿Tan poco hay de unas a otras,
que hay cuestión sobre saber
si lo que se ve y se goza,   2945
es mentira o es verdad?
¿Tan semejante es la copia
al original, que hay duda
en saber si es ella propia?
Pues si es así, y ha de verse   2950
desvanecida entre sombras
la grandeza y el poder,
la majestad y la pompa,
sepamos aprovechar
este rato que nos toca,   2955
pues sólo se goza en ella
lo que entre sueños se goza.
Rosaura está en mi poder,
su hermosura el alma adora,
gocemos, pues, la ocasión,   2960
el amor las leyes rompa
del valor y confianza
con que a mis plantas se postra.
Esto es sueño, y pues lo es,
soñemos dichas agora,   2965
que después serán pesares.
Mas ¡con mis razones propias
vuelvo a convencerme a mí!
Si es sueño, si es vanagloria,
¿quién, por vanagloria humana,   2970
pierde una divina gloria?
¿Qué pasado bien no es sueño?
¿Quién tuvo dichas heroicas

que entre sí no diga, cuando
las revuelve en su memoria: 2975
sin duda que fue soñado
cuando vi? Pues si esto toca
mi desengaño, si sé
que es el gusto llama hermosa,
que la convierte en cenizas 2980
cualquiera viento que sopla,
acudamos a lo eterno,
que es la fama vividora
donde ni duermen las dichas,
ni las grandezas reposan. 2985
Rosaura está sin honor;
más a un príncipe le toca
el dar honor, que quitarle.
¡Vive Dios! que de su honra
he de ser conquistador, 2990
antes que de mi corona.
Huyamos de la ocasión,
que es muy fuerte.— Al arma toca,
que hoy he de dar la batalla,
antes que las negras sombras 2995
sepulten los rayos de oro
entre verdinegras ondas.

ROSAURA. ¡Señor! ¿pues así te ausentas?
¿Pues ni una palabra sola
no te debe mi cuidado, 3000
no merece mi congoja?
¿Cómo es posible, señor,
que ni me mires ni oigas?
¿Aún no me vuelves el rostro?

SEGISMUNDO. Rosaura, al honor le importa, 3005
por ser piadoso contigo,
ser cruel contigo agora.
No te responde mi voz,
porque mi honor te responda;
no te hablo, porque quiero 3010
que te hablen por mí mis obras,
ni te miro, porque es fuerza,
en pena tan rigurosa,
que no mire tu hermosura
quien ha de mirar tu honra. 3015

Vanse.

ROSAURA. ¿Qué enigmas, cielos, son éstas?

Después de tanto pesar,
¡aún me queda que dudar
con equívocas respuestas!⁸²

ESCENA XI

Sale CLARÍN.

CLARÍN.	¿Señora, es hora de verte?	3020
ROSAURA.	¡Ay, Clarín! ¿dónde has estado?	
CLARÍN.	En una torre, encerrado	
	brujuleando⁸³ mi muerte,	
	si me da, o... no me da;	
	y a figura que me diera,	3025
	pasante quínola⁸⁴ fuera	
	mi vida: que estuve ya	
	para dar un estallido.	
ROSAURA.	¿Por qué?	
CLARÍN.	Porque sé el secreto	
	de quién eres, y en efecto (*Dentro cajas.*)	3030
	Clotaldo... ¿Pero qué ruido	
	es éste?	
ROSAURA.	¿Qué puede ser?	
CLARÍN.	Que del palacio sitiado	
	sale un escuadrón armado	
	a resistir y vencer	3035
	el del fiero Segismundo.	
ROSAURA.	¿Pues cómo cobarde estoy,	
	y ya a su lado no soy	
	un escándalo del mundo,	
	cuando ya tanta crueldad	3040
	cierra sin orden ni ley? (*Vase.*)	

ESCENA XII

UNOS.	(*Dentro.*)
	¡Viva nuestro invicto rey!

---

⁸² *equívocas respuestas:* no entiende Rosaura que, para evitar toda tentación, es que Segismundo le ha dicho que mira hacia su honra, y no a su hermosura.

⁸³ *brujuleando:* término relacionado con el juego de los naipes, que significa ir revelando, o descubriendo las cartas para conocer la suerte.

⁸⁴ *quínola:* cuatro cartas de un mismo palo.

OTROS.	*(Dentro.)*	
	¡Viva nuestra libertad!	
CLARÍN.	¡La libertad y el rey vivan!	
	Vivan muy enhorabuena,	3045
	que a mí nada me da pena	
	como en cuenta me reciban;	
	que yo, apartado este día	
	en tan grande confusión,	
	haga el papel de Nerón,[85]	3050
	que de nada se dolía.	
	Si bien me quiero doler	
	de algo, y ha de ser de mí:	
	escondido, desde aquí	
	toda la fiesta he de ver.	3055
	El sitio es oculto y fuerte,	
	entre estas peñas; pues ya	
	la muerte no me hallará,	
	dos higas para la muerte.	

(*Escóndese.*)

ESCENA XIII

Suena ruido de armas. Salen el REY, CLOTALDO *y* ASTOLFO, *huyendo.*

BASILIO.	¿Hay más infelice rey?	3060
	¿Hay padre más perseguido?	
CLOTALDO.	Ya tu ejército vencido	
	baja sin tino ni ley.	
ASTOLFO.	Los traidores vencedores	
	quedan.	
BASILIO.	En batallas tales	3065
	los que vencen son leales,	
	los vencidos los traidores.	
	Huyamos, Clotaldo, pues,	
	del cruel, del inhumano	
	rigor de un hijo tirano.	3070

Disparan dentro y cae CLARÍN, *herido, de donde está.*

| BASILIO. | ¡Válgame el cielo! | |

---

[85] *Nerón:* véase n. 106 de *El caballero de Olmedo.*

ASTOLFO.	¿Quién es
	este infelice soldado,
	que a nuestros pies ha caído
	en sangre todo teñido?
CLARÍN.	Soy un hombre desdichado,	3075
	que por quererme guardar
	de la muerte, la busqué.
	Huyendo della, topé
	con ella, pues no hay lugar,
	para la muerte secreto;	3080
	de donde claro se arguye
	que quien más su efeto huye,
	es quien se llega a su efeto.
	Por eso, tornad, tornad
	a la lid sangrienta luego,	3085
	que entre las armas y el fuego
	hay mayor seguridad
	que en el monte más guardado,
	pues no hay seguro camino
	a la fuerza del destino	3090
	y a la inclemencia del hado;
	y así, aunque a libraros vais
	de la muerte con huir,
	mirad que vais a morir
	si está de Dios que muráis. *(Cae dentro.)*	3095
BASILIO.	¡Mirad que vais a morir
	si está de Dios que muráis!
	¡Qué bien (¡ay cielos!) persuade
	nuestro error, nuestra ignorancia,
	a mayor conocimiento	3100
	este cadáver que habla
	por la boca de una herida,
	siendo el humor que desata
	sangrienta lengua que enseña
	que son diligencias vanas	3105
	del hombre, cuantas dispone
	contra mayor fuerza y causa!
	Pues yo, por librar de muertes
	y sediciones mi patria,
	vine a entregarla a los mismos	3110
	de quien pretendí librarla.[86]
CLOTALDO.	Aunque el hado, señor, sabe
	todos los caminos, y halla

---

[86] Basilio aquí se ve reflejado en Clarín, juego de espejos muy del gusto del Barroco.

	a quien busca entre lo espeso	
	de las peñas, no es cristiana	3115
	determinación decir	
	que no hay reparo a su saña.	
	Sí hay, que el prudente varón	
	vitoria del hado alcanza;	
	y si no estás reservado	3120
	de la pena y la desgracia,	
	haz por donde te reserves.	
ASTOLFO.	Clotaldo, señor, te habla	
	como prudente varón	
	que madura edad alcanza;	3125
	yo como joven valiente:	
	entre las espesas ramas	
	dese monte está un caballo,	
	veloz aborto del aura;	
	huye en él, que yo, entretanto,	3130
	te guardaré las espaldas.	
BASILIO.	Si está de Dios que yo muera,	
	o si la muerte me aguarda	
	aquí, hoy la quiero buscar,	
	esperando cara a cara.	3135

ESCENA XIV

Tocan al arma y sale SEGISMUNDO *y toda la compañía.*

SOLDADO.	En lo intrincado del monte,	
	entre sus espesas ramas,	
	el rey se esconde.	
SEGISMUNDO.	¡Seguidle!	
	No quede en sus cumbres planta	
	que no examine el cuidado,	3140
	tronco a tronco, y rama a rama.	
CLOTALDO.	¡Huye, señor!	
BASILIO.	¿Para qué?	
ASTOLFO.	¿Qué intentas?	
BASILIO.	Astolfo, aparta.	
CLOTALDO.	¿Qué quieres?	
BASILIO.	Hacer, Clotaldo,	
	un remedio que me falta.—	3145
	Si a mí buscándome vas,	
	ya estoy, príncipe, a tus plantas,	
	sea dellas blanca alfombra	

    esta nieve de mis canas.
    Pisa mi cerviz, y huella   3150
    mi corona; postra, arrastra
    mi decoro y mi respeto,
    toma de mi honor venganza,
    sírvete de mí cautivo,
    y tras prevenciones tantas,   3155
    cumpla el hado su homenaje,
    cumpla el cielo su palabra.

SEGISMUNDO.   Corte ilustre de Polonia,[87]
    que de admiraciones tantas
    sois testigos, atended,   3160
    que vuestro príncipe os habla.
    Lo que está determinado
    del cielo, y en azul tabla
    Dios con el dedo escribió,
    de quien son cifras y estampas   3165
    tantos papeles azules
    que adornan letras doradas,
    nunca engaña, nunca miente;
    porque quien miente y engaña
    es quien, para usar mal dellas,   3170
    las penetra y las alcanza.
    Mi padre, que está presente,
    por excusarse a la saña
    de mi condición, me hizo
    un bruto, una fiera humana;   3175
    de suerte, que cuando yo
    por mi nobleza gallarda,
    por mi sangre generosa,
    por mi condición bizarra
    hubiera nacido dócil   3180
    y humilde, sólo bastara
    tal género de vivir,
    tal linaje de crianza,
    a hacer fieras mis costumbres:
    ¡qué buen modo de estorbarlas!   3185
    Si a cualquier hombre dijesen:
    «Alguna fiera inhumana
    te dará muerte» ¿escogiera
    buen remedio en despertallas
    cuando estuviesen durmiendo?   3190
    Si dijeran: «Esta espada

---

[87] Comienza el tercer gran parlamento de Segismundo.

que traes ceñida ha de ser
quien te dé la muerte»; vana
diligencia de evitarlo
fuera entonces desnudarla   3195
y ponérsela a los pechos.
Si dijesen: «Golfos de agua
han de ser tu sepultura
en monumentos de plata»;
mal hiciera en darse al mar,   3200
cuando soberbio levanta
rizados montes de nieve,
de cristal crespas montañas.
Lo mismo le ha sucedido
que a quien, porque le amenaza   3205
una fiéra, la despierta;
que a quien, temiendo una espada,
la desnuda; y que a quien mueve
las ondas de una borrasca;
y cuando fuera (escuchadme)   3210
dormida fiera mi saña,
templada espada mi furia,
mi rigor quieta bonanza,
la fortuna no se vence
con injusticia y venganza,   3215
porque antes se incita más;
y así, quien vencer aguarda
a su fortuna, ha de ser
con prudencia y con templanza.
No antes de venir el daño   3220
se reserva ni se guarda
quien le previene; que aunque
puede humilde (cosa es clara)
reservarse dél, no es
sino después que se halla   3225
en la ocasión, porque aquésta
no hay camino de estorbarla.
Sirva de ejemplo este raro
espectáculo, esta extraña
admiración, este horror,   3230
este prodigio; pues nada
es más, que llegar a ver
con prevenciones tan varias,
rendido a mis pies a un padre,
y atropellado a un monarca.   3235
Sentencia del cielo fue;

	por más que quiso estorbarla	
	él, no pudo; ¿y podré yo,	
	que soy menor en las canas,	
	en el valor y en la ciencia,	3240
	vencerla? —Señor, levanta,	
	dame tu mano; que ya	
	que el cielo te desengaña	
	de que has errado en el modo	
	de vencerle, humilde aguarda	3245
	mi cuello a que tú te vengues:	
	rendido estoy a tus plantas.	
ASILIO.	Hijo, que tan noble acción	
	otra vez en mis entrañas	
	te engendra, príncipe eres.	3250
	A ti el laurel y la palma	
	se te deben; tú venciste;	
	corónente tus hazañas.	
ODOS.	¡Viva Segismundo, viva!	
EGISMUNDO.	Pues que ya vencer aguarda	3255
	mi valor grandes vitorias,	
	hoy ha de ser la más alta	
	vencerme a mí:[88] Astolfo dé	
	la mano luego a Rosaura,	
	pues sabe que de su honor	3260
	es deuda, y yo he de cobrarla.	
ASTOLFO.	Aunque es verdad que le debo	
	obligaciones, repara	
	que ella no sabe quién es;	
	y es bajeza y es infamia	3265
	casarme yo con mujer...	
CLOTALDO.	No prosigas, tente, aguarda;	
	porque Rosaura es tan noble	
	como tú, Astolfo, y mi espada	
	lo defenderá en el campo;	3270
	que es mi hija, y esto basta.	
ASTOLFO.	¿Qué dices?	
CLOTALDO.	Que yo hasta verla	
	casada, noble y honrada,	
	no la quise descubrir.	

---

[88] *vencerme a mí:* conocer los propios límites (en contraste con la fe ilimitada en el hombre que caracteriza a gran parte del Renacimiento) era una lección principal del Barroco, como recordará el lector del *Quijote,* donde el asunto se llega a expresar en términos muy semejantes a estos, pues cuando regresa a La Mancha don Quijote, dirá Sancho "que si viene (don Quijote) vencido de los brazos ajenos, viene vencedor de sí mismo; que según él me ha dicho, es el mayor vencimiento que desearse puede" (II, 72).

	La historia desto es muy larga;	327
	pero, en fin, es hija mía.	
ASTOLFO.	Pues siendo así, mi palabra	
	cumpliré.	
SEGISMUNDO.	Pues porque Estrella	
	no quede desconsolada,	
	viendo que príncipe pierde	328
	de tanto valor y fama,	
	de mi propia mano yo	
	con esposo he de casarla	
	que en méritos y fortuna,	
	si no le excede, le iguala.	328
	Dame la mano.	
ESTRELLA.	Yo gano	
	en merecer dicha tanta.	
SEGISMUNDO.	A Clotaldo, que leal	
	sirvió a mi padre, le aguardan	
	mis brazos, con las mercedes	329
	que él pidiere que le haga.	
UN SOLDADO.	Si así a quien no te ha servido	
	honras, a mí que fui causa	
	del alboroto del reino,	
	y de la torre en que estabas	329
	te saqué ¿qué me darás?	
SEGISMUNDO.	La torre,[89] y porque no salgas	
	della nunca hasta morir,	
	has de estar allí con guardas,	
	que el traidor no es menester	330
	siendo la traición pasada.[90]	
BASILIO.	Tu ingenio a todos admira.	
ASTOLFO.	¡Qué condición tan mudada!	
ROSAURA.	¡Qué discreto y qué prudente!	
SEGISMUNDO.	¿Qué os admira? ¿qué os espanta	330
	si fue mi maestro un sueño,	

---

[89] *La torre:* con lo cual al simbolismo antes comentado (n. 56), se añade ahora éste de la tor como cárcel para controlar los elementos negativos, o las malas pasiones, que pueden ll var a la sociedad al caos.

[90] Palabras que han llevado a algún crítico a plantear la tesis de Segismundo como prínci maquiavélico, y que suscitan del todo, y en toda su complejidad, el problema de la legi midad ética de la revuelta que lleva a Segismundo al poder. Baste decir ahora que el cas go del soldado responde a su conducta subjetivamente egoísta, por lo que dan a entend sus palabras, pero no le invalidan, ni mucho menos, como instrumento del bien al prop ciar una revuelta que rectifica la injusticia y tiranía ejercida contra Segismundo y contr el reino por parte de Basilio. Lo cual no es lo mismo que afirmar que el fin justifica l medios, pues los medios aquí podrían ser comparables a los de una "guerra santa" en d fensa de principios justos por parte de Segismundo.

y estoy temiendo en mis ansias
que he de despertar y hallarme
otra vez en mi cerrada
prisión? Y cuando no sea,   3310
el soñarlo sólo basta:
pues así llegué a saber
que toda la dicha humana
en fin pasa como sueño,
y quiero hoy aprovecharla   3315
el tiempo que me durare,
pidiendo de nuestras faltas
perdón, pues de pechos nobles
es tan propio el perdonarlas.

FIN

EL MÉDICO DE SU HONRA (1635)

Siendo el tema de honor una de las grandes constantes del teatro del Siglo de Oro, hay obras que se dedican exclusivamente a él. La que aquí comentamos forma parte de una famosa trilogía, siendo las dos restantes *A secreto agravio, secreta venganza* y *El pintor de su deshonra*.

Influída excesivamente por los presupuestos de época, la crítica decimonónica, capitaneada por Menéndez Pelayo, pensó en un momento que el drama calderoniano no pretendía más que reflejar la realidad de la sociedad coetánea, como ya hemos dicho anteriormente. Hoy difícilmente podemos aceptar semejante visión, que nos resulta un tanto ingenua: en primer lugar, sabido es que todo proceso artístico es selectivo, y que la misma elección ya de una determinada materia, puede ocultar una postura de alguna manera ideológica o crítica. Por otro lado, sabemos también que las obras teatrales tendían a exagerar la realidad, en este caso, la del honor; pues aunque en la vida podían registrarse incidentes tan violentos y extremos como los que se daban en la escena, por regla general, el honor no siempre era, ni mucho menos, tan rígido y tiránico en la vida real. Ahí está el caso de Lope de Vega, quien, en vez de perseguir con capa y espada y hasta la muerte al raptor de su hija, escribe un poema. El propio Cervantes asimismo llegó a advertir que el honor no se lava con sangre, y, sin duda alguna, los extremos del teatro eran relativamente raros en la vida.

Una vez más, en el drama de honor, Calderón, pese a su reputación de pensamiento tradicional, resulta adelantado. En efecto, sus dramas equivalen a definitivas defensas de la mujer como víctima de un código machista, injusto, y hasta ridículo y absurdo. Pensar que el público de la época aceptaba sin más los extremos que era capaz de alcanzar el hombre en su defensa del honor; pensar que desangrar a una mujer inocente en aras del honor (o peor, en muchos casos, de la simple opinión, o "el qué dirán") era interpretado como un castigo justo y merecido, sería volver a atribuirle a la realidad los excesos del arte. Como dijimos antes a propósito de *El burlador de Sevilla*, el arte refleja la realidad, es cierto, pero no tiene por qué hacerlo de una forma tan ceñida y realista como querían (pero tampoco lograban del todo, desde luego) los realistas del siglo pasado. La nota estrambótica, y hasta grotesca, de esas escenas que convertían a la mujer en cruel sacrificio sangriento, no se le escapaba tampoco al público del Siglo de Oro.

Desde un punto de vista de sicología colectiva, la defensa de la mujer que implican estos dramas podría verse como el exorcismo de una sociedad que practica un sistema injusto. Recién aludíamos a la fama de ideólogo tradicional, identificado con valores establecidos, y con una concepción aristocrática y clasista de la sociedad, que se le ha atribuido a Calderón. En contraste, se ha hablado del teatro de Lope como más popular. Y, sin embargo, en *Fuenteovejuna* vimos que, pese a las apariencias, Lope, en definitiva, subyuga el derecho del pueblo a su dignidad a un pragmatismo político que garantiza al rey un "castigo ejemplar" (vuelva a verse el verso 2027 del tercer acto de *Fuenteovejuna*). Es decir, lo político (amonestar contra futuras rebeliones) priva sobre lo humano (la dignidad del ser humano, garantizada por el orden divino). Calderón, en cambio, introduce en *La vida es sueño* (con mucha cautela, es verdad) una rebelión que destrona al rey, cuando éste viola esos derechos garantizados al hombre. Pero no hace falta entrar aquí en la cuestión de si de veras era tan tradicional el pensamiento calderoniano, pues basta reconocer que una vez más un gran escritor, al enfrentarse problemáticamente con la realidad, ha logrado objetivar cualquier opinión personal, siguiendo más bien hasta sus últimas consecuencias un proceso artístico más allá de ideas o pensamientos establecidos *a priori*.

Tampoco —es igualmente cierto— niega esta defensa de la mujer ese supuesto apego calderoniano a la tradición, pues no es necesariamente incompatible una postura crítica ante determinado tema por parte de un individuo aferrado por lo general a lo establecido. Luego, más allá de toda y cualquier especulación en este sentido biográfico, queda la evidencia del texto, que es la que nos incumbe ahora.

EL MÉDICO DE SU HONRA

PERSONAS

DON GUTIERRE ALFONSO	TEODORA, *criada*
EL REY DON PEDRO	JACINTA, *esclava herrada*
EL INFANTE DON ENRIQUE	LUDOVICO, *sangrador*
DON ARIAS	*Un* SOLDADO
DON DIEGO	*Un* VIEJO
COQUÍN, *lacayo*	PRETENDIENTES
DOÑA MENCÍA DE ACUÑA	ACOMPAÑAMIENTO
DOÑA LEONOR	MÚSICA
INÉS, *criada*	CRIADOS, CRIADAS

PRIMERA JORNADA

(*Vista exterior de una quinta de* DON GUTIERRE, *inmediata a Sevilla.*)

Suena ruido[1] de caza, y sale cayendo el INFANTE DON ENRIQUE, *y algo después salen* DON ARIAS *y* DON DIEGO, *y algo detrás el* REY DON PEDRO. *Todos de camino.*

ENRIQUE.	¡Jesús mil veces! *(cae sin sentido.)*	
D. ARIAS.	¡El cielo	
	te valga!	
REY.	¿Qué fue?	
D. ARIAS.	Cayó	
	el caballo, y arrojó	
	desde él al Infante al suelo.	
REY.	Si las torres de Sevilla	5
	saluda de esa manera,	
	¡nunca a Sevilla viniera,	
	nunca dejara a Castilla!	
	¡Enrique, hermano!	
D. DIEGO.	¡Señor!	
REY.	¿No vuelve?	
D. ARIAS.	A un tiempo ha perdido	10

---

[1] *ruido*: en efecto, se trata de un comienzo de gran dramatismo y teatralidad.

<table>
<tr><td></td><td>pulso, color y sentido.
¡Qué desdicha!</td><td></td></tr>
<tr><td>D. DIEGO.</td><td style="text-align:right">¡Qué dolor!</td><td></td></tr>
<tr><td>REY.</td><td>Llegad a esa quinta bella
que está del camino al paso,
don Arias, a ver si acaso,
recogido un poco en ella,
cobra salud el Infante.
Todos os quedad aquí,
y dadme un caballo a mí,
que he de pasar adelante;
que aunque este horror y mancilla[2]
mi rémora pudo ser,
no me quiero detener
hsta llegar a Sevilla.
Allá llegará la nueva
del suceso. (Vase.)</td><td>15

20

25</td></tr>
<tr><td>D. ARIAS.</td><td style="text-align:right">Esta ocasión
de su fiera condición
ha sido bastante prueba.
¿Quién a un hermano dejara,
tropezando desta suerte
en los brazos de la muerte?
¡Vive Dios!...</td><td>

30</td></tr>
<tr><td>D. DIEGO.</td><td style="text-align:right">Calla, y repara
en que, si oyen las paredes[3],
los troncos, don Arias, ven,
y nada nos está bien.</td><td>

35</td></tr>
<tr><td>D. ARIAS.</td><td>Tú, Don Diego, llegar puedes
a esa quinta: di que aquí
el Infante mi señor
cayó. Pero no; mejor
será que los dos así
le llevemos donde pueda
descansar.</td><td>

40</td></tr>
<tr><td>D. DIEGO.</td><td style="text-align:right">Has dicho bien.</td><td></td></tr>
<tr><td>D. ARIAS.</td><td>Viva Enrique, y otro bien
la suerte no me conceda.</td><td></td></tr>
</table>

(Llevan al INFANTE.)

---

[2] *mancilla*: en sentido aquí de llaga o herida que despierta compasión.

[3] *si oyen las paredes*: aunque es verdad que Ruiz de Alarcón publicó una comedia titulada *Las paredes oyen* (1628) que pudo haber recordado aquí Calderón, también lo es que en la época abundaban refranes como ése que aconsejaban prudencia al hablar, tal como el que vemos en esta misma obra, II, 1040.

Salen DOÑA MENCÍA *y* JACINTA, *esclava herrada.*

Dª. MENCÍA.   Desde la torre los vi[4],   45
                y aunque quien son no podré
                distinguir, Jacinta, sé
                que una gran desdicha allí
                ha sucedido. Venía
                un bizarro caballero   50
                en un bruto tan ligero,
                que en el viento parecía
                un pájaro que volaba;
                y es razón que lo presumas,
                porque un penacho de plumas   55
                matices al aire daba.
                El campo y el Sol en ellas
                compitieron resplandores;
                que el campo le dio sus flores,
                y el Sol le dio sus estrellas;   60
                porque cambiaban de modo,
                y de modo relucían,
                que en todo al Sol parecían,
                y a la primavera en todo.
                Corrió, pues, y tropezó   · 65
                el caballo, de manera
                que lo que ave entonces era,
                cuando en la tierra cayó
                fue rosa; y así en rigor
                imitó su lucimiento   70
                en Sol, cielo, tierra y viento,
                ave, bruto, estrella y flor.
JACINTA.   ¡Ay, señora!, en casa ha entrado...
Dª. MENCÍA.   ¿Quién?
JACINTA.   Un confuso tropel
                de gente.
Dª. MENCÍA.   ¿Mas que con él   75
                a nuestra quinta han llegado?

Salen DON ARIAS *y* DON DIEGO, *y sacan al* INFANTE, *y siéntanle en una
silla.*

D. DIEGO.   En las casas de los nobles
                tiene tan divino imperio
                la sangre del Rey, que ha dado

---

[4] 45-72: obsérvense las semejanzas con el comienzo de *La vida es sueño* en ciertas descripciones de Dª. Mencía aquí.

	en la vuestra atrevimiento	80
	para entrar desta manera.	
Dª. MENCÍA.	(*Ap.*) ¡Qué es esto que miro, cielos!	
D. DIEGO.	El infante don Enrique,	
	hermano del rey don Pedro,	
	a vuestras puertas cayó,	85
	y llega aquí medio muerto.	
Dª. MENCÍA.	¡Válgame Dios, qué desdicha!	
D. ARIAS.	Decidnos a qué aposento	
	podrá retirarse, en tanto	
	que vuelva al primero aliento	90
	su vida. Pero ¡qué miro!	
	¡Señora!	
Dª. MENCÍA.	¡Don Arias!	
D. ARIAS.	Creo	
	que es sueño o fingido[5] cuanto	
	estoy escuchando y viendo.	
	¿Que el infante don Enrique,	95
	más amante que primero,	
	vuelva a Sevilla, y halle	
	con tan infeliz encuentro,	
	puede ser verdad?	
Dª. MENCÍA.	Sí es:	
	¡Ojalá que fuera sueño!	100
D. ARIAS.	Pues ¿qué haces aquí?	
Dª. MENCÍA.	Despacio	
	lo sabrás; que ahora no es tiempo	
	sino sólo de acudir	
	a la vida de tu dueño.	
D. ARIAS.	¡Quién le dijera que así	105
	llegara a verte!	
Dª. MENCÍA.	Silencio,	
	que importa mucho, don Arias.	
D. ARIAS.	¿Por qué?	
Dª. MENCÍA.	Va mi honor en ello.	
	Entrad en ese retrete[6],	
	donde está un catre cubierto	110
	de un cuero turco y de flores;	
	y en él, aunque humilde lecho,	
	podrá descansar. Jacinta,	
	saca tú ropa al momento,	
	aguas y olores que sean	115

---

[5] *sueño o fingido*: típico tema del barroco que da título a la comedia de Calderón mencionada en la nota anterior.

[6] *retrete*: véase la n. 21 de *Las mocedades del Cid*.

	dignos de tan alto empleo. *(Vase* JACINTA.*)*	
D. ARIAS.	Los dos, mientras se adereza,	
	aquí al Infante dejemos,	
	y a su remedio acudamos,	
	si hay en desdichas remedio. *(Vanse los dos.)*	120
Dª MENCÍA.	Ya se fueron; ya he quedado	
	sola[7]. ¡Oh, quién pudiera, cielos,	
	con licencia de su honor	
	hacer aquí sentimientos!	
	¡Oh, quién pudiera dar voces,	125
	y romper con el silencio	
	cárceles de nieve, donde	
	está aprisionado el fuego,	
	que ya, resuelto en cenizas,	
	es ruina que está diciendo:	130
	"¡Aquí fue amor!" Mas ¿qué digo?	
	¿Qué es esto, cielos, qué es esto?	
	Yo soy quien soy[8]. Vuelva el aire	
	los repetidos acentos	
	que llevó; porque aun perdidos,	135
	no es bien que publiquen ellos	
	lo que yo debo callar;	
	porque ya, con más acuerdo,	
	ni para sentir soy mía;	
	y solamente me huelgo	140
	de tener hoy que sentir,	
	por tener en mis deseos	
	que vencer; pues no hay virtud	
	sin experiencia. Perfecto	
	está el oro en el crisol,	145
	el imán en el acero,	
	el diamante en el diamante,	
	los metales en el fuego;	
	y así mi honor en sí mismo	
	se acrisola, cuando llego	150
	a vencerme; pues no fuera	
	sin experiencias perfecto.	
	¡Piedad, divinos cielos!	
	¡Viva callando, pues callando muero!	
	¡Enrique! ¡Señor!	
D. ENRIQUE.	*(Volviendo en sí.)* ¿Quién llama?	155

---

[7] *sola*: la soledad es propicia a los conflictos de honor, que suelen presentarse mediante un monólogo, muchas veces angustioso.

[8] *yo soy quien soy*: afirmación de valía personal y conducta recta y honorable.

Dª. MENCÍA.	Albricias...
D. ENRIQUE.	¡Válgame el cielo!
Dª. MENCÍA.	Que vive tu alteza.
D. ENRIQUE.	¿Dónde estoy?
Dª. MENCÍA.	En parte, a lo menos, donde de vuestra salud hay quien se huelgue.

D. ENRIQUE.   Lo creo,   160
si esta dicha, por ser mía,
no se deshace en el viento;
pues consultando conmigo
estoy, si despierto sueño,
o si dormido discurro,   165
pues a un tiempo duermo y velo.
Pero ¿para qué averiguo,
poniendo a mayores riesgos
la verdad? Nunca despierte,
si es verdad que ahora duermo;   170
y nunca duerma en mi vida,
si es verdad que estoy despierto.

Dª. MENCÍA.   Vuestra Alteza, gran señor,
trate, prevenido y cuerdo,
de su salud, cuya vida   175
dilate siglos eternos,
fénix[9] de su misma fama,
imitando al que en el fuego
ave, llama, ascua y gusano,
urna, pira, voz e incendio,
nace, vive, dura y muere,   180
hijo y padre de sí mesmo;
que después sabrá de mí
dónde está.

D. ENRIQUE.   No lo deseo;
que si estoy vivo y te miro,   185
ya mayor dicha no espero;
ni mayor dicha tampoco,
si te miro estando muerto;
pues es fuerza que sea gloria
donde vive ángel tan bello.   190
Y así no quiero saber
qué acasos ni qué sucesos
aquí mi vida guiaron,

---

[9] *fénix*: véase n. 55 de *El caballero de Olmedo*.

582

	ni aquí la tuya trajeron;	
	pues con saber que estoy donde	195
	estás tú, vivo contento;	
	y así ni tú que decirme,	
	ni yo que escucharte tengo.	
Dª. MENCÍA.	(*Ap.*) Presto de tantos favores	
	será desengaño el tiempo.—	200
	Dígame ahora, ¿cómo está	
	vuestra Alteza?	
D. ENRIQUE.	Estoy tan bueno,	
	que nunca estuve mejor;	
	sólo en esta pierna siento	
	un dolor.	
Dª. MENCÍA.	Fue gran caída;	205
	pero en descansando, pienso	
	que cobraréis la salud;	
	y ya os están previniendo	
	cama donde descanséis.	
	Que me perdonéis, os ruego	210
	la humildad de la posada;	
	aunque disculpada quedo...	
D. ENRIQUE.	Muy como señora habláis,	
	Mencía. ¿Sois vos el dueño	
	de esta casa?	
Dª. MENCÍA.	No, señor;	215
	pero de quien lo es, sospecho	
	que lo soy.	
D. ENRIQUE.	¿Y quién lo es?	
Dª. MENCÍA.	Un ilustre caballero,	
	Gutierre Alfonso Solís,	
	mi esposo y esclavo vuestro.	220
D. ENRIQUE.	¡Vuestro esposo! *(Levántase.)*	
Dª. MENCÍA.	Sí, señor.	
	No os levantéis, deteneos;	
	ved que no podéis estar	
	en pie.	
D. ENRIQUE.	Sí puedo, sí puedo.	

Salen DON ARIAS *y* DON DIEGO. DICHOS.

D. ARIAS.	Dame, gran señor, las plantas	225
	que mil veces toco y beso,	
	agradecido a la dicha	
	que en tu salud nos ha vuelto	
	la vida a todos.	
D. DIEGO.	Ya puede	

	vuestra alteza a este aposento	230
	retirarse, donde está	
	prevenido todo aquello	
	que pudo en la fantasía	
	bosquejar el pensamiento.	
D. ENRIQUE.	Don Arias, dadme un caballo,	235
	dadme un caballo, don Diego.	
	Salgamos presto de aquí	
D. ARIAS.	¿Qué decís?	
D. ENRIQUE.	Que me deis presto	
	un caballo.	
D. DIEGO.	Pues, señor...	
D. ARIAS.	Mira...	
D. ENRIQUE.	Estáse Troya ardiendo,	240
	y Eneas[10] de mis sentidos,	
	he de librarlos del fuego. *(Vase* DON DIEGO.*)*	
D. ENRIQUE.	¡Ay don Arias, la caída	
	no fué acaso, sino agüero	
	de mi muerte! Y con razón,	245
	pues fue divino decreto	
	que viniese a morir yo,	
	con tan justo sentimiento,	
	donde tú estabas casada,	
	porque nos diesen a un tiempo	250
	pésames y parabienes	
	de tu boda y de mi entierro.[11].	
	De verse el bruto a tu sombra,	
	pensé que altivo y soberbio	
	engendró con osadía	255
	bizarros atrevimientos,	
	cuando presumiendo de ave[12],	
	con relinchos cuerpo a cuerpo	
	desafiaba los rayos,	
	después que venció los vientos.	260
	Y no fue sino que al ver	
	tu casa, montes de celos	
	se le pusieron delante	
	porque tropezase en ellos;	
	que aun un bruto se desboca	265
	con celos; y no hay tan diestro	
	jinete, que allí no pierda	

---

[10] *Eneas*: véase n. 26 de *El burlador de Sevilla*.

[11] *pésames y parabienes*: *... boda... entierro*: ejemplos de antítesis barroca.

[12] *presumiendo de ave*: el caballo con frecuencia representa la pasión (y el jinete la razón que la frena) que en este caso toma la forma de soberbia.

los estribos al correrlos.
Milagro de tu hermosura
presumí el feliz suceso   270
de mi vida; pero ya,
más desengañado, pienso
que no fue sino venganza
de mi muerte, pues es cierto
que muero, y que no hay milagros   275
que se examinen muriendo.

Dª. MENCÍA.   Quien oyere a vuestra Alteza
quejas, agravios, desprecios,
podrá formar de mi honor
presunciones y conceptos   280
indignos dél. Y yo ahora,
por si acaso llevó el viento
cabal alguna razón,
sin que en partidos acentos
la truncase, responder   285
a tantos agravios quiero,
porque donde fueron quejas,
vayan con el mismo aliento
desengaños. Vuestra Alteza,
liberal de sus deseos,   290
generoso de sus gustos,
pródigo de sus afectos,
puso los ojos en mí:
es verdad, yo lo confieso.
Bien sabe, de tantos años   295
de experiencias, el respeto
con que constante mi honor
fue una montaña de hielo,
conquistada de las flores,
escuadrones que arma el tiempo.   300
Si me casé, ¿de qué engaño
se queja, siendo sujeto
imposible a sus pasiones,
reservado a sus intentos,
pues soy para dama[13] más,   305
lo que para esposa menos?
Y así, en esta parte ya
disculpada, en la que tengo
de mujer, a vuestros pies
humilde señor, os ruego   310

---

[13] *dama*: en el sentido aquí de concubina.

no os ausentéis[14] desta casa,
poniendo a tan claro riesgo
la salud.

D. ENRIQUE.   ¡Cuánto mayor
en esta casa le tengo!

Salen DON GUTIERRE, ALFONSO *y* COQUÍN. DICHOS.

D. GUT.   Déme los pies de vuestra Alteza,   315
si puedo de tanto sol
tocar, ¡oh rayo español!,
la majestad y grandeza.
Con alegría y tristeza
hoy a vuestras plantas llego,   320
y mi aliento, lince y ciego,
entre asombros y desmayos
es águila a tantos rayos
mariposa a tanto fuego.
Tristeza de la caída   325
que puso con triste efeto
a Castilla en tanto aprieto,
y alegría de la vida
que vuelve restituída
a su pompa, a su belleza,   330
cuando en gusto vuestra Alteza
trueca ya la pena mía:
¿Quién vio triste la alegría?,
¿quién vio alegre la tristeza?
Honrad por tan breve espacio   335
esta esfera, aunque pequeña;
porque el Sol no se desdeña,
después que ilustró un palacio,
de iluminar el topacio
de algún pajizo arrebol.   340
Y pues sois rayo español,
descansad aquí; que es ley
hacer el palacio el rey
también, (si hace) esfera el Sol.

D. ENRIQUE.   El gusto y pesar estimo   345
del modo que le sentís,

---

[14] *no os ausentéis*: frase que equivale al error trágico de los griegos, pues es imprudente de parte de Dª. Mencía pedirle a un antiguo amante que se quede en su casa y la de su marido. Hoy diríamos que no puede evitar ceder a un impulso subconsciente, pero que, no obstante, funciona como si fuera un pecado o falta, pues, por involuntaria que haya sido su conducta aquí desde una perspectiva consciente, ese error ayuda al público a aceptar la tragedia o el castigo de Dª. Mencía, salvándola así de convertirse en víctima sin más, ya que algo hizo para ocasionar su sufrimiento.

	Gutierre Alfonso Solís;	
	y así en el alma le imprimo,	
	donde a tenerle me animo	
	guardado.	
D. GUT.	Sabe tu Alteza	350
	honrar.	
D. ENRIQUE.	Y aunque la grandeza	
	desta casa fuera aquí	
	grande esfera para mí,	
	pues lo fue de una belleza,	
	no me puedo detener;	355
	que pienso que esta caída	
	ha de costarme la vida;	
	y no sólo por caer,	
	sino también por hacer	
	que no pasase adelante	360
	mi intento... Y es importante	
	irme; que hasta un desengaño	
	cada minuto es un año,	
	es un siglo cada instante.	
D. GUT.	Señor, ¿vuestra Alteza tiene	365
	causa tal, que su inquietud	
	aventure la salud	
	de una vida que previene	
	tantos aplausos?	
D. ENRIQUE.	Conviene	
	llegar a Sevilla hoy.	
D. GUT.	Necio en apurar estoy	370
	vuestro intento; pero creo	
	que mi lealtad y deseo...	
D. ENRIQUE.	Y si yo la causa os doy,	
	¿qué diréis?	
D. GUT.	Yo no os la pido;	375
	que a vos, señor, no es bien hecho	
	examinaros el pecho.	
D. ENRIQUE.	Pues escuchad. Yo he tenido	
	un amigo tal, que ha sido	
	otro yo.	
D. GUT.	Dichoso fue.	
D. ENRIQUE.	A éste en ausencia fié	380
	el alma, la vida, el gusto	
	en una mujer. ¿Fue justo	
	que atropellando la fe	
	que debió al respeto mío,	
	faltase en ausencia?	385

D. GUT.	No.
D. ENRIQUE.	Pues a otro dueño le dio
	llaves de aquel albedrío:
	al pecho que yo le fío,
	introdujo otro señor: 390
	Otro goza su favor:
	¿Podrá un hombre enamorado
	sosegar con tal cuidado,
	descansar con tal dolor?
D. GUT.	No, señor.
D. ENRIQUE.	Cuando los cielos 395
	tanto me fatigan hoy,
	que en cualquier parte que estoy,
	estoy mirando mis celos,
	tan presentes mis desvelos
	están delante de mí, 400
	que aquí los miro, y así
	que aquí ausentarme deseo;
	que aunque van conmigo, creo
	que se han de quedar aquí.
D. MENCÍA.	Dicen que el primer consejo 405
	ha de ser de la mujer;
	y así, señor, quiero ser
	(perdonad si os aconsejo)
	quien os dé consuelo. Dejo
	aparte celos, y digo 410
	que aguardéis a vuestro amigo
	hasta ver si se disculpa;
	que hay calidades de culpa
	que no merecen castigo.
	No os despeñe vuestro brío: 415
	mirad, aunque estéis celoso,
	que ninguno es poderoso
	en el ajeno albedrío.
	Cuanto al amigo, confío
	que os he repondido ya; 420
	cuanto a la dama, quizá
	fuerza, y no mudanza fue:
	oídla vos, que yo sé
	que ella se disculpará.
D. ENRIQUE.	No es posible.

Sale DON DIEGO. DICHOS.

D. DIEGO.	Ya está allí 425
	el caballo apercibido.

D. GUT.	Si es del que hoy habéis caído,
	no subáis en él, y aquí
	recibid, señor, de mí
	una pía[15] hermosa y bella, 430
	a quien una palma[16] sella,
	signo que vuestra la hace;
	que también un bruto nace
	con mala o con buena estrella.
	Es este prodigio, pues, 435
	proporcionado y bien hecho,
	dilatado de anca y pecho,
	de cabeza y cuello es
	corto, de brazos y pies
	fuerte, a uno y otro elemento 440
	les da en sí lugar y asiento,
	siendo el bruto de la palma
	tierra el cuerpo, fuego el alma,
	mar la espuma, y todo viento.
D. ENRIQUE.	El alma aquí no podría 445
	distinguir lo que procura,
	la pía de la pintura,
	o por mejor bizarría,
	la pintura de la pía.
COQUÍN.	Aquí entro yo. A mí me dé 450
	vuestra Alteza mano o pie,
	lo que está (que esto es más llano)
	o más a pie o más a mano.
D. GUT.	Aparta, necio.
D. ENRIQUE.	¿Por qué?
	Dejadle, su humor le abona. 455
COQUÍN.	En hablando de la pía,
	entra la persona mía,
	que es su segunda persona.
D. ENRIQUE.	Pues ¿quién sois?
COQUÍN.	¿No lo pregona
	mi estilo? Yo soy, en fin, 460
	Coquín, hijo de Coquín,
	de aquesta casa escudero,
	de la pìa despensero,
	pues la siso al celemín
	la mitad de la comida; 465
	y en efecto, señor, hoy,

---

[15] *pía*: caballo o yegua con manchas.
[16] *palma*: parte inferior del casco.

	por ser vuestro día, os doy	
	norabuena muy cumplida.	
D. ENRIQUE.	¿Mi día?	
COQUÍN.	Es cosa sabida.	
D. ENRIQUE.	Su día llama uno aquel	470
	que es a sus gustos fiel;	
	si lo fue a la pena mía,	
	¿cómo pudo ser mi día?	
COQUÍN.	Cayendo, señor, en él;	
	y para que se publique	475
	en cuantos lunarios hay,	
	desde hoy diré: "A tantos cay	
	San Infante don Enrique."	
D. GUT.	Tu Alteza, señor, aplique	
	la espuela al ijar; que el día	480
	ya en la tumba helada y fría,	
	huésped del undoso dios,	
	hace noche.	
D. ENRIQUE.	Guárdeos Dios,	
	hermosísima Mencía.	
	Y porque veáis que estimo	485
	el consejo, buscaré	
	a esta dama, y della oiré	
	la disculpa (*Ap.*) Mal reprimo	
	el dolor, cuando me animo	
	a no decir lo que callo.	490
	Lo que en este lance hallo,	
	ganar y perder se llama;	
	pues él me ganó la dama,	
	y yo le gané el caballo.	

(Vanse el INFANTE, DON ARIAS, DON DIEGO *y* COQUÍN.*)*

DON GUTIERRE, DOÑA MENCÍA.

D. GUT.	Bellísimo dueño mío,	495
	ya que vive tan unida	
	a dos almas una vida,	
	dos vidas a un albedrío,	
	de tu amor e ingenio fío	
	hoy, que licencia me des	500
	para ir a besar los pies	
	al Rey mi señor, que viene	
	de Castilla; y le conviene	
	a quien caballero es,	
	irle a dar la bienvenida,	505
	y fuera desto, ir sirviendo	

	al infante Enrique, entiendo	
	que es acción justa y debida,	
	ya que debí a su caída	
	el honor que hoy ha ganado	510
	nuestra casa.	

Dª. MENCÍA.   ¿Qué cuidado
más te lleva a darme enojos?

D. GUT.   No otra cosa, ¡por tus ojos!

Dª. MENCÍA.   ¿Quién duda que haya causado
algún deseo Leonor?[17]   515

D. GUT.   ¿Eso dices? No la nombres.

Dª. MENCÍA.   ¡Oh, qué tales sois los hombres!
¡Hoy olvido, ayer amor,
ayer gusto, y hoy rigor!

D. GUT.   Ayer, como al Sol no vía,   520
hermosa me parecía
la Luna; mas hoy, que adoro
al Sol, ni dudo ni ignoro
lo que hay de la noche al día.
Escúchame un argumento.   525
Una llama en noche oscura
arde hermosa, luce pura,
cuyos rayos, cuyo aliento
dulce ilumina del viento
la esfera; sale el farol   530
del cielo, y a su arrebol
todo a sombra se reduce,
ni arde, ni alumbra, ni luce;
que es mar de rayos el Sol.
Aplícolo ahora: yo amaba   535
una luz, cuyo esplendor
vivió planeta mayor,
que sus rayos sepultaba:
Una llama me alumbraba;
pero era una llama aquélla,   540
que eclipsas divina y bella,
siendo de luces crisol;
porque hasta que sale el Sol,
prece hermosa una estrella.

Dª. MENCÍA.   ¡Qué lisonjero os escucho!   545
Muy metafísico[18] estáis.

---

[17] *Leonor*: aún no ha aparecido este personaje que desarrollará un importante papel al final.

[18] *metafísico*: en el sentido complicado, y también inconvincente o difícil de creer.

D. GUT.	En fin, ¿licencia me dais?
Dª. MENCÍA.	Pienso que la deseáis mucho,
	por eso cobarde lucho
	conmigo.
D. GUT.	¿Puede en los dos 550
	haber engaño, si en vos
	quedo yo, y vos vais en mí?
Dª. MENCÍA.	Pues como os quedéis aquí,
	adiós, don Gutierre.
D. GUT.	Adiós.

(Vase DON GUTIERRE.*)*

JACINTA.	Triste, señora, has quedado. 555
Dª. MENCÍA.	Sí, Jacinta, y con razón
JACINTA.	No sé qué nueva ocasión
	te ha suspendido y turbado,
	que una inquietud, un cuidado
	te ha divertido.
Dª. MENCÍA.	Es así. 560
JACINTA.	Bien puedes fiar de mí.
Dª. MENCÍA.	¿Quieres ver si de ti fío
	mi vida y el honor mío?
	Pues escucha atenta.
JACINTA.	Di.
Dª. MENCÍA.	Nací en Sevilla, y en ella 565
	me vio Enrique, festejó
	mis desdenes, celebró
	mi nombre..., ¡felice estrella!
	Fuése, y mi padre atropella
	la libertad que hubo en mí: 570
	La mano a Gutierre di,
	volvió Enrique, y en rigor,
	tuve amor, y tengo honor.
	Esto es cuanto sé de mí. *(Vanse.)*

(Sala en el alcázar de Sevilla.)
Salen DOÑA LEONOR *e* INÉS, *con mantos.*

INÉS.	Ya sale para entrar en la capilla: 575
	aquí le espera, y a sus pies te humilla.
D.ª LEONOR.	Lograré mi esperanza,
	si recibe mi agravio la venganza.

Salen el REY, Criados, *un* SOLDADO, *un* VIEJO, PRETENDIENTES.
Dentro. Voces.

	¡Plaza!
PRET. 1.º	Tu Majestad aquéste lea.

REY.	Yo le haré ver.
PRET. 2.º	Tu Alteza, señor, vea 580
	éste.
REY.	Está bien.
PRET. 2.º	(*Ap.*) Pocas palabras gasta.
PRET. 3.º	Yo soy...
REY.	El memorial[19] sólo me basta.
SOLDADO.	(*Ap.*) ¡Turbado estoy! Mal el temor resisto.
REY.	¿De qué os turbáis?
SOLDADO.	¿No basta haberos visto?
REY.	Sí basta. ¿Qué pedís?
SOLDADO.	Yo soy soldado. 585
	Una ventaja.
REY.	Poco habéis pedido
	para haberos turbado.
	Una jineta[20] os doy.
SOLDADO.	¡Felice he sido!
VIEJO.	Un pobre viejo soy, limosna os pido.
REY.	Tomad este diamante. 590
VIEJO.	¿Para mí os le quitáis?
REY.	Y no os espante;
	que, para darle de una vez, quisiera,
	sólo un diamante todo el mundo fuera.
D.ª LEONOR.	Señor, a vuestras plantas
	mis pies turbados llegan. 595
	De parte de mi honor vengo a pediros
	con voces que se anegan en suspiros,
	con suspiros que en lágrimas se anegan,
	justicia: para vos y Dios apelo.
REY.	Sosegaos, señora, alzad del suelo. 600
D.ª LEONOR.	(*Levántase.*) Yo soy...
REY.	No prosigáis de esa
	Salíos todos afuera. [manera.
	(*Vanse todos menos la dama.*)
REY.	Hablad ahora, porque si venisteis
	de parte del honor, como dijisteis,
	indigna cosa fuera 605
	que en público el honor sus quejas diera,
	y que a tan bella cara
	vergüenza la justicia le costara.
D.ª LEONOR.	Pedro, a quien llama el mundo Justiciero,
	planeta soberano de Castilla, 610

---

[19] *memorial*: escrito en el que se pide alguna gracia.
[20] *jineta*: lanza corta que usaban los capitanes.

a cuya luz se alumbra este hemisfero,
Júpiter[21] español, cuya cuchilla
rayos esgrime de templado acero,
cuando blandida al aire alumbra y brilla,
sangriento giro, que entre nubes de oro   615
corta los cuellos de uno y otro moro:
Yo soy Leonor, a quien Andalucía
llama (lisonja fue) Leonor la bella;
no porque fuese la hermosura mía
quien el nombre adquirió, sino la estrella;   620
que quien decía bella, ya decía
infelice; que el nombre incluye y sella
a la sombra no más de la hermosura
poca dicha, señor, poca ventura.
Puso los ojos, para darme enojos   625
un caballero en mí, que ¡ojalá fuera
basilisco[22] de amor a mis despojos,
áspid[23] de celos a mi primavera!
Luego el deseo sucedió a los ojos,
el amor al deseo, y de manera   630
mi calle festejó, que en ella vía
morir la noche y espirar el día.
¿Con qué razones, gran señor, herida
la voz, diré que a tanto amor postrada,
aunque el desdén me publicó ofendida,   635
la voluntad me confesó obligada?
De obligada pasé a agradecida,
luego de agradecida a apasionada;
que en la universidad de enamorados
dignidades de amor se dan por grados.   640
Poca centella inicia mucho fuego,
poco viento movió mucha tormenta,
poca nube al principio arroja luego
mucho diluvio, poca luz alienta
mucho rayo después, poco amor ciego   645
descubre mucho engaño; y así intenta,
siendo centella, viento, nube, ensayo,
ser tormenta, diluvio, incendio y rayo.
Dióme palabra que sería mi esposo;
que ése de las mujeres es el cebo   650

---

21 *Júpiter*: el mayor de los planetas; en mitología, nombre romano de Zeus, divinidad su-
    prema del panteón griego.
22 *basilisco*: véase n. 17 de *El Caballero de Olmedo*.
23 *áspid*: víbora muy venenosa.

con que engaña al honor el cauteloso
pescador, cuya pasta es el Erebo,[24]
que duerme los sentidos temeroso.
El labio aquí fallece, y no me atrevo
a decir que mintió. No es maravilla.   655
¿Qué palabra se dio para cumplilla?
Con esta libertad entró en mi casa;
si bien siempre el honor fue reservado,
porque yo, liberal de amor, y escasa
de honor, me atuve siempre a este sagrado.   660
Mas la publicidad a tanto pasa,
y tanto esta opinión[25] se ha dilatado,
que en secreto quisiera más perderla,
que con público escándalo tenerla.
Pedí justicia; pero soy muy pobre;   665
Quejéme del; pero es muy poderoso:
Y ya que es imposible que yo cobre,
pues se casó, mi honor, Pedro famoso,
si sobre tu piedad divina, sobre
tu justicia me admites generoso,   670
que me sustente en un convento pido.
Gutierre Alfonso de Solís ha sido.

REY.   Señora, vuestros enojos
siento con razón, por ser
un Atlante[26], en quien descansa   675
todo el peso de la ley.
Si Gutierre está casado,
no podrá satisfacer,
como decís, por entero
vuestro honor; pero yo haré   680
justicia como convenga
en esta parte; si bien
no os debe restituir
honor que vos os tenéis.
Oigamos a la otra parte   685
disculpas suyas; que es bien
guardar el segundo oído
para quien llegue después;
y fiad, Leonor, de mí,
que vuestra causa veré   690
de suerte, que no os obligue

---

[24] *Erebo*: río que atraviesa el infierno.
[25] *opinión*: término frecuente cuando del tema del honor y de la honra se trata, pues se refiere a la pérdida de estima social, como hemos tenido ya ocasión de ver en otras obras.
[26] *Atlante*: véase n. 18 de *La verdad sospechosa*.

	a que digáis otra vez	
	que sois pobre, él poderoso,	
	siendo yo en Castilla rey.	
	Mas Gutierre viene allí.	695
	Podrá, si conmigo os ve,	
	conocer que me informasteis	
	primero. Aquese cancel[27]	
	os encubra: aquí aguardad,	
	hasta que salgáis después.	700
D.ª LEONOR.	En todo he de obedeceros *(Escóndese.)*	

Sale COQUÍN. El REY.

COQUÍN.	(*Para sí.*) De sala en sala, par diez,	
	a la sombra de mi amo,	
	que allí se quedó, llegué	
	hasta aquí ¡El cielo me valga!	705
	¡Vive Dios, que está aquí el Rey!	
	Él me ha visto, y se mesura[28].	
	Plegue al cielo, que no esté	
	muy alto aqueste balcón,	
	por si me arroja por él.	710
REY.	¿Quién sois?	
COQUÍN.	¿Yo, señor?	
REY.	Vos.	
COQUÍN.	Yo	
	(¡válgame el cielo!) soy quien	
	vuestra Majestad quisiere,	
	sin quitar y sin poner;	
	porque un hombre muy discreto	715
	me dio por consejo ayer,	
	no fuese quien en mi vida	
	vos no quisieseis; y fue	
	de manera la lición,	
	que antes, ahora y después,	720
	quien vos quisiéredes sólo	
	fui, quien os gustareis seré,	
	quien os place soy; y en esto,	
	¡mirad con quién y sin quién!	
	Y así, con vuestra licencia,	725
	por donde vine me iré	
	hoy con mis pies de compás,	
	si no con compás de pies.	
REY.	Aunque me habéis respondido	

---

[27] *cancel*: vidriera detrás de la cual se escondía el rey en la capilla del palacio real.
[28] *mesura*: se compone, saluda cortesmente.

	cuanto pudiera saber,	730
	quién sois os he preguntado.	
COQUÍN.	Y yo os hubiera también,	
	al tenor de la pregunta	
	respondido, a no temer	
	que en diciéndoos quien soy, luego	735
	por un balcón me arrojéis,	
	por haberme entrado aquí	
	tan sin qué ni para qué,	
	teniendo un oficio yo	
	que vos no habéis menester.	740
REY.	¿Qué oficio tenéis?	
COQUÍN.	Yo soy	
	cierto correo de a pie	
	portador de todas nuevas,	
	hurón de todo interés,	
	sin que se me haya escapado	745
	señor profeso o novel;	
	y del que me ha dado más,	
	digo mal, mas digo bien.	
	Todas las casas son mías,	
	y aunque lo son, esta vez	750
	la de don Gutierre Alfonso	
	es mi accesoria, en quien fue	
	mi pasto meridiano,	
	un andaluz cordobés.	
	Soy cofrade del contento;	755
	el pesar no sé quién es,	
	ni aun para servirle. En fin,	
	soy, aquí donde me veis,	
	mayordomo de la risa,	
	gentilhombre del placer	760
	y camarero del gusto,	
	pues que me visto con él.	
	Y por ser esto, he temido	
	el darme aquí a conocer;	
	porque un rey que no se ríe,	765
	temo que me libre cien	
	esportillas batanadas[29],	
	con pespuntes[30] al envés,	
	por vagamundo.	

---

[29] *batanadas*: golpeadas por un batán, maquinaria usada para tratar paños. El lector del *Quijote* recordará aquí el episodio de los batanes en el cap. XX de la primera parte.

[30] *pespunte*: término de costura que significa hacer una labor con puntadas unidas.

REY.	¿En fin, sois	
	hombre que a cargo tenéis	770
	la risa	
COQUÍN.	Sí, mi señor;	
	y porque lo echéis de ver,	
	esto es jugar de gracioso	
	en palacio. *(Cúbrese.)*	
REY.	Está muy bien;	
	y pues sé quién sois, hagamos	775
	los dos un concierto.	
COQUÍN.	¿Y es?	
REY.	¿Hacer reír profesáis?	
COQUÍN.	Es verdad.	
REY.	Pues cada vez	
	que me hiciéredes reír,	
	cien escudos os daré;	780
	y si no me hubiereis hecho	
	reír en término de un mes,	
	os han de sacar los dientes.	
COQUÍN.	Testigo falso me hacéis,	
	y es ilícito contrato	785
	de enorme lesión.	
REY.	¿Por qué?	
COQUÍN.	Porque quedaré lisiado	
	si lo acepto, ¿no se ve?	
	Dicen, cuando uno se ríe,	
	que enseña los dientes[31]; pues	790
	enseñarlos yo llorando,	
	será reírme al revés.	
	Dicen que sois tan severo,	
	que a todos dientes hacéis;	
	¿qué os hice yo, que a mí solo	795
	deshacérmelos queréis?	
	Pero vengo en el partido;	
	que porque ahora me dejéis	
	ir libre, no lo rehuso;	
	pues por lo menos un mes	800
	me hallo aquí, como en la calle,	
	de vida, y al cabo dél,	
	no es mucho que tome postas[32]	

---

[31] *enseña los dientes*: al abrir la risa la boca, pero también hay alusión al dicho que, basándose en una costumbre de los perros, implica reaccionar hacia algo o alguien con hostilidad.

[32] *postas*: caballos disponibles y apostados antiguamente a una determinada distancia para uso de viajeros durante la travesía.

en mi boca la vejez.
Y así voy a examinarme   805
de cosquillas. Voto a diez,
que os habéis de reír. Adiós
y veámonos después. *(Vase.)*

Sale DON ENRIQUE, DON GUTIERRE, DON DIEGO, DON ARIAS,
y toda la compañía.

D. ENRIQUE.	Déme vuestra Majestad
	la mano.
REY.	Vengáis con bien, 810
	Enrique. ¿Cómo os sentís?
D. ENRIQUE.	Más, señor, el susto fue
	que el golpe: estoy bueno.
D. GUT.	A mí
	vuestra Majestad me dé
	la mano, si mi humildad 815
	merece tan alto bien,
	porque el suelo que pisáis,
	es soberano dosel
	que ilumina de los vientos
	uno y otro rosicler. 820
	Y vengáis con la salud
	que este reino ha menester,
	para que os adore España
	coronado de laurel.
REY.	De vos, don Gutierre Alfonso... 825
D. GUT.	¿Las espaldas me volvéis?
REY.	Grandes querellas me dan.
D. GUT.	Injustas deben de ser.
REY.	¿Quién es, decidme, Leonor,
	una principal mujer 830
	de Sevilla?
D. GUT.	Una señora
	bella, ilustre y noble es,
	de lo mejor de esta tierra,
REY.	¿Qué obligación la tenéis,
	a que habéis correspondido 835
	necio, ingrato y descortés?
D. GUT.	No os he de mentir en nada;
	que el hombre, señor, de bien
	no sabe mentir jamás,
	y más delante del Rey. 840
	Servíla, y mi intento entonces
	casarme con ella fue,

si no mudara las cosas
de los tiempos el vaivén.
Visitéla, entré en su casa   845
públicamente; si bien
no le debo a su opinión
de una mano el interés.
Viéndome desobligado,
pude mudarme después.   850
Y así, libre de este amor,
en Sevilla me casé
con doña Mencía de Acuña,
dama principal, con quien
vivo, fuera de Sevilla,   855
una casa de placer.
Leonor, mal aconsejada
(que no la aconseja bien
quien destruye su opinión),
pleitos intentó poner   860
a mi desposorio, donde
el más riguroso juez
no halló causa contra mí,
aunque ella dice que fue
diligencia del favor.   865
¡Mirad vos si a una mujer
hermosa favor faltara,
si le hubiera menester!
Con este engaño pretende,
puesto que vos lo sabéis,   870
valerse de vos; y así
yo me pongo a vuestros pies,
donde a la justicia vuestra
dará la espada mi fe,
y mi lealtad la cabeza.   875

REY.   ¿Qué causa tuvisteis, pues,
            para tan grande mundanza?

D. GUT.   ¿Novedad tan grande es
            mudarse un hombre? ¿No es cosa
            que cada día se ve?   880

REY.   Sí, pero de extremo a extremo
            pasar el que quiso bien,
            no fue sin grande ocasión.

D. GUT.   Suplícoos no me apretéis;
            que soy hombre, que, en ausencia   885
            de las mujeres, daré
            la vida por no decir

	cosa indigna de su ser.	
REY.	¿Luego vos causa tuvisteis?	
D. GUT.	Sí, señor; pero creed	890
	que si para mi descargo	
	hoy hubiera menester	
	decirlo, cuando importara	
	vida y alma, amante fiel	
	de su honor, no lo dijera.	895
REY.	Pues yo lo quiero saber.	
D. GUT.	Señor...	
REY.	Es curiosidad.	
D. GUT.	Mirad...	
REY.	No me repliquéis;	
	qu me enojaré, por vida...	
D. GUT.	Señor, señor, no juréis;	900
	que mucho menos importa	
	que yo deje aquí de ser	
	quien soy, que veros airado.	
REY.	(*Ap.*) Que dijese, le apuré,	
	el suceso en alta voz,	905
	porque pueda responder	
	Leonor, si aquéste me engaña;	
	y si habla verdad, porque	
	convencida con su culpa,	
	sepa Leonor que lo sé.—	910
	Decid pues.	
D. GUT.	A mi pesar	
	lo digo. Una noche entré	
	en su casa, sentí ruido	
	en una cuadra, llegué,	
	y al mismo tiempo que fuí	915
	a entrar, pude el bulto ver	
	de un hombre, que se arrojó	
	del balcón; bajé tras él,	
	y sin conocerle, al fin	
	pudo escaparse por pies.	920
D. ARIAS.	(*Ap.*) ¡Válgame el cielo!, ¿qué es esto	
	que miro?	
D. GUT.	Y aunque escuché	
	satisfacciones, y nunca	
	di a mi agravio entera fe,	
	fue bastante esta aprensión	925
	a no casarme; porque	
	si amor y honor son pasiones	
	del ánimo, a mi entender,	

quien hizo al amor ofensa,
se le hace al honor en él;   930
porque el agravio del gusto
al alma toca también.

Sale DOÑA LEONOR. DICHOS.

D.ª LEONOR.   Vuestra Majestad perdone;
que no puedo detener
el golpe a tantas desdichas   935
que han llegado de tropel.

REY.   (*Ap.*) ¡Vive Dios, no me engañaba!
La prueba sucedió bien.

D.ª LEONOR.   Y oyendo contra mi honor
presunciones, fuera ley   940
injusta que yo cobarde
dejara de responder;
que menos perder importa
la vida, cuando me dé
este atrevimiento muerte,   945
que vida y honor[33] perder.
Don Arias entró en mi casa...

D. ARIAS.   Señora, espera, detén
la voz. Vuestra Majestad
licencia, señor, me dé,   950
porque el honor desta dama
me toca a mí defender.
Esa noche estaba en casa
de Leonor una mujer
con quien me hubiera casado,   955
si de la parca[34] el cruel
golpe no cortara fiero
su vida. Yo, amante fiel
de su hermosura, seguí
sus pasos, y en casa entré   960
de Leonor (atrevimiento
de enamorado), sin ser
parte a estorbarlo Leonor;
llegó don Gutierre pues;
temerosa, Leonor dijo   965
que me retirase a aquel
aposento, yo lo hice.

---

[33] *vida y honor*: suelen ir juntos, ya que aquélla no vale nada sin éste de acuerdo al código de honor.
[34] *la parca*: alusión a las tres parcas, o hilanderas que, al cortar el hilo, terminaban la vida de los mortales.

	¡Mil veces mal haya, amén,	
	quien de una mujer se rinde	
	a admitir el parecer!	970
	Sintióme, entró, y a la voz	
	de marido, me arrojé	
	por el balcón. Y si entonces	
	volví el rostro a su poder	
	porque era marido, hoy	975
	que dice que no lo es,	
	vuelvo a ponerme delante.	
	Vuestra Majestad me dé	
	campo, en quien defienda altivo	
	que no ha faltado a quien es	980
	Leonor, pues a un caballero	
	se le concede la ley[35].	
D. GUT.	Yo saldré donde... *(Empuñan.)*	
REY.	¿Qué es esto?	
	¿Cómo las manos tenéis	
	en las espadas, delante	985
	de mí? ¿No tembláis de ver	
	mi semblante? Donde estoy,	
	¿hay soberbia ni altivez?	
	Presos los llevad al punto:	
	en dos torres los poned;	990
	y agradeced que no os pongo	
	las cabezas a los pies. *(Vase.)*	
D. ARIAS.	Si perdió Leonor por mí	
	su opinión, por mí también	
	la tendrá; que esto se debe	995
	al honor de una mujer.	
D. GUT.	*(Ap.)* No siento en desdicha tal	
	ver riguroso y cruel	
	al Rey; sólo siento que hoy,	
	Mencía, no te he de ver. *(Llévanlos presos.)*	1000
D. ENRIQUE.	*(Ap.)* Con ocasión de la caza,	
	preso Gutierre, podré	
	ver esta tarde a Mencía.—	
	Don Diego, conmigo ven;	
	que tengo de porfiar	1005
	hasta morir, o vencer. *(Vanse.)*	
D.ª LEONOR.	¡Muerta quedo! ¡Plegue a Dios,	
	ingrato, aleve y cruel,	
	falso, engañador, fingido,	

---

[35] *se le concede la ley*: el permiso de duelo para satisfacer un agravio.

sin fe, sin Dios y sin ley, 1010
que como inocente pierdo
mi honor, venganza me dé
el cielo! ¡El mismo dolor
sientas, que siento, y a ver
lluegues, bañado en tu sangre, 1015
deshonras tuyas, porque
mueras con las mismas armas
que matas, amén, amén!
¡Ay de mí!, mi honor perdí.
¡Ay de mí!, mi muerte hallé. 1020

SEGUNDA JORNADA

(Jardín de la quinta.)

Salen J<small>ACINTA</small> y <small>DON</small> E<small>NRIQUE</small>, *como a oscuras.*

J<small>ACINTA</small>.	Llega con silencio.
D. E<small>NRIQUE</small>.	Apenas

los pies en la tierra puse.

J<small>ACINTA</small>.	Éste es el jardín, y aquí	
	pues de la noche te encubre	
	el manto, y pues don Gutierre	1025
	está preso, no hay que dudes,	
	sino que conseguirás	
	victorias de amor tan dulces.	
D. E<small>NRIQUE</small>.	Si la libertad, Jacinta,	
	que te prometí, presumes	1030
	poco premio a bien tan grande,	
	pide más, y no te excuses	
	por cortedad: vida y alma	
	es bien que por tuyas juzgues.	
J<small>ACINTA</small>.	Aquí mi señor siempre	1035
	viene, y tiene por costumbre	
	pasar un poco la noche.	
D. E<small>NRIQUE</small>.	Calla, calla, no pronuncies	
	otra razón, porque temo	
	que los vientos nos escuchen[36].	1040
J<small>ACINTA</small>.	Ya, pues, porque tanta ausencia	
	no me indicie o no me culpe	
	deste delito no quiero	
	faltar de allí. *(Vase.)*	
D. E<small>NRIQUE</small>.	Amor ayude	
	mi intento. Estas verdes hojas	1045
	me escondan y disimulen;	
	que no seré yo el primero	
	que a vuestras espaldas hurte	
	rayos al Sol. Acteón[37]	
	con Diana me disculpe. *(Escóndese.)*	1050

---

[36] *que los vientos*: vuelva a verse n. 3.

[37] *Acteón*, cazando un día, espió a Diana, diosa de la caza, bañándose, y ésta le echó sus perros, que lo descuartizaron.

Dª. MENCÍA.	¡Silvia, Teodora, Jacinta!
JACINTA.	¿Qué mandas?
Dª. MENCÍA.	Que traigas luces,

y venid todas conmigo
a divertir pesadumbres
de la ausencia de Gutierre,   1055
donde el natural presume
vencer hermosos países
que el arte dibuja y pule.
¡Teodora!

TEODORA.   Señora mía.

Dª. MENCÍA.   Divierte con voces dulces   1060
esta tristeza.

TEODORA.   Holgaréme
que de letra y tono gustes.

Han puesto luz sobre un bufetillo y siéntase Doña Mencía *en unas almohadas. Canta* TEODORA *y duérmese* DOÑA MENCÍA.

Ruiseñor, que con tu canto[38]
alegras este recinto,
no te ausentes tan aprisa,   1065
que me das pena y martirio.

JACINTA.   No cantes más; que parece
que ya el sueño al alma infunde
sosiego y descanso. Y pues
hallaron sus inquietudes   1070
en él sagrado, nosotras
no la despertemos.

TEODORA.   Huye
con silencio la ocasión.

JACINTA.   (*Ap.*) Yo lo haré, porque la busque
quien la deseó. ¡Oh, criadas,[39]   1075
y cuántas honras ilustres
se han perdido por vosotras!

(Vanse todas las criadas.)

Sale DON ENRIQUE.

D. ENRIQUE.   Sola se quedó. No duden

---

[38] 1063-66: no figura en el original. Debe ser una añadidura, pues.

[39] 1075-78: tópico de época, graciosos y otros personajes de un nivel social popular ejercen con frecuencia ese papel de facilitar las condiciones de la deshonra, sirven de voces satíricas y burlonas ante un código en muchos sentidos contradictorio y hasta absurdo. Así, pues, estos personajes pueden resultar a la vez positivos y negativos, dependiendo de las circunstancias dramáticas y la perspectiva planteada por el momento.

	mis sentidos tanta dicha.
	Y ya que a esto me dispuse,	1080
	pues la ventura me falta,
	tiempo y lugar me aseguren.
	¡Hermosísima Mencía!
Dª. Mencía.	*(Despierta.)* ¡Válgame Dios!
D. Enrique.	No te asustes.
Dª. Mencía.	¿Qué es esto?
D. Enrique.	Un atrevimiento,
	a quien es bien que disculpen	1085
	tantos años de esperanza.
Dª. Mencía.	¿Pues, señor, vos...
D. Enrique.	No te turbes.
Dª. Mencía.	...desta suerte...
D. Enrique.	No te alteres.
Dª. Mencía.	...entrasteis...
D. Enrique.	No te disgustes.	1090
Dª. Mencía.	... en mi casa, sin temer
	que así a una mujer destruye,
	y que así ofende a un vasallo
	tan generoso y ilustre?
D. Enrique.	Esto es tomar tu consejo.	1095
	Tú me aconsejas que escuche
	disculpas de aquella dama,
	y vengo a que te disculpes
	conmigo de mis agravios.
Dª. Mencía.	Es verdad, la culpa tuve;[40]	1100
	pero si he de disculparme,
	tu Alteza, señor, no dude
	que es en orden a mi honor.
D. Enrique.	¿Que ignoro, acaso presumes,
	el respeto que les debo	1105
	a tu sangre y a tus costumbres?
	El achaque de la caza,
	que en estos campos dispuse,
	no fue fatigar la caza,
	estorbando que salude	1110
	a la venida del día,
	sino a ti, garza, que subes
	tan remontada, que tocas
	por las campañas azules

---

[40] *la culpa tuve*: el término "culpa" y sus variantes resulta interesante por su frecuencia en algunos dramas de honor, donde, con frecuencia también, la mujer asume que es culpable, sin en realidad serlo.

	de los palacios del Sol	1115
	los dorados balaustres.	
Dª. MENCÍA.	Muy bien, señor, vuestra Alteza	
	a las garzas atribuye	
	esta lucha; pues la garza[41]	
	de tal instinto presume,	1120
	que volando hasta los cielos,	
	rayo de pluma sin lumbre,	
	ave de fuego con alma,	
	con instinto alada nube,	
	pardo cometa sin fuego,	1125
	quieren que su intento burlen	
	azores reales; y aun dicen	
	que, cuando de todos huye,	
	conoce al que ha de matarla;	
	y así antes que con él luche,	1130
	el temor la hace que tiemble,	
	se estremezca y se espeluce.	
	Así yo, viendo a tu Alteza,	
	quedé muda, absorta estuve,	
	conocí el riesgo, y temblé,	1135
	tuve miedo y horror tuve;	
	porque mi temor no ignore	
	porque mi espanto no dude	
	que es quien me ha de dar la muerte.	
D. ENRIQUE.	Ya llegué a hablarte, ya tuve	1140
	ocasión, no he de perderla.	
Dª. MENCÍA.	¿Cómo esto los cielos sufren?	
	Daré voces.	
D. ENRIQUE.	A ti misma	
	te infamas.	
Dª. MENCÍA.	¿Cómo no acuden	
	a darme favor las fieras?	1145
D. ENRIQUE.	Porque de enojarme huyen.	

Dentro DON GUTIERRE.

D. GUT.	Ten este estribo, Coquín,	
	y llama a esa puerta.	
Dª. MENCÍA.	¡Cielos!	
	No mintieron mis recelos,	
	llegó de mi vida el fin.	1150
	Don Gutierre es éste, ¡ay Dios!	
D. ENRIQUE.	¡Oh qué infelice nací!	

---

[41] A través del símbolo de la garza, se preludia la tragedia de Dª. Mencía.

Dª. MENCÍA.	¿Qué ha de ser, señor, de mí,
	si os halla conmigo a vos?
D. ENRIQUE.	¿Pues qué he de hacer?
Dª. MENCÍA.	Retiraros.
D. ENRIQUE.	¿Yo me tengo de esconder?
Dª. MENCÍA.	El honor de una mujer
	a más que esto ha de obligaros.
	No podéis salir (¡soy muerta!);
	que como allá no sabían
	mis criadas lo que hacían,
	abrieron luego la puerta.
	Aun salir no podéis ya.
D. ENRIQUE.	¿Qué haré en tanta confusión?
Dª. MENCÍA.	Detrás de este pabellón,
	que en mi misma cuadra está,
	os esconded.
D. ENRIQUE.	No he sabido,
	hasta la ocasión presente,
	qué es temor. ¡Oh qué valiente
	debe de ser un marido! *(Escóndese.)*
Dª. MENCÍA.	Si inocente una mujer,
	no hay desdicha que no aguarde,
	¡válgame Dios, qué cobarde
	la culpa debe de ser!

Salen DON GUTIERRE *y* COQUÍN.

D. GUT.	Mi bien, señora, los brazos
	darme una y mil veces puedes.
Dª. MENCÍA.	Con envidia de estas redes,
	que en tan amorosos lazos
	están inventando abrazos.
D. GUT.	No dirás que no he venido
	a verte.
Dª. MENCÍA.	Fineza ha sido
	de amante firme y constante.
D. GUT.	No dejo de ser amante
	yo, mi bien, por ser marido;
	que por propia la hermosura
	no desmerece jamás
	las finezas; antes más
	las alienta y asegura,
	y así a su riesgo procura
	los medios, las ocasiones.
Dª. MENCÍA.	En obligación me pones.
D. GUT.	El alcalde que conmigo

Line numbers: 1155, 1160, 1165, 1170, 1175, 1180, 1185, 1190

está, es mi deudo y amigo,
y quitándome prisiones
al cuerpo, me las echó   1195
al alma, porque me ha dado
ocasión de haber llegado
a tan grande dicha yo,
como es a verte.

Dª. MENCÍA.   ¿Quién vió
mayor gloria...

D. GUT.   ... que la mía?;   1200
aunque, si bien advertía,
hizo muy poco por mí
en dejarme que hasta aquí
viniese; pues si vivía
yo sin alma en la prisión   1205
por estar en ti, mi bien,
darme libertad fue bien,
para que en esta ocasión
alma y vida con razón
otra vez se viese unida;   1210
porque estaba dividida,
teniendo prolija calma,
en una prisión el alma
y en otra prisión la vida.

Dª. MENCÍA.   Dicen que dos instrumentos   1215
conformemente templados,
por los ecos dilatados
comunican los acentos:
tocan el uno, y los vientos
hiere el otro, sin que allí   1220
nadie le toque; y en mí
esta experiencia se viera;
pues si el golpe allá te hiriera,
muriera yo desde aquí.

COQUÍN.   ¿Y no le darás, señora,   1225
tu mano por un momento
a un preso de cumplimiento,
pues llora, siente y ignora
por qué siente y por qué llora,
y está su muerte esperando   1230
sin saber por qué ni cuándo?
Pero...

Dª. MENCÍA.   Coquín, ¿qué hay en fin?
COQUÍN.   Fin al principio en Coquín
hay, que eso estoy contando.

	Mucho el Rey me quiere; pero	1235
	si el rigor pasa adelante,	
	mi amo será muerto andante,	
	pues irá con escudero.	
Dª. MENCÍA.	(*A* DON GUTIERRE.) Poco regalarte espero,	
	porque como no aguardaba	1240
	huésped, descuidada estaba.	
	Cena os quiero apercibir.	
D. GUT.	Una esclava puede ir.	
Dª. MENCÍA.	Ya, señor, ¿no va una esclava?	
	Yo lo soy, y lo he de ser.	1245
	Jacinta, venme a ayudar.	
	(*Ap.*) En salud me he de curar:	
	ved, honor[42], como ha de ser,	
	proque me he de resolver	
	a una temeraria acción. *(Vanse los dos.)*	1250
D. GUT.	Tú, Coquín, a esta ocasión	
	aquí te queda, y extremos	
	olvida, y mira que habemos	
	de volver a la prisión	
	antes del día, y ya falta	1255
	poco: aquí puedes quedarte.	
COQUÍN.	Yo quisiera aconsejarte	
	una industria, la más alta	
	que el ingenio humano esmalta:	
	en ella tu vida está.	1260
	¡Oh qué industria!...	
D. GUT.	Dila ya.	
COQUÍN.	Para salir sin lesión	
	sano y bueno de prisión.	
D. GUT.	¿Cuál es?	
COQUÍN.	No volver allá.	
	¿No estás bueno? ¿No estás sano?	1265
	Con no volver, claro ha sido	
	que sano y bueno has salido.	
D. GUT.	¡Vive Dios, necio, villano,	
	que te mate por mi mano!	
	¿Pues tú me has de aconsejar	1270
	tan vil acción, sin mirar	
	la confianza que aquí	
	hizo el alcaide de mí?	
COQUÍN.	Señor, yo llego a dudar	

---

[42] *ved, honor*: semejante apóstrofe al honor, convirtiéndole así en casi un personaje, abunda en el drama de honra, como veremos una y otra vez en adelante.

	(que soy más desconfiado)	1275
	de la condición del Rey;	
	y así el honor de esa ley	
	no se entiende en el criado,	
	y hoy estoy determinado	
	a dejarte y no volver.	1280
D. GUT.	¿Dejarme tú?	
COQUÍN.	¿Qué he de hacer?	
D. GUT.	Y de ti, ¿qué han de decir?	
COQUÍN.	¿Y heme de dejar morir,[43]	
	por sólo bien parecer?	
	Si el morir, señor, tuviera	1285
	descarte o enmienda alguna,	
	cosa, que de dos la una,	
	un hombre hacerla pudiera,	
	yo probara la primera	
	por servirte; mas ¿no ves	1290
	que rifa la vida es?	
	Entro en ella, vengo y tomo	
	cartas, y piérdola: ¿cómo	
	me desquitaré después?	
	Perdida se quedará,	1295
	si la pierdo por tu engaño,	
	desde aquí a ciento y un año.	

Sale DOÑA MENCÍA *sola, muy alborotada.*

Dª. MENCÍA.	Señor, tu favor me da.	
D. GUT.	¡Válgame Dios!, ¿qué será ?	
	¿Qué puede haber sucedido?	1300
Dª. MENCÍA.	Un hombre...	
D. GUT.	¡Presto!	
Dª. MENCÍA.	... escondido	
	en mi aposento he topado,	
	encubierto y rebozado.	
	Favor, Gutierre, te pido.	
D. GUT.	¿Qué dices? ¡Válgame el cielo!	1305
	Ya es forzoso que me asombre.	
	¿Embozado en casa un hombre?	
Dª. MENCÍA.	Yo le vi.	
D. GUT.	Todo soy hielo.	
	Toma esa luz.	
COQUÍN.	¿Yo?	

---

[43] *¿Y heme...*: excelente ejemplo de la perspectiva satírica que comentamos en n. 39.

D. GUT.	El recelo
	pierde, pues conmigo vas. 1310
Dª. MENCÍA.	Villano, ¿cobarde estás?
	Saca tú la espada, y yo
	iré. La luz se cayó.

(Al tomar la luz, la mata disimuladamente.)
Salen JACINTA *y* DON ENRIQUE, *siguiéndola.*

D. GUT.	Esto me faltaba más;
	pero a oscuras entraré. *(Vase.)* 1315
JACINTA.	*(Ap. a* DON ENRIQUE.) Síguete, señor, por
	[mí.
	Seguro vas por aquí,
	que toda la casa sé.

(Mientras DON GUTIERRE *ha entrado dentro por una puerta, lleva* JACINTA *a* DON ENRIQUE *por otro lado. Vuelve a salir* DON GUTIERRE *y coge a* COQUÍN.)*[44]

COQUÍN.	¿Dónde iré yo?
D. GUT.	*(Ap.)* Ya topé
	el hombre.
COQUÍN.	Señor, advierte... 1320
D. GUT.	*(Ap.)* ¡Vive Dios, que desta suerte,
	hasta que sepa quién es,
	le he de tener! Que después
	le darán mis manos muerte.
COQUÍN.	Mira que yo...
Dª. MENCÍA.	*(Ap.)* ¡Qué rigor! 1325
	Si es que con él ha topado,
	¡ay de mí!

Sale JACINTA *con luz.*

D. GUT.	Luz han sacado.
	¿Quién eres, hombre?
COQUÍN.	Señor,
	yo soy.
D. GUT.	¡Qué engaño, qué error!
COQUÍN.	Pues yo ¿no te lo decía? 1330
D. GUT.	Que me hablabas presumía,
	pero no que eras el mismo
	que tenía. ¡Oh ciego abismo
	de alma y paciencia mía!
Dª. MENCÍA.	¿Salió ya, Jacinta? *(Ap. a ella.)*
JACINTA.	Sí. 1335

---

[44] Típica tramoya de entra y sale que parece más bien un préstamo de la comedia de capa y espada, donde semejantes situaciones abundan.

Dª. MENCÍA.	¿Cómo esto en tu ausencia pasa?[45] Mira bien toda la casa; que como saben que aquí no estás, se atreven así ladrones.
D. GUT.	A verla voy. 1340 Suspiros al cielo doy que mis sentimientos lleven, si es que a mi casa se atreven, por ver que en ella no estoy.

(Vanse él y COQUÍN.

JACINTA.	Grande atrevimiento fue 1345 determinarse, señora, a tan grande acción ahora.
Dª. MENCÍA.	En ella mi vida hallé.
JACINTA.	¿Por qué lo hiciste?
Dª. MENCÍA.	Porque si yo no se lo dijera 1350 y Gutierre lo sintiera, la presunción era clara, pues no se desengañara de que yo cómplice era: y no fue dificultad 1355 en ocasión tan cruel, haciendo del ladrón fiel, engañar con la verdad.

Sale DON GUTIERRE, *que debajo de la capa trae una daga.*

D. GUT.	(*A* DOÑA MENCÍA) ¿Qué ilusión, qué [vanidad desta suerte te burló? 1360 Toda la casa vi yo; pero en ella no encontré sombra de que verdad fue lo que a ti te pareció. (*Ap.*) Más engáñome, ¡ay de mí!, 1365 que esta daga que hallé, ¡cielos!, con sospechas y recelos previene mi muerte en sí. Mas no es esto para aquí.— Mi bien, mi esposa, Mencía, 1370

---

[45] 1336-1339: adviértase un engaño, una mentira, de parte de Dª. Mencía, otro recurso que servirá para amenguar después un patetismo excesivo ante su desgracia al introducir una mácula en su caracterización, aun cuando poco después ella justifique el "engañar con la verdad" (véase 1358).

	ya la noche en sombra fría	
	su manto va recogiendo,	
	y cobardemente huyendo	
	de la hermosa luz del día.	
	Mucho siento, claro está,	1375
	el dejarte en esta parte,	
	por dejarte, y por dejarte	
	con este temor; mas ya	
	es hora.	

Dª. MENCÍA.　　　　Los brazos da
　　　　a quien te adora.

D. GUT.　　　　　　　El favor　　　　1380
estimo.

(Al abrazarle DOÑA MENCÍA *ve la daga.)*

Dª. MENCÍA.　　　　¡Tente, señor![46]
¿Tú la daga para mí?
En mi vida te ofendí,
detén la mano al rigor,
detén...

D. GUT.　　　　　　¿De qué estás turbada,　　1385
mi bien, mi esposa, Mencía?

Dª. MENCÍA.　Al verte así, presumía
que ya en mi sangre bañada,
hoy moría desangrada.

D. GUT.　　Como a ver la casa entré,　　1390
así esta daga saqué.

Dª. MENCÍA.　Toda soy una ilusión.

D. GUT.　　¡Jesús, qué imaginación!

Dª. MENCÍA.　En mi vida te he ofendido.

D. GUT.　　¡Qué necia disculpa ha sido!　　1395
Pero suele una aprensión
tales miedos prevenir.

Dª. MENCÍA.　Mis tristezas, mis enojos,
vanas quimeras y antojos,
suelen mi engaño fingir.　　1400

D. GUT.　　Si yo pudiere venir,
vendré a la noche, y adiós.

Dª. MENCÍA.　Él vaya, señor, con vos.
　　(Ap.) ¡Oh, qué asombros!, ¡oh, qué extremos!

D. GUT.　　*(Ap.)* ¡Ay honor, mucho tenemos　　1405
que hablar a solas los dos!

(Vanse cada uno por su parte.)

---

[46] *¡Tente, señor!*: la reacción de Dª. Mencía delata una mente que se siente culpable (pero vuelva a verse n. 40), lo que no dejará de notar D. Gutierre más adelante (1405-06).

DON DIEGO, *y el* REY *con rodelas y capa de color, y como representa, se muda en traje de negro.*

REY.	Ten, don Diego, esa rodela.
D. DIEGO.	Tarde vienes a acostarte.
REY.	Toda la noche rondé

de aquesta ciudad las calles,   1410
que quiero saber así
sucesos y novedades
de Sevilla, que es lugar
donde cada noche salen
cuentos nuevos; y deseo   1415
desta manera informarme
de todo, para saber
lo que convenga.

DON DIEGO.   Bien haces,
que el rey debe ser un Argos[47]   1420
en su reino, vigilante:
el emblema de aquel cetro
con dos ojos lo declare.
Mas ¿qué vio tu Majestad?

REY.   Vi recatados galanes,
damas desveladas vi,   1425
músicas, fiestas y bailes,
muchos garitos, de quien
eran siempre voces grandes
la tablilla, que decía:
"Aquí hay juego, caminante".   1430
Vi valientes infinitos:
Y no hay cosa que me canse
tanto como ver valientes,
y que por oficio pase
ser uno valiente aquí.   1435
Mas porque no se me alaben
que no doy examen yo
a oficio tan importante,
a una tropa de valientes
probé sólo en una calle.   1440

D. DIEGO.   Mal hizo tu Majestad.

---

[47] *Argos*: personaje conocido, entre otras cosas, por el poder de su vista, y al que, en algunas versiones, se le atribuían hasta cien ojos. Otra versión asegura que, al morir, fue convertido por Juno en pavo real, cuya cola, al abrirse, en efecto, revela muchos ojos entre las plumas.

REY.	Antes bien, pues con su sangre llevaron iluminada...
D. DIEGO.	¿Qué?
REY.	... la carta del examen.

Sale COQUÍN. DICHOS.

COQUÍN.	(*Ap.*) No quise entrar en la torre con mi amo, por quedarme a saber lo que se dice de su prisión. Pero, ¡tate![48] (que es un pero muy honrado, del celebrado linaje de los tates de Castilla), porque el Rey está delante.	1445 1450
REY.	Coquín.	
COQUÍN.	Señor.	
REY.	¿Cómo va?	
COQUÍN.	Responderé a lo estudiante.	
REY.	¿Cómo?	
COQUÍN.	"De corpore bene" pero "de pecuniis male".[49]	1455
REY.	Decid algo, pues sabéis, Coquín, que como me agrade, tenéis aquí cien escudos.	
COQUÍN.	Fuera hacer tú aquesta tarde el papel de una comedia que se intitula: *El rey Ángel*. Pero con todo eso traigo hoy un cuento que contarte, que remata en epigrama[50].	1460 1465
REY.	Si es vuestro, será elegante. Vaya el cuento.	
COQUÍN.	Yo vi ayer de la cama levantarse un capón[51] con bigotera[52]. ¿No te ríes de pensarle curándose sobre sano con tan vagamundo parche?	 1470

---

[48] *¡tate!*: equivale a "¡ah!", como cuando a alguien se le ocurre algo inesperadamente, o equivalente también a "cuidado", que es el significado aquí.

[49] *"De corpore.. male"*: "bien de cuerpo, pero mal de dinero".

[50] *epigrama*: breve composición poética, usualmente aguda y satírica, que destaca por lo general también un solo tema.

[51] *capón*: hombre impotente o castrado.

[52] *bigotera*: gamuza suave utilizada para mantener los bigotes en su sitio y arreglados, especialmente al dormir.

A esto un epigrama hice.
(No te pido, Pedro el Grande,
casas ni viñas; que sólo   147
risa pido: en este guante
dad vuestra bendita risa
a un gracioso vergonzante.)
"Floro, casa muy desierta
la tuya debe de ser,   148■
porque eso nos da a entender
la cédula de la puerta:
Donde no hay carta, ¿hay cubierta?
¿Cáscara sin fruta? No,
no pierdas tiempo; que yo,   148.
esperando los provechos,
he visto labrar barbechos,
mas barbi-deshechos no".

REY.   ¡Qué frialdad!
COQUÍN.   No es más caliente.

Sale el INFANTE DON ENRIQUE.

D. ENRIQUE.   Dadme vuestra mano.
REY.   Infante,   149(
¿cómo estáis?
D. ENRIQUE.   Tengo salud,
contento de que se halle
Vuestra Majestad con ella;
y esto, señor, a una parte:
don Arias...
REY.   Don Arias es   1495■
vuestra privanza: sacadle
de la prisión, y haced vos,
Enrique, esas amistades,
que a vos os deben la vida.
D. ENRIQUE.   La tuya los cielos guarden,   1500■
y heredero de ti mismo,
apuestes eternidades
con el tiempo. *(Vase el* REY.)
                        Iréis, don Diego,
a la torre, y al alcaide
le diréis que traiga aquí   1505
los dos presos. *(Ap.)* ¡Cielos, dadme

              (Vase DON DIEGO.)

paciencia en tales desdichas
y prudencia en tantos males.—
Coquín, ¿tú estabas aquí?

COQUÍN.	Y más me valiera en Flandes. 1510
D. ENRIQUE.	¿Cómo?
COQUÍN.	Es el rey un prodigio
	de todos los animales.
D. ENRIQUE.	¿Por qué?
COQUÍN.	La naturaleza
	permite que el toro brame,
	ruja el león, muja el buey, 1515
	el asno rebuzne, el ave
	cante, el caballo relinche,
	ladre el perro, el gato maye,
	aulle el lobo, el lechón gruña,
	y sólo permitió darle 1520
	risa al hombre, y Aristóteles
	risible animal le hace
	por difinición perfecta;
	y el Rey, contra el orden y arte,
	no quiere reírse. Déme 1525
	el cielo para sacarle
	risa, todas las tenazas
	del buen gusto y del donaire. *(Vase.)*

Salen DON GUTIERRE, DON ARIAS *y* DON DIEGO.

D. DIEGO.	Ya, señor, están aquí
	los presos.
D. GUT.	Danos tus plantas. 1530
D. ARIAS.	Hoy al cielo nos levantas.
D. ENRIQUE.	El Rey mi señor de mí
	(porque humilde le pedí
	vuestras vidas este día)
	estas amistades fía. 1535
D. GUT.	El honrar es dado a vos.

(Coteja la daga que se halló con la espada del INFANTE.*)*

	(Ap.) ¿Qué es esto que miro? ¡Ay Dios!
D. ENRIQUE.	Las manos os dad.
D. ARIAS.	La mía
	es ésta.
D. GUT.	Y estos mis brazos,
	cuyo lazo y nudo fuerte 1540
	no desatará la muerte,
	sin que los haga pedazos.
D. ARIAS.	Confirmen estos abrazos
	firme amistad desde aquí.
D. ENRIQUE.	Esto queda bien así. 1545

Entrambos sois caballeros,
en acudir los primeros
a su obligación; y así
está bien el ser amigo
uno y otro; y quien pensare   1550
que no queda bien, repare
en que ha de reñir conmigo.

D. GUT.   A cumplir, señor, me obligo
las amistades que juro:
obedeceros procuro,   1555
y pienso que me honraréis
tanto, que de mí creeréis
lo que de mí estáis seguro.
Sois fuerte enemigo vos,
y cuando lealtad no fuera,   1560
por temor no me atreviera
a romperlas, vive Dios.
Vos y yo para otros dos:
me estuviera a mí muy bien
mostrar entonces también   1565
que sé cumplir lo que digo;
mas con vos por enemigo,
¿quién ha de atreverse?, ¿quién?
Tanto enojaros temiera
el alma cuerda y prudente,   1570
que a miraros solamente
tal vez aun no me atreviera;
y si en ocasión me viera
de probar vuestros aceros,
cuando yo sin conoceros   1575
a tal extremo llegara,
que se muriera estimara
la luz del Sol por no veros.

D. ENRIQUE. (Ap.) (De sus quejas y suspiros
grandes sospechas prevengo.)   1580
Venid conmigo, que tengo
muchas cosas que deciros,
don Arias.

D. ARIAS.   Iré a serviros.

(Vase DON ENRIQUE, DON DIEGO *y* DON ARIAS.*)*

D. GUT.   Nada Enrique respondió,   1585
sin duda se convenció
de mi razón. ¡Ay de mí!
¿Podré ya quejarme? Sí;

pero consolarme, no.
Ya estoy solo, ya bien puedo
hablar. ¡Ay Dios! ¡Quién supiera   1590
reducir sólo a un discurso,
medir con sola una idea
tantos géneros de agravios,
tantos linajes de penas
como cobardes me asaltan,   1595
como atrevidos me cercan!
¡Ahora, ahora, valor,
salga repetido en quejas,
salga en lágrimas envuelto
el corazón a las puertas   1600
del alma, que son los ojos!
Y en ocasión como ésta,
bien podéis, ojos, llorar:
no lo dejéis de vergüenza.
¡Ahora, valor, ahora   1605
es tiempo de que se vea
que sabéis medir iguales
el valor y la prudencia!
Pero cese[53] el sentimiento,
y a fuerza de honor, y a fuerza   1610
de valor, aun no me dé
para quejarme licencia;
porque adula sus penas
el que pide a la voz justicia dellas.
Peo vengamos al caso,   1615
quizá hallaremos respuesta.
¡Oh, ruego a Dios que la haya!
¡Oh, plegue a Dios que la tenga!
Anoche llegué a mi casa,
es verdad; pero las puertas   1620
me abrieron luego, y mi esposa
estaba segura y quieta.
En cuanto a que me avisaron
de que estaba un hombre en ella,
tengo disculpa en que fue   1625
la que me avisó ella mesma.
En cuanto a que se mató
la luz, ¿qué testigo prueba
aquí que no pudo ser

---

[53] *Pero cese...*: obsérvese que el código de honor exigía una fría y férrea disciplina, ante la cual había que dispensar de todo, incluyendo los sentimientos.

un caso de contingencia?   1630
En cuanto a que hallé esta daga,
hay criados de quien pueda
ser. En cuanto (¡ay dolor mío!)
que con la espada convenga
del Infante, puede ser   1635
otra espada como ella;
que no es labor tan extraña,
que no hay mil que la parezcan.
Y apurando más el caso,
confieso (¡ay de mí!) que sea   1640
del Infante, y más confieso,
que estaba allí, aunque no fuera
posible dejar de verle;
mas siéndolo, ¿no pudiera
no estar culpada Mencía?   1645
Que el oro es llave maestra,
que las guardas de criadas
por instantes nos falsea.
¡Oh!, ¡cuánto me estimo haber
hallado esta sutileza!   1650
Y así acortemos discursos,
pues todos juntos se cierran
en que Mencía es quien es,
y soy quien soy. No hay quien pueda
borrar de tanto esplendor   1655
la hermosura y la pureza.
Pero sí puede, mal digo;
que al Sol una nube negra,
si no le mancha, le turba,
si no le eclipsa, le hiela.   1660
¿Qué injusta ley condena,
que muera el inocente y que padezca?
A que peligro estáis, honor,
no hay hora en vos que no sea
crítica, en vuestro sepulcro   1665
vivís, puesto que os alienta
la mujer, en ella estáis
pisando siempre la huesa.
Yo os he de curar,[54] honor,
y pues al principio muestra   1670
este primero accidente
tan grave peligro, sea

---

[54] *Yo os he de curar*: comienza aquí un discurso a base de términos médicos que aluden al título de la obra.

la primera medicina
cerrar al daño las puertas,
atajar al mal los pasos. 1675
Y así os receta y ordena
el médico de su honra
primeramente la dieta
del silencio, que es guardar
la boca, tener paciencia: 1680
luego dice que apliquéis
a vuestra mujer finezas,
agrados, gustos, amores,
lisonjas, que son las fuerzas
defensibles, porque el mal 1685
con el despego no crezca;
que sentimientos, disgustos,
celos, agravios, sospechas
con la mujer, y más propia,
aún más que sanan, enferman. 1690
Esta noche iré a mi casa,
de secreto entraré en ella
por ver qué malicia tiene
el mal; y hasta apurar ésta,
disimularé, si puedo, 1695
esta desdicha, esta pena,
este rigor, este agravio,
este dolor, esta ofensa,
este asombro, este delirio,
este cuidado, esta afrenta, 1700
estos celos... ¿Celos dije?
¡Qué mal hice! Vuelva, vuelva
al pecho, la voz. Mas no,
que si es ponzoña que engendra
mi pecho, si no me dio 1705
la muerte (¡ay de mí!) al verterla,
al volverla a mí podrá;
que de la víbora cuentan,
que la mata su ponzoña,
si fuera de sí la encuentra. 1710
¿Celos dije? ¿Celos dije?
Pues basta; que cuando llega
un marido a saber que hay
celos, faltará la ciencia;
y es la cura postrera 1715
que el médico de honor hacer intenta.

(Vase.)

Salen DON ARIAS *y* DOÑA LEONOR.

D. ARIAS.　　No penséis, bella Leonor,
que el no haberos visto fue
porque negar intenté
las deudas que a vuestro honor　　　　　1720
tengo; y acreedor a quien
tanta deuda se previene,
el deudor buscando viene,
no a pagar, porque no es bien
que necio y loco presuma　　　　　　　1725
que pueda jamás llegar
a satisfacer y dar
cantidad que fue tan suma;
pero en fin, ya que no pago,
que soy el deudor confieso:　　　　　　1730
no os vuelvo el rostro, y con eso
la obligación satisfago.

Dª. LEONOR.　　Señor don Arias, yo he sido
la que obligada de vos,
en las cuentas de los dos　　　　　　　1735
más interés ha tenido.
Confieso que me quitasteis
un esposo a quien quería;
mas quizá la suerte mía
por ventura mejorasteis;　　　　　　　1740
pues es mejor que sin vida,
sin opinión, sin honor
viva, que no sin amor,
de un marido aborrecida.
Yo tuve la culpa, yo　　　　　　　　　1745
la pena siento, y así
sólo me quejo de mí
y de mi estrella.

D. ARIAS.　　　　　　　　　Eso no:
quitarme, Leonor hermosa,
la culpa, es querer negar　　　　　　　1750
a mis deseos lugar;
pues si mi pena amorosa
os significo, ella diga
en cifra sucinta y breve
que es vuestro amor quien me mueve,　　1755
mi deseo quien me obliga
a deciros, que pues fui
causa de penas tan tristes,
si esposo por mí perdistes,

624

	tengáis esposo por mí.	1760
Dª. LEONOR.	Señor don Arias, estimo	
	como es razón, la elección;	
	y aunque con tanta razón	
	dentro del alma la imprimo,	
	licencia me habéis de dar	1765
	de responderos también	
	que no puede estarme bien,	
	no, señor, porque a ganar	
	no llegaba yo infinito;	
	sino porque si vos fuisteis	1770
	quien a Gutierre le disteis	
	de un mal formado delito	
	la ocasión, y ahora viera	
	que me casaba con vos,	
	fácilmente entre los dos	1775
	de aquella sospecha hiciera	
	evidencia; y disculpado,	
	con demostración tan clara,	
	con todo el mundo quedara	
	de haberme a mí despreciado.	1780
	Y yo estimo de manera	
	el quejarme con razón,	
	que no he de darle ocasión	
	a la disculpa primera;	
	porque, si en un lance tal	1785
	le culpan cuantos le ven,	
	no han de pensar que hizo bien	
	quien yo pienso que hizo mal.	
D. ARIAS.	Frívola respuesta ha sido	
	la vuestra, bella Leonor;	1790
	pues cuando de antiguo amor	
	os hubiera convencido	
	la experiencia, ella también	
	disculpa en la enmienda os da.	
	¿Cuánto peor os estará	1795
	que tenga por cierto, quien	
	le imaginó, vuestro agravio,	
	y no le constó después	
	la satisfacción?	
Dª. LEONOR.	No es	
	amante prudente y sabio,	1800
	don Arias, quien aconseja	
	lo que en mi daño se ve.	
	Pues si agravio entonces fue,	

no por eso ahora deja
de ser agravio también;   1805
y peor, cuanto haber sido
de imaginado a creído:
y a vos no os estará bien
tampoco.

D. ARIAS.   Cuando yo sé
la inocencia de ese pecho   1810
en la ocasión, satisfecho
siempre de vos estaré.
En mi vida he conocido
galán necio, escrupuloso
y con extremo celoso,   1815
que en llegando a ser marido
no le castiguen los cielos.
Gutierre pudiera bien
decirlo, Leonor; pues quien
levantó tantos desvelos   1820
de un hombre en la ajena casa,
extremos pudiera hacer
mayores, pues llega a ver
lo que en la propia le pasa.

Dª. LEONOR.   Señor don Arias, no quiero   1825
escuchar lo que decís,
que os engañáis, o mentís.
Don Gutierre es caballero,
que en todas las ocasiones
con obrar y con decir   1830
sabrá, vive Dios, cumplir
muy bien sus obligaciones;
y es hombre cuya cuchilla,
o cuyo consejo sabio,
sabrá no sufrir su agravio   1835
ni a un infante de Castilla.
Si pensáis vos que con eso
mis enojos aduláis,
muy mal, don Arias, pensáis:
y si la verdad confieso,   1840
mucho perdisteis conmigo;
pues si fuerais noble vos,
no hablárades, vive Dios,
así de vuestro enemigo.
Y yo, aunque ofendida estoy,   1845
y aunque la muerte le diera
con mis manos si pudiera,

	no le murmurara hoy	
	en el honor, desleal.	
	Sabed, don Arias, que quien	1850
	una vez le quiso bien,	
	no se vengará en su mal. *(Vase.)*	
D. ARIAS.	No supe qué responder.	
	Muy grande ha sido mi error,	
	pues en escuelas de honor	1855
	arguyendo una mujer	
	me convence. Iré al Infante,	
	y humilde le rogaré	
	que de estos cuidados dé	
	parte ya de aquí adelante	1860
	a otro; y porque no lo yerre,	
	ya que el día va a morir,	
	me ha de matar, o no he de ir	
	en casa de don Gutierre. *(Vase.)*	

(*Jardín.*)

DON GUTIERRE, *como que asalta unas tapias.*

		1865
D. GUT.	En el mudo silencio	
	de la noche, que adoro y reverencio,	
	por sombra aborrecida,	
	como sepulcro de la humana vida,	
	de secreto he venido	
	hasta mi casa, sin haber querido	1870
	avisar a Mencía	
	de que ya libertad del Rey tenía,	
	para que descuidada	
	estuviese (¡ay de mí!) desta jornada.	
	Médico de mi honra	1875
	me llamo, pues procuro mi deshonra	
	curar; y así he venido	
	a visitar mi enfermo a hora que ha sido	
	de ayer la misma, ¡cielos!,	
	a ver si el accidente de mis celos	1880
	a su tiempo repite:	
	el dolor mis intentos facilite.	
	Las tapias de la huerta	
	salté porque no quise por la puerta	
	entrar. ¡Ay Dios, qué introducido engaño	1885
	es en el mundo, no querer su daño	
	examinar un hombre,	
	sin que el recelo ni el temor le asombre!	

Dice mal quien lo dice;
que no es posible, no, que un infelice   1890
no llore sus desvelos:
mintió quien dijo que calló con celos,
o confiéseme aquí que no los siente.
Mas ¡sentir y callar!: otra vez miente.
Éste es el sitio donde   1895
suele de noche estar; aún no responde
el eco entre estos ramos.
Vamos pasito, honor, que ya llegamos;
que en estas ocasiones
tienen los celos pasos de ladrones.   1900

(Descubre una cortina donde está durmiendo DOÑA MENCÍA.*)*

¡Ay hermosa Mencía,
qué mal tratas mi amor y la fe mía!
Volverme otra vez quiero.
Bueno he hallado mi honor, hacer no quiero
por ahora otra cura,   1905
pues la salud en él está segura.
Pero ¿ni una criada
la acompaña? ¿Si acaso retirada
aguarda?... ¡Oh pensamiento
injusto, oh vil temor, oh infame aliento!   1910
Ya con esta sospecha
no he de volverme; y pues que no aprovecha
tan grave desengaño,
apuremos de todo en todo el daño.
Mato la luz, y llego, *(Apaga la luz.)*   1915
sin luz y sin razón, dos veces ciego;
pues bien encubrir puedo
el metal de la voz, hablando quedo.
¡Mencía! *(Despiértala.)*

Dª. MENCÍA.	¡Ay Dios!, ¿qué es esto?
D. GUT.	No des voces.
Dª. MENCÍA.	¿Quién es?
D. GUT.	Mi bien, yo soy: ¿no me conoces? 1920
Dª. MENCÍA.	Sí, señor; que no fuera
	otro tan atrevido...
D. GUT.	*(Ap.)* Ella me ha conocido.
Dª. MENCÍA.	... que así hasta aquí viniera.
	¿Quién hasta aquí llegara, 1925
	que no fuérades vos, que no dejara
	en mis manos la vida,
	con valor y con honra defendida?

D. Gut.	(*Ap.*) ¡Qué dulce desengaño!
	¡Bien haya, amén, el que apuró su daño!— 1930
	Mencía, no te espantes de haber visto
	tal extremo.
Dª. Mencía.	¡Qué mal, temor, resisto
	el sentimiento!
D. Gut.	Mucha razón tiene
	tu valor.
Dª. Mencía.	¿Qué disculpa me previene...
D. Gut.	Ninguna.
Dª. Mencía.	... de venir así tu Alteza; 1935
D. Gut.	(*Ap.*) ¡Tu Alteza! No es conmigo. ¡Ay Dios!,
	[¡qué escucho!
	Con nuevas dudas lucho.
	¡Qué pesar, qué desdicha, qué tristeza!
Dª. Mencía.	¿Segunda vez pretende ver mi muerte?
	¿Piensa que cada noche...
D. Gut.	(*Ap.*) ¡Oh trance fuerte! 1940
Dª. Mencía.	... puede esconderse...
D. Gut.	(*Ap.*) ¡Cielos!
Dª. Mencía.	... y matando la luz...
D. Gut.	(*Ap.*) ¡Matadme, celos!
Dª. Mencía.	... salir a riesgo mío
	delante de Gutierre?
D. Gut.	(*Ap.*) Desonfío
	de mí, pues que dilato 1945
	morir, y con mi aliento no la mato.
	El venir no ha extrañado
	el Infante, ni dél se ha recatado;
	sino sólo ha sentido
	que en ocasión se ponga (¡estoy perdido!) 1950
	de que otra vez se esconda.
	¡Mi venganza a mi agravio corresponda!
Dª. Mencía.	Señor, vuélvase luego.
D. Gut.	(*Ap.*) ¡Ay, Dios!, todo soy rabia, todo fuego.
Dª. Mencía.	Tu Alteza así otra vez no llegue a verse. 1955
D. Gut.	¿Quién por eso no más ha de volverse
Dª. Mencía.	Mirad que es hora que Gutierre venga.
D. Gut.	(*Ap.*) ¿Habrá en el mundo quien paciencia
	Sí, si prudente alcanza [tenga?
	oportuna ocasión a su venganza.— 1960
	No vendrá, yo le dejo
	entretenido; y guárdame un amigo
	las espaldas el tiempo que conmigo
	estáis: él no vendrá, yo estoy seguro.

Sale JACINTA.

JACINTA.	(*Ap.*) Temerosa procuro 1965
	ver quién hablaba aquí.
Dª. MENCÍA.	Gente he sentido.
D. GUT.	¿Qué haré?
Dª. MENCÍA.	¿Qué? Retirarte,
	no a mi aposento, sino a otra parte.

(*Vase* DON GUTIERRE *detrás del paño.*)

	¡Hola!
JACINTA.	Señora...
Dª. MENCÍA.	El aire que corría 1970
	entre esos ramos, mientras yo dormía,
	la luz ha muerto: luego
	traed luces. (*Vase* JACINTA.)
D. GUT.	(*Ap.*) Encendidas en mi fuego.
	Si aquí estoy escondido,
	han de verme, y de todos conocido,
	podrá saber Mencía 1975
	que he llegado a entender la pena mía.
	Y porque no lo entienda,
	y dos veces ofenda,
	una con tal intento,
	y otra pensando que lo sé y consiento, 1980
	dilatando su muerte,
	he de hacer la deshecha desta suerte.)

(*Éntrase, y dice en voz alta:*)

	¡Hola! ¿Como está aquí desta manera?
Dª. MENCÍA.	Éste es Gutierre: otra desdicha espera
	mi espíritu cobarde. 1985
D. GUT.	¡No han encendido luces, y es tan tarde!

(*Sale* JACINTA *con luz, y* DON GUTIERRE *por otra puerta de donde se escondió.*)

JACINTA.	Ya la luz está aquí.
Dª. MENCÍA.	¡Bella Mencía!
Dª. MENCÍA.	¡Oh mi esposo, mi bien y gloria mía!
D. GUT.	(*Ap.*) ¡Qué fingidos extremos!
	Mas, alma y corazón, disimulemos. 1990
Dª. MENCÍA.	Señor, ¿por dónde entrásteis?
D. GUT.	De esa huerta,
	con la llave que tengo, abrí la puerta.
	Mi esposa, mi señora,
	¿en qué te entretenías?
Dª. MENCÍA.	**Vine ahora**

	a este jardín, y entre estas fuentes puras	1995
	me dejó el aire a oscuras.	
D. GUT.	No me espanto, bien mío;	
	que el aire que mató la luz, tan frío	
	corre, que es un aliento	
	respirado del céfiro violento,	2000
	y que no sólo advierte	
	muerte a las luces, a las vidas muerte,	
	y pudieras dormida	
	a sus soplos perder también la vida.	
Dª. MENCÍA.	Entenderte pretendo,	2005
	y aunque más lo procuro, no te entiendo.	
D. GUT.	¿No has visto ardiente llama	
	perder la luz al aire que la hiere,	
	y que a este tiempo de otra luz inflama	
	la pavesa? Una vive y otra muere	2010
	a solo un soplo. Así, desta manera,	
	la lengua de los vientos lisonjera	
	matarte la luz pudo,	
	y darme luz a mí.	
Dª. MENCÍA.	(*Ap.*) El sentido dudo.—	
	Parece que, celoso,	2015
	hablas en dos sentidos.	
D. GUT.	(*Ap.*) Riguroso	
	es el dolor de agravios;	
	mas con celos ningunos fueron sabios.—	
	¡Celoso! ¿Sabes tú lo que son celos?	
	Que yo no sé qué son, ¡viven los cielos!	2020
	Porque si lo supiera,	
	y celos...	
Dª. MENCÍA.	(*Ap.*) ¡Ay de mí!	
D. GUT.	Llegar pudiera	
	a tener... ¿qué son celos?	
	Átomos, ilusiones y desvelos,	
	no más que de una esclava, una criada,	2025
	por sombra imaginada,	
	con hechos inhumanos	
	a pedazos sacara con mis manos	
	el corazón, y luego	
	envuelto en sangre, desatado en fuego,	2030
	el corazón comiera	
	a bocados, la sangre me bebiera,	
	el alma le sacara,	
	y el alma, ¡vive Dios!, despedazara,	
	si capaz de dolor el alma fuera.	2035

	Pero ¿cómo hablo yo desta manera?
Dª. MENCÍA.	Temor al alma ofreces.
D. GUT.	¡Jesús, Jesús mil veces!
	Mi bien, mi esposa, cielo, gloria mía.
	¡Ah mi dueño, ah Mencía!, 2040
	perdona, por tus ojos
	esta descompostura, estos enojos;
	que tanto un fingimiento
	fuera de mí llevó mi pensamiento:
	Y vete por tu vida; que prometo 2045
	que te miro con miedo y respeto,
	corrido deste exceso.
	¡Jesús! No estuve en mí, no tuve seso.
Dª. MENCÍA.	(Ap.) Miedo, espanto, temor y horror tan
	parasismos han sido de mi muerte. [fuerte 2050
D. GUT.	(Ap.) Pues médico me llamo de mi honra,
	yo cubriré con tierra mi deshonra.

TERCERA JORNADA

(Alcázar de Sevilla.)

Sale todo el ACOMPAÑAMIENTO *y* DON GUTIERRE *y el* REY.

D. GUT.	Pedro, a quien el indio polo[55]
	coronar de luz espera,
	hablarte a solas quisiera.
REY.	Idos todos. Ya estoy solo.

(Vase el ACOMPAÑAMIENTO.*)*

D. GUT.   Pues a ti, español Apolo,[56]   2055
a ti, castellano Atlante,[57]
en cuyos hombros constante
se ve durar y vivir
todo un orbe de zafir,
todo un globo de diamante;   2060
a ti, pues, rindo en despojos
la vida, mal defendida
de tantas penas, si es vida
vida con tantos enojos.
No te espantes que los ojos   2065
también se quejen, señor;
que dicen que amor y honor
pueden, sin que a nadie asombre,
permitir que llore un hombre;
y yo tengo honor y amor.   2070
Honor, que siempre he guardado
como noble y bien nacido,
y amor, que siempre he tenido
como esposo enamorado:
adquirido y heredado   2075
uno y otro en mí se ve,
hasta que tirana fue
la nube que turbar osa
tanto esplendor en mi esposa,
y tanto lustre en mi fe.   2080
No sé cómo signifique
mi pena... Turbado estoy...

---

[55] *polo*: uno de los dos extremos del eje de la esfera.

[56] *Apolo*: dios del Sol.

[57] *Atlante*: vuelva a verse n. 18 de *La verdad sospechosa*.

Y más cuando a decir voy
que fue vuestro hermano Enrique,
contra quien pido se aplique   2085
desta justicia el rigor:
no porque sepa, señor,
que el poder mi honor contrasta
pero imaginarlo basta
quien sabe que tiene honor.   2090
La vida de vos espero
de mi honra: así la curo
con prevención, y procuro
que ésta la sane primero;
porque si en rigor tan fiero   2095
malicia en el mal hubiera,
junta de agravios hiciera,
a mi honor desahuciara,
con la sangre le lavara,
con la tierra le cubriera.   2100
No os turbéis; con sangre digo
solamente de mi pecho;
que Enrique, estad satisfecho,
está seguro conmigo.
Y para esto hable un testigo: 2105
Esta daga, esta brillante
lengua de acero elegante,
suya fue; ved este día
si está seguro, pues fía
de mí su daga el Infante.   2110

REY.   Don Gutierre, bien está;
y quien de tan invencible
honor corona las sienes,
que con los rayos compiten
del Sol, satisfecho viva   2115
de que su honor...

D. GUT.   No me obligue
vuestra Majestad, señor,
a que piense que imagine
que yo he menester consuelos
que mi opinión acrediten.   2120
¡Vive Dios, que tengo esposa
tan honesta, casta y firme,
que deja atrás las romanas
Lucrecia y Porcia, y Tomiris![58]

---

[58] *Lucrecia y Porcia, y Tomiris;* mujeres romanas: las primeras dos eran conocidas por su
gran castidad, mientras que la última por su heroísmo y valentía.

Ésta ha sido prevención
solamente.

REY.   Pues decidme:
para tantas prevenciones,
Gutierre, ¿qués es lo que visteis?

D. GUT. Nada: que hombres como yo
no ven; basta que imaginen[59],   2130
que sospechen, que prevengan,
que recelen, que adivinen,
que... No sé cómo lo diga;
que no hay voz que signifique
un cosa, que aún no sea   2135
un átomo indivisible.
Sólo a vuestra Majestad
di parte, para que evite
el daño que no hay; porque
si le hubiera, de mí fíe   2140
que yo le diera el remedio
en vez, señor, de pedirle.

REY. Pues ya que de vuestro honor
médico os llamáis, decidme,
don Gutierre, ¿qué remedios   2145
antes del último hicisteis?

D. GUT. No pedí a mi mujer celos,
y desde entonces la quise
más: vivía en una quinta
deleitosa y apacible;   2150
y para que no estuviera
en las soledades tristes,
traje a Sevilla mi casa,
y a vivir en ella vine,
adonde todo lo goza   2155
sin que nada a nadie envidie;
porque malos tratamientos
son para maridos viles
que pierden a sus agravios
el miedo, cuando los dicen.   2160

REY. El infante viene allí,
y si aquí os ve, no es posible
que deje de conocer
las quejas que dél me disteis.
Mas acuérdome que un día   2165

---

[59] *basta que imaginen*: en efecto, el código de honor podía llegar a tal extremo, que la sola sospecha de infidelidad bastaba para condenar a la mujer a veces.

me dieron con voces tristes
quejas de vos, y yo entonces
detrás de aquellos tapices
escondí a quien se quejaba;
y en el mismo caso pide   2170
el daño el propio remedio,
pues al revés lo repite.
Y así quiero hacer con vos
lo mismo que entonces hice;
pero con un orden más,   2175
y es que nada aquí os obligue
a descubriros. Callad
a cuanto viereis.

D. Gut.   Humilde
estoy, señor, a tus pies.
Seré el pájaro que fingen[60]   2180
con una piedra en la boca. *(Escóndese.)*

Sale el Infante.

Rey.   Vengáis norabuena, Enrique,
aunque mala habrá de ser,
pue me halláis...

D. Enrique.   ¡Ay de mí, triste!
Rey.   ... enojado.
D. Enrique.   ¿Pues, señor,   2185
con quién lo estáis, que os obligue?
Rey.   Con vos, Infante, con vos.
D. Enrique.   Será mi vida infelice.
Si enojado tengo al Sol,
veré mi mortal eclipse.   2190
Rey.   ¿Vos, Enrique, no sabéis
que más de un acero tiñe
el agravio en sangre real?
D. Enrique.   ¿Pues por quién, señor, lo dice
vuestra Majestad?
Rey.   Por vos   2195
lo digo, por vos, Enrique;
el honor es reservado
lugar, donde el alma asiste.
Yo no soy Rey de las almas:[61]
harto en esto solo os dije.   2200

---

[60] *Seré el pájaro que fingen*: que pintan; se refiere a la grulla, representada con una piedra en el pico para evitar cantar, o para mantenerse callada y en silencio, siendo así símbolo de prudencia.

[61] *Yo no soy Rey de las almas*: porque el alma sólo es de Dios, para parafrasear a Calderón en *El alcalde de Zalamea*, I, última escena.

636

D. ENRIQUE.	No os entiendo.	
REY.	Si a la enmienda	
	vuestro amor no se apercibe,	
	dejando vanos intentos	
	de bellezas imposibles,	
	donde el alma de un vasallo	2205
	con ley soberana vive,	
	podrá ser de mi justicia	
	que aun mi sangre no se libre.	
D. ENRIQUE.	Señor, aunque tu precepto	
	es ley que tu lengua imprime	2210
	en mi corazón, y en él	
	como en el bronce se escribe,	
	escucha disculpas mías;	
	que no será bien que olvides	
	que con iguales orejas,	2215
	ambas partes han de oírse.	
	Yo, señor, quise a una dama,	
	(que ya sé por quién lo dices,	
	si bien, con poca ocasión):	
	en efecto, yo la quise	2220
	'tanto...	
REY.	¿Qué importa si ella	
	es beldad tan imposible...?	
D. ENRIQUE.	Es verdad, pero...	
REY.	Callad.	
D. ENRIQUE.	Pues, señor, ¿no me permites	
	disculparme?	
REY.	No hay disculpa;	2225
	que es belleza que no admite	
	objeción.	
D. ENRIQUE.	Es cierto, pero	
	el tiempo todo lo rinde,	
	el amor todo lo puede.	
REY.	(*Ap.*) ¡Válgame Dios! ¡qué mal hice	2230
	en esconder a Gutierre!—	
	Callad, callad.	
D. ENRIQUE.	No te incites	
	tanto contra mí, ignorando	
	la causa que a esto me obligue.	2235
REY.	Yo lo sé todo muy bien.	
	(*Ap.*) ¡Oh qué lance tan terrible!	
D. ENRIQUE.	Pues yo, señor, he de hablar:	
	en fin, doncella la quise.	
	¿Quién, decid, agravia a quién?	

	¿Yo a un vasallo...	
D. GUT.	(*Ap.*) ¡Ay infelice!	224(
D. ENRIQUE.	... que antes que fuese su esposa,	
	fue...?	
REY.	No tenéis qué decirme.	
	Callad, callad, que ya sé	
	que por disculpa fingisteis	
	tal quimera. Infante, Infante,	224(
	vamos mediando los fines.	
	¿Conocéis aquesta daga?	
D. ENRIQUE.	Sin ella a palacio vine	
	una noche.	
REY.	¿Y no sabéis	
	dónde la daga perdisteis?	225(
D. ENRIQUE.	No, señor.	
REY.	Yo sí, pues fue	
	adonde fuera posible	
	mancharse con sangre vuestra,	
	a no ser el que la rige	
	tan notable y leal vasallo.	225!
	¿No veis que venganza pide	
	el hombre que aun ofendido,	
	el pecho y las armas rinde?	
	¿Veis este puñal dorado?	
	Geroglífico es que dice	226(
	vuestro delito: a quejarse	
	viene de vos, y he de oírle.	
	Tomad su acero, y en él	
	os mirad: veréis, Enrique,	
	vuestros defectos.	
D. ENRIQUE.	Señor,	2265
	considera que me riñes	
	tan severo, que turbado...	
REY.	Toma la daga.	

(Dale la daga, y al tomarla, turbado, el INFANTE *corta al* REY *en la mano.)*

	¿Qué hiciste,	
	traidor?	
D. ENRIQUE.	¿Yo?	
REY.	¿Desta manera	
	tu acero en mi sangre tiñes?	2270
	¿Tú la daga que te di,	
	hoy contra mi pecho esgrimes?	
	¿Tú me quieres dar la muerte?	
D. ENRIQUE.	Mira, señor, lo que dices;	
	que yo turbado...	

REY.	¿Tú a mí	2275
	te atreves? ¡Enrique, Enrique!	
	Detén el puñal, ya muero.	
D. ENRIQUE.	¡Hay confusiones más tristes!	
	Mejor es volver la espalda,	
	y aun ausentarme y partirme	2280
	donde en mi vida te vea,	

(Cáesele la daga al INFANTE.*)*

	porque de mí no imagines	
	que puedo verter tu sangre	
	yo ¡mil veces infelice! *(Vase.)*	
REY.	¡Válgame el cielo!, ¿qué es esto?	2285
	¡Oh, que aprensión insufrible!	
	Bañado me vi en mi sangre,	
	muerto estuve. ¿Qué infelice	
	imaginación me cerca,	
	que con espantos horribles	2290
	y con helados temores	
	el pecho y el alma oprime?	
	Ruego a Dios que estos principios	
	no lleguen a tales fines,	
	que con diluvios de sangre	2295
	el mundo se escandalice.	

(Vase por otra puerta.)

Sale DON GUTIERRE.

D. GUT.	¡Todo es prodigios el día!	
	Con asombros tan terribles,	
	de que yo estaba escondido	
	no es mucho que el Rey se olvide.	2300
	¡Válgame Dios!, ¡qué escuché?	
	Mas ¿para qué lo repite	
	la lengua, cuando mi agravio	
	con mi desdicha se mide?	
	Arranquemos de una vez	2305
	de tanto mal las raíces.	
	Muera Mencía, su sangre	
	bañe el pecho donde asiste;	
	y pues aqueste puñal *(Levántale.)*	
	hoy segunda vez me rinde	2310
	el Infante, con él muera.	
	Mas no es bien que lo publique;	
	porque si sé que el secreto	
	altas victorias consigue,	
	y que agravio que es oculto	2315
	oculta venganza pide,	

muera Mencía de suerte
que ninguno lo imagine.
Pero antes que llegue a esto,
la vida el cielo me quite,   2320
porque no vea tragedias
de un amor tan infelice.
¿Para cuándo, para cuándo
esos azules viriles
guardan un rayo? ¿No es tiempo   2325
de que sus puntas se vibren,
preciando de tan piadosos?
¿No hay, claros cielos, decidme,
para un desdichado muerte?
¿No hay un rayo para un triste? *(Vase.)*   2330

(*Sala en la casa de* DON GUTIERRE, *en Sevilla*)

Salen DOÑA MENCÍA *y* JACINTA.

JACINTA.   Señora, ¿qué tristeza
                 turba la admiración a tu belleza,
                 que la noche y el día
                 no haces sino llorar?

Dª. MENCÍA.   La pena mía
                 no se rinde a razones.   2335
                 En una confusión de confusiones,
                 ni medidas, ni cuerdas,
                 desde la noche triste, si te acuerdas,
                 que viviendo en la quinta,
                 te dije que conmigo había, Jacinta,   2340
                 hablado don Enrique
                 (no sé cómo mi mal te signifique),
                 y tú después dijiste que no era
                 posible, porque afuera
                 a aquella misma hora que yo digo,   2345
                 el Infante también habló contigo,
                 estoy triste y dudosa,
                 confusa, divertida y temerosa,
                 pensando que no fuese
                 Gutierre quien conmigo habló.

JACINTA.   ¿Pues ése   2350
                 es engaño que pudo
                 suceder?

Dª. MENCÍA.   Sí, Jacinta, que no dudo
                 que de noche, y hablando
                 quedo, y yo tan turbada, imaginando

640

en él mismo, vendría,   2355
bien tal engaño suceder podría.
Con esto el verle agora
conmigo alegre, y que consigo llora
(porque al fin los enojos,
que son grandes amigos de los ojos,   2360
no les encubren nada),
me tiene en tantas penas anegada.

Sale COQUÍN.

COQUÍN.   Señora.
Dª. MENCÍA.   ¿Qué hay de nuevo?
COQUÍN.   Apenas a contártelo me atrevo.
Don Enrique, el Infante...   2365
Dª. MENCÍA.   Tente, Coquín, no pases adelante.
Que su nombre no más me causa espanto.
Tanto le temo, o le aborrezco tanto.
COQUÍN.   No es de amor el suceso,
y por eso lo digo.
Dª. MENCÍA.   Y yo por eso   2370
lo escucharé.
COQUÍN.   El Infante
que fue, señora, tu imposible amante,
con don Pedro su hermano
hoy un lance ha tenido. Pero en vano
contártele pretendo,   2375
por no saberle bien, o porque entiendo
que no son justas leyes
que hombres de burlas hablen de los reyes.
Esto aparte, en efecto,
Enrique me llamó, y con gran secreto   2380
dijo: "A doña Mencía
este recado da de parte mía.
Que su desdén tirano
me ha quitado la gracia de mi hermano,
y huyendo desta tierra,   2385
hoy a la ajena patria me destierra,
donde vivir no espero,
pues de Mencía aborrecido, muero."
Dª. MENCÍA.   ¿Por mí el Infante ausente,
sin la gracia del Rey? ¡Cosa que intente,   2390
con novedad tan grande,
que mi opinión en voz de del vulgo ande!
¿Que haré?, ¡cielos!
JACINTA.   Ahora

	el remedio mejor será, señora,	
	prevenir este daño.	
COQUÍN.	¿Cómo puede?	2395
JACINTA.	Rogándole al Infante que se quede;	
	pues si una vez se ausenta,	
	como dicen, por ti, será tu afrenta	
	pública; que no es cosa	
	la ausencia de un infante tan dudosa,	2400
	que no se diga luego	
	cómo y por qué.	
COQUÍN.	¿Pues cuando oirá ese	
	[ruego,	
	si, calzada la espuela,	
	ya en su imaginación Enrique vuela?	
JACINTA.	Escribiéndole ahora	2405
	un papel en que diga mi señora	
	que a su opinión conviene	
	que no se ausente; pues para eso tiene	
	lugar, si tú le llevas.	
Dª. MENCÍA.	Pruebas de honor son peligrosas pruebas;	2410
	pero con todo quiero	
	escribir el papel, pues considero,	
	y no con necio engaño,	
	que es de dos daños éste el menor daño,	
	si hay menor en los daños que recibo.	2415
	Quedaos aquí los dos, mientras yo escribo.	
	(Vase.)	
JACINTA.	¿Qué tienes estos días,	
	Coquín, que andas tan triste? ¿No solías	
	ser alegre? ¿Qué efeto	
	te tiene así?	
COQUÍN.	Metíme a ser discreto	2420
	por mi mal, y hame dado	
	tan grande hipocondría en este lado,	
	que me muero.	
JACINTA.	¿Y qué es hipocondría?	
COQUÍN.	Es una enfermedad que no la había	
	habrá dos años, ni en el mundo era.	2425
	úsase poco ha, y de manera	
	lo que se usa, amiga, no se excusa,	
	que una dama, sabiendo que se usa,	
	le dijo a su galán muy triste un día:	
	"Tráigame un poco uced de hipocondría".	2430
	Mas señor entra ahora.	
JACINTA.	¡Ay Dios! Voy a avisar a mi señora.	

Sale DON GUTIERRE.

D. GUT.	Tente, Jacinta, espera.	
	¿Dónde corriendo vas de esa manera?	
JACINTA.	Avisar pretendía	2435
	a mi señora de que ya venía	
	tu persona.	
D. GUT.	(*Ap.*) ¡Oh criados,	
	en efecto, enemigos no excusados!	
	Turbados de temor los dos se han puesto.)	
	Ven acá, dime tú lo que hay en esto:	2440
	dime por qué corrías. *(A* JACINTA.*)*	
JACINTA.	Sólo por avisar de que venías,	
	señor, a mi señora.	
D. GUT.	El labio sella.	
	(*Ap.*) (Mas déste lo sabré mejor que della.)	
	Coquín, tú me has servido	2445
	noble siempre, en mi casa te has criado:	
	a ti vuelvo rendido,	
	dime, dime por Dios, lo que ha pasado.	
COQUÍN.	Señor, si algo supiera,	
	de lástima no más te lo dijera.	2450
	¡Plegue a Dios!, mi señor...	
D. GUT.	¡No, no des voces!	
	¿De qué aquí te turbaste?	
COQUÍN.	Somos de buen turbar; mas esto baste.	
D. GUT.	(*Ap.*) (Señas los dos se han hecho.	
	Ya no son cobardías de provecho.)	2455
	Idos de aquí los dos. Solos estamos,	

(Vanse los dos.)

	honor, lleguemos ya; desdicha, vamos.	
	¿Quién vio en tantos enojos	
	matar las manos y llorar los ojos?	

(Alza una cortina, y descubre a DOÑA MENCÍA *escribiendo.)*

D. GUT.	(*Ap.*) Escribiendo Mencía	2460
	está: ya es fuerza ver lo que escribía.	

(Llega a ella y quítale el papel.)

Dª. MENCÍA.	¡Ay Dios! ¡Válgame el cielo! *(Se desmaya.)*	
D. GUT.	Estatua viva se quedó de hielo.	
	(*Lee*) "Vuestra Alteza, señor..." ¡Que por	
	vino mi honor a dar tal bajeza! [Alteza	2465
	"... no se ausente..." Detente,	
	voz; pues le ruega aquí que no se ausente,	
	a tanto mal me ofrezco,	
	que casi las desdichas me agradezco.	

643

¿Si aquí le doy la muerte...? 2470
Mas esto ha de pensarse desta suerte.
Despediré criadas y criados:
solos han de quedarse mis cuidados
conmigo; y ya que ha sido
Mencía la mujer que yo he querido 2475
más en mi vida, quiero
que en el último vale, en el postrero
parasismo, me deba
la más nueva piedad, la acción más nueva.
Ya que la cura he de aplicar postrera, 2480
no muera el alma, aunque la vida muera.

(Escribe y vase.)

(Va volviendo en sí DOÑA MENCÍA.*)*

Dª. MENCÍA. ¡Señor, detén la espada,
no me juzgues culpada:
el cielo sabe que inocente muero!
¿Qué fiera mano, qué sangriento acero 2485
en mi pecho ejecutas? ¡Tente, tente!
¡Una mujer no mates inocente!
Mas ¿qué es esto?, ¡ay de mí! ¿No estaba agora
Gutierre aquí? No vía (¿quién lo ignora?)
que en mi sangre bañada, 2490
moría en rubias ondas anegada?
¡Ay Dios, este desmayo
fue de mi vida aquí mortal ensayo!
¡Qué ilusión! Por verdad lo dudo y creo.
El papel romperé. ¡Pero qué veo! 2495
De mi esposo es la letra, y desta suerte
la sentencia me intima de mi muerte:
[*Lee*] "El amor[62] te adora, el honor te aborre-
ce; y así el uno te mata y el otro te avisa. Dos
horas tienes de vida: cristiana eres, salva el alma,
que la vida es imposible."
¡Válgame Dios![63] ¡Jacinta, hola! ¿Qué es
[esto?
¿Nadie responde? ¡Otro temor funesto!
¿No hay alguna criada? 2500
Mas, ¡ay de mí!, la puerta está cerrada,
nadie en casa me escucha.

---

[62] *El amor...*: es de notar que el amor en el Siglo de Oro está supeditado al honor: aun queriéndola, don Gutierre la mandará a matar.

[63] *¡Válgame Dios!*: de un gran efectismo que inyecta al teatro todo del mismo miedo que siente Da. Mencía al verse sola y abandonada a su triste sino, casi como si se tratara de una de esas ambientaciones que tanto abundan en la novela gótica inglesa.

Mucha es mi turbación, mi pena es mucha.
Destas ventanas son los hierros rejas,
y en vano a nadie le diré mis quejas,   2505
que caen a unos jardines, donde apenas
habrá quien oiga repetidas penas.
¿Dónde iré desta suerte,
tropezando en la sombra de mi muerte?

                                              (Vase.)

(Calle.)

Salen el Rey *y* Don Diego.

REY.   En fin, ¿Enrique se fue?
D. DIEGO.   Sí, señor: aquesta tarde   2510
               salió de Sevilla.
REY.   Creo
               que ha presumido arrogante
               que él solamente de mí
               podrá en el mundo librarse.
               ¿Y dónde va?   2515
D. DIEGO.   Yo presumo
               que a Consuegra[64].
REY.   Está el Infante
               Maestre allí, y querrán los dos
               a mis espaldas vengarse
               de mí.
D. DIEGO.   Tus hermanos son,   2520
               y es forzoso que te amen
               como hermano, y como a rey
               te adoren: dos naturales
               obediencias son.
REY.   Y Enrique
               ¿quién lleva que le acompañe?   2525
D. DIEGO.   Don Arias.
REY.   Es su privanza.
D. DIEGO.   Música hay en esta calle.
REY.   Vámonos llegando a ellos:
               quizá con lo que cantaren,
               me divertiré.
D. DIEGO.   La música   2530
               es antídoto a los males.

---

[64] *Consuegra*: pueblo en la provincia de Toledo, de tradición de mal agüero, pues se dice
que cerca de él acordó Julián la venida de los musulmanes a España, y que en tierras
de Consuegra perdió el Cid Campeador a su hijo, don Diego, en una batalla.

Cantan dentro:

El infante don Enrique[65]
hoy se despidió del Rey;
su pesadumbre y su ausencia
quiera Dios que pare en bien.　　　　　　　2535

REY.　　　　　　¡Qué triste voz! Vos, don Diego,
echad por aquesa calle,
no se nos escape quien
canta desatinos tales.
　　　　　　(Vase cada uno por su puerta.)

(*Sala en casa de* DON GUTIERRE.)

Salen DON GUTIERRE; LUDOVICO, *cubierto el rostro.*

D. GUT..　　　　Entra, no tengas temor;　　　　2540
que ya es tiempo que destape
tu rostro y encubra el mío. *(Tápase.)*

LUDOVICO.　　　¡Válgame Dios!

D. GUT..　　　　　　　　No te espante
nada que vieres.

LUDOVICO.　　　　　　　Señor,
de mi casa me sacasteis　　　　　　2445
esta noche; pero apenas
me tuvisteis en la calle,
cuando un puñal me pusisteis
al pecho, sin que, cobarde,
vuestro intento resistiese,　　　　　2550
que fue cubrirme y taparme
el rostro, y darme mil vueltas
luego a mis propios umbrales.
Dijisteisme que mi vida
estaba en no destaparme;　　　　　2555
una hora he andado con vos,
sin saber por dónde ande.
Y con ser la admiración
de aqueste caso tan grave,
más me turba y me suspende　　　　2560
impensadamente hallarme
en una casa tan rica,
sin ver que la habite nadie
sino vos, habiéndoos visto

―――――――――
[65] 2532-35: como en tantos otros casos, los músicos hacen las veces papel del coro griego, que anuncia, profetiza, o simplemente, como aquí, insinúa un fin trágico.

	siempre ese embozo delante.	2565
	¿Qué me queréis?	
D. GUT..	Que te esperes	
	aquí sólo un breve instante. *(Vase.)*	
LUDOVICO.	¡Qué confusiones son éstas	
	que a tal extemo me traen!	
	¡Válgame Dios!	

Vuelve DON GUTIERRE.

D. GUT..	Tiempo es ya	2570
	de que entres aquí; mas antes	
	escúchame: aqueste acero	
	será de tu pecho esmalte,	
	si resistes lo que yo	
	tengo ahora de mandarte.	2575
	Asómate a este aposento.	
	¿Qué ves en él?	
LUDOVICO.	Una imagen	
	de la muerte, un bulto veo	
	que sobre una cama yace:	
	dos velas tiene a los lados,	2580
	y un crucifijo delante.	
	Quién es, no puedo decir;	
	que con unos tafetanes	
	el rostro tiene cubierto.	
D. GUT..	Pues a ese vivo cadáver	
	que ves, has de dar la muerte.[66]	2585
LUDOVICO.	Pues ¿qué quieres?	
D. GUT..	Que la sangres,	
	y la dejes que rendida	
	a su violencia, desmaye	
	la fuerza, y que en tanto horror	2590
	tú atrevido la acompañes,	
	hasta que por breve herida	
	ella espire y se desangre.	
	No tienes a qué apelar,	
	si buscas en mí piedades;	2595
	sino obedecer, si quieres	
	vivir.	
LUDOVICO.	Señor, tan cobarde	
	te escucho, que no podré	
	obedecerte.	
D. GUT..	Quien hace	

---

[66] *has de dar muerte*: no es por cobardía que D. Gutierre contrata los servicios de un verdugo, sino porque se consideraba tarea indigna de un hidalgo.

	por consejos rigurosos	2600
	mayores temeridades,	
	darte la muerte sabrá.	
LUDOVICO.	Fuerza es que mi vida guarde.	
D. GUT..	Y haces bien; porque en el mundo	
	hay quien viva porque mate.	2605
	Desde aquí te estoy mirando,	
	Ludovico: entra adelante.	

(Éntrase LUDOVICO.*)*

Éste fue el más sutil medio
para que mi afrenta acabe
disimulada, supuesto   2610
que el veneno fuera fácil
de averiguar, las heridas
imposibles de ocultarse.
Y así, contando la muerte,
y diciendo que fue[67] lance   2615
forzoso hacer la sangría,
ninguno podrá probarme
lo contrario, si es posible
que una venda se desate.
Haber traído a este hombre   2620
con recato semejante,
fue bien; pues si descubierto
viniera, y viera sangrarse
una mujer, y por fuerza,
fuera presunción notable.   2625
Éste no podrá decir,
cuando cuente aqueste trance,
quién fue la mujer; demás,
que cuando de aquí le saque,
muy lejos ya de mi casa   2630
estoy dispuesto a matarle.
Médico soy de mi honor,
la vida pretendo darle
con una sangría; que todos
curan a costa de sangre. *(Vase.)*   2635

(Calle.)

Salen el REY *y* DON DIEGO, *cada uno por su parte; y cantan dentro.*

---

[67] *y diciendo que fue...*: había que evitar el escándalo (que podría terminar en la deshonra) a toda costa.

> *Para Consuegra camina,*
> *donde piensa que han de ser*
> *teatros de mil tragedias*
> *las montañas de Montiel.*

REY. ¡Don Diego!

D. DIEGO. Señor...

REY. Supuesto 2640
que cantan en esta calle,
¿no hemos de saber quién es?
¿Habla por ventura el aire?

D. DIEGO. No te desvele, señor, 2645
oír estas necedades;
porque a vuestro enojo ya
versos en Sevilla se hacen.

REY. Dos hombres vienen aquí.

D. DIEGO. Es verdad: no hay que esperarles
respuesta. Hoy el conocerlos 2650
importa.

Saca DON GUTIERRE *a* LUDOVICO, *tapado el rostro.*

D. GUT.. (*Ap.*) ¡Que así me ataje
el cielo, que con la muerte
deste hombre eche otra llave
al secreto! Ya me es fuerza
de aquestos dos retirarme; 2655
que nada me está peor
que conocerme en tal parte.
Dejárele en este puesto. (*Vase.*)

D. DIEGO. De los dos, señor, que antes
venían, se volvió el uno, 2660
y el otro se quedó.

REY. A darme
confusión; que si le veo
a la poca luz que esparce
la luna, no tiene forma
su rostro: confusa imagen 2665
el bulto, mal acabado,
parece de un blanco jaspe.

D. DIEGO. Téngase su Majestad,
que yo llegaré.

REY. Dejadme,
don Diego. ¿Quién eres, hombre? 2670

LUDOVICO. Dos confusiones son parte,
señor, a no responderos: (*Descúbrese.*)

                              la una, la humildad que trae
                              consigo un pobre oficial,
                              para que con reyes hable   2675
                              (que ya os conocí en la voz,
                              luz que tan notorio os hace),
                              la otra, la novedad
                              del suceso más notable,
                              que el vulgo, archivo confuso,   2680
                              califica en sus anales.
REY.   ¿Qué os ha sucedido?
LUDOVICO.   A vos
                              lo diré, escuchadme aparte.
REY.   Retiraos allí, don Diego.
D. DIEGO.   (Ap.) Sucesos son admirables   2685
                              cuantos esta noche veo:
                              Dios con bien della me saque.
LUDOVICO.   No la vi el rostro, mas sólo
                              entre repetidos ayes
                              escuché: "Inocente muero;   2690
                              el cielo no te demande
                              mi muerte." Esto dijo, y luego
                              expiró; y en este instante
                              el hombre mató la luz,
                              y por los pasos, que antes   2695
                              entré, salí. Sintió ruido
                              al llegar a aquesta calle,
                              y dejóme en ella solo.
                              Fáltame ahora de avisarte,
                              señor, que saqué bañadas   2700
                              las manos en roja sangre,
                              y que fui por las paredes,
                              como quise arrimarme,
                              manchando todas las puertas,
                              por si pueden las señales   2705
                              descubrir la casa.
REY.   ¡Bien
                              hicistes! Venid a hablarme
                              con lo que hubiereis sabido,
                              y tomad este diamante,
                              y decid que por las señas   2710
                              dél os permitan hablarme
                              a cualquier hora que vais.
LUDOVICO.   EL cielo, señor, os guarde. (Vase.)
REY.   Vamos, don Diego.
D. DIEGO.   ¿Qué es eso?

REY.	El suceso más notable	2715
	del mundo.	
D. DIEGO.	Triste has quedado.	
REY.	Forzoso ha sido asombrarme.	
D. DIEGO.	Vente a acostar, que ya el día	
	entre dorados celajes	
	asoma.	
REY.	No he de poder	
	sosegar, hasta que halle	2720
	una casa que deseo.	
D. DIEGO.	¿No miras que ya el Sol sale,	
	y que podrán conocerte	
	desta suerte?	

Sale COQUÍN.

COQUÍN.	Aunque me mates,	2725
	habiéndote conocido,	
	¡oh señor!, tengo de hablarte:	
	escúchame.	
REY.	Pues, Coquín,	
	¿de qué los extremos son?	
COQUÍN.	Ésta es una honrada acción,	
	de hombre bien nacido en fin;	2730
	que aunque hombre me consideras	
	de burlas con loco humor,	
	llegando a veras, señor,	
	soy hombre de muchas veras.	
	Oye lo que he de decir,	2735
	pues de veras vengo a hablar:	
	que quiero hacerte llorar,	
	ya que no puedo reír.	
	Gutierre, mal informado	
	por aparentes recelos,	2740
	llegó a tener viles celos	
	de su honor; y hoy obligado	
	a tal sospecha, que halló	
	escribiendo (¡error cruel!)	
	para el Infante un papel	2745
	a su esposa, que intentó	
	con él que no se ausentase,	
	porque ella causa no fuese	
	de que en Sevilla se viese	
	la novedad que causase	2750
	pensar que ella le ausentaba...	
	Con esta inocencia, pues	
	(que a mí me consta), con pies	

cobardes, adonde estaba
llegó, y el papel tomó,   2755
y, sus celos declarados,
despidiendo a los criados,
todas las puertas cerró,
solo se quedó con ella.
Yo, enternecido de ver   2760
una infelice mujer
perseguida de su estrella,
vengo, señor, a avisarte
que tu brazo altivo y fuerte
hoy la libre de la muerte.   2765

REY.   ¿Con qué he de poder pagarte
tal piedad?

COQUÍN.   Con darme aprisa
libre, sin más accidentes,
de la acción contra mis dientes.   2770

REY.   No es ahora tiempo de risa.

COQUÍN.   ¿Cuándo lo fue?

REY.   Y pues el día
aún no se muestra, lleguemos,
don Diego. *(Vanse.)*

(*Otra calle, y en ella la casa de* DON GUTIERRE. *En la puerta se ve la señal
de una mano sangrienta.*)

REY.   Así, pues, daremos
color a una industria mía,   2775
de entrar en casa mejor,
diciendo que me ha cogido
cerca el día, y he querido
disimular el color
del vestido; y una vez   2780
allá, el estado veremos
del suceso; y así haremos
como Rey, supremo juez.

D. DIEGO.   No hubiera industria mejor.

COQUÍN.   De su casa lo has tratado   2785
tan cerca, que ya has llegado,
que ésta es su casa, señor.

REY.   Don Diego, espera.

D. DIEGO.   ¿Qué ves?

REY.   ¿No ves sangrienta una mano
impresa en la puerta?

D. DIEGO.   Es llano.   2790

Rey.	(*Ap.*) Gutierre sin duda es el cruel que anoche hizo una acción tan inclemente. No sé qué hacer. Cuerdamente sus agravios satisfizo. 2795

Salen Doña Leonor *y criada.*

Dª. Leonor.	Salgo a misa antes del día, porque ninguno me vea en Sevilla, donde crea que olvido la pena mía. Mas gente hay aquí. ¡Ay Inés! 2800 ¿El Rey qué hará en esta casa?
Inés.	Tápate en tanto que pasa.
Rey.	Acción excusada es, porque ya estáis conocida.
Dª. Leonor.	No fue encubrirme, señor, 2805 por excusar el honor de dar a tus pies la vida.
Rey.	Esa acción es para mí, de recatarme de vos, pues sois acreedor, por Dios, 2810 de mis honras; que yo os di palabra, y con gran razón, de que he de satisfacer vuestro honor; y lo he de hacer en la primera ocasión. 2815
D. Gut..	(*Dentro.*) ¡Hoy me he de desesperar, cielo crüel, si no baja un rayo de esas esferas y en cenizas me desata!
Rey.	¿Qué es esto?
D. Diego.	Loco furioso 2820 don Gutierre de su casa sale.
Rey.	¿Dónde vais, Gutierre?
D. Gut..	(*Sale.*) A besar, señor, tus plantas; y de la mayor desdicha, de la tragedia más rara, 2825 escucha la admiración, que eleva, admira y espanta. Mencía, mi amada esposa, tan hermosa como casta, virtuosa como bella 2830 (dígalo a voces la fama):

Mencía, a quien adoré
con la vida y con el alma,
anoche a un grave accidente
vio su perfección postrada,   2835
por desmentirla divina
este accidente de humana.
Un médico, que lo es
el de mayor nombre y fama,
y el que en el mundo merece   2840
inmortales alabanzas,
la recetó una sangría,
porque con ella esperaba
restituir la salud
a un mal de tanta importancia.   2845
Sangróse en fin; que yo mismo,
por estar sola la casa,
llamé al sangrador, no habiendo
ni criados ni criadas.
A verla en su cuarto, pues,   2850
quise entrar esta mañana...
Aquí la lengua enmudece,
aquí el aliento me falta.
Veo de funesta sangre
teñida toda la cama,   2855
toda la ropa cubierta,
y que en ella, ¡ay Dios!, estaba
Mencía, que se había muerto
esta noche desangrada.
Ya se ve cuán fácilmente   2860
una venda se desata.
¿Pero para qué presumo
reducir hoy a palabras
tan lastimosas desdichas?
Vuelve a esta parte la cara,   2865
y verás sangriento el Sol,
verás la Luna eclipsada,
deslucidas las estrellas
y las esferas borradas;
y verás a la hermosura   2870
más triste y más desdichada,
que, por darme mayor muerte,
no me ha dejado sin alma.

(Descubre a DOÑA MENCÍA *en una cama, desangrada.)*[68]

---

[68] Espeluznante escena, digna del mejor teatro expresionista alemán de nuestro siglo.

654

REY.	¡Notable suceso! (*Ap.*) Aquí	
	la prudencia[69] es de importancia.	2875
	Mucho en reportarme haré.	
	Tomó notable venganza.—	
	Cubrid ese horror que asombra,	
	ese prodigio que espanta,	
	espectáculo que admira,	2880
	símbolo de la desgracia.	
	Gutierre, menester es	
	consuelo; y porque le haya	
	en pérdida que es tan grande	
	con otra tanta ganancia,	2885
	dadle la mano a Leonor;	
	que es tiempo que satisfaga	
	vuestro valor lo que debe,	
	y yo cumpla la palabra	
	de volver en la ocasión	2890
	por su valor y su fama.	
D. GUT..	Señor, si de tanto fuego	
	aún las cenizas se hallan	
	calientes, dadme lugar	
	para que llore mis ansias.	2895
	¿No queréis que escarmentado	
	quede?	
REY.	Esto ha de ser, y basta.	
D. GUT..	Señor, ¿queréis que otra vez,	
	no libre de la borrasca,	
	vuelva al mar? ¿Con qué disculpa?	2900
REY.	Con que vuestro Rey lo manda.	
D. GUT..	Señor, escuchad aparte	
	disculpas.	
REY.	Son excusadas.	
	¿Cuáles son?	
D. GUT..	¿Si vuelvo a verme	
	en desdichas tan extrañas,	2905
	que de noche halle embozado	
	a vuestro hermano en mi casa...?	
REY.	No dar crédito a sospechas.	
D. GUT..	¿Y si detrás de mi cama	
	hallase tal vez, señor,	2910
	de don Enrique la daga?	
REY.	Presumir que hay en el mundo	

---

[69] *la prudencia*: como en otros dramas de honor, el Rey encubre el delito, haciéndose así cómplice.

	mil sobornadas criadas,	
	y apelar a la cordura.	
D. Gut..	A veces, señor, no basta.	
	¿Si veo rondar después	2915
	de noche y de día mi casa?	
Rey.	Quejárseme a mí.	
D. Gut..	¿Y si cuando	
	llego a quejarme, me aguarda	
	mayor desdicha escuchando?	2920
Rey.	¿Qué importa, si él desengaña,	
	que fue siempre su hermosura	
	una constante muralla	
	de los vientos defendida?	
D. Gut..	¿Y si volviendo a mi casa,	2925
	hallo algún papel que pide	
	que el Infante no se vaya?	
Rey.	Para todo habrá remedio.	
D. Gut..	¿Posible es que a esto le haya?	
Rey.	Sí, Gutierre.	
D. Gut..	¿Cuál, señor?	2930
Rey.	Uno vuestro.	
D. Gut..	¿Qué es?	
Rey.	Sangrarla.	
D. Gut..	¿Qué decís?	
Rey.	Que hagáis borrar	
	las puertas de vuestra casa;	
	que hay mano sangrienta en ellas.	
D. Gut..	Los que de un oficio tratan,	2935
	ponen, señor, a las puertas	
	un escudo de sus armas;	
	trato en honor, y así pongo	
	mi mano en sangre bañada	
	a la puerta; que el honor	2940
	con sangre, señor, se lava.	
Rey.	Dádsela, pues, a Leonor;	
	que yo sé que su alabanza	
	la merece.	
D. Gut..	Sí la doy. *(Dale la mano.)*	
	Mas mira que va bañada	2945
	en sangre, Leonor.	
Dª. Leonor.	No importa;	
	que no me admira ni espanta.	
D. Gut..	Mira que médico he sido	
	de mi honra: no está olvidada	
	la ciencia.	

Dª. LEONOR.	Cura con ella 2950
	mi vida, en estando mala.
D. GUT..	Pues con esta condición
	te la doy. Con esto acaba
	EL MÉDICO DE SU HONRA.
	Perdonad sus muchas faltas. 2955

FIN

EL GRAN TEATRO DEL MUNDO" (c. 1635)

EL AUTO SACRAMENTAL

Como antecedente al género del auto sacramental, el cual llega a su cumbre durante el siglo XVII con Calderón, podríamos remontarnos a cierta literatura religiosa de la Edad Media, los "misterios" y las "moralidades". Recuérdese ahora que la primera obra conocida del teatro peninsular es un misterio que lleva precisamente el término "auto" en su título, o sea, *Auto de los Reyes Magos*. En las moralidades, sin embargo, además del contenido religioso, se da un aspecto aún más fundamental para la creación del futuro acto sacramental, a saber, el alegórico. Tomaban, en un principio, la forma de un debate, en el cual la virtud y el vicio cobraban características alegóricas, y así surgían viva y gráficamente representados el pecado, la fe, la esperanza, la calidad, el mal, la gula, etc. El término "moralidad", más frecuente al norte, es relativamente raro en España, usándose en vez el de "farsa", y a veces "pieza", alegórica. Tampoco, por otro lado, tiene que limitarse el término "auto" a una obra de carácter necesariamente religioso, pues los hay profanos, especialmente a partir del Renacimiento.

Será en las postrimerías del siglo XVI, caldeándose cada vez más el ambiente de la Contrarreforma, cuando surge el auto sacramental propiamente dicho, hasta quedar definitivamente fraguado, como decíamos arriba, en el XVII con Calderón como una pieza alegórica de un acto referente en principio a la Eucaristía, si bien existen autos que no se ciñen a este tema, tales como *La Hidalga del Valle*, auto mariano, y siendo el tema, en todo caso, de carácter religioso. Dada la primacía del tema eucarístico de la Transubstanciación, era lógico que fuera la fiesta del Corpus la fecha en que se representaran los autos. Y dada ahora la presencia de Calderón en la corte, era igualmente lógico que resultara Madrid, ciudad que ya gozaba de una gran afición teatral, el lugar donde los autos llegaron a ser más acogidos y queridos por el público.

Si tenemos bien presente la diferencia tantas veces apuntada entre drama y teatro, nos damos cuenta fácilmente que el auto sacramental supone algo así como la quintaesencia de lo espectacular. El tema alegórico y sobrenatural ya se presta de por sí a una representación desbordante y lujosa en cuanto a las posibilidades imaginativas. Los viejos vicios y virtudes, las conocidas figuras alegóricas con sus ilimitadas posibilidades, precisamente porque ya les eran familiares al espectador, tenían que esforzarse por ser y parecer siempre lo más original posible. Así los directores no escatimaban recursos —máxime que los autos se montaban con fondos

659

municipales— para seguir impresionando a su público con un espectácul
cada vez más despampanante. De hecho, los carros sobre los cuales se mor
taban las decoraciones escénicas tuvieron que aumentar de dos a cuatr
a partir de 1648 para poder complacer el gusto del pueblo.

Un ambiente teatral permeaba todo, y precisamente para garantiza
que así fuera, se cerraban oficialmente los teatros (si bien hubo épocas e
que los propios autos fueron representados en teatros). El pueblo asistí
a "la fiesta de los carros", cuando éstos atravesaban la ciudad, acompa
ñados de danzas y loas, deteniéndose en determinados sitios elegidos par
ejecutar la representación, la cual podía ir acompañada asimismo de u
entremés. Y si bien los primeros autos a fines del XVI se representaba
por la mañana, ya para el XVII prevalecía el horario de mediodía a die
de la noche. De modo que la ciudad entera se convertía en un enorme tea
tro, por así decirlo.

La voracidad teatral de aquel público era favorecida por una temátic
con la cual se podía identificar por tradición, como ya adelantamos, y me
diante la representación del auto, podía el espectador reconocer e identifi
car a la vez de forma dinámina y concreta los diferentes elementos y con
ceptos de dicha tradición. Como drama, como texto, el auto sacramenta
tenía carácter claramente didáctico, y hasta propagandístico, impulsando
dogma y doctrina, tal como se proponía la Contrarreforma. En este senti
do, el auto sacramental complementa al sermón, mediante el cual, desde
el púlpito, recuerda y enseña la Iglesia a sus feligreses las bases de su fe.

"EL GRAN TEATRO DEL MUNDO"

Compaginando doctrina religiosa con una idea muy cara al Barroco,
y muy semejante a la que se ve en *La vida es sueño* (drama, dicho sea
de paso, que Calderón reelabora en un auto con el mismo título y en dos
versiones diferentes), Calderón en este auto que a continuación presenta-
mos insta al hombre a distinguir bien entre la farsa y el sueño por un lado,
y por el otro, la verdadera vida y meta del cristiano. También como en el
recién mencionado drama *La vida es sueño* de Calderón, "El gran teatro
del mundo" aspira igualmente a una totalidad de temas y contextos, pues
de lo teológico-religioso propio del género, salta a una visión socio-
económica del hombre y de la existencia, sin dejar de brindar asimismo
un resumen histórico-bíblico de la humanidad desde el *Génesis* hasta la
redención por Jesús y a un aviso respecto al juicio final. De paso, pero
de manera muy consciente y trabajada, tales principios contrarreformistas
como la gracia suficiente, las buenas obras (tema que se convierte en estribillo), la justicia divina, el libre albedrío y otros quedan hábilmente inte-
grados y resaltados dentro de esa multiplicidad de contextos. Y, como no
podía faltar, en un momento estratégico hacia el final, aparece la sagrada
forma acaparando la atención y el escenario.

Se trata de un auto sacramental indiscutiblemente brillante en su estructura y estética. Lo cual da a pensar que es de los de la primera época

de Calderón, anterior a 1650, pues a partir de este momento, quizá por presiones que sintió al aceptar el cargo de escritor oficial de autos sacramentales, Calderón elaboró y complicó más estas piezas, haciéndolas a veces tan sutiles y complejas, hasta dificultar su comprensión de parte de un público masivo. No obstante, hay que dejar bien claro que en general el auto sacramental, especialmente en manos de Calderón, representa un espectáculo popular de tal grado, que pocas veces ese sustantivo de "espectáculo" y ese adjetivo de "popular" han alcanzado un nivel tan alto.

"EL GRAN TEATRO DEL MUNDO"

PERSONAS

El AUTOR.	La LEY DE GRACIA.	El POBRE.
El MUNDO.	La HERMOSURA.	Un NIÑO.
El REY.	El RICO.	Una VOZ.
La DISCRECIÓN.	El LABRADOR	ACOMPAÑAMIENTO

Sale el AUTOR *con manto de estrellas y potencias*[1] *en el sombrero.*

AUTOR.

Hermosa compostura
de esa varia inferior arquitectura,
que entre sombras y lejos
a esta celeste usurpas los reflejos,
cuando con flores bellas   5
el número compite a sus estrellas,
siendo con resplandores
humano cielo de caducas flores.
Campaña de elementos,
con montes, rayos, piélagos y vientos: 10
con vientos, donde graves
te surcan los bajeles de las aves;
con piélagos y mares donde a veces
te vuelan las escuadras de los peces;
con rayos donde ciego   15
te ilumina la cólera del fuego;
con montes donde dueños absolutos
te pasean los hombres y los brutos:
siendo, en continua guerra,
monstruo de[2] fuego y aire, de agua y tierra.   20

---

[1] *potencias:* suelen aparecer en forma de nueve rayos de luz divididos en series de a tres, formando una corona sobre el Niño Jesús.

[2] *monstruo de ...:* siguen los cuatro elementos de que, según los antiguos, se compone la realidad.

Tú, que siempre diverso,
la fábrica feliz del Universo
eres, primer prodigio sin segundo,
y por llamarte de una vez, tú el Mundo,
que naces como Fénix[3] y en su fama   25
de tus mismas cenizas.

Sale el MUNDO *por diversa puerta*

MUNDO.   ¿Quién me llama,
que, desde el duro centro
de aqueste globo que me esconde dentro,
alas visto veloces?
        ¿Quién me saca de mí, quién me da
                                        [voces?   30
AUTOR.   Es tu Autor Soberano.
De mi voz un suspiro, de mi mano
un rasgo es quien te informa
y a su oscura[4] materia le da forma.
MUNDO.   Pues ¿qué es lo que me mandas? ¿Qué me
                                        [quieres? 35
AUTOR.   Pues soy tu Autor, y tú mi hechura eres
hoy, de un concepto mío
la ejecución a tus aplausos fío.
Una fiesta hacer quiero
a mi mismo poder, si considero   40
que sólo a ostentación de mi grandeza
fiestas hará la gran naturaleza;
y como siempre ha sido
lo que más ha alegrado y divertido
la representación bien aplaudida,   45
y es representación la humana vida,
una comedia sea
la que hoy el cielo en tu teatro vea.
Si soy Autor y si la fiesta es mía
por fuerza la ha de hacer mi compañía.   50
Y pues que yo escogí de los primeros
los hombres y ellos son mis compañeros,
ellos, en el *teatro*
del mundo, que contiene partes cuatro,
con estilo oportuno   55
han de representar. Yo a cada uno

---

[3] *Fénix:* véase n. 55 de *El caballero de Olmedo.*
[4] *y a su oscura:* debe ser "a tu oscura".

el papel le daré que le convenga,
y porque en fiesta igual su parte tenga
el hermoso aparato
de apariencias[5], de trajes de ornato,   60
hoy prevenido quiero
que, alegre, liberal y lisonjero,
fabriques apariencias
que de dudas se pasen a evidencias.
Seremos, yo el Autor, en un instante,   65
tú el teatro, y el hombre recitante..

MUNDO.   Autor generoso mío
a cuyo poder, a cuyo
acento obedece todo,
yo *el gran teatro del mundo*,   70
para que en mí representen
los hombres, y cada uno
halle en mí la prevención
que le impone el papel suyo,
como parte obedencial,   75
que solamente ejecuto
lo que ordenas, que aunque es mía
la obra el milagro es tuyo,
primeramente porque es
de más contento y más gusto   80
no ver el tablado antes
que esté el personaje a punto,
lo tendré de un negro velo
todo cubierto y oculto,
que sea un caos donde estén   85
los materiales confusos.
Correráse aquella niebla
y, huyendo el vapor oscuro,
para alumbrar el teatro
(porque adonde luz no hubo   90
no hubo fiesta), alumbrarán
dos luminares, el uno
divino farol del día,
de la noche nocturno
farol el otro, a quien ardan   95
mil iluminosos carbunclos
que en la frente de la noche
den vividores influjos.

---

[5] *apariencias:* bastidores, sobre los cuales se colgaban pinturas y demás detalles u objetos para
representar una escena.

En la primera jornada,
sencillo y cándido nudo   10
de la gran ley natural,
allá en los primeros lustros
aparecerá un jardín[6]
con bellísimos dibujos,
ingeniosas perspectivas,   10
que se dude cómo supo
la naturaleza hacer
tan gran lienzo sin estudio.
Las flores mal despuntadas
de sus rosados capullos   11
saldrán la primera vez
a ver el Alba en confuso.
Los árboles estarán
llenos de sabrosos frutos,
si ya el áspid de la envidia   11
no da veneno en alguno.
Quebraránse mil cristales
en guijas, dando su curso
para que el Alba los llore
mil aljófares menudos.   120
Y para que más campee
este humano cielo, juzgo
que estará bien engastado
de varios campos incultos.
Donde fueren menester   12
montes y valles profundos
habrá valles, habrá montes;
y ríos, sagaz y astuto,
haciendo zanjas la tierra,
llevaré por sus conductos   130
brazos de mar desatados
que corran por varios rumbos.
Vista la primera escena
sin edificio ninguno,
en un instante verás   135
cómo repúblicas fundo,
cómo ciudades fabrico,
cómo alcázares descubro.
Y cuando solicitados
montes fatiguen algunos   140

---

[6] *aparecerá un jardín:* alusión al paraíso terrenal del *Génesis*. A continuación, se irá relatando
la historia del hombre a través de conocidos episodios del *Antiguo Testamento*, culminado
con una alusión a la Crucifixión en el *Nuevo Testamento*.

a la tierra con el peso
y a los aires con el bulto,
mudaré todo el teatro
porque todo, mal seguro,
se verá cubierto de agua   145
a la saña de un diluvio.
En medio de tanto golfo,
a los flujos y reflujos
de ondas y nubes, vendrá
haciendo ignorados surcos   150
por las aguas un bajel
que fluctuando seguro
traerá su vientre preñado
de hombres, de aves y de brutos.
A la seña que, en el cielo,   155
de paz hará un arco rubio
de tres colores, pajizo,
tornasolado y purpúreo,
todo el gremio de las ondas
obediente a su estatuto   160
hará lugar, observando
leyes que primero tuvo,
a la cerviz de la tierra
que, sacudiéndose el yugo,
descollará su semblante   165
bien que macilento y mustio.
Acabado el primer acto,
luego empezará el segundo,
ley escrita en que poner
más apariencias procuro,   170
pues para pasar a ella
pasarán con pies enjutos
los hebreos desde Egipto
los cristales del mar rubio;
amontonadas las aguas   175
verá el Sol que le descubro
los más ignorados senos
que ha mirado en tantos lustros.
Con dos columnas de fuego
ya me parece que alumbro   180
el desierto antes de entrar
en el prometido fruto.
Para salir con la ley
Moisés a un monte robusto
le arrebatará una nube   185

en el rapto vuelo suyo.
Y esta segunda jornada
fin tendrá en un furibundo
eclipse[7] en que todo el Sol
se ha de ver casi difunto.   190
Al último parasismo
se verá el orbe cerúleo
titubear, borrando tantos
paralelos y coluros[8].
Sacudiránse los montes   195
y delirarán los muros,
dejando en pálidas ruinas
tanto escándalo caduco.
Y empezará la tercera
jornada, donde hay anuncios   200
que habrá mayores portentos
por ser los milagros muchos
de la *ley de gracia*, en que
ociosamente discurro.
Con lo cual en tres jornadas   205
tres leyes y un estatuto
los hombres dividirán
las tres edades del mundo;
hasta que al último paso
todo el tablado, que tuvo   210
tan grande aparato en sí,
una llama, un rayo puro
cubrirá porque no falte
fuego en la fiesta... ¿Qué mucho
que aquí, balbuciente el labio,   215
quede absorto, quede mudo?
De pensarlo, me estremezco;
de imaginarlo, me turbo;
de repetirlo, me asombro;
de acordarlo, me consumo.   220
Mas ¡dilátese esta escena,
este paso horrible y duro,
tanto, que nunca le vean
todos los siglos futuros!
Prodigios verán los hombres   225

---

[7] *furibundo eclipse:* alusión al momento de la Crucifixión, y la tenebrosa oscuridad que se avino en el momento de morir Jesús.

[8] *paralelos y coluros:* términos astronómico-geográficos, significando el primero cada uno de los círculos menores paralelos al Ecuador, mediante los cuales se puede averiguar la latitud de cualquier lugar, y el segundo, cada uno de los círculos máximos de la esfera.

668

en tres actos y ninguno
a su representación
faltará por mí en el uso.
Y pues que ya he prevenido
cuanto al teatro, presumo 230
que está todo ahora; cuanto
el vestuario, no dudo
que allí en tu mente le tienes,
pues allá en tu mente juntos,
antes de nacer, los hombres 235
tienen los aplausos suyos.
Y para que desde ti
a representar al mundo
salgan y vuelvan a entrarse,
ya previno mi discurso 240
dos puertas: la una es la cuna
y la otra es el sepulcro.
Y para que no les falten
las galas y adornos juntos,
para vestir los papeles 245
tendré prevenido a punto
al que hubiere de hacer rey,
púrpura y laurel augusto;
al valiente capitán,
armas, valores y triunfos; 250
al que ha de hacer el ministro,
libros, escuelas y estudios.
Al religioso, obediencias;
al facineroso, insultos;
al noble le daré honras, 255
y libertades al vulgo.
Al labrador, que a la tierra
ha de hacer fértil a puro
afán, por culpa de un necio,[9]
le daré instrumentos rudos. 260
A la que hubiere de hacer
la dama, le daré sumo
adorno en las perfecciones,
dulce veneno de muchos.
Sólo no vestiré al pobre 265
porque es papel de desnudo,
porque ninguno después
se queje de que no tuvo

---

[9] *necio:* Adán.

para hacer bien su papel
todo el adorno que pudo,   270
pues el que bien no lo hiciere
será por defecto suyo,
no mío[10]. Y pues que ya tengo
todo el aparato junto,
¡venid, mortales, venid   275
a adornaros cada uno
para que representéis
en el *teatro del mundo*!

                                        (*Vase*.)

AUTOR.   Mortales que aún no vivís
                y ya os llamo yo mortales,   280
                pues en mi presencia iguales
                antes de ser asistís;
                aunque mis voces no oís,
                venid a aquestos vergeles,
                que ceñido de laureles,   285
                cedros y palma os espero,
                porque aquí entre todos quiero
                repartir estos papeles.

Salen el RICO, *el* REY, *el* LABRADOR, *el* POBRE *y la* HERMOSURA,
la DISCRECIÓN *y un* NIÑO.

REY.   Ya estamos a tu obediencia,
                Autor nuestro, que no ha sido   290
                necesario haber nacido
                para estar en tu presencia.
                Alma, sentido, potencia,
                vida, ni razón tenemos;
                todos informes nos vemos;   295
                polvo somos de tus pies.
                Sopla aqueste polvo, pues,
                para que representemos.
HERM.   Solo en tu concepto estamos,
                ni animamos ni vivimos,   300
                ni tocamos ni sentimos
                ni del bien ni el mal gozamos;
                pero, si hacia el mundo vamos
                todos a representar,
                los papeles puedes dar,   305

---

[10] *por defecto suyo,/ no mío:* es decir, Dios da la gracia suficiente a toda persona para poder
salvarse.

	pues en aquesta ocasión	
	no tenemos elección	
	para haberlos de tomar.	
AB.	Autor mío soberano	
	a quien conozco desde hoy,	310
	a tu mandamiento estoy	
	como hechura de tu mano,	
	y pues tú sabes, y es llano	
	porque en Dios no hay ignorar,	
	qué papel me puedes dar,	315
	si yo errare este papel,	
	no me podré quejar de él,	
	de mí[11] me podré quejar.	
UTOR.	Ya sé que si para ser	
	el hombre elección tuviera,	320
	ninguno el papel quisiera	
	del sentir y padecer;	
	todos quisieran hacer	
	el mandar y regir,	
	sin mirar, sin advertir	325
	que en acto tan singular	
	aquello es representar,	
	aunque piense que es vivir.	
	Pero yo, Autor soberano,	
	sé bien qué papel hará	330
	mejor cada uno; así va	
	repartiéndolos mi mano.	
	Haz tú el Rey.	
	(Da su papel a cada uno)	
EY.	Honores gano.	
UTOR.	La dama, que es la hermosura	
	humana, tú.	
HERM.	¡Qué ventura!	335
UTOR.	Haz, tú, al rico, al poderoso.	
RICO.	En fin nazco venturoso	
	a ver del sol la luna pura.	
UTOR.	Tú has de hacer al labrador.	
AB.	¿Es oficio o beneficio?	340
UTOR.	Es un trabajoso oficio.	
AB.	Seré mal trabajador.	
	Por vuestra vida... Señor,	
	que aunque soy hijo de Adán,	

---

[1] *de mí ...:* vuelva a verse la nota anterior, añadiéndose aquí que además de la gracia suficiente, Dios le ha dado al hombre albedrío, según quedará del todo explícito después.

671

que no me deis este afán, 34[0]
aunque me deis posesiones,
porque tengo presunciones
que he de ser grande holgazán.
De mi natural infiero,
con ser tan nuevo, Señor, 35[0]
que seré mal cavador
y seré peor quintero;
si aquí valiera un "no quiero"
dijérale, mas delante
de un autor tan elegante, 35[5]
nada un "no quiero" remedia,
y así seré en la comedia
el peor representante.
Como sois cuerdo, me dais
como el talento el oficio, 36[0]
y así mi poco jüicio
sufrís y disimuláis;
nieve como lana dais:
justo sois, no hay que quejarme;
y pues que ya perdonarme 36[5]
vuestro amor me muestra en él,
yo haré, Señor, mi papel
despacio por no cansarme.

AUTOR.   Tú la discreción harás.
DISC.   Venturoso estado sigo. 37[0]
AUTOR.   Haz tú al mísero, al mendigo.
POBRE.   ¿Aqueste papel me das?
AUTOR.   Tú, sin nacer, morirás.
NIÑO.   Poco estudio el papel tiene.
AUTOR.   Así mi ciencia previene 37[5]
que represente el que viva.
Justicia distributiva
soy, y sé lo que os conviene.
POBRE.   Si yo pudiera excusarme
cuando mi vida repara
deste papel, me excusara, 38[0]
en el que has querido darme;
y ya que no declararme
puedo, aunque atrevido quiera,
le tomo; mas considera, 38[5]
ya que he de hacer el mendigo,
no, Señor, lo que te digo,
lo que decirte quisiera.
¿Por qué tengo de hacer yo

el pobre en esta comedia? 390
¿Para mí ha de ser tragedia,
y para los otros no?
Cuando este papel me dio
tu mano, ¿no me dio en él
igual alma a la de aquel 395
que hace al rey? ¿Igual sentido?
¿Igual ser? Pues ¿por qué ha sido
tan desigual mi papel?
Si de otro barro me hicieras,
si de otra alma de adornaras, 400
menos vida me fiaras,
menos sentidos me diera;
ya parece que tuvieras
otro motivo, Señor;
pero parece rigor, 405
perdona decir cruel,
el ser mejor su papel
no siendo su ser mejor.

AUTOR.   En la representación
igualmente satisface 410
el que bien al pobre hace
con afecto, alma y acción,
como el que hace al rey, y son
iguales éste y aquél
en acabando el papel. 415
Haz tú bien el tuyo, y piensa
que para la recompensa
yo te igualaré con él.
No porque pena te sobre,
siendo pobre, es en mi ley 420
mejor papel el del rey
si hace bien el suyo el pobre;
uno y otro de mí cobre
todo el salario después
que haya merecido, pues 425
en cualquier papel se gana,
que toda la vida humana
representaciones es.
Y la comedia acabada
ha de cenar a mi lado 430
el que haya representado,
sin haber errado en nada,
su parte más acertada;
allí igualaré a los dos.

HERM.	Pues decidnos, Señor, Vos,	43.
	¿cómo en lengua de la fama	
	esta comedia se llama?	
AUTOR.	*Obrar bien, que Dios es Dios.*	
REY.	Mucho importa que no erremos	
	comedia tan misteriosa.	44(
RICO.	Para eso es acción forzosa	
	que primero la ensayemos.	
DISC.	¿Cómo ensayarla podremos	
	si nos llegamos a ver	
	sin luz, sin alma y sin ser	44!
	antes de representar?	
POBRE.	Pues ¿cómo sin ensayar	
	la comedia se ha de hacer?	
LAB.	Del pobre apruebo la queja,	
	que lo siento así, Señor,	450
	(que son, pobre y labrador	
	para par a la pareja).	
	Aun una comedia vieja	
	harta de representar	
	si no se vuelve a ensayar	455
	se yerra cuando se prueba,	
	¿si no se ensaya esta nueva	
	cómo se podrá acertar?	
AUTOR.	Llegando ahora a advertir	
	que siendo el cielo jüez	460
	se ha de acertar de una vez	
	cuanto es nacer y morir.	
HERM.	Pues ¿el entrar y salir	
	cómo lo hemos de saber	
	ni a qué tiempo haya de ser?	465
AUTOR.	Aun eso se ha de ignorar,	
	y de una vez acertar	
	cuanto es morir y nacer.	
	Estad siempre prevenidos	
	para acabar el papel;	470
	que yo os llamaré al fin de él.	
POBRE.	¿Y si acaso los sentidos	
	tal vez se miran perdidos?	
AUTOR.	Para eso, común grey,	
	tendré desde el pobre rey,	475
	para enmendar al que errare	
	y enseñar al que ingorare	
	con el apunto a mi Ley;	
	ella a todos os dirá	

	lo que habéis de hacer, y así	480
	nunca os quejaréis de mí.	
	Albedrío tenéis ya,[12]	
	y pues prevenido está	
	el teatro, vos y vos	
	medid las distancias dos	485
	de la vida.	
DISC.	¿Qué esperamos?	
	¡Vamos al teatro!	
TODOS.	¡Vamos	
	a *obrar bien,* [13] *que Dios es Dios!*	

(*Al irse a entrar, sale el* MUNDO *y detiénelos.*)

MUNDO.	Ya está todo prevenido	
	para que se represente	490
	esta comedia aparente	
	que hace el humano sentido.	
REY.	Púrpura y laurel te pido.	
MUNDO.	¿Por qué púrpura y laurel?	
REY.	Porque hago este papel.	495

(*Enséñale el papel, y toma la púrpura y corona, y vase.*)

MUNDO.	Ya aquí prevenido está.	
HERM.	A mí, matices me da	
	de jazmín, rosa y clavel.	
	Hoja a hoja y rayo a rayo	
	se desaten a porfía	500
	todas las luces del día,	
	todas las flores del Mayo;	
	padezca mortal desmayo	
	de envidia al mirarme el sol,	
	y como a tanto arrebol	505
	el girasol ver desea,	
	la flor de mis luces sea	
	siendo el sol mi girasol.	
MUNDO.	Pues ¿cómo vienes tan vana	
	a representar al mundo?	510
HERM.	En este papel me fundo.	
MUNDO.	¿Quién es?	
HERM.	La hermosura humana.	
MUNDO.	Crista, carmín, nieve y grana	

---

[12] *Albedrío tenéis ya:* vuelva a verse lo que decimos del libre albedrío en la nota anterior.
[13] *a obrar bien:* estribillo de suma importancia, pues en las buenas obras, el buen cristiano ejerce su libre albedrío de forma beneficiosa a su alma y al mundo. El tema de las obras, en las que insiste tanto la Iglesia católica y la Contrarreforma, se opone al de la fe y la predestinación que ensalzan ciertas sectas protestantes.

	pulan sombras y bosquejos	
	que te afeiten[14] de reflejos.	515
	(*Dale un ramillete.*)	
HERM.	Pródiga estoy de colores.	
	Servidme de alfombras, flores;	
	sed, cristales mis espejos.	
	(*Vase.*)	
RICO.	Dadme riquezas a mí,	
	dichas y felicidades	520
	pues para prosperidades	
	hoy vengo a vivir aquí.	
MUNDO.	Mis entrañas para ti	
	a pedazos romperé;	
	de mis senos sacaré	525
	toda la plata y el oro,	
	que en avariento tesoro	
	tanto encerrado oculté.	
	(*Dale joyas.*)	
REY.	Soberbio y desvanecido	
	con tantas riquezas voy.	530
DISC.	Yo, para mi papel, hoy,	
	tierra en que vivir te pido.	
MUNDO.	¿Qué papel el tuyo ha sido?	
DISC.	La discreción estudiosa.	
MUNDO.	Discreción tan religiosa	535
	tome ayuno y oración.	
	(*Dale cilicio y disciplina.*)	
DISC.	No fuera yo discreción	
	tomando de ti otra cosa.	
	(*Vase.*)	
MUNDO.	¿Cómo tú entras sin pedir	
	para el papel que has de hacer?	540
NIÑO.	Como no te he menester	
	para lo que he de vivir.	
	Sin nacer he de morir,	
	en ti no tengo de estar	
	más tiempo que el de pasar	545
	de una cárcel a otra oscura,	
	y para una sepultura	
	por fuerza me la has de dar.	
MUNDO.	¿Qué pides tú, di, grosero?	
LAB.	Lo que le diera yo a él.	550
MUNDO.	Ea, muestra tu papel.	

---

[14] *te afeiten:* "te maquillen y embellezcan" diríamos hoy.

LAB.	Ea, digo que no quiero.
MUNDO.	De tu proceder infiero
	que como bruto gañán
	habrás de ganar tu pan. 555
LAB.	Esas mis desdichas son.
MUNDO.	Pues, toma aqueste azadón.
	(*Dale un azadón.*)
LAB.	Ésta es la herencia de Adán.
	Señor Adán, bien pudiera,
	pues tanto llegó a saber, 560
	conocer que su mujer
	pecaba de bachillera;
	dejárala que comiera
	y no la ayudara él;
	mas como amante cruel 565
	dirá que se lo rogó,
	y así tan mal como yo
	representó su papel.
	(*Vase.*)
POBRE.	Ya que a todos darles dichas,
	gustos y contentos vi, 570
	dáme pesares a mí.
	dáme penas y desdichas;
	no de las venturas dichas
	quiero púrpura y laurel;
	deste colores, de aquél 575
	plata ni oro no he querido.
	Solo remiendos te pido.
MUNDO.	¿Qué papel es tu papel?
POBRE.	Es mi papel la aflicción
	es la angustia, es la miseria, 580
	. . . .[15]
	la dicha, la pasión,
	el dolor, la compasión,
	el suspirar, el gemir,
	el padecer, el sentir,
	importunar y rogar, 585
	el nunca tener que dar,
	el siempre haber de pedir.
	El desprecio, la esquivez,
	el baldón, el sentimiento,
	la vergüenza, el sufrimiento, 590
	la hambre, la desnudez,

---

[15] Falta un verso para la décima.

	el llanto, la mendiguez,	
	la inmundicia, la bajeza,	
	el desconsuelo y pobreza,	
	la sed, la penalidad,	595
	y es la vil necesidad.	
	que todo esto es la pobreza.	
MUNDO.	A ti nada te he de dar,	
	que el que haciendo al pobre vive	
	nada del mundo recibe,	600
	antes te pienso quitar	
	estas ropas, que has de andar	
	desnudo, para que acuda	

(Desnúdale.)

	yo a mi cargo, no se duda.	
POBRE.	En fin, este mundo triste	605
	al que está vestido viste	
	y al desnudo le desnuda.	
MUNDO.	Ya que de varios estados	
	está el teatro cubierto,	
	pues un rey en él advierto	610
	con imperios dilatados;	
	beldad a cuyos cuidados	
	se adormecen los sentidos,	
	poderosos aplaudidos,	
	mendigos menesterosos,	615
	labradores, religiosos,	
	que son los introducidos	
	para hacer los personajes	
	de la comedia de hoy	
	a quien [16] yo el teatro doy,	620
	las vestiduras y trajes	
	de limosnas y de ultrajes,	
	¡sal, divino Autor, a ver	
	las fiestas que te han de hacer	
	los hombres! ¡Abrase el centro	625
	de la tierra, pues que dentro	
	della la escena ha de ser!	

*(Con música se abren a un tiempo dos glo-
bos: en el uno, estará un trono de gloria, y
en él el* AUTOR *sentado; en el otro ha de haber representación con dos puertas: en la
una pintada una cuna y en la otra un ataúd.)*

AUTOR.	Pues para grandeza mía	

---

[16] *quien* por quienes.

aquesta fiesta he trazado,
en este trono sentado,   630
donde es eterno mi día,
he de ver mi compañía.
Hombres que salís al suelo
por una cuna de yelo[17]
y por un sepulcro entráis,   635
ved cómo representáis,
que os ve el Autor desde el cielo.

Sale la DISCRECIÓN *con un instrumento, y canta*

DISC.   Alaben al Señor de tierra y cielo,
el sol, luna y estrellas;
alábenle las bellas   640
flores que son caracteres del suelo;
alábele la luz, el fuego, el yelo
la escarcha y el rocío,
el invierno y estío,
y cuanto esté debajo de ese velo   645
que en visos celestiales,
árbitro es de los bienes y los males.

                                                              (*Vase.*)

AUTOR.   Nada me suena mejor
que en voz del hombre este fiel
himno que cantó Daniel   650
para templar el furor
de Nabuco-Donosor.[18]

MUNDO.   ¿Quién hoy la loa[19] echará?
Pero en la apariencia ya
la ley convida a su voz   655
que como corre veloz,
en elevación está
sobre la haz de la tierra

Aparece la LEY DE GRACIA *en una elevación, que estará sobre donde
estuviere el* MUNDO, *con un papel en la mano*

LEY.   Yo, que Ley de Gracia soy,
la fiesta introduzco hoy;   660

---

17 *yelo:* hielo.
18 *Daniel ... Nabuco-Donosor:* último de los cuatro profetas mayores, fue llevado cautivo a Babilonia por Nabucodonosor (604-562 a.C.), segundo rey del Imperio neo-babilónico.
19 *loa:* versos breves que introducían una pieza teatral, como explicamos en nuestra introducción general.

para enmendar al que yerra
en este papel se encierra
la gran comedia, que Vos
compusisteis sólo en dos
versos que dicen así: 66[
(*Canta.*)
"Ama al otro como a ti,
y obra bien, que Dios es Dios."

MUNDO. La Ley, después de la loa,
con el apunto[20] quedó;
victoriar quisiera aquí 670
pues me representa a mí.
Vulgo de esta fiesta soy,
mas callaré porque empieza
ya la representación.

Salen la HERMOSURA *y la* DISCRECIÓN *por la puerta de la cuna*

HERM. Vente conmigo a espaciar 675
por estos campos que son
felice patria del Mayo,
dulce lisonja del sol;
pues sólo a los dos conocen,
dando solos a los dos, 680
resplandores, rayo a rayo,
y matices, flor a flor.

DISC. Ya sabes que nunca gusto
de salir de casa yo,
quebrantando la clausura 685
de mi apacible prisión.

HERM. ¿Todo ha de ser para ti
austeridad y rigor?
¿No ha de haber placer un día?
Dios, di, ¿para qué crió 690
flores, si no ha de gozar
el olfato el blando olor
de sus fragantes aromas?
¿Para qué aves engendró,
que en cláusulas lisonjeras 695
cítaras de pluma son,
si el oído no ha de oírlas?
¿Para qué galas, si no

---

[20] *apunto:* apuntador, el encargado de dirigir a los actores desde tras tablas, recordándoles parlamentos y acciones a llevar a cabo.

	las ha de romper el tacto	
	con generosa ambición?	700
	¿Para qué las dulces frutas	
	si no sirve su sazón	
	de dar al gusto manjares	
	de un sabor y otro sabor?	
	¿Para qué hizo Dios, en fin,	705
	montes, valles, cielo, sol,	
	si no han de verlo los ojos?	
	Ya parece, y con razón,	
	ingratitud no gozar	
	las maravillas de Dios.	710
DISC.	Gozarlas para admirarlas	
	es justa y lícita acción	
	y darle gracias por ellas,	
	gozar las bellezas, no	
	para usar dellas tan mal	715
	que te persuadas que son	
	para verlas las criaturas	
	sin memoria del Criador.	
	Yo no he de salir de casa;	
	ya escogí esta religión	720
	para sepultar mi vida:	
	por eso soy Discreción.	

(*Apártanse.*)

HERM.	Yo, para esto, Hermosura:	
	a ver y ser vista voy.	
MUNDO.	Poco tiempo se avinieron	725
	Hermosura y Discreción.	
HERM.	Ponga redes su cabello,	
	y ponga lazos mi amor	
	al más tibio afecto, al más	
	retirado corazón.	730
MUNDO.	Una acierta y otra yerra	
	su papel, de aquestas dos.	
DISC.	¿Qué haré yo para emplear	
	bien mi ingenio?	
HERM.	¿Qué haré yo	
	para lograr mi hermosura?	735
LEY.	*Obrar bien, que Dios es Dios.* (*Canta.*)	
MUNDO.	Con oírse aquí el apunto	
	la Hermosura no le oyó.	

Sale el RICO

| RICO. | Pues pródigamente el Cielo | |

hacienda y poder me dio,   740
pródigamente se gaste
en lo que delicias son.
Nada me parezca bien
que no lo apetezca yo;
registre mi mesa cuanto   745
o corre o vuela veloz.
Sea mi lecho la esfera
de Venus, y en conclusión
la pereza y las delicias,
gula, envidia y ambición   750
hoy mis sentidos posean.

Sale el LABRADOR

LAB.   ¿Quién vio trabajo mayor
que el mío? Yo rompo el pecho
a quien el suyo me dio
porque el alimento mío   755
en esto se me libró.
Del arado que la cruza
la cara, ministro soy,
pagándola el beneficio
en aquestos que la doy[21]   760
Hoz y azada son mis armas;
con ellas riñendo estoy:
con las cepas, con la azada;
con las mieses, con la hoz.
En el mes de abril y mayo   765
tengo hidrópica pasión,
y si me quitan el agua
entonces estoy peor.
En cargando algún tributo
de aqueste siglo pensión   770
encara la puntería
contra el triste labrador.
Mas, pues trabajo y lo sudo,
los frutos de mi labor
me ha de pagar quien los compre   775
al precio que quiera yo.
No quiero guardar la tasa
ni seguir más la opinión
de quien, porque ha de comprar,

---

[21] *la doy* por "le doy", al igual *pagándola* por "pagándole" y *la cruza* por "le cruza".

	culpa a quien no la guardó.	780
	Y yo sé que si no llueve	
	este abril, que ruego a Dios	
	que no llueva, ha de valer	
	muchos ducados mi troj.	
	Con esto un Nabal-Carmelo[22]	785
	seré de aquesta región	
	y me habrán menester todos,	
	pero muy hinchado yo,	
	entonces, ¿qué podré hacer?	
LEY. (*Canta*.)	*Obrar bien, que Dios es Dios.*	790
DISC.	¿Cómo el apunto no oíste?	
LAB.	Como sordo a tiempo soy.	
MUNDO.	Él al fin se está en sus treces.	
LAB.	Y aun en mis catorce estoy.	

Sale el POBRE

POBRE.	De cuantos el mundo viven,	795
	¿quién mayor miseria vio	
	que la mía? Aqueste suelo	
	es el más dulce y mejor,	
	lecho mío que, aunque es	
	todo el cielo pabellón	800
	suyo, descubierto está	
	a la escarcha y al calor;	
	la hambre y la sed me afligen.	
	¡Dadme paciencia, mi Dios!	
RICO.	¿Qué haré yo para ostentar	805
	mi riqueza?	
POBRE.	⸱⸱⸱⸱⸱⸱⸱⸱¿Qué haré yo	
	para sufrir mis desdichas?	
LEY.	⸱⸱⸱⸱(*Canta*.) *Obrar bien, que Dios es Dios.*	
POBRE.	¡Oh, cómo esta voz consuela!	
RICO.	¡Oh, cómo cansa esta voz!	810
DISC.	El Rey sale a estos jardines.	
RICO.	¡Cuánto siente esta ambición	
	postrarse a nadie!	
HERM.	⸱⸱⸱⸱⸱⸱⸱⸱⸱⸱⸱Delante	
	de él he de ponerme yo	
	para ver si mi hermosura	815
	pudo rendirlo a mi amor.	

---

[22] *Nabal-Carmelo:* personaje avaro que aparece en *Samuel* I, xxv, Nabal pastoreaba sus reba-
ños alrededor de Carmel, en Judá.

LAB.	Yo detrás; no se le antoje
	viendo que soy labrador,
	darme con un nuevo arbitrio,
	pues no espero otro favor. 820

Sale el REY

REY.	A mi dilatado imperio
	estrechos límites son
	cuantas contiene provincias
	esta máquina inferior.
	De cuanto circunda el mar 825
	y de cuanto alumbra el sol
	soy el absoluto dueño,
	soy el supremo señor.
	Los vasallos de mi imperio
	se postran por donde voy. 830
	¿Qué he menester yo en el mundo?
LEY. (*Canta*)	*Obrar bien, que Dios es Dios.*
MUNDO.	A cada uno va diciendo
	el apunto lo mejor.
POBRE.	Desde la miseria mía 835
	mirando infeliz estoy,
	ajenas felicidades.
	El rey, supremo señor,
	goza de la majestad
	sin acordarse que yo 840
	necesito de él; la dama
	atenta a su presunción
	no sabe si hay en el mundo
	necesidad y dolor;
	la religiosa, que siempre 845
	se ha ocupado en oración
	si bien a Dios sirve, sirve
	con comodidad a Dios.
	El labrador, si cansado
	viene del campo, ya halló 850
	honesta mesa su hambre
	si opulenta mesa no;
	al rico le sobra todo;
	y solo, en el mundo, yo
	hoy de todos necesito, 855
	y así llego a todos hoy,
	porque ellos viven sin mí
	pero yo sin ellos no.

	A la Hermosura me atrevo	
	a pedir. Dadme, por Dios,	860
	limosna.	
ERM.	Decidme fuentes,	
	pues que mis espejos sois,	
	¿qué galas me están más bien?,	
	¿qué rizos me están mejor?	
OBRE.	¿No me veis?	
UNDO.	Necio, ¿no miras	865
	que es vana tu pretensión?	
	¿Por qué ha de cuidar de ti	
	quien de sí se descuidó?	
OBRE.	Pues, que tanta hacienda os sobra,	
	dadme una limosna, vos.	870
ICO.	¿No hay puertas dónde llamar?	
	¿Así os entráis donde estoy?	
	En el umbral del zaguán	
	pudiérais llamar, y no	
	haber llegado hasta aquí.	875
OBRE.	No me tratéis con rigor.	
ICO.	Pobre importuno, idos luego.	
OBRE.	Quien tanto desperdició	
	por su gusto, ¿no dará	
	alguna limosna?	
ICO.	No.	880
UNDO.	El avariento y el pobre	
	de la parábola, son[23]	
OBRE.	Pues a mi necesidad	
	le falta ley y razón,	
	atreveréme al rey mismo.	885
	Dadme limosna, Señor.	
EY.	Para eso tengo ya	
	mi limosnero mayor.	
UNDO.	Con sus ministros el Rey	
	su conciencia aseguró.	890
OBRE.	Labrador, pues recibís	
	de la bendición de Dios	
	por un grano que sembráis	
	tanta multiplicación,	
	mi necesidad os pide	895
	limosna	
AB.	Si me la dio	
	Dios, buen arar y sembrar	

---

[23] Alusión a la parábola del mendigo Lázaro, *San Lucas*, XVI, 19-23.

685

y buen sudor me costó.
Decid: ¿no tenéis vergüenza
que un hombrazo como vos   90
pida? ¡Servid, noramala!
No os andéis hecho un bribón.
Y si os falta que comer,
tomad aqueste azadón
con que lo podéis ganar.   90

POBRE.　　En la comedia de hoy
　　　　　yo el papel de pobre hago;
　　　　　no hago el de labrador.

LAB.　　　Pues, amigo, en su papel
　　　　　no le ha mandado el Autor   91
　　　　　pedir no más y holgar siempre,
　　　　　que el trabajo y el sudor
　　　　　el propio papel del pobre.

POBRE.　　Sea por amor de Dios.
　　　　　Riguroso, hermano, estáis.   91

LAB.　　　Y muy pedigüeño vos.

POBRE.　　Dadme vos algún consuelo.

DISC.　　　Tomad, y dadme perdón.

　　　　　　　　(Dale un pan.)

POBRE.　　Limosna de pan, señora,
　　　　　era fuerza hallarla en vos,   920
　　　　　porque el pan que nos sustenta
　　　　　ha de dar la Religión.

DISC.　　　¡Ay de mí!

REY.　　　　　　　¿Qué es esto?

DISC.　　　　　　　　　　　Es
　　　　　alguna tribulación
　　　　　que la Religión padece.   925

(Va a caer la RELIGIÓN, y la da el REY la mano.)

REY.　　　Llegaré a tenerla yo.

DISC.　　　Es fuerza; que nadie puede
　　　　　sostenerla como vos.

AUTOR.　　Yo, bien pudiera enmendar
　　　　　los yerros que viendo estoy;   930
　　　　　pero por eso les di
　　　　　albedrío superior
　　　　　a las pasiones humanas,
　　　　　por no quitarles la acción
　　　　　de merecer con sus obras;   935
　　　　　y así dejo a todos hoy
　　　　　hacer libres sus papeles[24]

_____
[24] Más explícitamente aún, queda expuesto el tema del libre albedrío.

	y en aquella confusión	
	donde obran todos juntos	
	miro en cada uno yo,	940
	diciéndoles por mi ley:	
_EY. (*Canta.*)	*Obrar bien, que Dios es Dios.*	
	(*Recita.*)	
	A cada uno por sí	
	y a todos juntos, mi voz	
	ha advertido; ya con esto	945
	su culpa será su error.	
	(*Canta.*)	
	Ama al otro como a ti	
	y obrar bien que Dios es Dios.	
REY.	Supuesto que es esta vida	
	una representación,	950
	y que vamos un camino	
	todos juntos, haga hoy	
	del camino la llaneza,	
	común la conversación.	
HERM.	No hubiera mundo a no haber	955
	esa comunicación.	
RICO.	Diga un cuento cada uno.	
DISC.	Será prolijo; mejor	
	será que cada uno diga	
	qué está en su imaginación.	960
REY.	Viendo estoy mis imperios dilatados,	
	mi majestad, mi gloria, mi grandeza,	
	en cuya variedad naturaleza	
	perfeccionó de espacio mis cuidados.	
	Alcázares poseo levantados,	965
	mi vasalla ha nacido la belleza.	
	La humildad de unos, de otros la riqueza	
	triunfo son al arbitrio de los hados.	
	Para regir, tan desigual, tan fuerte	
	monstruo de muchos cuellos, me concedan	970
	los Cielos atenciones más felices.	
	Ciencia me den con que a regir acierte,	
	que es imposible que domarse puedan	
	con un yugo no más tantas cervices.	
MUNDO.	Ciencia para gobernar	975
	pide, como Salomón.[25]	
	(*Canta una voz triste dentro, a la parte que*	
	está la puerta del ataúd)	

---

[25] *Salomón:* rey sabio que aparece en I Reyes, III, 5-10.

Voz.	Rey de este caduco imperio,
	cese, cese tu ambición,
	que en el teatro del mundo
	ya tu papel se acabó. 980
Rey.	Que ya acabó mi papel
	me dice una triste voz,
	que me ha dejado al oírla
	sin discurso ni razón.
	Pues se acabó el papel, quiero 985
	entrarme: mas ¿dónde voy?
	Porque a la primera puerta,
	donde mi cuna se vio,
	no puedo, ¡ay de mí!, no puedo
	retroceder. ¡Que rigor! 990
	¡No poder hacia la cuna
	dar un paso!... ¡Todos son
	hacia el sepulcro!... ¡Que el río
	que, brazo de mar, huyó,
	vuelva a ser mar; que la fuente 995
	que salió del río (¡qué horror!)
	vuelva a ser río; el arroyo
	que de la fuente corrió
	vuelva a ser fuente, y el hombre,
	que de su centro salió, 1000
	vuelva a su centro, a no ser
	lo que fue!... ¡Qué confusión!
	Si ya acabó mi papel,
	supremo y divino Autor,
	dad a mis yerros disculpa, 1005
	pues arrepentido estoy.
	(*Vase por la puerta del ataúd y todos se han de ir por ella.*)
Mundo.	Pidiendo perdón el rey,
	bien su papel acabó.
Herm.	De en medio de sus vasallos,
	de su pompa y de su honor, 1010
	faltó el rey.
Lab.	No falte en mayo
	el agua al campo en sazón,
	que con buen año y sin rey
	lo pasaremos mejor.
Disc.	Con todo, es gran sentimiento. 1015
Herm.	Y notable confusión.
	¿Qué haremos sin él?
Rico.	Volver

	a nuestra conversación.	
	Dinos, tú, lo que imaginas.	
HERM.	Aquesto imagino yo.	1020
MUNDO.	¡Qué presto se consolaron	
	los vivos de quien murió!	
LAB.	Y más cuando el tal difunto	
	mucha hacienda les dejó.	
HERM.	Viendo estoy mi beldad hermosa y pura;	1025

ni al rey envidio, ni sus triunfos quiero,
pues más ilustre imperio considero
que es el que mi belleza me asegura
Porque si el rey avasallar procura
las vidas, yo, las almas; luego infiero   1030
con causa que mi imperio es el primero,
pues que reina en las almas la hermosura.
"Pequeño mundo" la filosofía
llamó al hombre; si en él mi imperio fundo,
como el cielo lo tiene, como el suelo,   1035
bien pude presumir la deidad mía
que el que al hombre llamó "pequeño
                                    [mundo",
llamará a la mujer "pequeño cielo".

MUNDO.	No se acuerda Ezequiel[26]	
	cuando dijo que trocó	1040
	la soberbia a la hermosura	
	en fealdad la perfección.	
VOZ. (*Canta.*)	*Toda la hermosura humana*	
	es una temprana flor.[27]	
	Marchítese, pues la noche	1045
	ya de su aurora llegó.	
HERM.	Que fallezca la hermosura	
	dice una triste canción.	
	No fallezca, no fallezca.	
	Vuelva a su primer albor.	1050
	Mas, ¡ay de mí!, que no hay rosa	
	de blanco o rojo color,	
	que a las lisonjas del día,	
	que a los halagos del sol	
	saque a deshojar sus hojas,	1055
	que no caduque, pues no	
	vuelve ninguna a cubrirse	
	dentro del verde botón.	

---

[26] *Ezequiel:* del libro bíblico con el mismo nombre, se trata de otro profeta llevado cautivo a Babilonia por Nabucodonosor.

[27] En el texto aparece "en una pequeña flor".

Mas ¿qué importa que las flores
del alba breve candor   1060
marchiten del sol dorado
halagos de su arrebol?
¿Acaso tiene conmigo
alguna comparación
flor en que ser y no ser   1065
términos continuos son?
No, que yo soy flor hermosa
de tan grande duración,
que si vio el sol mi principio,
no verá mi fin el sol.   1070
Si eterna soy, ¿cómo puedo
fallecer? ¿Qué dices, Voz?

VOZ. (*Canta.*)   *Que en el alma eres eterna,*
                  y en el cuerpo mortal flor.

HERM.   Ya no hay réplica que hacer   1075
contra aquesta distinción.
De aquella cuna salí
y hacia este sepulcro voy.
Mucho me pesa no haber
hecho mi papel mejor.   1080
                    (*Vase.*)

MUNDO.   Bien acabó el papel, pues
arrepentida acabó.

RICO.   De entre las galas y adornos
y lozanías, faltó
la Hermosura.

LAB.   No nos falte   1085
pan, vino, carne y lechón
por Pascua, que a la Hermosura
no la echaré menos yo.

DISC.   Con todo, es grande tristeza.

POBRE.   Y aun notable compasión.   1090
¿Qué habemos de hacer?

RICO.   Volver
a nuestra conversación.

LAB.   Cuando el[28] ansioso cuidado
con que acudo a mi labor
miro sin miedo al calor   1095
y al frío desazonado,
y advierto lo descuidado
del alma, tan tibia ya,

---

[28] *el* por al.

690

la culpo, pues dando está
gracias, de cosecha nueva   1100
al campo porque la lleva
y no a Dios que se la da.

MUNDO. Cerca está de agradecido
quien se conoce deudor.

POBRE. A este labrador me inclino,   1105
aunque antes me reprendió.

VOZ. (*Canta.*) *Labrador, a tu trabajo*
término fatal llegó;
ya lo serás de otra tierra.
¿Dónde será? ¡Sabe Dios!...   1110

LAB. Voz, si de la tal sentencia
admites apelación,
admíteme, que yo apelo
a tribunal superior.
No muera yo en este tiempo,   1115
aguarda sazón mejor,
siquiera porque mi hacienda
la deje puesta en sazón;
y porque, como ya dije,
soy maldito labrador,   1120
como lo dicen mis viñas
cardo a cardo y flor a flor,
pues tan alta está la yerba
que duda el que la miró
un poco apartado dellas   1125
si mieses o viñas son.
Cuando panes del lindero
son gigante admiración,
casi enanos son los míos,
pues no salen del terrón.   1130
Dirá quien aquesto oyere
que antes es buena ocasión,
estando el campo sin fruto,
morirme, y respondo yo;
—Si dejando muchos frutos   1135
al que hereda, no cumplió
testamento de sus padres,
¿qué hará sin frutos, Señor?—
Mas, pues no es tiempo de gracias,
pues allí dijo una voz   1140
que me muero, y el sepulcro
la boca a tragarme abrió;
si mi papel no he cumplido

conforme a mi obligación,
pésame que no me pese   114
de no tener gran dolor.
                              (*Vase*.)

MUNDO.   Al principio le juzgué
                grosero, y él me advirtió
                con su fin de mi ingorancia.
                ¡Bien acabó el labrador!   1150

RICO.   De azadones y de arados,
                polvo, cansancio y sudor,
                ya el labrador ha faltado.

POBRE.   Y afligidos nos dejó.

DISC.   ¡Qué pena!

POBRE.   ¡Qué desconsuelo!   1155

DISC.   ¡Qué llanto!

POBRE.   ¡Qué confusión!

DISC.   ¿Qué habemos de hacer?

RICO.   Volver
                a nuestra conversación;
                y, por hacer lo que todos,
                digo lo que siento yo.   1160
                ¿A quién mirar no le asombra
                ser esta vida una flor
                que nazca con el albor
                y fallezca con la sombra?
                Pues si tan breve se nombra,   1165
                de nuestra vida gocemos
                el rato que la tenemos:
                dios a nuestro vientre hagamos.
                ¡Comamos hoy y bebamos,
                que mañana moriremos![29]   1170

MUNDO.   De la Gentilidad es
                aquella proposición;
                así lo dijo Isaías.

DISC.   ¿Quién se sigue ahora?

POBRE.   Yo.
                Perezca, Señor, el día   1175
                en que a este mundo nací.
                Perezca la noche fría
                en que concebido fui
                para tanta pena mía.
                No la alumbre la luz pura   1180
                del sol entre oscuras nieblas;

---

[29] *Palabras de Isaías*, XXI, 13.

todo sea sombra oscura,
nunca venciendo la dura
opresión de las tinieblas.
Eterna la noche sea,   1185
ocupando pavorosa
su estancia, y porque no vea
el Cielo, caliginosa
oscuridad la posea.
De tantas vivas centellas   1190
luces sea su arrebol,
día sin aurora y sol,
noche sin luna ni estrellas.
No porque así me he quejado
es, Señor, que desespero   1195
por mirarme en tal estado,
sino porque considero
que fui nacido en pecado.

MUNDO.   Bien ha engañado las señas
de la desesperación,   1200
que así, maldiciendo el día,
maldijo el pecado Job.

VOZ. (*Canta.*)   *Número tiene la dicha,*
número tiene el dolor;
de ese dolor y esa dicha   1205
venid a cuentas los dos.

RICO.   ¡Ay de mí!
POBRE.   ¡Qué alegre nueva!
RICO.   Desta voz que nos llamó,
¿tú no te estremeces?
POBRE.   Sí.
RICO.   ¿No procuras huir?
POBRE.   No;   1210
que el estremecerse es
una natural pasión
del ánimo a quien, como hombre,
temiera Dios, con ser Dios.
Mas si el huir será en vano,   1215
porque si della no huyó
a su sagrado el poder,
la hermosura a su blasón,
¿dónde podrá la pobreza?
Antes mil gracias te doy,   1220
pues con esto acabará
con mi vida mi dolor.

RICO.   ¿Cómo no sientes dejar

	el teatro?	
POBRE.	Como no	
	dejo en él ninguna dicha,	122.
	voluntariamente voy.	
RICO.	Yo, ahorcado, porque dejo	
	en la hacienda el corazón.	
POBRE.	¡Qué alegría!	
RICO.	¡Qué tristeza!	
POBRE.	¡Qué consuelo!	
RICO.	¡Qué aflicción!	1230
POBRE.	¡Qué dicha!	
RICO.	¡Qué sentimiento!	
POBRE.	¡Qué ventura!	
RICO.	¡Qué rigor!	
	(*Vanse los dos.*)	
MUNDO.	¡Qué encontrados al morir	
	el rico y el pobre son!	
DISC.	En efecto, en el teatro	1235
	sola me he quedado yo.	
MUNDO.	Siempre lo que permanece	
	más en mí es la religión.	
DISC.	Aunque ella acabar no puede,	
	yo sí, porque yo no soy	1240
	la Religión, sino un miembro	
	que aqueste estado eligió.	
	Y antes que la voz me llame	
	yo me anticipo a la voz	
	del sepulcro, pues ya en vida	1245
	me sepulté, con que doy,	
	por hoy, fin a la comedia	
	que mañana hará el Autor.	
	Enmendaos para mañana	
	los que veis los yerros hoy.	1250
	(*Ciérrase el globo de la Tierra.*)	
AUTOR.	Castigo y premio ofrecí	
	a quien mejor o peor	
	representase, y verán	
	qué castigo y premio doy.	
	(*Ciérrase el globo celeste, y en él, el* AUTOR.)	
MUNDO.	¡Corta fue la comedia! Pero ¿cuándo	1255
	no lo fue la comedia! desta vida,	
	y más para el que está considerando	
	que toda es una entrada, una salida?	
	Ya todos el teatro van dejando,	
	a su primer materia reducida	1260

la forma que tuvieron y gozaron.
Polvo salgan de mí, pues polvo entraron.
Cobrar quiero de todos, con cuidado,
las joyas que les di con que adornasen
la representación en el tablado,   1265
pues solo fue mientras representasen.
Pondréme en esta puerta, y, avisado,
haré que mis umbrales no traspasen
sin que dejen las galas que tomaron.
Polvo salgan de mí, pues polvo entraron.   1270

Sale el REY

    Di: ¿qué papel hiciste tú, que ahora
el primero a mis manos has venido?

REY.   Pues ¿el Mundo qué fui tan presto ignora?

MUNDO.   El Mundo lo que fue pone en olvido.

REY.   Aquel fui que mandaba cuanto dora   1275
el sol, de luz y resplandor vestido,
desde que en brazos de la aurora nace
hasta que en brazos de la sombra yace.
Mandé, juzgué, regí muchos estados;
hallé, heredé, adquirí grandes memorias;   1280
vi, tuve, concebí cuerdos cuidados;
poseí, gocé, alcancé varias victorias.
Formé, aumenté, valí varios privados;
hice, escribí, dejé varias historias;
vestí, imprimí, ceñí, en ricos doseles,   1285
las púrpuras, los cetros y laureles.

MUNDO.   Pues deja, suelta, quita la corona;
la majestad, desnuda, pierde, olvida.
        (*Quítasela.*)
Vuélvase, torne, salga tu persona
desnuda de la farsa de la vida.   1290
La púrpura, de quien tu voz blasona
presto de otro se verá vestida,
porque no has de sacar de mis crueles
manos, púrpuras, cetros ni laureles.

REY.   ¿Tú, no me diste adornos tan amados?   1295
¿Cómo me quitas lo que ya me diste?

MUNDO.   Porque dados no fueron, no; prestados
sí para el tiempo que el papel hiciste.
Déjame para otros los estados,
la majestad y pompa que tuviste.   1300

REY.   ¿Cómo de rico fama solicitas

	si no tienes para dar si no lo quitas?	
	¿Qué tengo de sacar en mi provecho	
	de haber, al mundo, al rey representado?	
MUNDO.	Esto, el Autor, si bien o mal lo has hecho,	1305
	premio o castigo te tendrá guardado:	
	no, no me toca a mí, según sospecho,	
	conocer tu descuido o tu cuidado;	
	cobrar me toca el traje que sacaste,	
	porque me has de dejar como me hallaste.	1310

Sale la HERMOSURA.

MUNDO.	¿Qué has hecho tú?	
HERM.	La gala y la hermosura.	
MUNDO.	¿Qué te entregué?	
HERM.	Perfecta una belleza.	
MUNDO.	Pues, ¿dónde está?	
HERM.	Quedó en la sepultura.	
MUNDO.	Pasmóse aquí la gran Naturaleza	
	viendo cuán poco la hermosura dura,	1315
	que aún no viene a parar adonde empieza,	
	pues al querer cobrarla yo, no puedo;	
	ni la llevas ni yo con ella quedo.	
	El Rey, la majestad en mí ha dejado;	
	en mí ha dejado el lustre, la grandeza.	1320
	La belleza no puedo haber cobrado,	
	que espira con el dueño la belleza.	
	Mírate a ese cristal.	
HERM.	Ya me he mirado.	
MUNDO.	¿Dónde está la beldad, la gentileza	
	que te presté? Volvérmela procura.	1325
HERM.	Toda la consumió la sepultura.	
	Allí dejé matices y colores,	
	allí perdí jazmines y corales,	
	allí desvanecí rosas y flores,	
	allí quebré marfiles y cristales.	1330
	Allí turbé afecciones y primores,	
	allí borré designios y señales,	
	allí eclipsé esplendores y reflejos,	
	allí aún no toparás sombras y lejos.	

Sale el LABRADOR

MUNDO.	Tú villano, ¿qué hiciste?	
LAB.	Si villano,	1335

	era fuerza que hiciese, no te asombre,	
	un labrador, que ya tu estilo vano	
	a quien labra la tierra da ese nombre.	
	Soy a quien trata siempre el cortesano	
	con vil desprecio y bárbaro renombre;	1340
	y soy, aunque de serlo más me aflijo,	
	por quien el *él*,[30] el *vos* y el *tú* se dijo.	
MUNDO.	Deja lo que te di.	
LAB.	Tú ¿qué me has dado?	
MUNDO.	Un azadón te di.	
LAB.	¡Qué linda alhaja!	
MUNDO.	Buena o mala, con ella habrás pagado.	1345
LAB.	¿A quién el corazón no se le raja	
	viendo que deste mundo desdichado	
	de cuanto la codicia vil trabaja	
	un azadón, de la salud castigo,	
	aun no le han de dejar llevar consigo?	1350

Sale el RICO *y el* POBRE

MUNDO.	¿Quién va allá?	
RICO.	Quien de ti nunca quisiere	
	salir.	
POBRE.	Y quién de ti siempre ha deseado	
	salir.	
MUNDO.	¿Cómo los dos de esa manera	
	dejarme y no dejarme habéis llorado?	
RICO.	Porque yo rico y poderoso era.	1355
POBRE.	Y yo porque era pobre y desdichado.	
MUNDO.	Suelta estas joyas.	
	(*Quítaselas.*)	
POBRE.	Mira qué bien fundo	
	no tener que sentir dejar el mundo.	

Sale el NIÑO

MUNDO.	Tú que al teatro a recitar entraste,	
	¿cómo, di, en la comedia no saliste?	1360
NIÑO.	La vida en un sepulcro me quitaste.	
	Allí te dejo lo que tú me diste.	

Sale la DISCRECIÓN

MUNDO.	Cuando a las puertas del vivir llamaste,	

---

[30] *él,* como en los otros dos casos de pronombres que siguen, se refiere aquí al desprecio social con que se trata a una persona de clase social menos acomodada.

	tú, para adorno tuyo, ¿qué pediste?	
DISC.	Pedí una religión y una obediencia,	136.
	cilicios, disciplinas y abstinencia.	
MUNDO.	Pues déjalo en mis manos; no me puedan	
	decir que nadie saca sus blasones.	
DISC.	No quiero; que en el mundo no se quedan	137(
	sacrificios, afectos y oraciones;	
	conmigo he de llevarlos, porque excedan	
	a tus mismas pasiones tus pasiones;	
	o llega a ver si ya de mí las cobras.	
MUNDO.	No te puedo quitar las buenas obras.[31]	
	Éstas solas del mundo se han sacado.	137!
REY.	¡Quién más reinos no hubiera poseído!	
DISC.	¡Quién más beldad no hubiera deseado!	
RICO.	¡Quién más riquezas nunca hubiera habido!	
LAB.	¡Quién más, ay Dios, hubiera trabajado!	
POBRE.	¡Quién más ansias hubiera padecido!	138(
MUNDO.	Ya es tarde; que en muriendo, no os asombre,	
	no puede ganar méritos el hombre.	
	Ya que he cobrado augustas majestades,	
	ya que he borrado hermosas perfecciones,	
	ya que he frustrado altivas vanidades,	138!
	ya que he igualado cetros y azadones;	
	al teatro pasad de las verdades.	
	que éste el teatro es de las ficciones.	
REY.	¿Cómo nos recibiste de otra suerte	
	que nos despides?	
MUNDO.	La razón advierte:	139(
	cuando algún hombre hay algo que reciba,	
	las manos pone, atento a su fortuna,	
	en esta forma; cuando con esquiva	
	acción lo arroja, así las vuelve; de una	
	suerte, puesta la cuna boca arriba	1395
	recibe al hombre, y esta misma cuna,	
	vuelta al revés, la tumba suya ha sido.	
	Si cuna os recibí, tumba os despido,	
POBRE.	Pues que tan tirano el mundo	
	de su centro nos arroja,	140(
	vamos a aquella gran cena	
	que en premio de nuestras obras	
	nos ha ofrecido el Autor.	
REY.	¿Tú, también, tanto baldonas	

---

[31] *buenas obras:* vuelva a verse la nota 13.

	mi poder, que vas delante?	1405
	¿Tan presto de la memoria	
	que fuiste vasallo mío,	
	mísero mendigo, borras?	
POBRE.	Ya, acabado tu papel,	
	en el vestuario ahora	1410
	del sepulcro iguales somos.	
	Lo que fuiste, poco importa.	
RICO.	¿Cómo te olvidas que a mí	
	ayer pediste limosna?	
POBRE.	¿Cómo te olvidas que tú	1415
	no me la diste?	
HERM.	¿Ya ignoras	
	la estimación que me debes	
	por más rica y más hermosa?	
DISC.	En el vestuario ya	
	somos parecidas todas,	1420
	que en una pobre mortaja	
	no hay distinción de personas.	
RICO.	¿Tú vas delante de mí,	
	villano?	
LAB.	Deja las locas	
	ambiciones, que ya muerto	1425
	del sol que fuiste eres sombra.	
RICO.	No sé lo que me acobarda	
	el ver al Autor ahora.	
POBRE.	Autor del Cielo y la tierra,	
	ya tu compañía toda	1430
	que hizo de la vida humana	
	aquella comedia corta,	
	a la gran cena, que tú	
	ofreciste, llega; corran	
	las cortinas de tu solio	1435
	aquellas cándidas hojas.	

(Con música se descubre otra vez el globo celeste, y en él una mesa con cáliz y hostia, y el Autor sentado a ella. Sale el MUNDO.*)*

AUTOR.	Esta mesa, donde tengo	
	pan que los cielos adoran	
	y los infiernos veneran,	
	os espera; mas importa	1440
	saber los que han de llegar	
	a cenar conmigo ahora,	
	porque de mi compañía	
	se han de ir los que no logran	

	sus papeles por salvarles[32]	1445
	entendimiento y memoria	
	del bien que siempre les hice	
	con tantas misericordias.	
	Suban a cenar conmigo	
	el pobre y la religiosa	1450
	que, aunque por haber salido	
	del mundo esta pan no coman,	
	sustento será adorarle	
	por ser objeto de gloria.	

(Suben los dos)

POBRE. ¡Dichoso yo! ¡Oh, quién pasara   1455
        más penas y más congojas,
        pues penas por Dios pasadas
        cuando son penas son glorias!
DISC.   Yo, que tantas penitencias
        hice, mil veces dichosa,   1460
        pues tan bien las he logrado.
        Aquí, dichoso es quien llora
        confesando haber errado.
REY.   Yo, Señor, ¿entre mis pompas
        ya no te pedí perdón?   1465
        Pues ¿por qué no me perdonas?
AUTOR. La hermosura y el poder,
        por aquella vanagloria
        que tuvieron, pues lloraron,
        subirán, pero no ahora,   1470
        con el labrador también,
        que aunque no te dio limosna,
        no fue por no querer darla,
        que su intención fue piadosa,
        y aquella reprehensión   1475
        fue en su modo misteriosa
        para que tú te ayudases.
LAB.   Ésa fue mi intención sola
        que quise mal vagabundos.
AUTOR. Por eso os lo premio ahora,   1480
        y porque llorando culpas
        pedisteis misericordia,
        los tres en el Purgatorio
        en su dilación penosa
        estaréis.
DISC.   Autor divino   1485

---

[32] *por salvarles* en vez de "por faltarles".

700

	en medio de mis congojas	
	el Rey me ofreció su mano	
	y yo he de dársela ahora.	
	(*Da la mano al* Rey *y sube.*)	
Autor.	Yo le remito la pena,	
	pues la religión le abona;	1490
	pues vivió con esperanzas,	
	vuele el siglo, el tiempo corra.	
Lab.	Bulas[33] de difuntos lluevan	
	sobre mis penas ahora,	
	tantas que por llegar antes	1495
	se encuentren unas a otras;	
	pues son estas letras santas	
	del Pontífice de Roma	
	mandamientos de soltura	
	de esta cárcel tenebrosa.	1500
Niño.	Si yo no erré mi papel,	
	¿por qué no me galardonas,	
	gran Señor?	
Autor.	Porque muy poco	
	le acertaste; y así, ahora,	
	ni te premio ni castigo.	1505
	Ciego, ni uno ni otro goza,	
	que en fin naces del pecado.	
Niño.	Ahora, noche medrosa,	
	como en un sueño, me tiene	
	ciego sin pena ni gloria.	1510
Rico.	Si el poder y la hermosura	
	por aquella vanagloria	
	que tuvieron, con haber	
	llorado, tanto se asombran,	
	y el labrador que a gemidos	1510
	enterneciera una roca	
	está temblando de ver	
	la presencia poderosa	
	de la vista del Autor,	
	¿cómo oso mirarla ahora?	1520
	Mas es preciso llegar,	
	pues no hay adonde me esconda	
	de su riguroso juicio.	
	¡Autor!	
Autor.	¿Cómo así me nombras?	

---

[33] *Bulas:* documentos pontificios concediendo dispensas y privilegios. Se podían vender, y su venta fue precisamente un conflicto entre protestantes y católicos durante la Reforma.

	Que aunque soy tu Autor, es bien	1525
	que de decirlo te corras,	
	pues que ya en mi compañía	
	no has de estar. De ella te arroja	
	mi poder. Desciende adonde	
	te atormente tu ambiciosa	1530
	condición eternamente	
	entre penas y congojas.	
Rico.	¡Ay de mí! Que envuelto en fuego	
	caigo arrastrando mi sombra	
	donde ya que no me vea	1535
	yo a mí mismo, duras rocas	
	sepultarán mis entrañas	
	en tenebrosas alcobas.	
Disc.	Infinita gloria tengo.	
Herm.	Tenerla espero dichosa.	1540
Lab.	Hermosura, por deseos	
	no me llevarás la joya.	
Rico.	No la espero eternamente.	
Niño.	No tengo, para mí, gloria.	
Autor.	Las cuatro postrimerías	1545
	son las que presentes notan	
	vuestros ojos, y porque	
	destas cuatro se conozca	
	que se ha de acabar la una,	
	suba la Hermosura ahora	1550
	con el Labrador, alegres,	
	a esta mesa misteriosa,	
	pues que ya por sus fatigas	
	merece grados de gloria.	

(Suben los dos.)

Herm.	¡Qué ventura!	
Lab.	¡Qué consuelo!	1555
Rico.	¡Qué desdicha!	
Rey.	¡Qué victoria!	
Rico.	¡Qué sentimiento!	
Disc.	¡Qué alivio!	
Pobre.	¡Qué dulzura!	
Rico.	¡Qué ponzoña!	
Niño.	Gloria y pena hay, pero yo	
	no tengo pena ni gloria.	1560
Autor.	Pues el ángel en el cielo,	
	en el mundo las personas	
	y en el infierno el demonio	
	todos a este Pan se postran;	

en el infierno, en el cielo   1565
y mundo a un tiempo se oigan
dulces voces que le alaben
acordadas y sonoras.
(*Tocan chirimías, cantando el* "Tantum
ergo"[34] *muchas voces.*)

MUNDO.   Y pues representaciones
es aquesta vida toda   1570
merezca alcanzar perdón
de las unas y las otras.

FIN

Tantum ergo: himno compuesto de las dos últimas estrofas del *Pane lingua* de Santo Tomás de Aquino.

Francisco De Rojas Zorrilla (1607-1648)

VIDA

Toledano de nacimiento, llega a Madrid a los tres años, cuando la familia se traslada a la corte, pues su padre, oficial de armada, se coloca al servicio de un marqués. Tras estudios universitarios, al parecer, en Salamanca, regresa a Madrid, donde comienza a destacarse como dramaturgo identificado con la escuela de Calderón, especialmente por la elaboración estilística —rabiosamente barroca a veces— de su verso. Casado, tuvo un hijo con Catalina Yáñez Trillo de Mendoza, y también una hija natural con la famosa actriz de la época, Francisca Bezón, conocida popularmente como ''La Bezona''. Dificultades que surgieron en su examen de sangre, donde aparece la sospecha de sangre judía, y acaso morisca también, retrasan su ingreso en la Orden de Santiago, en la cual, no obstante, llegará a ingresar. Su muerte prematura y repentina, le alcanza con una considerable obra de unas sesenta piezas.

OBRA

Desde obras macabras y apasionadas, donde lo truculento y la violencia humana no parecen conocer límites, a finas comedias rebosantes de gracia y humor, pasando asimismo por una serie de autos sacramentales, el drama de Rojas Zorrilla evidencia el gusto variado y abarcador del escritor barroco, y si bien es cierto que a ratos su dramaturgia puede evidenciar una cierta tendencia hacia el melodramatismo, por otro lado también lo es que en sus mejores momentos alcanza una verdadera maestría en cuanto a la mezcla de lo lírico y lo dramático. Dentro de un manejo múltipl de temas y diferentes tonos y ambientes, cabría señalar su excelente domi nio de la comedia de capa y espada, con sus ingeniosas intrigas y confu siones, que a la vez que ofrecen una obra de ritmo ágil y entretenido, apro vechan al máximo las posibilidades humorísticas.

Entre bobos anda el juego, vendría a ser un excelente ejemplo de est tipo la comedia, tan polar, por otro lado, a aquella otra tendencia trucu lenta, evidenciada ahora por tales títulos como *Morir pensando matar* « *La vida es el ataúd*. De su producción teatral en general destacan *Cad* « *cual lo que le toca* y la pieza que reproducimos aquí, *Del rey abajo, ninguno*

DEL REY ABAJO, NINGUNO (1650)

Drama de honor campesino. *Del rey abajo, ninguno* nos ofrec aún otra variante frente al tema de lealtad o absolutismo monárquico Sin duda alguna, el rey de Rojas Zorrilla recuerda mucho el poder del Fer nando de *Fuenteovejuna*, capaz de someter a tortura a todo un pueblo e nombre de un pragmatismo político, que al Basilio de *La vida es sueño* destronado (aunque por el príncipe heredero y legítimo, es verdad) por s violación de derechos humanos garantizados por la ley divina. Lo cual pued servir, de nuevo, como un indicio de ese peligro ya advertido antes en nuestr introducción general respecto a una postura demasiado rígida en cuant a los llamados ciclos o escuela de Lope y Calderón.

Afín a Lope, otra vez (pero también al Calderón de *El alcalde de Za lamea*), resulta Rojas Zorrilla en su tratamiento del campesino o labrador, si bien adinerado o rico en este caso. *Del rey* no deja de recordar tales obra como *El villano en su rincón* y el propio *Peribáñez y el comendador de Ocaña*, donde los labradores ricos se convierten en verdaderos héroes y mo delos de dignidad y ciudadanía. No hay que olvidar, como señalan cierto estudiosos que se han dedicado a iluminar el contexto social del teatro de Siglo de Oro, la importancia que para la corona han cobrado ya en esta época dichos labradores que han logrado amasar fortunas o riquezas con siderables, pues el estado, siempre necesitado de tributos y financiación, dependía en gran medida de sus contribuciones, asunto que se deja traslu cir en esta obra de Rojas Zorrilla con total claridad desde el principio, es casamente unos setenta versos tras comenzar el drama. Ejemplar por su generosidad frente a las necesidades del estado, también lo será García (desde el punto de vista político-monárquico, claro esía) por su sumisión al rey que no excluye eximirle de reparo o venganza ante el honor injuriado, como indica ya el mismo título del drama. La obra así resulta ser un excelente ejemplo de teatro político y civil, destinado a un didactismo social que en salza a todo momento la obediencia, lealtad y sacrificio que los ciudada nos deben estar dispuestos a practicar a todo momento ante el poder.

Sumamente sugestivo es el personaje de Mendo. Semejante al comen dador de *Peribañez*, pero contrario al de *Fuenteovejuna*, no es un simple

epresentante del mal, sino más bien un ser humano poseído por una pa-
ión muy humana, la del amor. Y tanto más interesante resulta Mendo al
ecordar sus afinidades con el autor, quien, como su personaje, también
spiró con dificultades a entrar en una orden privilegiada, temiendo asi-
nismo que estuviera "en opinión . . . la sangre" suya (véase versos 19-20
le *Del rey*).

Fiel a ese elogio del labrador rico, barajarán los versos de Rojas Zo-
rilla el conocido tema renacentista —aún vigente en el Barroco como he-
nos tenido ocasión de ver ya— de *Menosprecio de corte y alabanza de
ıldea* (1539) que pusiera de moda Antonio de Guevara. Esos pasajes, don-
le se elogia la vida campestre, al lado de los versos amorosos que definen
a relación —algo idílica, es cierto— entre Blanca y García, sin olvidar tam-
ɔoco el sentimiento que en este sentido evidencia asimismo Mendo, refle-
ɑn cabalmente la altura lírica que era capaz de alcanzar Rojas Zorrilla.

DEL REY ABAJO, NINGUNO

PERSONAS

DON GARCÍA, *labrador.*
DOÑA BLANCA, *labradora.*
TERESA, *labradora.*
BELARDO, *viejo.*
EL REY.
LA REINA.

DON MENDO.
BRAS.
EL CONDE DE ORGAZ, *viejo.*
TELLO, *criado.*
DOS CABALLEROS.
MUSICOS Y LABRADORES.

Época: Siglo XIV

JORNADA PRIMERA

Sale el Rey[1] con banda roja atravesada leyendo un memorial, y

DON MENDO

REY.	Don Mendo, vuestra demanda he visto.
MENDO.	Decid querella;

que me hagáis, suplico en ella,
caballero de la Banda.[2]
    Dos meses ha que otra vez   5
esta merced he pedido;
diez años os he servido
en Palacio y otros diez
    en la guerra, que mandáis
que esto preceda primero   10
a quien fuere caballero
de la insignia que ilustráis.
    Hallo, señor, por mi cuenta,
que la puedo conseguir,

---

[1] Es Alfonso XI, de Castilla, que reinó entre 1312 y 1350;
[2] *Banda:* orden fundada en 1332 por el propio Alfonso XI.

que, si no, fuera pedir
una merced para afrenta.

   Respondióme lo vería;
merezco vuestro favor,
y está en opinión, señor,
sin ella la sangre mía.

REY.   Don Mendo, al Conde llamad.
MENDO.   Y a mi ruego, ¿qué responde?
REY.   Está bien; llamad al Conde.
MENDO.   El Conde viene.
REY.   Apartad

Sale el CONDE *con un papel*

MENDO.   Pedí con satisfacción
la Banda, y no la pidiera
si primero no me hiciera
yo propio mi información.

REY.   ¿Qué hay de nuevo?
CONDE.   En Algecira
temiendo están vuestra espada;
contra vos, el de Granada,[3]
todo el África conspira.

REY.   ¿Hay dineros?
CONDE.   Reducido
en éste veréis señor,
el donativo mayor
con que el reino os ha servido.

REY.   ¿La información cómo está
que os mandé hacer en secreto,
Conde, para cierto efeto
de don Mendo? ¿Hízose ya?
CONDE.   Sí, señor.
REY.   ¿Cómo ha salido?
La verdad, ¿qué resultó?
CONDE.   Que es tan bueno como yo.
REY.   La gente con que ha servido
mi reino, ¿será bastante
para aquesta empresa?
CONDE.   Freno
seréis, Alfonso el Onceno,
con él del moro arrogante.
REY.   Quiero ver, Conde de Orgaz,

---

[3] *el de Granada:* Yusuf I (1333-1354).

	a quién deba hacer merced	50
	por sus servicios. Leed.	
ONDE.	El reino os corone en paz	
	adonde el Genil[4] felice	
	arenas de oro reparte.	
EY.	Guárdeos Dios, cristiano Marte.[5]	55
	Leed, don Mendo.	
MENDO.	Así dice:	

«Lo que ofrecen los vasallos
para la empresa a que aspira
Vuestra Alteza, de Algecira:
En gente, plata y caballos,   60
    don Gil de Albornoz dará
diez mil hombres sustentados;
el de Orgaz, dos mil soldados;
el de Astorga llevará
    cuatro mil, y las ciudades   65
pagarán diez y seis mil;
con su gente hasta el Genil
iran las tres Hermandades[6]
    de Castilla; el de Aguilar,
con mil caballos ligeros,   70
mil ducados en dineros;
García del Castañar
    dará para la jornada
cien quintales de cecina,
dos mil fanegas de harina   75
y cuatro mil de cebada;
    catorce cubas de vino,
tres hatos de sus ganados,
cien infantes alistados,
cien quintales de tocino;   80
    «y doy esta poquedad,[7]
porque el año ha sido corto,
mas ofrézcole, si importo
también a Su Majestad,
    un rústico corazón   85
de un hombre de buena ley,
que, aunque no conoce al Rey,

---

4 *Genil:* río que atraviesa Granada.

5 Marte: dios de la guerra.

6 *Hermandades:* cuerpos religiosos y militares. Sociedad o cofradía de carácter religioso-militar en este caso.

7 "*y doy* …": excelente ejemplo del carácter político-social de gran parte del teatro del Siglo de Oro, pues resulta aquí García un ciudadano modelo.

	conoce su obligación».	
Rey.	¡Grande lealtad y riqueza!	
Mendo.	Castañar, humilde nombre.	9
Rey.	¿Dónde reside este hombre?	
Conde.	Oiga quién es Vuestra Alteza:	

    Cinco lenguas de Toledo,
Corte[8]vuestra y patria mía,
hay una dehesa, adonde   9
este labrador habita,
que llaman el Castañar,
que con los montes confina,
que desta Imperial España
son posesiones antiguas.   10
En ella un convento yace
al pie de una sierra fría
del Caballero de Asís,[9]
de Cristo efigie divina,
porque es tanta de Francisco   105
la humildad que le entroniza,
que aun a los pies de una sierra
sus edificios fabrica.
Un valle el término incluye
de castaños, y apellidan   110
del Castañar, por el valle,
al convento y a García,
adonde, como Abraham,[10]
la caridad ejercita,
porque en las cosechas andan   115
el Cielo y él a porfía.
Junto del convento tiene
una casa, compartida
en tres partes: una es
de su rústica familia,   120
copioso albergue de fruto
de la vid y de la oliva,
tesoro donde se encierra
el grano de las espigas,
que es la abundancia tan grande   125
del trigo que Dios le envía,
que los pósitos de España
son de sus trojes hormigas;

---

[8] *Corte:* en efecto, lo era Toledo en aquel entonces.

[9] *Caballero de Asís:* San Francisco de Asís (1182-1226).

[10] *Abraham:* personaje bíblico del *Antiguo Testamento*, aunque tradicionalmente es mas conocido por su fe que por su sentido de caridad, que es lo que, no obstante, se descaca aquí.

es la segunda un jardín,
cuyas flores, repartidas,   130
fragantes estrellas son
de la tierra y del sol hijas,
tan varias y tan lucientes,
que parecen, cuando brillan,
que bajó la cuarta esfera   135
sus estrellas a esta quinta;
es un cuarto la tercera,
en forma de galería,
que de jaspes de San Pablo,[11]
sobre tres arcos estriba;   140
ilústranle unos balcones
de verde y oro, y encima
del tejado de pizarras,
globos de esmeraldas finas;
en él vive con su esposa   145
Blanca, la más dulce vida
que vio el amor, compitiendo
sus bienes con sus delicias,
de quien no copio, señor,
la beldad, que el sol envidia,   150
porque agora no conviene
a la ocasión ni a mis días;
baste deciros que siendo
sus riquezas infinitas,
con su esposa comparadas,   155
es la menor de sus dichas.
Es un hombre bien dispuesto,
que continuo se ejercita
en la caza, y tan valiente,
que vence a un toro en la lidia.   160
Jamás os ha visto el rostro
y huye de vos, porque afirma
que es sol el Rey y no tiene
para tantos rayos vista.
García del Castañar   165
es éste, y os certifica
mi fe que, si le llaváis
a la guerra de Algecira,
que llevéis a vuestro lado
una prudencia que os rija,   170
una verdad sin esbozo,

---

[11] *jaspes de San Pablo:* alusión a la cantera con ese nombre en la provincia de Toledo.

	una agudeza advertida,	
	un rico sin ambición,	
	un parecer sin porfía,	
	un valiente sin discurso	175
	y un labrador sin malicia.	
REY.	¡Notable hombre!	
CONDE.	Os prometo	
	que en él las partes se incluyen,	
	que en Palacio constituyen	
	un caballero perfecto.	180
REY.	¿No me ha visto?	
CONDE.	Eternamente.	
REY.	Pues yo, Conde, le he de ver:	
	dél experiencia he de hacer;	
	yo y don Mendo solamente	
	y otros dos, hemos de ir;	185
	pues es el camino breve,	
	la cetrería se lleve	
	por que podamos fingir	
	que vamos de caza que hoy	
	desta suerte le he de hablar,	190
	y en llegando al Castañar,	
	ninguno dirá quién soy.	
	¿Qué os parece?	
CONDE.	La agudeza	
	a la ocasión corresponde	
REY.	Prevenid caballos, Conde.	195
CONDE.	Voy a serviros.	

Vase, y sale la REINA.

MENDO.	Su Alteza.	
REINA.	¿Dónde, señor?	
REY.	A buscar	
	un tesoro sepultado	
	que el Conde ha manifestado.	
REINA.	¿Lejos?	
REY.	En el Castañar.	200
REINA.	¿Volveréis?	
REY.	Luego que ensaye	
	en el crisol su metal.	
REINA.	Es la ausencia grave mal.	
REY.	Antes que los montes raye	
	el sol, volveré, señora,	205
	a vivir la esfera mía.	

REINA.	Noche es la ausencia.
REY.	Vos, día.
REINA.	Vos, mi sol.
REY.	Y vos, mi aurora.

Vase la REINA

MENDO.	¿Qué decís a mi demanda?	
REY.	De vuestra nobleza estoy	210
	satisfecho, y pondré hoy	
	en vuestro pecho esta banda;	
	que si la doy por honor	
	a un hombre indigno, don Mendo,	
	será en su pecho remiendo	215
	en tela de otro color;	
	y al noble seré importuno	
	si a su desigual permito,	
	porque, si a todos admito,	
	no la estimará ninguno.	220

Vanse, y sale Don García, *labrador.*

GARCÍA.	Fábrica hermosa mía,	
	habitación de un infeliz dichoso,	
	oculto desde el día	
	que el castellano pueblo victorioso,	
	con lealtad oportuna,	225
	al niño Alfonso coronó en la cuna.	
	En ti vivo contento,	
	sin desear la Corte o su grandeza,	
	al ministerio atento	
	del campo, donde encubro mi nobleza,	230
	en quien fui peregrino	
	y extraño huésped, y quedé vecino.	
	En ti, de bienes rico,	
	vivo contento con mi amada esposa,	
	cubriendo su pellico	235
	nobleza, aunque ignorada, generosa;	
	que, aunque su ser ignoro,	
	sé su virtud y su belleza adoro.	
	En la casa vivía	
	de un labrador de Orgaz,[12] prudente y cano;	240
	vila, y déjome un día,	

---

[12] *Orgaz:* villa de la provincia de Toledo.

como suele quedar en el verano,
del rayo a la violencia,
ceniza el cuerpo, sana la apariencia.
    Mi mal consulté al Conde,   245
y asegurando que en mi esposa bella
sangre ilustre se esconde,
caséme amante y me ilustré con ella,
que acudí, como es justo,
primero a la opinión y luego al gusto.   250
    Vivo en feliz estado,
aunque no sé quien es y ella lo ignora,
secreto reservado
al Conde, que la estima y que la adora;
ni jamás ha sabido   255
que nació noble el que eligió marido
    mi Blanca, esposa amada,
que divertida entre sencilla gente,
de su jardín traslada
puros jazmines a su blanca frente.   260
Mas ya todo me avisa
que sale Blanca, pues que brota risa.

Salen DOÑA BLANCA *labradora, con flores;* BRAS, TERESA *y* BELARDO, *viejo, y* MÚSICOS *pastores.*

MÚSICOS.   *Ésta es blanca como el sol,*
                   que la nieve no.
              Ésta es hermosa y lozana,   265
                   como el sol,
              que parece a la mañana,
                   como el sol,
              que aquestos campos alegra,
                   como el sol,   270
             con quien es la nieve negra
             y del almendro la flor.
              Ésta es blanca como el sol,
                   que la nieve no.
GARCÍA.   Esposa, Blanca querida,   275
injustos son tus rigores
si por dar vida a las flores
me quitas a mí la vida.
BLANCA.   Mal daré vida a las flores
cuando pisarlas suceda,   280
pues mi vida ausente queda,
adonde animas, amores;

	porque así quiero, García,	
	sabiendo cuánto me quieres,	
	que si tu vida perdieres,	285
	puedas vivir con la mía.	
GARCÍA.	No habrá merced que sea mucha,	
	Blanca, ni grande favor	
	si le mides con mi amor.	
BLANCA.	¿Tanto me quieres?	
GARCÍA.	Escucha:	290

GARCÍA.
No quiere el segador el aura fría,
ni por abril el agua mis sembrados,
ni yerba en mi dehesa mis ganados,
ni los pastores la estación umbría,
    ni el enfermo la alegre luz del día,   295
la noche los gañanes fatigados,
blandas corrientes los amenos prados,
más que te quiero, dulce esposa mía;
    que si hasta hoy su amor desde el primero
hombre juntaran, cuando así te ofreces,   300
en un sujeto a todos los prefiero;
    y aunque sé, Blanca, que mi fe agradeces,
y no puedo querer más que te quiero,
aún no te quiero como tú mereces.

BLANCA.
No quieren más las flores al rocío,   305
que en los fragantes vasos el sol bebe;
las arboledas las deshecha nieve,
que es cima de cristal y después río;
    el índice de piedra al norte frío,
el caminante al iris cuando llueve,   310
la obscura noche la traición aleve,
más que te quiero, dulce esposo mío;
    porque es mi amor tan grande, que a
                        [tu nombre,
como a cosa divina, construyera
aras donde adorarle, y no te asombre,   315
    porque si el ser de Dios no conociera,
dejara de adorarte como hombre,
y por Dios te adorara y te tuviera.

BRAS.
Pues están Blanca y García,
como palomos de bien,   320
resquiebrémonos también,
porque desde ellotri[13] día
tu carilla me engarrucha.[14]

---

[13] *ellotri:* el otro.
[14] *engarrucha* por engatusa.

TERESA.	Y a mí tu talle, mi Bras.
BRAS.	¿Mas que te quiero yo más?	325
TERESA.	¿Mas que no?
BRAS.	Teresa, escucha:

Desde que te vi, Teresa,
en el arroyo a pracer,
ayudándote a torcer
los manteles de la mesa,   330
   y torcidos y lavados,
nos dijo cierto estodiante:
«Así a un pobre pleiteante
suelen dejar los letrados»,
   eres de mí tan querida   335
como lo es de un logrero
la vida de un caballero
que dio un juro de por vida.[15]

Sale TELLO

TELLO.	Envidie, señor García,
	vuestra vida el más dichoso.	340
	Sòlo en vos reina el reposo.
BLANCA.	¿Qué hay, Tello?
TELLO.	¡Oh, señora mía!

   ¡Oh, Blanca hermosa, de donde
proceden cuantos jazmines
dan fragancia a los jardines!   345
Vuestras manos besa el Conde.

BLANCA.	¿Cómo está el Conde?
TELLO.	Señora,
	a vuestro servicio está.
GARCÍA.	Pues, Tello, ¿qué hay por acá?
TELLO.	Escuchad aparte agora.	350

   Hoy, con toda diligencia,
me mandó que éste os dejase
y respuesta no esperase.
   Con esto, dadme licencia.

| GARCÍA. | ¿No descansaréis? |
| TELLO. | Por vos | 355 |

me quedara hasta otro día,
que no han de verme, García,
los que vienen cerca. Adiós.

---

[15] 336-338: es decir, como es la vida de un caballo que un usurero garantiza por vida.

GARCÍA.	El sobre escrito es a mí.	
	¿Mas que me riñe porque	360
	corto el donativo fue	
	que hice al Rey? Mas dice así:	
	«El Rey, señor don García,	
	que su ofrecimiento vio,	
	admirado preguntó	365
	quién era vueseñoría;	
	díjele que un labrador	
	desengañado y discreto,	
	y a examinar va en secreto	
	su prudencia y su valor.	370
	No se dé por entendido,	
	no diga quién es al Rey,	
	porque, aunque estime su ley,	
	fue de su padre ofendido,	
	y sabe cuánto le enoja	375
	quien su memoria despierta.	
	Quede adiós, y el Rey, advierta	
	que es el de la banda roja.	
	El Conde de Orgaz, su amigo».	
	Rey Alfonso, si supieras	380
	quién soy, ¡cómo previnieras	
	contra mi sangre el castigo	
	de un difunto padre!	
BLANCA.	Esposo,	
	silencio y poco reposo,	
	indicios de triste son.	385
	¿Qué tienes?	
GARCÍA.	Mándame, Blanca,	
	en éste el Conde, que hospede	
	a unos señores.	
BLANCA.	Bien puede,	
	pues tiene esta casa franca.	
BRAS.	De cuatro rayos con crines,	390
	generación española,	
	de unos cometas con cola,	
	o aves, y al fin rocines,	
	que andan bien y vuelan mal,	
	cuatro bizarros señores,	395
	que parecen cazadores,	
	se apean en el portal.	
GARCÍA.	No te des por entendida	

	de que sabemos que vienen.	
TERESA.	¡Qué lindos talles que tienen!	400
BRAS.	¡Pardiez, que es gente llocida![16]	

Salen el REY *sin banda y* DON MENDO *con banda y otros dos* CAZADORES.

REY.	Guárdeos Dios, los labradores.	
GARCÍA.	(Ya veo al de la divisa.)	
	Caballeros de alta guisa,	
	Dios os dé bienes y honores.	405
	¿Qué mandáis?	
MENDO.	¿Quién es aquí	
	García del Castañar?	
GARCÍA.	Yo soy, a vuestro mandar.	
MENDO.	Galán sois.	
GARCÍA.	Dios me hizo ansí.	410
BRAS.	Mayoral de sus porqueros	
	só, y porque mucho valgo,	
	miren si los mando en algo	
	en mi oficio, caballeros,	
	que lo haré de mala gana,	
	como verán por la obra.	415
GARCÍA.	¡Quita, bestia!	
BRAS.	El bestia sobra.	
REY.	¡Que simplicidad tan sana!	
	Guárdeos Dios.	
GARCÍA.	Vuestra persona,	
	aunque vuestro nombre ignoro,	
	me aficiona.	
BRAS.	Es comno un oro;	420
	a mí también me inficiona.[17].	
TELLO.	Llegamos al Castañar	
	volando un cuervo, supimos	
	de vuestra casa, y venimos	
	a verla y a descansar	425
	un rato, mientras que pasa	
	el sol de aqueste horizonte.	
GARCÍA.	Para labrador de un monte	
	grande juzgaréis mi casa;	
	y aunque un albergue pequeño	430
	para tal gente será,	
	sus defectos suplirá	

---

[16] *¡Pardiez...:* ¡Por Dios, que es gente lúcida!
[17] *inficiona:* infectar o corromper, nuevo trueque lingüístico de Bras debido a su ingnorancia.

	la voluntad de su dueño.
MENDO.	¿Nos conocéis?
GARCÍA.	No, en verdad,
	que nunca de aquí salimos.	435
MENDO.	En la Cámara servimos
	los cuatro a su Majestad,
	para serviros, García.
	¿Quién es esta labradora?
GARCÍA.	Mi mujer.
MENDO.	Gocéis, señora,	440
	tan honrada compañía
	mil años, y el cielo os dé
	más hijos que vuestras manos
	arrojen al campo granos.
BLANCA.	No serán pocos, a fe.	445
MENDO.	¿Cómo es vuestro nombre?
BLANCA.	Blanca.
MENDO.	Con vuestra beldad conviene.
BLANCA.	No puede serlo quien tiene
	la cara a los aires franca.
REY.	Yo también, Blanca, deseo	450
	que veáis siglos prolijos
	los dos, y de vuestros hijos
	veáis más nietos que veo
	árboles en vuestra tierra,
	siendo a vuestra sucesión	455
	breve para habitación
	cuanto descubre esa sierra.
BRAS.	No digan más desatinos.
	¡Qué poco en hablar reparan!
	Si todo el campo pobraran,	460
	¿dónde han de estar mis cochinos?
GARCÍA.	Rústico entretenimiento
	será para vos mi gente;
	pues la ocasión lo consiente,
	recibid sin cumplimiento	465
	algún regalo en mi casa.
	Tú disponte, Blanca mía.
MENDO.	(Llámala fuego, García,
	pues el corazón me abrasa.)
REY.	Tan hidalga voluntad	470
	es admitirla nobleza.
GARCÍA.	Con esta misma llaneza
	sirviera a Su Majestad,
	que aunque no le he visto, intento

	servirle con afición.	47
REY.	¿Para no verle hay razón?	
GARCÍA.	¡Oh, señor, ése es gran cuento!	
	Dejadle para otro día.	
	Tú, Blanca, Bras y Teresa,	
	id a prevenir la mesa	48
	con alguna niñería.	

Vanse

REY.	Pues yo sé que el rey Alfonso	
	tiene noticia de vos.	
MENDO.	Testigos somos los dos.	
GARCÍA.	¿El Rey de un villano intonso?	48
REY.	Y tanto el servicio admira	
	que hicisteis a su Corona,	
	ofreciendo ir en persona	
	a la guerra de Algecira,	
	que si la Corte seguís,	49
	os ha de dar a su lado	
	el lugar más envidiado	
	de Palacio.	
GARCÍA.	¿Qué decís?	

Más precio[18] entre aquellos cerros
salir a la primer luz,   49
prevenido el arcabuz,
y que levanten mis perros
    una banda de perdices,
y codicioso en la empresa,
seguirlas por la dehesa   50
con esperanzas felices
    de verlas caer al suelo,
y cuando son a los ojos
pardas nubes con pies rojos,
batir sus alas al vuelo   50
    y derribar esparcidas
tres o cuatro, y anhelando
mirar mis perros buscando
las que cayeron heridas,
    con mi voz que los provoca,   51
y traer las que palpitan

---

[18] *Más precio...*: obsérvese la semejanza con el discurso de Laurencia en *Fuenteovejuna*, I, 215, pues en ambos casos se trata del tópico "alabanza de aldea" (y su contrario "menosprecio de corte" (vuelva a verse la n. 20 de *Fuenteovejuna*.)

a mis manos, que las quitan
con su gusto de su boca;
   levantarlas, ver por dónde
entró entre la pluma el plomo,   515
volverme a mi casa, como
suele de la guerra el Conde
   a Toledo, vencedor;
pelarlas dentro en mi casa,
perdigarlas en la brasa   520
y puestas al asador
   con seis dedos de un pernil,
que a cuatro vueltas o tres,
pastilla de lumbre es
y canela de Brasil;[19]   525
   y entregársele a Teresa,
que con vinagre y aceite
la pimienta, sin afeite,
las pone en mi limpia mesa,
   donde, en servicio de Dios,   530
una yo y otra mi esposa
nos comemos, que no hay cosa
como a dos perdices, dos;
   y levantando una presa,
dársela a Teresa, más   535
porque tenga envidia Bras
que por dársela a Teresa,
   y arrojar[20] a mis sabuesos
el esqueleto roído,
y oír por tono el crujido   540
de los dientes y los huesos,
   y en el cristal transparente
brindar, y, con mano franca,
hacer la razón mi Blanca
con el cristal de una fuente;   545
   levantar la mesa, dando
gracias a quien nos envía
el sustento cada día,
varias cosas platicando;
   que aqueso es el Castañar,   550
que en más estimo, señor,

---

[19] *Brasil:* desconocido en aquella época por los europeos, tratándose, pues, aquí de un anacronismo.

[20] *y arrojar:* desentona el sentido algo macabro de los próximos cuatro versos con el resto del
pasaje.

que cuanta hacienda y honor
los Reyes me puedan dar.

REY.   Pues, ¿cómo al Rey ofrecéis
ir en persona a la guerra,   55
si amáis tanto vuestra tierra?

GARCÍA.   Perdonad, no lo entendéis.
El Rey es de un hombre honrado,
en necesidad sabida
de la hacienda y de la vida   560
acreedor privilegiado;
agora, con pecho ardiente,
se parte al Andalucía
para extirpar la herejía
sin dineros y sin gente;   565
así le envié a ofrecer
mi vida, sin ambición,
por cumplir mi obligación
y porque me ha menester;
que, como hacienda debida,   570
al Rey le ofrecí de nuevo
esta vida que le debo,
sin esperar que la pida.

REY.   Pues, concluída la guerra,
¿no os quedaréis en Palacio?   575

GARCÍA.   Vívese aquí más de espacio,
es más segura esta tierra.

REY.   Posible es que os ofrezca
el Rey lugar soberano.

GARCÍA.   ¿Y es bien que le dé a un villano   580
el lugar que otro merezca?

REY.   Elegir el Rey amigo
es distributiva ley.
Bien puede.

GARCÍA.   Aunque pueda, el Rey
no lo acabará conmigo,   585
que es peligrosa amistad
y sé que no me conviene,
que a quien ama es el que tiene
más poca seguridad;
que por acá siempre he oído   590
que vive más arriesgado
el hombre del Rey amado
que quien es aborrecido,
porque el uno se confía
y el otro se guarda dél.   595

Tuve yo un padre muy fiel,
que muchas veces decía,
   dándome buenos consejos,
que tenía certidumbre
que era el Rey como la lumbre: 600
que calentaba de lejos
   y desde cerca quemaba.

REY.   También dicen más de dos
que suele hacer, como Dios,
del lodo que se pisaba,   605
   un hombre ilustrado, a quien
le venere el más bizarro.

GARCÍA.   Muchos le han hecho de barro
y le han deshecho también.

REY.   Sería el hombre imperfecto.   610

GARCÍA.   Sea imperfecto o no sea,
el Rey, a quien no desea,
¿qué puede darle, en efeto?

REY.   Daraos premios.

GARCÍA.   Y castigos.

REY.   Daraos gobierno.

GARCÍA.   Y cuidados.   615

REY.   Daraos bienes.

GARCÍA.   Envidiados.

REY.   Daraos favor.

GARCÍA.   Y enemigos.
   Y no os tenéis que cansar,
que yo sé no me conviene
ni daré por cuanto tiene   620
un dedo del Castañar.
   Esto sin que un punto ofenda
a sus reales resplandores;
mas lo que importa, señores,
es prevenir la merienda.   625

Vase

REY.   Poco el Conde lo encarece:
más es de lo que pensaba.

MENDO.   La casa es bella.

REY.   Extremada.
¿Cuál lo mejor os parece?

MENDO.   Si ha de decir la fe mía   630
la verdad a Vuestra Alteza,
me parece la belleza
de la mujer de García.

REY.	Es hermosa.
MENDO.	¡Es celestial;
	es ángel de nieve pura!
REY.	¿Ése es amor?
MENDO.	La hermosura
	¿a quién le parece mal?
REY.	Cubríos, Mendo. ¿Qué hacéis?
	Que quiero en la soledad
	deponer la majestad.
MENDO.	Mucho, Alfonso, recogéis
	vuestros rayos, satisfecho
	que sois por fe venerado,
	tanto, que os habéis quitado
	la roja banda del pecho
	para encubriros y dar
	aliento nuevo a mis bríos.
REY.	No nos conozcan, cubríos,
	que importa disimular
MENDO.	Rico hombre soy, y de hoy más.
	Grande es bien que por vos quede.
REY.	Pues ya lo dije, no puede
	volver mi palabra atrás.

635

640

645

650

Sale DOÑA BLANCA.

BLANCA.	Entrad, si queréis, señores
	merendar, que ya os espera
	como una primavera,
	la mesa llena de flores.
MENDO.	¿Y qué tenéis que nos dar?
BLANCA.	¿Para qué saberlo quieren?
	Comerán lo que les dieren,
	pues que no lo han de pagar,
	o quedaránse en ayunas;
	mas nunca faltan, señores,
	en casa de labradores,
	queso, arrope y aceitunas,
	y blanco pan les prometo,
	que amasamos yo y Teresa,
	que pan blanco y limpia mesa,
	abren a un muerto las ganas;
	uvas de un majuelo mío,
	y en blanca miel de rocío,
	berenjenas toledanas;
	perdices en escabeche,

655

660

665

670

de un jabalí, aunque fea,
una cabeza en jalea, 675
por que toda se aproveche;
cocido en vino, un jamón,
y un chorizo que provoque
a que con el vino aloque,
hagan todos la razón; 680
dos ánades y cecinas
cuantas los montes ofrecen,
cuyas hebras me parecen
deshojadas clavellinas,
que cuando vienen a estar 685
cada una de por sí,
como seda carmesí,
se pueden al torno hilar.

REY.   Vamos, Blanca.
BLANCA.   Hidalgos, ea,[21]
meriendan, y buena pro. 690

Vanse el REY *y los dos* CAZADORES.

MENDO.   Labradora, ¿quién te vió
que amante no te desea?
BLANCA.   Venid y callad, señor.
MENDO.   Cuanto previenes trocara
a un plato que sazonara 695
en tu voluntad amor.
BLANCA.   Pues decidme, cortesano,
el que trae la banda roja:
¿qué en mi casa se os antoja
para guisarle?
MENDO.   Tu mano. 700
BLANCA.   Una mano de almodrote
de vaca os sabrá más bien;
guarde Dios mi mano, amén,
no se os antoje en jigote,
que harán, si la tienen gana, 705
y no hay quien los replique,
que se pique y se repique
la mano de una villana,
para que un señor la coma.
MENDO.   La voluntad la sazone 710
para mis labios.

---

[21] *ea:* suele ir acompañada con signo de exclamación esta interjección sirve para animar.

BLANCA.	Perdone;
	bien está San Pedro en Roma.[22]
	Y si no lo habéis sabido,
	sabed, señor, en mi trato, 715
	que sólo sirve ese plato
	al gusto de mi marido,
	y me lo paga muy bien,
	sin lisonjas ni rodeos.
MENDO.	Yo, con mi estado y deseos,
	te lo pagaré también. 720
BLANCA.	En mejor mercadería
	gastad los intentos vanos,
	que no comprarán gitanos
	a la mujer de García,
	que es muy ruda y montaraz. 725
MENDO.	Y bella como una flor.
BLANCA.	¿Que de dónde soy, señor?
	Para serviros, de Orgaz.
MENDO.	Que eres del Cielo sospecho,
	y en el rigor, de la sierra. 730
BLANCA.	¿Son bobas la de mi tierra?
	Merendad, y buen provecho.
MENDO.	No me entiendes, Blanca mía.
BLANCA.	Bien entiendo vuestra trova,
	que no es del todo boba 735
	la de Orgaz, por vida mía.
MENDO.	Pues por tus ojos amados
	que has de oírme, la de Orgaz.
BLANCA.	Tengamos la fiesta en paz;[23]
	entrad ya, que están sentados. 740
	y tened más cortesía.
MENDO.	Tú, menos riguridad.
BLANCA.	Si no queréis, aguardad.
	¡Ah, marido! ¡Hola, García!

Sale DON GARCÍA

GARCÍA.	¿Qué queréis, ojos divinos? 745
BLANCA.	Haced al señor entrar,
	que no quiere hasta acabar
	un cuento de Calaínos.[24]

---

[22] *bien está San Pedro en Roma:* refrán que significa "no alterar las cosas" o "dejar todo como está".

[23] *Tengamos la fiesta en paz:* otro refrán, equivalente en significado al de la n. 22.

[24] 748: las coplas de Calaínos, o de don Gaiferos, o de la Zarabanda, como recuerda el Diccionario de la Real Academia, son expresiones que alientan a hacer poco caso a algo o a alguien.

GARCÍA.	(¡Si el cuento fuera de amor (*Aparte*.)	
	del Rey, que Blanca me dice,	750
	para ser siempre infelice!	
	Mas si viene a darme honor	
	Alfonso, no puede ser;	
	cuando no de mi linaje,	
	se me ha pegado del traje	755
	la malicia y proceder.	
	Sin duda no quiere entrar	
	por no estar con sus criados	
	en una mesa sentados;	
	quiéroselo suplicar	
	de manera que no entienda	760
	que le conozco.) Señor,	
	entrad y haréisme favor,	
	y alcanzad de la merienda	
	un bocado, que os le dan	
	con voluntad y sin paga,	765
	y mejor provecho os haga	
	que no el bocado de Adán.	

Sale BRAS *y saca algo de comer y un jarro cubierto.*

BRAS.	Un caballero me envía	
	a decir como os espera.	770
MENDO.	¿Como, Blanca, eres tan fiera?	

Vase

BLANCA.	Así me quiere García.	
GARCÍA.	¿Es el cuento?	
BLANCA.	Proceder	
	en él quiere pertinaz;	
	mas déjala a la de Orgaz,	775
	que ella sabrá responder.	

Vase

BRAS.	Todos están en la mesa;	
	quiero, a solas y sentado,	
	mamarme lo que he arrugado,[25]	
	sin que me viese Teresa.	780
	¡Qué bien que se satisface	

---

[25] *mamarme lo que he arrugado:* es decir, comer lo que ha robado, en habla de germanía.

un hombre sin compañía!
Bebed, Bras, por vida mía.

(*Dentro.*) Bebed vos.

(*Dentro.*)   ¿Yo? Que me place.

REY.   Caballero, ya declina   785
el sol al mar Océano.

Salen todos.

GARCÍA.   Comed más, que aún es temprano;
ensanchad bien la petrina.

REY.   Quieren estos caballeros
un ave, en la tierra ras,   790
volarla.

GARCÍA.   Pues a mi casa
os volved.

REY.   Obedeceros
no es posible.

GARCÍA.   Cama blanda
ofrezco a todos, señores,
y con almohadas de flores,   795
sábanas nuevas de Holanda.

REY.   Vuestro gusto fuera ley,
García, que no podemos,
que desde mañana hacemos
los cuatro semana al Rey,   800
y es fuerza estar en Palacio.
Blanca, adiós; adiós, García.

GARCÍA.   El Cielo os guarde.

REY.   Otro día
hablaremos más despacio.

Vase.

MENDO.   Labradora, hermosa mía,   805
ten de mi dolor memoria.

BLANCA.   Caballero, aquesa historia
se ha de tratar con García.

GARCÍA.   ¿Qué decís?

MENDO.   Que dé a los dos.
el Cielo vida y contento.   810

BLANCA.   Adiós, señor, el del cuento.

MENDO.   (¡Muerto voy!) Adiós.

GARCÍA.   Adiós.
Y tú, bella como el Cielo,

```
                    ven al jardín, que convida
                    con dulce paz a mi vida,                    815
                    sin consumirla el anhelo
                        del pretendiente que aguarda
                    el mal seguro favor,
                    la sequedad del señor,
                    ni la provisión que tarda,                  820
                        ni la esperanza que yerra,
                    ni la ambición arrogante
                    del que armado de diamante,[26]
                    busca al contrario en la guerra,
                        ni por los mares el Norte,[27]          825
                    que envidia pudiera dar
                    a cuantos del Castañar
                    van esta tarde a la Corte.
                        Mas por tus divinos ojos,
                    adorada Blanca mía,                         830
                    que es hoy el primero día
                    que he tropezado en enojos.
BLANCA.                 ¿De qué son tus descontentos?
GARCÍA.             Del cuento del cortesano.
BLANCA.             Vamos al jardín, hermano,                   835
                    que esos son cuentos de cuentos.
```

---

[26] *diamante:* no es probable que se refiera aquí al uso de "diamante" como "artillería", sino como "dureza".

[27] *Norte:* viento que sopla desde esa dirección.

JORNADA SEGUNDA

Salen la REINA *y el* CONDE.

REINA.
　　　　Vuestra extraña relación
　　me ha eternecido, y prometo
　　que he de alcanzar, con efeto,
　　para los dos el perdón;　　　　　　　　　840
　　　　porque de Blanca y García
　　me ha encarecido Su Alteza,
　　en el uno, la belleza,
　　y en otro, la gallardía.
　　　　Y pues que los dos se unieron,　　　845
　　con sucesos tan prolijos,
　　como los padres, los hijos
　　con una estrella nacieron.

CONDE.
　　　　Del Conde nadie concuerda
　　bien en la conspiración;　　　　　　　　850
　　salió al fin de la prisión,
　　y don Sancho de la Cerda
　　　　huyó con Blanca, que era
　　de dos años a ocasión
　　que era yo contra Aragón　　　　　　　　855
　　general de la frontera,
　　　　donde el Cerda, con su hija,
　　se pretendió asegurar,
　　y en un pequeño lugar,
　　con la jornada prolija,　　　　　　　　　860
　　　　adolesció de tal suerte,
　　que aunque le acudí en secreto,
　　en dos días, en efeto,
　　cobró el tributo la muerte.
　　　　Hícele dar sepultura　　　　　　　　865
　　con silencio, y apiadado,
　　mandé que a Orgaz un soldado
　　la inocente criatura
　　　　llevase, y un labrador
　　la crió, hasta que un día　　　　　　　　870
　　la casaron con García
　　mis consejos y su amor,

	que quiso, sin duda alguna,	
	el Cielo que ambos se viesen,	
	y de los padres tuviesen	875
	junta la sangre y fortuna.	
REINA.	Yo os prometo de alcanzar	
	el perdón.	

Sale BRAS.

BRAS.	Buscándole,	
	¡Pardiobre!,[28] que me colé,	
	como fraile, sin llamar.	880
	Topéle. Su sonsería	
	me dé las manos y pies.	
CONDE.	Bien venido, Bras.	
REINA.	¿Quién es?	
CONDE.	Un criado de García.	
REINA.	Llegad.	
BRAS.	¡Qué brava hermosura!	885
	Ésta sí que el ojo abonda;[29]	
	pero si vos sois la Conda,[30]	
	tendréis muy mala ventura.	
CONDE.	¿Y qué hay por allá, mancebo?	
BRAS.	Como al Castañar no van	890
	estafetas de Milán,	
	no he sabido qué hay de nuevo.	
	Y por acá, ¿qué hay de guerra?	
CONDE.	Juntando dineros voy.	
BRAS.	De buena gana los doy	
	por gozar en paz mi tierra;	895
	porque el corazón me ensancha,	
	cuando duermo más seguro	
	que en Flandes detrás de un muro,	
	en un carro de la Mancha.	
REINA.	Escribe bien, breve y grave.	900
CONDE.	Es sabio.	
REINA.	A mi parecer,	
	más es que serlo tener	
	quien en Palacio le alabe.	

Sale DON MENDO.

---

[28] *Pardiobre:* equivalente a "Pardiez".

[29] *abonda(r):* verbo arcaico para "satisfacer".

[30] *Conda:* femenino de "Conde" que se inventa Bras.

MENDO.	Su Alteza espera.
REINA.	Muy bien 905 la banda está en vuestro pecho.

Vase

MENDO.	Por vos, Su Alteza me ha hecho aquesta honra.
CONDE.	También tuve parte en esta acción.
MENDO.	Vos me disteis esta banda, 910 que mía fué la demanda y vuestra la información. Ayer con Su Alteza fui, y dióme esta insignia, Conde, yendo al Castañar. (Adonde (*Aparte.*) 915 libre fui y otro volví.)

Sale TELLO.

TELLO.	El Rey llama.
CONDE.	Espera, Bras.
BRAS.	El billorete leed.
CONDE.	Este hombre entretened mientras vuelvo.
BRAS.	Estoy de más; 920 desempechadme temprano, que el Palacio y los olores se hicieron para señores, no para un tosco villano.
CONDE.	Ya vuelvo.

Vanse el CONDE *y* TELLO.

MENDO.	(Conocer quiero (*Aparte.*) 925 este hombre.)
BRAS.	¿No hay hablar? ¿Cómo fue en el Castañar ayer tarde, caballero?
MENDO.	(Daré a tus aras mil veces[31] (*Aparte.*) holocaustos, dios de amor, 930

---

[31] 929-948: queda claro por este parlamento que Mendo, contrario al comendador de *Fuenteovejuna* (pero semejante al de otra obra de Lope, *Peribañez y el comendador de Ocaña*), tiene verdaderos sentimientos de amor hacia la mujer en cuestión.

	pues en este labrador	
	remedio a mi mal ofreces.	
	¡Ay, Blanca! ¡Con qué de enojos	
	me tienes¡ ¡Cón qué pesar!	
	¡Nunca fuera al Castañar!	935
	¡Nunca te vieran mis ojos!	
	¡Pluguiera a Dios que, primero	
	que fuera Alfonso a tu tierra,	
	muerte me diera en la guerra	
	el corvo africano acero!	940
	¡Pluguiera a Dios, labrador,	
	que al áspid fiero y hermoso	
	que sirves, y cauteloso	
	fue causa de mi dolor,	
	sirviera yo, y mis Estados	945
	te diera, la retina mía,	
	que por ver a Blanca un día,	
	fuera a guardar sus ganados!)	
BRAS.	¿Qué diabros tiene, señor,	
	que salta, brinca y recula?	950
	Sin duda la tarantula	
	le ha picado, o tiene amor.	
MENDO.	(Amor, pues Norte me das, (*Aparte.*)	
	déste tengo de saber	
	si a Blanca la podré ver.)	955
	¿Cómo te llamas?	
BRAS.	¿Yo? Bras.	
MENDO.	¿De dónde eres?	
BRAS.	De la villa	
	de Ajofrín, si sirvo en algo.	
MENDO.	¿Y eres muy gentil hidalgo?	
BRAS.	De los Brases de Castilla.	960
MENDO.	Ya lo sé.	
BRAS.	Decís verdad,	
	que só antiguo, aunque no rico,	
	pues vengo de un villancico	
	del día de Navidad.	
MENDO.	Buen talle tienes.	
BRAS.	Bizarro;	965
	mire qué pie tan perfeto.	
	¿Monda níspéros el peto?[32]	
	Y estos ojuelos, ¿son barro?	

---

[32] *¿Monda níspéros el peto?:* refrán que significa estar uno ajeno a un asunto que se está tratando.

MENDO.	¿Y eres muy discreto, Bras?
BRAS.	En eso soy extremado, 970
	porque cualquiera cuitado
	presumo que sabe más.
MENDO.	¿Quieres servirme en la Corte,
	y verás cuánto te precio?
BRAS.	Caballero, aunque só necio, 975
	razonamiento acorte,
	y si algo quiere mandarme,
	acabe ya de parillo.
MENDO.	Toma, Bras, este bolsillo.
BRAS.	Mas, ¡par Dios! ¿Quieres burlarme? 980
	A ver, acerque la mano.
MENDO.	Escudos son.
BRAS.	Yo lo creo;
	mas por no engañarme, veo
	si está por de dentro vano;
	dinero es, y de ello infiero 985
	que algo pretende que haga,
	porque el hablar bien se paga.
MENDO.	Sólo que me digas quiero
	si ver podré a tu señora.
BRAS.	¿Para malo o para bueno? 990
MENDO.	Para decirle que peno
	y que el corazón la adora.
BRAS.	¡Lástima os tengo, así viva,[33]
	por lo que tengo en el pecho,
	y aunque rudo, amor me ha hecho 995
	el mío como una criba!
	Yo os quiero dar una traza
	que de provecho será:
	aquestas noches se va
	mi amo García a caza 1000
	de jabalíes; vestida
	le aguarda sin prevención,
	y si entráis por un balcón,
	la hallaréis medio dormida,
	porque hasta el alba le espera; 1005
	y esto muchas veces pasa
	a quien deja hermosa en casa
	y busca en otra una fiera.
MENDO.	¿Me engañas?

---

[33] 993-1008: el uso de los criados para deshonrar al señor, facilitando a un tercero entrada en el hogar, es un tópico dentro de la literatura del Siglo de Oro.

BRAS.	Cosa es tan cierta,
	que de noche, en ocasiones,
	suelo entrar por los balcones
	por no llamar a la puerta
	ni que Teresa me abra,
	y por la honda que deja
	puesta Belardo en la reja,
	trepando voy como cabra,
	y la hallo sin embarazo,
	sola, esperando a García,
	porque le aguarda hasta el día
	recostada sobre el brazo.
MENDO.	En ti el amor me promete
	remedio.
BRAS.	Pues esto haga.
MENDO.	Yo te ofrezco mayor paga.
BRAS.	(Esto no es ser alcagüete). (*Aparte*.)
	(Blanca, esta noche he de entrar (*Aparte*.)
	a verte, a fe de español,
	que, para llegar al sol,
	las nubes se han de escalar.)

Vase, y salen el REY *y el* CONDE

REY.	El hombre es tal, que prometo
	que con vuestra aprobación
	he de llevarle a esta acción
	y ennoblecerle.
CONDE.	Es discreto
	y valiente; en él están,
	sin duda, resplandecientes
	las virtudes convenientes
	para hacerle capitán,
	que yo sé que suplirá
	la falta de la experiencia
	su valor y su prudencia.
REY.	Mi gente lo acetará,
	pues vuestro valor le abona,
	y sabe de vuestra ley
	que sin méritos, al Rey
	no le proponéis persona;
	traedle mañana, Conde.

Vase.

CONDE.	Yo sé que aunque os acuitéis,

Line numbers: 1010, 1015, 1020, 1025, 1030, 1035, 1040, 1045

	que en la ocasión publiquéis	
	la sangre que en vos se esconde.	
BRAS.	Despachadme, pues, que no,	
	señor, otra cosa espero.	1050
CONDE.	Que se recibió el dinero	
	que al donativo ofreció,	
	le decís, Bras, a García,	
	y podéis ir con esto,	
	que yo le veré muy presto	1055
	o responderé otro día.	

Vase.

BRAS.	No llevo cosa que importe;	
	sobre tardanza prolija,	
	largo parto y parir hija,	
	propio despacho de Corte.	1060

Vase, y sale DON GARCÍA, *de cazador, con un puñal y un arcabuz.*

GARCÍA.	Bosques míos, frondosos,	
	de día alegres cuanto tenebrosos	
	mientras baña Morfeo[34]	
	la noche con las aguas de Leteo,[35]	
	hasta que sale de Faetón[36] la esposa	1065
	coronada de plumas y de rosa;	
	en vosotros dotrina	
	ella sobre quien Marte[37] predomina,	
	disponiendo sangriento	
	a mayores contiendas el aliento;	1070
	porque furor influye	
	la caza, que a la guerra sostituye.[38]	
	Yo soy el vivo rayo	
	feroz de vuestras fieras, que me ensayo	
	para ser, con la sangre que me inspira,	1075
	rayo del Castañar en Algecira;	
	criado en vuestras grutas y campañas,	
	Alcides[39] español de estas montañas,	

---

[34] *Morfeo:* dios de los sueños.

[35] *Leteo:* río del olvido.

[36] *Faetón:* el sol; por tanto, su esposa sería la luna. Véase n. 46 de *La verdad sospechosa*, y 3 de *La vida es sueño*.

[37] Vuelva a verse la n. 5: "ella" se refiere a la guerra.

[38] 1072: la idea de que la caza sustituye la guerra refleja la evolución histórica que va del caballero al *gentilhomme*, o hidalgo más o menos acomodado, tal como don Diego de Miranda, Caballero del Verde Gabán (véase *Don Quijote*, II, capítulo XVI-XVII).

[39] *Alcides:* Hércules.

        que contra sus tiranos
clava[40] es cualquiera dedo de mis manos,   1080
        siendo por mí esta vera
pródiga en carnes, abundante en cera;
        vengador de sus robos,
Parca[41] común de osos y de lobos,
        que por mí el cabritillo y simple oveja   1085
del montañés pirata no se queja,
        y cuando embiste airado
a devorar el tímido ganado,
        si me arrojo al combate,
ocioso el can en la palestra late.   1090
        Que durmiendo entre flores,
en mi valor fiados los pastores,
        cuando abre el sol sus ojos,
desperezados ya los miembros flojos,
        cuando al ganado asisto,   1095
cuando al cosario embisto,
        pisan difunta la voraz caterva,
más lobos sus abarcas que no yerba.
        ¿Qué colmenar copioso
no demuele defensas contra el oso,   1100
        fabricando sin muros
dulce y blanco licor en nichos puros?
        Que por esto han tenido,
gracias al plomo a tiempo compelido,
        en sus cotos amenos,   1105
un enemigo las abejas menos.
        Que cuando el sol acaba,
y en el póstrero parasismo estaba,
        a dos colmenas que robado había,
las caló dentro de una fuente fría,   1110
        ahogando en sus cristales
las abejas que obraron sus panales,
        para engullir segura
la miel que mixturó en el agua pura,
        y dejó, bien que turbia, su corriente,   1115
el agua dulce desta clara fuente.
        Y esta noche, bajando
un jabalí aqueste arroyo blando
        y cristalino cebo
con la luz que mendiga Cintia a Febo,[42]   1120

---

[40] *clava:* palo de aproximadamente un metro de largo que se usaba como arma.
[41] *Parca:* véase n. 34 de *El médico de su honra.*
[42] *Cintia a Febo:* la luna al sol.

le miré cara a cara,
haciéndose lugar entre la jara,
despejando la senda sus cuchillos
de marfil o de acero sus colmillos;
pero a una bala presta,   1125
la luz condujo a penetrar la testa,
oyendo el valle, a un tiempo repetidos,
de la pólvora el eco y los bramidos.
Los dos serán trofeos
pendientes en mis puertas, aunque feos,   1130
después que Blanca, con su breve planta,
su cerviz pise, y por ventura tanta,
dirán: ni aun en la muerte
tiene el cadáver de un dichoso suerte,
que en la ocasión más dura,   1135
a las fieras no falta la ventura.
Mas el rumor me avisa
que un jabalí desciende; con gran prisa
vuelve huyendo; habrá oído
algún rumor distante su sentido,   1140
porque en distancia larga
oye calar al arcabuz la carga,
y esparcidas las puntas
que sobre el cerro acumulaba juntas,
si oye la bala o menear la cuerda,   1145
es ala cuando huye cada cerda.

Sale DON MENDO *y un* CRIADO *con una escala.*

MENDO.   ¿Para esto, amor tirano,
del cerco toledano
al monte me trajiste,
para perderme en su maleza triste?   1150
Mas ¿qué esperar podía
ciego que a un ciego le eligió por guía?
Una escala previene, con intento,
Blanca, de penetrar tu firmamento,
y lo mismo emprendiera,   1155
si fueras diosa en la tonante esfera,
no montañesa ruda
sin honor, sin esposo que te acuda,
que en este loco abismo
intentara lo mismo   1160
si fueras, Blanca bella,
como naciste humana, pura estrella,

	bien que a la tierra bien que al Cielo sumo,	
	bajara en polvo y ascendiera en humo.	
GARCÍA.	Llegó primero al animal valiente	1165
	que a mi sentido el ruido de esta gente.	
MENDO.	En esta luna de octubre	
	suelen salir cazadores	
	a esperar los jabalíes.	
	Quiero llamar: ¡Ah, del monte!	1170
CRIADO.	¡Hola! ¡Hao!	
GARCÍA.	¡Pesia sus vidas!	
	¿Qué buscan? ¿De qué dan voces?	
MENDO.	El sitio del Castañar	
	¿está lejos?	
GARCÍA.	En dos trotes	
	se pueden poner en él.	1175
MENDO.	Pasábamos a los montes	
	y el camino hemos perdido.	
GARCÍA.	Aqueste arroyuelo corre	
	al camino.	
MENDO.	¿Qué hora es?	
GARCÍA.	Poco menos de las doce.	1180
MENDO.	¿De dónde sois?	
GARCÍA.	¡Del infierno!	
	Id en buena hora, señores,	
	no me espantéis más la caza,	
	que me enojaré. ¡Pardiobre!	
MENDO.	La luna, ¿hasta cuándo dura?	1185
GARCÍA.	Hasta que se acaba.	
MENDO.	¡Oye	
	lo que es villano en el campo!	
GARCÍA.	Lo que un señor en la Corte.	
MENDO.	Y en efeto, ¿hay dónde errar?	
GARCÍA.	Y en efeto, ¿no se acogen?	1190
MENDO.	Terrible sois.	
GARCÍA.	Mal sabéis	
	lo que es estorbar a un hombre	
	en ocasión semejante.	
MENDO.	¿Quién sois?	
GARCÍA.	Rayo destos montes:	
	García del Castañar,	1195
	que nunca niego mi nombre.	
MENDO.	(Amor, pues estás piadoso, (*Aparte*.)	
	deténle, porque no estorbe	
	mis deseos y en su casa	
	mis esperanzas malogre,	

y para que a Blanca vea,   1200
dame tus alas veloces,
para que más presto llegue.)
Quedaos con Dios.

Vase.

GARCÍA.   Buenas noches.
Bizarra ocasión perdí;   1205
imposible es que la cobre.
Quiero volverme a mi casa
por el atajo del monte,
y pues ya me voy, oíd
de grutas partos feroces: 1210
salid y bajad al valle,
vivid en paz esta noche,
que vuestro mayor opuesto
a su casa se va, adonde
dormirá, no en duras peñas,   1215
sino en blandos algodones,
y depuesta la fiereza,
tan trocadas mis acciones,
en los brazos de mis esposa
verá el Argos[43] de la noche   1220
y el Polifemo[44] del día,
si las observan feroces
y tiernas, que en este pecho
se ocultan dos corazones:
el uno de blanda cera,   1225
el otro de duro bronce;
el blando para mi casa,
el duro para estos montes.

Vase, y sale DOÑA BLANCA *y* TERESA *con una bujía, y pónela encima de
un bufete que habrá*

BLANCA.   Corre veloz, noche fría
porque venga con la aurora   1230
del campo, donde está ahora,
a descansar mi García;
su luz anticipe el día,

---

[43] *Argos:* véase n. 47 de *El médico de su honra.*

[44] *Polifemo:* cíclope que aparece en el libro IX de la *Odisea* de Homero, y personaje que Góngora reelabora en su *Fábula de Polifemo y Galatea.* Aquí, haciéndose más que nada alusión a su solo ojo brillante, significa el sol.

	el Cielo se desabroche,	
	salga Faetón en su coche,	1235
	verá su luz deseada	
	la primer enamorada	
	que ha aborrecido la noche.	
TERESA.	Mejor, señora, acostada	
	esperarás a tu ausente,	1240
	porque asientan lindamente	
	sobre la holanda delgada	
	los brazos, que, ¡por el Credo!	
	que aunque fuera mi marido	
	Bras, que tampoco ha venido	1245
	de la ciudad de Toledo,	
	que le esperara roncando.	
BLANCA.	Tengo mis obligaciones.	
TERESA.	Y le echara a mojicones	
	si no se entrara callando;	1250
	mas si has de esperar que venga	
	mi señor, no estés en pie;	
	yo a Belardo llamaré	
	que tu desvelo entretenga;	
	mas él viene.	

Sale BELARDO.

BELARDO.	Pues al sol	1255
	veo de noche brillar,	
	el sitio del Castañar	
	es antípoda español.	
BLANCA.	Belardo, sentaos.	
BELARDO.	Señora,	
	acostaos.	
BLANCA.	En esta calma,	1260
	dormir un cuerpo sin alma	
	fuera no esperar la aurora.	
BELARDO.	¿Esperáis?	
BLANCA.	Al alma mía.	
BELARDO.	Por muy necia la condeno,	
	pues se va al monte al sereno	
	y os deja hasta que es de día.[45]	1265

---

[45] Palabras que advierten un error por parte de García, al dejar sola a Blanca, y favorecer así las condiciones para intentar una deshonra, ejemplo que se repite con frecuencia en otras obras de la época (por ejemplo, *La Estrella de Sevilla*, donde el trasnochar de Busto favorece igualmente las condiciones para intentar deshonrar a su hermana Estrella).

Dentro BRAS.

BRAS.	*Sí, vengo de Toledo, Teresa mía;*	
	vengo de Toledo, y no de Francia.	
TERESA.	Mas ya viene mi garzón.[46]	
BELARDO.	A abrirle la puerta iré.	1270
TERESA.	Con tu licencia sabré	
	qué me trae, por el balcón.	
BRAS.	*Que si buena es la albahaca*	
	mejor es la cruz de Calivaca.[47]	

Ha de haber unas puertas como de balcón, que estén hacia dentro, y abre
TERESA.

TERESA.	¿Cómo vienes, Bras?	
BRAS.	Andando.	1275
TERESA.	¿Qué me traes de la ciudad	
	en muestras de voluntad?	
BRAS.	Yo te lo diré cantando:	
	Tráigote de Toledo, porque te alegres,	
	un galán, mi Teresa, como unas nueces.	1280
TERESA.	¡Llévele el diablo mil veces;	
	ved qué sartal o corpiño!	

Cierra juntando el balcón

BLANCA.	¿Qué te trae?	
TERESA.	Muy lindo aliño:	
	un galán como unas nueces.	
BLANCA.	Será sabroso.	
BRAS.	¿Qué hay,	1285
	Blanca? Teresa, ¡estoy muerto!	
	¿Qué? ¿No me abrazas?	
TERESA.	Por cierto,	
	por las cosas que me tray.	
BRAS.	Dimuños[48] sois las mujeres.	
	¿A quién quieres más?	
TERESA.	A Bras.	1290
	Pues si lo que quieres más	
	te traigo, ¿qué es lo que quieres?	
BLANCA.	Teresa tiene razón.	

---

[46] *garzón:* del francés *garçon*, significa mozo.
[47] *Calivaca* por Calatrava, para que rime con albahaca.
[48] *Dimuños:* demonios.

Mas sentaos todos, y di:
¿qué viste en Toledo?

BRAS.   Vi   1295
de casas un burujón⁴⁹
    y mucha gente holgazana,
y en calles buenas y ruines,
la basura a celemines
y el cielo por cerbatana   1300
    y dicen que hay infinitos
desdenes en caras buenas,
en verano berenjenas
y en el otoño mosquitos.

BLANCA.   ¿No hay más nuevas en la Corte?   1305

BRAS.   Sátiras pide el deseo
malicioso, ya lo veo,
mas mi pluma no es de corte.
    Con otras cosas, señora,
os divertid hasta el alba,   1310
que al ausente Dios le salva.

BLANCA.   Pues el que acertare ahora
    esta enigma de los tres,
daré un vestido de paño,
y el de grana que hice hogaño,   1315
a Teresa; digo, pues:
    ¿Cuál es el ave sin madre
que al padre no puede ver,
ni al hijo, y le vino a hacer
después de muerto su padre?   1320

BRAS.   ¿Polainas y galleruza⁵⁰
ha de tener?

BLANCA.   Claro es.
Digan en rueda los tres.

TERESA.   El cuclillo.

BRAS.   La lechuza.

BELARDO.   No hay ave a quien mejor cuadre   1325
que el fénix,⁵¹ ni otra ser puede,
pues esa misma procede
de las cenizas del padre.

BLANCA.   El fénix es.

BELARDO.   Yo gané.

BRAS.   Yo perdí, como otras veces.   1330

---

⁴⁹ *burujón:* literalmente, bulto o chichón, por tanto, un montón.

⁵⁰ *galleruza:* gallaruza, abrigo, quizá de origen francés o galo (de ahí posiblemente la etimología) con capucha, muy usado por peregrinos franceses que iban a Santiago de Compostela.

⁵¹ *fénix:* véase n. 55 de *El caballero de Olmedo*.

BLANCA.	No te doy lo que mereces.
BRAS.	Un gorrino[52] le daré
	a quien dijere el más caro
	vicio que hay en el mundo.
BLANCA.	En que es el juego me fundo.
BRAS.	Mentís, Branca, y esto es craro.

1335

TERESA.	El de las mujeres, digo
	que es más costoso.
BRAS.	Mentís.
	Vos, Belardo, ¿qué decís?
BELARDO.	Que el hombre de caza, amigo,

1340

	tiene el de más perdición,
	más costoso y infelice;
	la moralidad lo dice
	del suceso de Anteón.[53]
BRAS.	Mentís, también, que a mi juicio,

1345

	sin quedar de ello dudoso,
	es el vicio más costoso
	el del borracho, que es vicio
	con quien ninguno compite,
	que si pobre viene a ser

1350

	de lo que gastó en beber,
	no puede tener desquite.

Silba DON GARCÍA.

BLANCA.	Oye, Bras, amigos, ea,
	abrid, que es el alma mía;
	temprano viene García;

1355

	quiera Dios que por bien sea.

Vanse.

GAR. (*Dentro.*)	Buenas noches, gente fiel.
BRAS.	Seáis, señor, bien venido.

Sale DON GARCÍA, BRAS, TERESA *y* BLANCA, *y arrima* DON GARCÍA *el arcabuz al bufete.*

GARCÍA.	¿Cómo en Toledo te ha ido?
BRAS.	Al Conde di tu papel,

1360

	y dijo respondería.

---

52 *gorrino:* pequeño cerdo, menor de cuatro meses.

53 *Anteón:* Acteón: véase n. 37 de *El médico de su honra.*

746

GARCÍA.	Está bien. Esposa amada,	
	¿no estáis mejor acostada?	
	¿Qué esperáis?	
BLANCA.	Que venga el día.	
	Esperar como solía	1365

Esperar como solía   1365
a su cazador la diosa,
madre de amor cuidadosa,
cuando dejaba los lazos
y hallaba en sus tiernos brazos
otra cárcel más hermosa,   1370
    vínculo de amor estrecho
donde yacía su bien,
a quien dio parte también
del alma como del lecho;
mas yo, con mejor derecho,   1375
cazador que al otro excedes,
haré de mis brazos redes,
y por que caigas pondré
de una tórtola la fe,
cuyo llanto excusar puedes.   1380
    Llega, que en llanto amoroso,
no rebelde jabalí,
te consagro un ave, sí,
que lloraba por su esposo.
Concédete generoso   1385
a vínculos permitidos,
y escucharán tus oídos
en la palestra de pluma,
arrullos blandos, en suma,
y no en el monte bramidos.   1390
    Que si bien estar pudiera
quejosa de que te alejes
de noche, mis brazos dejes
por esperar una fiera,
adórote de manera,   1395
que aunque propongo a mis ojos
quejas y tiernos despojos,
cuando vuelves desta suerte,
por el contento de verte,
te agradezco los enojos.   1400

GARCÍA.   Blanca, hermosa Blanca, rama
llena por mayo de flor,
que es con tu bello color
etíope Guadarrama;[54]

---

[54] *Guadarrama:* cordillera cerca de Madrid.

Blanca, con quien es la llama 1405
del rojo planeta obscura,
y herido de su luz pura,
el terso cristal pizarra,
que eres la acción más bizarra
del poder de la hermosura; 1410
    cuando alguna conveniencia
me aparte y quejosa quedes,
no más dolor darme puedes
que el que padezco en tu ausencia;
cuando vuelvo a tu presencia, 1415
de dejarte arrepentido,
en vano el pecho ofendido
me recibiera terrible,
que en la gloria no es posible
atormentar al sentido. 1420
    Las almas en nuestros brazos
vivan heridas y estrechas,
ya con repetidas flechas,
ya con recíprocos lazos;
no se tejan con abrazos 1425
la vid y el olmo frondoso,
más estrechos que tu esposo
y tú, Blanca; llega, amor,
que no hay contento mayor
que rogar a un deseoso. 1430
    Y aunque no te traigo aquí,
del sol a la hurtada luz,
herido con mi arcabuz
el cerdoso jabalí,
ni el oso ladrón, que vi 1435
hurtar del corto vergel
dos repúblicas de miel,
y después, a pocos pasos,
en el humor de sus vasos
bañar el hocico y piel, 1440
    te traigo para trofeos
de jabalíes y osos,
por lo bien trabado hermosos
y distintamente feos,
un alma y muchos deseos 1445
para alfombras de tus pies;
y me parece que es,
cuando tus méritos toco,
cuanto has escuchado, poco,

	como es poco cuanto ves.	1450
RAS.	¿Teresa allí? ¡Vive Dios!	
ERESA.	Pues aquí, ¿quién vive, Bras?	
BRAS.	Aquí vive Barrabás,[55]	
	hasta que chante a los dos	
	las bendiciones el cura;	1455
	porque un casado, aunque pena,	
	con lo que otro se condena,	
	su salvación asegura.	
ERESA.	¿Con qué?	
BRAS.	Con tener amor	
	a su mujer y aumentar.	1460
ERESA.	Eso, Bras, es trabajar	
	en la viña del Señor.	
BLANCA.	Desnudaos, que en tanto quiero	
	preveniros, prenda amada,	
	ropa por mi mano hilada,	1465
	que huele más que el romero;	
	y os juro que es más sutil	
	que ser la de Holanda suele,	
	porque cuando a limpia huele,	
	no ha menester al abril.	1470
	Venid los dos.	

Vase.

BRAS.	Siempre he oído	
	que suele echarse de ver	
	el amor de la mujer	
	en la ropa del marido.	
TERESA.	También en la sierra es fama	1475
	que amor ni honra no tiene	
	quien va a la Corte y se viene	
	sin joyas para su dama.	

Vanse.

GARCÍA.	Envídienme en mi estado	
	las ricas y ambiciosas majestades,	1480
	mi bienaventurado	
	albergue, de delicias coronado	
	y rico de verdades;	
	envidien las deidades,	

---

[55] *Barrabás:* ladrón que fue liberado en el lugar de Jesús.

profanas y ambiciosas,   148.
mi venturoso empleo;
envidien codiciosas,
que cuando a Blanca veo,
su beldad pone límite al deseo.
    ¡Válgame el Cielo! ¿Qué miro?   1490

Sale DON MENDO *abriendo el balcón de golpe y embózase.*

MENDO.	(¡Vive Dios, que es el que veo (*Aparte.*) García del Castañar! ¡Valor, corazón! Ya es hecho. Quien de un villano confía 1495 no espere mejor suceso.)
GARCÍA.	Hidalgo, si serlo puede quien de acción tan baja es dueño, si alguna necesidad a robarme os ha dispuesto, decidme lo que queréis, 1500 que por quien soy os prometo que de mi vida volváis por mi mano satisfecho.
MENDO.	Dejadme volver, García.
GARCÍA.	Eso no, porque primero 1505 he de conocer quién sois; y descubríos muy presto, u deste arcabuz la bala, penetrará vuestro pecho.
MENDO.	Pues advertid no me erréis, 1510 que si con vos igual quedo, lo que en razón me lleváis, en sangre y valor os llevo. Yo sé que el Conde Orgaz lo ha dicho a alguno en secreto, 1515 informándole de mí. La banda que cruza el pecho, de quien soy, testigo sea.

Cáesele un arcabuz.

GARCÍA.	(El Rey es, ¡válgame el Cielo!, (*Aparte.*) y que le conozco sabe. 1520 Honor y lealtad, ¿qué haremos? ¡Que contradicción implica la lealtad con el remedio!)

MENDO.	(¡Qué propia acción de villanos!
	Temor me tiene o respeto, 1525
	aunque para un hombre humilde
	bastaba sólo mi esfuerzo;
	el que encareció el de Orgaz
	por valiente . . . ¡Al fin, es viejo!)
	En vuestra casa me halláis, 1530
	ni huir ni negarlo puedo,
	mas en ella entré esta noche. . .
GARCÍA.	¡A hurtarme el honor que tengo!
	¡Muy bien pagáis, a mi fe,
	el hospedaje, por cierto, 1535
	que os hicimos Blanca y yo!
	Ved qué contrarios efetos
	verá entre los dos el mundo,
	pues yo ofendido os venero,
	y vos, de mi fe servido, 1540
	me dais agravios por premios!
MENDO.	(No hay que fiar de un villano (*Aparte.*)
	ofendido, pues no puedo,
	me defenderé con éste.)
GARCÍA.	¿Qué hacéis? Dejad en el suelo 1545
	el arcabuz y advertid
	que os lo estorbo, porque quiero
	no atribuyáis a ventaja
	el fin de aqueste suceso,
	que para mí basta sólo 1550
	la banda de vuestro cuello,
	cinta del sol de Castilla,
	a cuya luz estoy ciego.
MENDO.	¿Al fin me habéis conocido?
GARCÍA.	Miradlo por los efectos. 1555
MENDO.	Pues quien nace como yo
	no satisface, ¿qué haremos?
GARCÍA.	Que os vais, y rogad a Dios
	que enfrene vuestros deseos,
	y al Castañar no volváis, 1560
	que de vuestros desaciertos
	no puedo tomar venganza,
	sino remitirla al Cielo.
MENDO.	Yo lo pagaré, García.
GARCÍA.	No quiero favores vuestros. 1565
MENDO.	No sepa el Conde de Orgaz
	esta acción.
GARCÍA.	Yo os lo prometo.

MENDO.	Quedad con Dios.
GARCÍA.	Él os guarde
	y a mí de vuestros intentos
	y a Blanca.
MENDO.	Vuestra mujer. . . 1570
GARCÍA.	No. señor, no habléis en eso,
	que vuestra será la culpa.
	Yo sé la mujer que tengo.
MENDO.	(¡Ay, Blanca, sin vida estoy! (*Aparte*.)
	¡Qué dos contrarios opuestos! 1575
	Ésta me estima ofendido;
	tú, adorándote, me has muerto.)
GARCÍA.	¿Adónde vais?
MENDO.	A la puerta.
GARCÍA.	¡Qué ciego venís, qué ciego!
	Por aquí habéis de salir. 1580
MENDO.	¿Conocéisme?
GARCÍA.	Yo os prometo
	que a no conocer quien sois
	que bajárades más presto;
	mas tomad este arcabuz
	agora, porque os advierto 1585
	que hay en el monte ladrones
	y que podrán ofenderos
	si, como yo, no os conocen.
	Bajad aprisa. (No quiero (*Aparte*.)
	que sepa Blanca este caso.) 1590
MENDO.	Razón es obedeceros.
GARCÍA.	Aprisa, aprisa, señor;
	remitid los cumplimientos,
	y mirad que al decender
	no caigáis, porque no quiero 1595
	que tropecéis en mi casa,
	porque de ella os vayáis presto.
MENDO.	(¡Muerto voy!) (*Aparte*.)

Vase.

GARCÍA.	Bajad seguro,[56]
	pues que yo la escala os tengo.
	¡Cansada estabas, Fortuna. 1600
	de estarte fija un momento!

---

[56] Comienza aquí un típico parlamento sobre el tema de la honra, semejante a los que se ven en *El médico de su honra,* por ejemplo.

¡Qué vuelta diste tan fiera
en aqueste mar! ¡Qué presto
que se han trocado los aires!
¡En qué día tan sereno   1605
contra mi seguridad
fulmina rayos el Cielo!
Ciertas mis desdichas son,
pues no dudo lo que veo,
que a Blanca, mi esposa, busca   1610
el rey Alfonso encubierto.
¡Qué desdichado que soy,
pues altamente naciendo
en Castilla Conde, fui
de aquestos montes plebeyo   1615
labrador, y desde hoy
a estado más vil desciendo!
¿Así paga el rey Alfonso
los servicios que le he hecho?
Mas desdicha será mía,   1620
no culpa suya; callemos,
y afligido corazón,
prevengamos el remedio,
que para animosas almas
son las penas y los riesgos.   1625
Mudemos tierra con Blanca,
sagrado sea otro reino
de mi inocencia y mi honor...
pero dirán que es de miedo,
pues no he de decir la causa,   1630
y que me faltó el esfuerzo
para ir contra Algecira.
¡Es verdad! Mejor acuerdo
es decir al Rey quień soy...
mas no, García, no es bueno,   1635
que te quitará la vida,
por que no estorbe su intento;
pero si Blanca es la causa
y resistirle no puedo,
que las pasiones de un Rey   1640
no se sujetan al freno
ni a la razón, ¡muera Blanca! (*Saca el puñal*)
pues es causa de mis riesgos
y deshonor, y elijamos,
corazón, del mal lo menos.   1645
A muerte te ha condenado

mi honor, cuando no mis celos,
porque a costa de tu vida,
de una infamia me prevengo.
Perdóname, Blanca mía, 1650
que, aunque de culpa te absuelvo,
sólo por razón de Estado,
a la muerte te condeno.
Mas ¿es bien que conveniencias
de Estado en un caballero, 1655
contra una inocente vida,
puedan más que no el derecho?
Sí. ¿Cuándo la Providencia
y cuándo el discurso atento
miran el daño futuro 1660
por los presentes sucesos?
Mas ¿yo he de ser, Blanca mía,
tan bárbaro y tan severo,
que he de sacar los claveles
con aquéste de tu pecho 1665
de jazmines? No es posible,
Blanca hermosa, no lo creo,
ni podrá romper mi mano
de mis ojos el espejo.
Mas ¿de su beldad, ahora 1670
que me va el honor, me acuerdo?
¡Muera Blanca y muera yo!
¡Valor, corazón! Y entremos
en una a quitar dos vidas,
en uno a pasar dos pechos, 1675
en una a sacar dos almas,
en uno a cortar dos cuellos,
si no me falta valor,
si no desmaya el aliento
y si no, al alzar los brazos, 1680
entre la voz y el silencio,
la sangre salta a las venas
y el corte le falta al hierro.

JORNADA TERCERA

Sale el CONDE *de camino.*

CONDE.
Trae los caballos de la rienda, Tello,
que a pie quiero gozar del día bello,   1685
    pues tomó de este monte,
el día posesión deste horizonte.
    ¡Qué campo deleitoso!
Tú que le vives, morarás dichoso,
    pues en él, don García,   1690
dotrina das a la filosofía,
    y la mujer más cuerda,
Blanca en virtud, en apellido Cerda;
    pero si no me miente
la vista, sale apresuradamente,   1695
    con señas celestiales,
de entre aquellos jarales,
    una mujer desnuda:
bella será si es infeliz, sin duda.

Sale DOÑA BLANCA *con algo de sus vestidos en los brazos, mal puesto.*

BLANCA.
¿Dónde voy sin aliento,   1700
cansada, sin amparo, sin intento,
    entre aquella espesura?
Llorad, ojos, llorad mi desventura,
    y en tanto que me visto,
decid, pues no resisto,   1705
    lenguas del corazón sin alegría.
¡Ay, dulces prendas[57] cuando Dios quería!

CONDE.
Aunque mal determino,
parece que se viste, y imagino
    que está turbada y sola;   1710
de la sangre española
    digna empresa es aquésta.

BLANCA.
Un hombre para mí la planta apresta.

---

[57] *¡Ay, dulces prendas...:* basado en el primer verso del soneto de Garcilaso de la Vega: "¡Oh, dulces prendas, por mí mal halladas!"

CONDE.	Parece hermosa dama.
BLANCA.	Quiero esconderme entre la verde rama. 1715
CONDE.	Mujer, escucha, tente.
	¿Sales, como Diana[58], de la fuente
	para matar, severa,
	de amor al cazador como a la fiera?
BLANCA.	Mas, ¡ay, suerte dichosa!, 1720
	éste es el Conde.
CONDE.	¡Hija, Blanca hermosa!
	¿Dónde vas desta suerte?
BLANCA.	Huyendo de mi esposo y de mi muerte,
	ya las dulces canciones
	que en tanto que dormía en mis balcones, 1725
	alternaban las aves,
	no son ¡oh Conde! epitalamios graves.
	Serán, ¡oh, dueño mío!,
	de pájaro funesto agüero impío
	que el día entero y que las noches todas 1730
	cante mi muerte por cantar mis bodas.
	Trocóse mi ventura;
	oye la causa y presto te asegura,
	y ve a mi casa, adonde
	muerto hallarás mi esposo. ¡Muerto, Conde! 1735
	Aquesta noche, cuando
	le aguardaba mi amor en lecho blando,
	último del deseo,
	término santo y templo de Himeneo,[59]
	cuando yo le invocaba, 1740
	y la familia recogida estaba,
	entrar le vi severo,
	blandiendo contra mí un blanco acero;
	dejé entonces la cama,
	como quien sale de improvisa llama, 1745
	y mis vestidos busco,
	y al ponerme, me ofusco
	esta cota brillante.
	¡Mira qué fuerte peto de diamante!
	¡Vístome el faldellín, y apenas puedo 1750
	hallar las cintas ni salir del ruedo!
	Pero, sin compostura,
	le aplico a mi cintura,
	y mientras le acomodo,

---

[58] *Diana:* véase n. 37 de *El médico de su honra.*
[59] *Himeneo:* dios del matrimonio.

lugar me dio la suspensión a todo.   1755
    La causa le pregunto,
mas él, casi difunto,
    a cuanto vio y a cuanto le decía,
con un suspiro ardiente respondía,
    lanzando de su pecho y de sus ojos   1760
piedades confundidas con enojos,
    tan juntos, que dudaba
si eran iras o amor lo que miraba,
    pues de mí retirado,
le vi volver más tierno, más airado,   1765
    diciéndome, entre fiero y entre amante:
"Tu, Blanca, has de morir, y yo al instante."
    Mas el brazo levanta,
y abortando su voz en su garganta,
    cuando mi fin recelo,   1770
caer le vi en el suelo,
    cual suele el risco cano,
del aire impulso decender al llano,
    y yerto en él, y mudo,
de aquel monte membrudo,   1775
    suceder en sus labios y en sus ojos
pálidas flores a claveles rojos,
    y con mi boca y mi turbada mano,
busco el calor entre su hielo en vano,
    y estuve desta suerte   1780
neutral un rato entre la vida y muerte;
    hasta que ya latiendo,
oí mi corazón estar diciendo:
"Vete, Blanca, infelice,
    que no son siempre iguales   1785
los bienes y los males,
y no hay acción alguna
más vil que sujetarse a la Fortuna".
    Yo le obedezco, y dejo
mi aposento y mi esposo, y de él me alejo,   1790
    y en mis brazos, sin bríos,
mal acomodo los vestidos míos.
    Por donde voy no veía,
cada paso caía,
    y era, Conde, forzoso,   1795
por volver a mirar mi amado esposo.
    Las cosas que me dijo
cuando la muerte intimó y predijo,
    los llantos, los clamores,

la blandura mezclada con rigores.	1800
　los acometimientos, los retiros,
las disputas, las dudas, los suspiros,
　el verle amante y fiero,
ya derribarse el brazo, ya severo
　levantarle arrogante,	1805
como la llama en su postrero instante,
　el templar sus enojos
con llanto de mis ojos,
　el luchar, y no en vano,
con su puñal mi mano,	1810
　que con arte conciente
vencerse fácilmente,
　como amante que niega
lo que desea dar a quien le ruega;
　el esperar mi pecho	1815
el crudo golpe, en lágrimas deshecho;
　ver aquel mundo breve,
que en el fuego comenzó y acabó en nieve,
　y verme a mí asombrada,
sin determinación, sola y turbada,	1820
　sin encontrar recurso
en mis pies, en mi mano, en mi discurso;
　el dejarle en la tierra,
como suele en la sierra
　la destroncada encina,	1825
el que oyó de su guarda la bocina,
　que deja al enemigo,
desierto el tronco en quien buscaba abrigo;
　el buscar de mis puertas,
con las plantas inciertas,	1830
　las llaves, y sintiendo...
¡aquí, señor, me ha de faltar aliento!...
　el abrirlas a escuras,
el no poder hallar las cerraduras,
　tan turbada y sin juicio,	1835
que la buscaba de uno en otro quicio,
　y las penas que pasa
el corazón, cuando dejé mi casa,
　por estas espesuras,
en cuyas ramas duras	1840
　hallarás mis cabellos...
¡plugiera a Dios me suspendiera en ellos!...
　te contaré otro día;
agora ve, socorre al alma mía,

que queda de este modo;   1845
yo lo perdono todo,
  que no es, señor, posible
fuese su brazo contra mí terrible
  sin algún fundamento;
bástele por castigo el mismo intento,   1850
  y a mí por pena básteme el cuidado,
pues yace, si no muerto, desmayado.
  Acúdele a mi esposo,
¡oh, Conde valeroso!
  sucesor y pariente   1855
de tanta, con diadema, honrada frente;
  así la blanca plata
que por tu grave pecho se dilata,
  barra de España las moriscas huellas,
sin dejar en su suelo señal de ellas,   1860
  que los pasos dirijas
adonde, si está vivo, le corrijas
  de fiereza tan dura,
y seas, porque cobre mi ventura
  cuando de mí te informe,   1865
árbitro entre los dos que nos conforme.
  Pues los hados fatales
me dieron el remedio entre los males,
  pues mi fortuna quiso
hallase en ti favor, amparo, aviso;   1870
  pues que miran mis ojos,
no salteadores de quien ser despojos;
  pues eres, Conde ilustre,
gloria de Illán[60] y de Toledo lustre;
  pues que plugo a mi suerte   1875
la vida hallase quien tocó la muerte.

CONDE.   Digno es el caso de prudencia mucha:
éste es mi parecer. ¡Ah, Tello! Escucha.

              Sale TELLO.

Ya sabes, Blanca, como siempre es justo
acudas a mi gusto;   1880
  así, sin replicarme,
con Tello al punto, sin excusas darme,
  en aquese caballo, que lealmente
a mi persona sirve juntamente,

---

[60] *Illán:* uno de los apellidos del conde (Gonzalo Ruiz Illán de Toledo).

	caminad a Toledo;	188:
	esto conviene, Blanca, esto hacer puedo.	
	Y tú, a Palacio llega,	
	a la Reina lo entrega,	
	que yo voy a tu casa,	
	que por llegar el corazón se abrasa,	189(
	y he de estar de tu parte	
	para servirte, Blanca, y ampararte.	
TELLO.	Vamos, señora mía.	
BLANCA.	Más quisiera, señor, ver a García.	
CONDE.	Que aquesto importa advierte.	1895
BLANCA.	Principio es de acertar, obedecerte.	

Vanse, y sale DON GARCÍA *con el puñal desnudo.*

GARCÍA.

                    ¿Dónde voy, ciego homicida?
          ¿Dónde me llevas honor,
          sin el alma de mi amor,
          sin el cuerpo de mi vida?   1900
          ¡Adiós, mitad dividida
          del alma, sol que eclipsó
          una sombra! Pero no,
          que muerta la esposa mía,
          ni tuviera luz el día   1905
          ni tuviera vida yo.
                    ¿Blanca muerta? No lo creo;
          el Cielo vida la dé,
          aunque esposo la quité
          lo que amante la deseo;   1910
          quiero verla, pero veo
          sólo el retrete, y abierta
          de mi aposento la puerta,
          limpio en mi mano el puñal,
          y en fin, yo vivo, señal   1915
          de que mi esposa no es muerta.
                    ¿Blanca con vida, ¡ay de mí!,
          cuando yo sin honra estoy?
          ¡Como ciego amante soy,
          esposo cobarde fui!   1920
          Al Rey en mi casa vi
          buscando mi prenda hermosa,
          y aunque noble, fue forzosa
          obligación de la ley
          ser piadoso con el Rey   1925
          y tirano con mi esposa.

¡Cuántas veces fue tirano
acero a la ejecución,
y cuántas el corazón
dispensó el golpe a la mano!   1930
Si es muerta, morir es llano;
si vive, muerto he de ser.
¡Blanca, Blanca! ¿Qué he de hacer?
Mas, ¿qué me puedes decir,
pues sólo para morir   1935
me has dejado en qué escoger?

Sale el CONDE.

CONDE.   Dígame vueseñoría:
¿contra qué morisco alfanje
sacó el puñal esta noche,
que está en su mano cobarde?   1940
¿Contra una flaca mujer,
por presumir, ignorante,
que es villana? Bien se acuerda,
cuando propuso casarse,
que le dije era su igual,   1945
y mentí, porque un Infante
de los Cerdas fue su abuelo,
si Conde su noble padre.
¿Y con una labradora
se afrentara? ¡Cómo sabe   1950
que el Rey ha venido a verle,
y por mi voto le hace
Capitán de aquesta guerra,
y me envía de su parte
a que lo lleve a Toledo!...   1955
¿Es bien que aquesto se pague
con su muerte, siendo Blanca
luz de mis ojos brillante?
Pues ¡vive Dios! que le había
de costar al loco, al fácil,   1960
cuanta sangre hay en sus venas
una gota de su sangre.

GARCÍA.   Decidme: Blanca, ¿quién es?
CONDE.   Su mujer, y aquesto baste.
GARCÍA.   Reportaos, ¿Quién os ha dicho   1965
que quise matarla?
CONDE.   Un ángel
que hallé desnudo en el monte;

Blanca, que, entre sus jarales,
perlas daba a los arroyos,
tristes suspiros el aire.   1970

GARCÍA.   ¿Dónde está Blanca?

CONDE.   A Palacio,
esfera de su real sangre,
la envié con un criado.

GARCÍA.   ¡Matadme, señor; matadme!
¡Blanca en Palacio y yo vivo!   1975
Agravios, honor, pesares,
¿cómo, si sois tantos juntos,
no me acaban tantos males?
¿Mi esposa en Palacio, Conde?
¿Y el Rey, que los cielos guarden,   1980
me envía contra Algecira
por Capitán de sus haces,
siendo en su opinión villano?
¡Quisiera Dios que en otra parte
no desdore con afrentas   1985
estas honras que me hace!
Yo me holgara, ¡a Dios pluguiera!,
que esa mujer que criasteis
en Orgaz para mi muerte,
no fuera estirpes reales,   1990
sino villana y no hermosa,
y a Dios plugiera que antes
que mi pecho enterneciera,
aqueste puñal infame
su corazón, con mi riesgo,   1995
le dividiera en dos partes;
que yo os excusara, Conde,
el vengarla y el matarme,
muriéndome yo primero.
¡Qué muerte tan agradable   2000
hubiera sido, y no agora
oír, para atormentarme,
que está sin defensa adonde
todo el poder la combate!
Haced cuenta que mi esposa   2005
es una bizarra nave
que por robarla, la busca
el pirata de los mares,
y en los enemigos puertos
se entró, cuando vigilante   2010
en los propios la buscaba,

sin pertrechos que la guarden,
sin piloto que la rija
y sin timón y sin mástil.
No es mucho que tema, Conde,   2015
que se sujete la nave
por fuerza o por voluntad
al Capitán que la bate.
No quise, por ser humilde,
dar la muerte ni fue en balde;   2020
creed que, aunque no la digo,
fue causa más importante.
No puedo decir por qué,
mas advertid que más sabe,
que el entendido en la ajena,   2025
en su casa el ignorante.

CONDE.   ¿Sabe quién soy?
GARCÍA.   Sois Toledo,
y sois Illán por linaje.
CONDE.   ¿Débeme respeto?
GARCÍA.   Sí,
que os he tenido por padre.
CONDE.   ¿Soy tu amigo?   2030
GARCÍA.   Claro está.
CONDE.   ¿Qué me debe?
GARCÍA.   Cosas grandes.
CONDE.   ¿Sabe mi verdad?
GARCÍA.   Es mucha.
CONDE.   ¿Y mi valor?
GARCÍA.   Es notable.
CONDE.   ¿Sabe que presido a un reino?   2035
GARCÍA.   Con aprobación bastante.
CONDE.   Pues confiesa lo que siente,
y puede de mí fiarse
el valor de un caballero
tan afligido y tan grave,   2040
dígame vueseñoría,
hijo, amigo, como padre,
como amigo, sus enojos;
cuénteme todos sus males;
refiérame sus desdichas.   2045
¿Teme que Blanca le agravie?
Que es, aunque noble, mujer.
GARCÍA.   ¡Vive Dios, Conde, que os mate
si pensáis que el sol ni el oro,
en sus últimos quilates,   2050

	para exagerar su honor,	
	es comparación bastante!	
CONDE.	Aunque habla como debe,	
	mi duda no satisface,	
	por su dolor regulada.	20:
	Solos estamos, acabe;	
	por la cruz de aquesta espada	
	he de acudille, amparalle,	
	si fuera Blanca, mi hija,	
	que en materia semejante	206
	por su honra depondré	
	el amor y las piedades.	
	Dígame si tiene celos.	
GARCÍA.	No tengo celos de nadie.	
CONDE.	Pues, ¿qué tiene?	
GARCÍA.	Tanto mal,	206
	que no podéis remedialle.	
CONDE.	Pues ¿qué hemos de hacer los dos	
	en tan apretado lance?	
GARCÍA.	¿No me manda el Rey que a Toledo	
	me llevéis? Conde, llevadme.	207
	Mas decid: ¿sabe quién soy	
	Su Majestad?	
CONDE.	No lo sabe.	
GARCÍA.	Pues vamos, Conde, a Toledo.	
CONDE.	Vamos, García.	
GARCÍA.	Id delante.	

CONDE.	(Tu honor y vida amenaza,	*(Aparte.)*	207
	Blanca, silencio tan grande,		
	pues es peligroso accidente		
	mal que a los labios no sale.)		
GARCÍA.	(¿No estás en Palacio, Blanca?	*(Aparte.)*	
	¿No te fuiste y me dejaste?		208(
	Pues venganza será ahora		
	la que fue prevención antes.)		

Vanse, y salen la REINA *y* DOÑA BLANCA.

REINA.	De vuestro amparo me obligo	
	y creedme que me pesa	
	de vuestros males, Condesa.	2085
BLANCA.	(¿Condesa? No habla conmigo.)	
	Mire Vuestra Majestad	
	que de quien soy no se acuerda.	
REINA.	Doña Blanca de la Cerda,	

	prima, mis brazos tomad.	2090
BLANCA.	Aunque escuchándola estoy,	
	y sé no puede mentir,	
	vuelvo, señor, a decir	
	que una labradora soy,	
	tan humilde, que en la villa	2095
	de Orgaz, pobre me crié,	
	sin padre.	
REINA.	Y padre que fue[61]	
	propuesto Rey en Castilla.	
	De don Sancho de la Cerda	
	sois hija; vuestro marido	2100
	es, Blanca, tan bien nacido	
	como vos, y pues sois cuerda,	
	y en Palacio habéis de estar,	
	en tanto que vuelve el Conde,	
	no digáis quién sois, y adonde	2105
	ha de ser voy a ordenar.	

Vase.

BLANCA.	¿Habrá alguna, Cielo injusto,	
	a quien dé el hado cruel	
	los males tan de tropel,	
	y los bienes tan sin gusto	2110
	como a mí? ¿Ni podrá estar	
	viva con mal tan exento,	
	que no da vida un contento	
	y da la muerte un pesar?	
	¡Ay, esposo, qué de enojos	
	me debes! Mas pesar tanto,	2115
	¿cómo lo dicen sin llanto	
	el corazón y los ojos?	

Pone un lienzo en el rostro y sale MENDO.

MENDO.	Labradora que al abril	
	florido en la gala imita,	2120
	de los bellos ojos quita	
	ese nublado sutil;	
	si no es que, con perlas mil,	
	bordas, llorando, la holanda.	

---

[61] *Y padre que fue:* otro típico recurso, éste de encontrar parentesco noble a un personaje igualmente noble de carácter.

	¿Quién eres? La Reina manda	212.

¿Quién eres? La Reina manda 212.
que te guarde, y ya te espero.

BLANCA. Vamos, señor caballero,
el que trae la roja banda.

MENDO.   Bella labradora mía,
¿conócesme acaso?

BLANCA.   Sí; 213.
pero tal estoy, que a mí
apenas me conocía.

MENDO. Desde que te vi aquel día
cruel para mí, señora,
el corazón, que te adora, 2135
ponerse a tus pies procura.

BLANCA. (¡Sólo aquesta desventura,
Blanca, te faltaba ahora!)

MENDO.   Anoche en tu casa entré
con alas de amor por verte; 2140
mudaste mi feliz suerte,
mas no se mudó mi fe;
tu esposo en ella encontré
que cortés, me resistió.

BLANCA. ¿Cómo? ¿Qué dices?

MENDO.   Que no, 2145
Blanca, la ventura halla
amante que va a buscalla,
sino acaso, como yo.

BLANCA.   Ahora sé, caballero,
que vuestros locos antojos 2150
son causa de mis enojos,
que sufrir y callar quiero.

Sale DON GARCÍA.

GARCÍA. Al Conde de Orgaz espero.
Mas, ¿qué miro?

MENDO.   Tu dolor
satisfaré con amor. 2155

BLANCA. Antes quitaréis primero
la autoridad a un lucero,
que no la luz a mi honor.

GARCÍA.   (¡Ah, valerosa mujer!   (*Aparte.*)
¡Oh, tirana Majestad!) 2160

MENDO. Ten, Blanca, menos crueldad.

BLANCA. Tengo esposo.

MENDO.   Y yo poder,

	y mejores han de ser		
	mis brazos que honra te dan,		
	que no sus brazos.		
BLANCA.	Sí harán,		2165
	porque, bien o mal nacido,		
	el más indigno marido		
	excede al mejor galán.		
GARCÍA.	(Mas, ¿cómo puede sufrir	(*Aparte*.)	
	un caballero esta ofensa?		2170
	Que no le conozco piensa		
	el Rey; saldréle a impedir.)		
MENDO.	¿Como te has de resistir?		
BLANCA.	Con firme valor.		
MENDO.	¿Quién vio		
	tanta dureza?		
BLANCA.	Quien dio		2175
	fama a Roma en las edades.		
MENDO.	¡Oh, qué villanas crueldades!		
	¿Quién puede impedirme?		
GARCÍA.	Yo,		
	que esto sólo se permite		
	a mi estado y desconsuelo,		2180
	que contra rayos del Cielo,		
	ningún humano compite,		
	y sé que aunque solicite		
	el remedio que procuro,		
	ni puedo ni me aseguro,		2185
	que aquí, contra mi rigor,		
	ha puesto el muro el amor,		
	y aquí el respeto otro muro.		
BLANCA.	¡Esposo, mío, García!		
MENDO.	(Disimular es cordura,)	(*Aparte*.)	2190
GARCÍA.	¡Oh, malograda hermosura!		
	¡Oh, poderosa porfía!		
BLANCA.	¡Grande fue la dicha mía!		
GARCÍA.	¡Mi desdicha fue mayor!		
BLANCA.	Albricias pido a mi amor.		2195
GARCÍA.	Venganza pido a los Cielos,		
	pues en mis penas y celos		
	no halla remedio el honor;		
	mas este remedio tiene:		
	vamos, Blanca, al Castañar.		2200
MENDO.	En mi poder ha de estar		
	mientras otra cosa ordene,		
	que me han dicho que conviene		

a la quietud de los dos
el guardarla.

GARCÍA.   Guárdeos Dios   2205
por la merced que la hacéis;
mas no es justo vos guardéis
lo que he de guardar de vos;
        que no es razón natural,
ni se ha visto ni se ha usado,   2210
que guarde el lobo al ganado
ni guarde el oso al panal.
Antes, señor, por mi mal
será, si a Blanca no os quito,
siendo de vuestro apetito,   2215
oso ciego, voraz lobo,
o convidar con el robo
o rogar con el delito.

BLANCA.   Dadme licencia, señor.
MENDO.   Estás, Blanca, por mi cuenta,   2220
y no has de irte.

GARCÍA.   Esta afrenta
no os la merece mi amor.

MENDO.   Esto ha de ser.
GARCÍA.   Es rigor
que de injusticia procede.

MENDO.   (Para que en Palacio quede   (Aparte.)   2225
a la Reina he de acudir.)
De aquí no habéis de salir;
ved que lo manda quien puede.

GARCÍA.   Denme los Cielos paciencia,
pues ya me falta el valor,   2230
porque acudiendo a mi honor
me resisto a la obediencia.
¿Quién vio tan dura inclemencia?
Volved a ser homicida;
mas del cuerpo dividida   2235
el alma, siempre inmortales
serán mis penas, que hay males
que no acaban con la vida.

BLANCA.   García, guárdete el Cielo;
fénix, vive eternamente   2240
y muera yo, que inocente
doy la causa a tu desvelo;
que llevaré por consuelo,
pues de tu gusto procede,
mi muerte, tú vive y quede   2245

	viva en tu pecho al partirme.	
	¿Qué, en efeto, no he de irme?	
GARCÍA.	No, que lo manda quien puede.	
BLANCA.	Vuelve, si tu enojo es	
	porque rompiendo tus lazos	2250
	la vida no di a tus brazos;	
	ya te la ofrezco a tus pies.	
	Ya sé quién eres, y pues	
	tu honra está asegurada	
	con mi muerte, en tu alentada	2255
	mano blasone tu acero,	
	que aseguró a un caballero	
	y mató a una desdichada;	
	que quiero me des la muerte	
	como lo ruego a tu mano,	2260
	que si te temí tirano,	
	ya te solicito fuerte;	
	anoche temí perderte,	
	y agora llego a sentir	
	tu pena; no has de vivir	2265
	sin honor, y pues yo muero	
	porque vivas, sólo quiero	
	que me agradezcas morir.[62]	
GARCÍA.	Bien sé que inocente estás	
	y en vano a mi honor previenes,	2270
	sin la culpa que no tienes,	
	la disculpa que me das.	
	Tu muerte sentiré más,	
	yo sin honra y tú sin culpa;	
	que mueras el amor culpa,	2275
	que vivas siente el honor,	
	y en vano me culpa amor	
	cuando el honor me disculpa.	
	Aquí admiro la razón,	
	temo allí la majestad,	2280
	matarte será crueldad,	
	vengarme será traición,	
	que tales mis males son,	
	y mis desdichas son tales,	
	que unas a otras iguales,	2285
	de tal suerte se suceden,	

---

[62] Obsérvese cómo la dama aquí está dispuesta a morir por el honor u opinión pública de su marido, aun cuando no haya hecho nada censurable ella. De ahí que el honor aparezca tantas veces en el teatro del Siglo de Oro como un auténtico tirano, semejante al fatalismo o *moira* de los griegos.

que sólo impedir se pueden
las desdichas con los males.
    Y sin que me falte alguno,
los hallo por varios modos, 2290
con el sentimiento a todos,
con el remedio a ninguno;
en lance tan importuno
consejo te he de pedir,
Blanca: mas si has de morir, 2295
¿qué remedio me has de dar,
si lo que he de remediar
es lo que llego a sentir?

BLANCA.   Si he de morir, mi García,
no me trates desa suerte, 2300
que la dilatada muerte
especie es de tiranía.

GARCÍA. ¡Ay, querida esposa mía,
qué dos contrarios extremos!

BLANCA. Vamos esposo.

GARCÍA.   Esperemos 2305
a quien nos pudo mandar
no volver al Castañar.
Aparta y disimulemos.

Salen el REY, *la* REINA, *el* CONDE *y* DON MENDO, *y los que pudieren.*

REY.   ¿Blanca en Palacio y García?
Tan contento de ello estoy,
que estimaré tengan hoy
de vuestra mano y la mía
lo que merecen.

MENDO.   No es bueno
quien por respetos, señor,
no satisface su honor 2315
para encargarle el ajeno.
    Créame, que se confía
de mí Vuestra Majestad.

REY. (Ésta es poca voluntad.)   (*Aparte.*)
Mas allí Blanca y García 2320
están. Llegad, porque quiero
mi amor conozcáis los dos.

GARCÍA. Caballero, guárdeos Dios.
Dejadnos besar primero
de Su Majestad los pies. 2325

MENDO. Aquél es el Rey, García.

GARCÍA. (¡Honra descichada mía!   (*Aparte.*)

	¿Qué engaño es éste que ves?)	
	A los dos, Su Majestad...	
	besar la mano, señor...	2330
	pues merece este favor...	
	que bien podéis...	
REY.	Apartad,	
	quitad la mano, el color	
	habéis del rostro perdido.	
GARCÍA.	(No le trae el bien nacido (*Aparte*.)	2335
	cuando ha perdido el honor.)	
	Escuchad aquí un secreto;	
	sois sol, y como me postro	
	a vuestros rayos, mi rostro	
	descubrió claro el efeto.	2340
REY.	¿Estáis agraviado?	
GARCÍA.	Y sé	
	mi ofensor, porque me asombre.	
CONDE.	¿Quién es?	
GARCÍA.	Ignoro su nombre.	
REY.	Señaládmele.	
GARCÍA.	Sí haré.	
	(Aquí fuera hablaros quiero	2345
	para un negocio importante,	
	que el Rey no ha de estar delante.	
MENDO.	En la antecámara espero.)	

Vase

GARCÍA.	¡Valor, corazón, valor!	
REY.	¿Adónde, García, vais?	2350
GARCÍA.	A cumplir lo que mandáis,	
	pues no sois vos mi ofensor.	

Vase.

REY.	Triste de su agravio estoy;	
	ver a quién señala quiero.	
GARCÍA. (*Dentro.*)	¡Éste es honor caballero!	2355
REY.	¡Ten, villano!	
MENDO.	¡Muerto soy!	

Sale envainando el puñal ensangrentado.

GARCÍA.	No soy quien piensas, Alfonso;	
	no soy villano, ni injurio	
	sin razón la inmunidad	
	de tus palacios augustos.	2360
	Debajo de aqueste traje	

generosa sangre cubro,
que no sé más de los montes
que el desengaño y el uso.
Don Fernando el Emplazado   2365
fue tu padre, que difunto
no menos que ardiente joven
asombrado dejó el mundo,
y a ti de un año, en sazón
que campaba el moro adusto,   2370
y comenzaba a fundar
en Asia su imperio el turco.
Eran en Castilla entonces
poderosos, como muchos,
los Laras, y de los Cerdas   2375
cierto el derecho, entre algunos,
a tu corona, si bien
Rey te juraron los tuyos,
lealtad que en los castellanos
solamente caber pudo.   2380
Mormuraban en la corte
que el conde Garci Bermudo,
que de la paz y la guerra
era señor absoluto,
por tu poca edad y hacer   2385
reparo a tantos tumultos,
conspiraba a que eligiesen
de tu sangre Rey adulto,
y a don Sancho de la Cerda
quieren decir que propuso,   2390
si con mentira o verdad
ni le defiendo ni arguyo;
mas los del Gobierno, antes
que fuese en el fin Danubio
lo que era apenas arroyo,   2395
o fuese rayo futuro
la que era apenas centella,
la vara, tronco robusto,
preso restaron al Conde
en el Alcázar de Burgos.   2400
Don Sancho, con una hija
de dos años, huyó oculto,
que no fió su inocencia
del juicio de tus tribunos;
con la presteza, quedó   2405
desvanecido el obscuro

nublado que a tu corona
amenazaba confuso;
su esposa, que estaba cerca,
vino a la ciudad, y trujo   2410
consigo un hijo que entraba
en los términos de un lustro;
pidió de noche a los guardas
licencia de verle, y pudo
alcanzarla, si no el llanto,   2415
el poder de mil escudos.
"No vengo —le dijo—, esposo,
cuando te espera un verdugo,
a afligirte, sino a dar
a tus desdichas refugio   2420
y libertad''. Y sacó
unas limas de entre el rubio
cabello con que limar
de sus pies los hierro duros;
y ya libre, le entregó   2425
las riquezas que redujo
su poder, y con su manto
de suerte al Conde compuso,
que entre las guardas salió
desconocido y seguro   2430
con su hijo; y entre tanto
que fatigaba los brutos
andaluces,[63] en su cama
sustituía otro bulto.
Manifestóse el engaño   2435
otro día, y presa estuvo,
hasta que en hombros salió
de la prisión al sepulcro.
En los montes de Toledo
para el Conde entre desnudos   2440
peñascos, y de una cueva
vivía el centro profundo,
hurtado a la diligencia
de los que en distintos rumbos
le buscaron; que trocados   2445
en abarcas los coturnos,[64]
la seda en pieles, un día
que se vio en el cristal puro

---

[63] *brutos andaluces:* caballos. El caballo andaluz sigue siendo muy preciado.
[64] *en abarcas los coturnos:* dos tipos de calzado, el primero más rústico.

de un arroyo, que de un risco
era precipicio inmundo,   245(
hombre mentido con pieles,
la barba y cabello infurto
y pendientes de los hombros
en dos aristas diez juncos;
viendo su retrato en él,   245:
sucedido de hombre en bruto,
se buscaba en el cristal
y no hallaba su trasunto,
de cuyas campañas, antes
que a las flores los coluros[65]   246(
del sol en el lienzo vario
diesen el postrer dibujo,
llevaba por alimento
fruta tosca en ramo inculto,
agua clara en fresca piel,   2465
dulce leche en vasos rudos,
y a la escasa luz que entraba
por la boca de aquel mustio
bostezo que dio la tierra
después del común diluvio,   2470
al hijo las buenas letras
le enseñó, y era sin uso
ojos despiertos sin luz
y una fiera con estudio.
Pasó joven de los libros   2475
al valle, y al colmilludo
jabalí opuesto a su cueva,
volvía en su humor purpúreo.
Tenía el anciano padre
el rostro lleno de sulcos[66]   2480
cuando le llamó la muerte,
débil, pero no caduco;
y al joven le dijo: "Orgaz
yace cerca, importa mucho
vayas y digas al Conde   2485
que a aqueste albergue noturno
con un religioso venga,
que un deudo y amigo suyo
le llama para morir".
Habló al Conde, y él dispuso   2490
su viaje sin pedir

---

[65] *coluros:* se refiere aquí a las estaciones del tiempo.
[66] *sulcos* por surcos.

cartas de creencia al nuncio.
Llegan a la cueva, y hallan
débiles los flacos pulsos
del Conde, que al huésped dijo,   2495
viendo le observaba mucho:
"Ves aquí, Conde de Orgaz,
un rayo disuelto en humo,
una estatua vuelta en polvos,
un abatido Nabuco;[67]   2500
éste es mi hijo". Y entonces
sobre mi cabeza puso
su débil mano. "Yo soy
el conde Garci Bermudo;
en ti y estas joyas tenga   2505
contra los hados recurso
este hijo, de quien padre
piadoso te sostituyo".
Y en brazos de un religioso,
pálido y los ojos turbios,   2510
del cuerpo y alma la muerte
desató el estrecho nudo.
Llevámosle al Castañar
de noche, porque sus lutos
nos prestase, y de los cielos   2515
fuesen hachas los carbunclos,
adonde con mis riquezas
tierras compro y casas fundo;
y con Blanca me casé,
como a Amor y al Conde plugo.   2520
Vivía sin envidiar,
entre el arado y el yugo,
las Cortes, y de tus iras
encubierto me aseguro;
hasta que anoche en mi casa   2525
vi aqueste huésped perjuro,
que en Blanca, atrevidamente,
los ojos lascivos puso;
y pensando que eras tú,
por cierto engaño que dudo,   2530
le respeté, corrigiendo
con la lealtad lo iracundo;
hago alarde de mi sangre;
venzo al temor, con quien lucho;

---

[67] *Nabuco:* Nabucodonosor; véase n. 18 de *El gran teatro del mundo.*

pídeme el honor venganza,   2535
el puñal luciente empuño,
su corazón atravieso;
mírale muerto, que juzgo
me tuvieras por infame
si a quien deste agravio acuso   2540
le señalara a tus ojos
menos, señor, que difunto.
Aunque sea hijo del sol,
aunque de tus Grandes uno,
aunque el primero en tu gracia,   2545
aunque en tu imperio el segundo,
que esto soy, y éste es mi agravio,
éste el confesor injusto,
éste el brazo que le ha muerto,
éste divida un verdugo;   2550
pero en tanto que mi cuello
esté en mis hombros robusto,
no he de permitir me agravie,
del Rey abajo, ninguno.

REINA.   ¿Qué decís?

REY.   ¡Confuso estoy!   2555

BLANCA. ¿Qué importa la vida pierda?
De don Sancho de la Cerda
la hija infelice soy;
  si mi esposo ha de morir,
mueran juntas dos mitades.   2560

REY.   ¿Qué es esto, Conde?

CONDE.   Verdades
que es forzoso descubrir.

REINA.   Obligada a su perdón
estoy.

REY.   Mis brazos tomad;
los vuestros, Blanca, me dad;   2565
y de vos, Conde, la acción
  presente he de confiar.

GARCÍA. Pues toque el parche sonoro,
que rayo soy contra el moro
que fulminó el Castañar.   2570
  Y verán en sus campañas
correr mares de carmín,
dando con aquesto fin,
y principio a mis hazañas.

FIN

776

APÉNDICE

LOPE DE VEGA

"ARTE NUEVO DE HACER COMEDIAS" (1609)

Como ya ha apuntado la crítica, esta dramaturgia de Lope representa un espaldarazo a Giambattista Guarini, cuyo *Il pastor fido*, al atreverse a mezclar elementos trágicos y cómicos, levantó una acerada polémica entre clásicos y "modernos", o partidarios de este arte "nuevo" que menciona Lope en su propio título. Aunque la fecha original de esa obra de Guarini es de entre 1580 y 1585, al reeditarla en 1602, lo hizo acompañada del *Compendio della poesía tragicomica* que había salido un año antes. El "Arte nuevo" de Lope, pues, responde al deseo de legitimar la tragicomedia que Guarini y sus discípulos y partidarios venían apoyando.

¿Cuál es la actitud de Lope aquí? No es fácil averiguarla siempre, pues entre ironía y burla, el Fénix a ratos parece temer la reacción de los académicos ante su dramaturgia. En efecto, existen momentos en los que Lope parece estar demasiado consciente de un posible contraataque, alcanzando el extremo de llegar a denostar al vulgo que tanto le apoya, si es que la interpretación de uno de sus versos por parte de ciertos críticos resulta válida (véase nota 5 al "Arte nuevo"). Asimismo, el abundantísimo uso de referencias y alusiones a fuentes y autoridades clásicas, así como contemporáneas, no siempre fáciles de precisar hoy, podrían indicar su anhelo de impresionar por el manejo de unos conocimientos en los que Lope, dicho sea de paso, no fue siempre demasiado ducho, llegando en ocasiones a confundir autores y mitos en varias obras suyas, pues indudablemente carecía del trasfondo cultural de un Cervantes o de un Calderón.

Ya que reproducimos a continuación el "Arte nuevo", poco sentido tiene aquí revelar su contenido. Sí convendría, no obstante, destacar aquellas premisas que fraguan definitivamente en los presupuestos, no sólo de su comedia, sino del teatro español del Siglo de Oro en general. Entre ellas, desde luego, estaría, por de pronto, la mezcla de lo cómico y lo trágico, y si se buscara algún principio para justificar esto, y la dramaturgia lopesca en general, seguramente que lo hallaríamos en su deseo de acoplar el teatro al público de su época y nación. Asimismo, habría que subrayar la insistencia en un drama de suspensión, más que de catarsis (como en la tragedia griega), lo cual lleva a Lope a crear una creciente tensión e intriga que mantiene al espectador en vilo a lo largo de la obra, y hasta su mismo final, que es cuando debe cesar esta acumulación de tensión con un clímax bien desarrollado. Los diferentes actos, o jornadas, acoplan su estructura a semejante fin, complicando gradualmente la acción, anudándola convenientemente, para, al fin, y muy de acuerdo a la imposición del orden sobre el desorden barrocos, desatar el nudo al final (si bien en algunas obras —*El caballero de Olmedo* sin ir más lejos— es difícil hablar de una restauración del orden barroco o contrarreformista).

Si el gusto del vulgo de su época lleva a Lope a formular semejantes principios dramáticos generales que no excluyen la violación de las unidades (aun cuando parece respetar algo más la de acción, en teoría al menos), también serán esas características sociológicas de su público las que determinarán temas y estilos. Así, aconseja por su inherente dramatismo y atractivo para el público español el tema de la honra, y así, pide que los versos se acoplen tanto a las situaciones como a los personajes. Tampoco olvidará aquel criterio de época igualmente caro a Cervantes, o sea, el de la verosimilitud, entendida siempre, por supuesto, desde la perspectiva barroca y no realista posterior.

En fin, con este manual de Lope tenemos entre manos el motor teórico de todo el teatro del Siglo de Oro, y hasta del teatro europeo moderno en muchos sentidos. El mismo hecho de que el propio Lope llegue a admitir que no siempre cumplió con sus principios, vuelve a destacar la nota de libertad y espontaneidad que prevalece en su creación dramática sobre cualquier otra.

"ARTE NUEVO DE HACER COMEDIAS EN ESTE TIEMPO, DIRIGIDO A LA ACADEMIA DE MADRID"

Mándanme, ingenios nobles, flor de España,
que en esta junta y acamedia insigne
en breve tiempo excederéis no sólo
a las de Italia, que envidiando a Grecia,
ilustró Cicerón[1] del mismo nombre,   5
junto al Averno[2] lago, si no a Atenas,
adonde en su platónico liceo
se vio tan alta junta de filósofos,
que un arte de comedias os escriba,
que al estilo del vulgo se reciba.   10
   Fácil parece este sujeto, y fácil
fuera para cualquiera de vosotros,
que ha escrito menos de ellas, y más sabe
del arte de escribirlas y de todo;
que lo que a mí me daña en esta parte   15
es haberlas escrito sin el arte.
   No porque yo ignorase los preceptos,
gracias a Dios, que ya tirón gramático
pasé los libros que trataban desto,
antes que hubiese visto al sol diez veces   20
discurrir desde el Aries a los Peces;[3]

---

[1] *Cicerón:* (106-43 a. C.) gran orador romano.

[2] *Averno:* lago de la Campania en Italia.

[3] *Aries ... Peces:* primer signo del Zodíaco en el cual entra el sol en el instante del equinoccio primaveral, y doceavo y último signo del Zodíaco, cuando entra en el invernal, respectivamente.

Mas porque, en fin, hallé que las comedias
estaban en España en aquel tiempo,
no como sus primeros inventores
pensaron que en el mundo se escribieran,   25
mas como las trataron muchos bárbaros,
que enseñaron el vulgo a sus rudezas;
y así se introdujeron de tal modo,
que quien con arte ahora las escribe,
muere sin fama y galardón; que puede   30
entre los que carecen de su lumbre,
más que razón y fuerza, la costumbre.
     Verdad es que yo he escrito algunas veces
siguiendo el arte que conocen pocos;
mas luego que salir por otra parte   35
veo los monstruos de apariencias llenos,
adonde acude el vulgo y las mujeres,
que este triste ejercicio canonizan,
a aquel hábito bárbaro me vuelvo;
y cuando he de escribir una comedia,   40
encierro los preceptos con seis llaves;
saco a Terencio y Plauto[4] de mi estudio,
para que no me den voces; que suele
dar gritos la verdad en libros mudos;
y escribo por el arte que inventaron   45
los que el vulgar aplauso pretendieron;
porque, como las paga el vulgo, es justo
hablarle en necio[5] para darle gusto.
     Ya tiene la comedia verdadera
su fin propuesto, como todo género   50
de poema o poesía, y éste ha sido
imitar las acciones[6] de los hombres
y pintar de aquel siglo las costumbres.
También cualquiera imitación poética
se hace de tres cosas, que son: plática,   55
verso dulce, armonía, o sea la música,
que en esto fue común con la tragedia;
sólo diferenciándola en que trata

---

[4] *Terencio y Plauto:* (190-159 a. C. y 254-184 a. C., respectivamente) son los máximos representantes de la comedia latina.

[5] *hablarle en necio:* palabras que ciertos críticos han interpretado como de desprecio por parte de Lope hacia su público, mientras que otros ven en ellas al Fénix excusándose ante los academicistas y la tradición clásica a costa de su público, al cual vitupera aquí para quedar bien con aquéllos, pero al cual no desprecia en el fondo y de veras.

[6] *imitar las acciones ...:* conocido precepto sacado de la *Poética* de Aristóteles (384-322 a. C.), si bien el gran filósofo griego lo aplica a la tragedia más bien.

las acciones humildes y plebeyas,
y la tragedia las rëales y altas.   60
Mirad si hay en las nuestras pocas faltas.
     Acto fueron llamadas, porque imitan
las vulgares acciones y negocios.
Lope de Rueda fue en España ejemplo
destos preceptos, y hoy se ven impresas   65
sus comedias de prosa tan vulgares,
que introduce mecánicos oficios
y el amor de una hija de un herrero;
de donde se ha quedado la costumbre
de llamar entremeses las comedias   70
antiguas, donde está en su fuerza el arte,
siendo una acción y entre plebeya gente,
porque entremés de rey jamás se ha visto.
Y aquí se ve que el arte por bajeza
de estilo vino a estar en tal desprecio,   75
y el rey en la comedia para el necio.
     Aristóteles pinta en su *Poética*
(puesto que escuramente su principio)
la contienda de Atenas y Megara
sobre cuál dellos fue inventor primero;   80
los megarenses dicen que Epicarmo,
aunque Atenas quisiera que Magnetes.[7]
Elio Donato[8] dice que tuvieron
principio en los antiguos sacrificios.
Da por autor de la tragedia a Tespis,[9]   85
siguiendo a Horacio,[10] que lo mismo afirma,
como de las comedias a Aristófanes.[11]
Homero[12] a imitación de la comedia
la *Odisea* compuso, más la *Ilíada*
de la tragedia fue famoso ejemplo,   90
a cuya imitación llamé epopeya

---

[7] *Magnetes:* Magnes (S. V a. C.); *Epicarmo* (525-450 a. C.): dos comediógrafos que se disputan la primacía en cuanto a la creación de la comedia.

[8] *Elio Donato* (S. IV d. C.): gramático latino, dedicó un comentario a Terencio y también escribió sobre Virgilio.

[9] *Tespis* (S. VI a. C.): se le atribuye la creación de la tragedia, así como la creación del diálogo al introducir el "replicante" al coro.

[10] *Horacio* (65-8 a. C.): poeta latino, entre cuyas *Epístolas* se encuentra el *Ars poetica*, considerado por muchos tratadistas como una especie de biblia para reglas y asuntos literarios durante el XVI y XVII.

[11] *Aristófanes* (446-386 a. C.): comediógrafo griego que cultivó una sátira tan hiriente como licensiosa a veces.

[12] *Homero* (S. VIII a. C.): de identidad indefinida (puede tratarse de más de una persona), su *Ilíada y Odisea* han quedado como los dos grandes poemas épicos de la antigüedad.

a mi *Jerusalén*[13], y añadí trágica;
y así a su infierno, purgatorio y cielo,
del célebre poeta Dante Alígero[14]
llaman comedia todos comúnmente,   95
y el Maneti[15] en su prólogo lo siente.

    Ya todos saben qué silencio tuvo
por sospechosa un tiempo la comedia,
y que de allí nació también la sátira,
que siendo más cruel, cesó más presto,   100
y dio licencia a la comedia nueva.
Los coros fueron los primeros luego;
de las figuras se introdujo el número;
pero Menandro,[16] a quien siguió Terencio,[17]
por enfadosos despreció los coros;   105
Terencio fue más visto en los preceptos,
pues que jamás alzó el estilo cómico
a la grandeza trágica, que tantos
reprehendieron por vicioso en Plauto,[18]
porque en esto Terencio fue más cauto.   110

    Por argumento la tragedia tiene
la historia, y la comedia el fingimiento;
por eso fue llamada planipedia,
del argumento humilde, pues la hacía
sin coturno y teatro el recitante.   115
Hubo comedias palïatas, mimos,
togatas, atilanas, tabernarias,
que también eran, como agora, varias.

    Con ática elegancia los de Atenas
reprehendían vicios y costumbres   120
con las comedias, y a los dos autores
del verso y de la acción daban sus premios.
Por eso Tulio[19] los llamaba espejo
de las costumbres y una viva imagen
de la verdad, altísimo atributo,   125
en que corre parejas con la historia.
Mirad si es digna de corona y gloria.

    Pero ya me parece estáis diciendo

---

[13] *Jerusalén:* alude Lope aquí a su épica renacentista *Jerusalén conquistada*, modelada sobre la *Gerusalemme liberata* de Torquato Tasso (1544-1595).

[14] *Dante Alígero:* Dante Alighieri (1265-1321), autor de *La divina comedia.*

[15] *Maneti* (1396-1459): orador y humanista florentino.

[16] *Menandro* (342-292 a. C.): comediógrafo griego. Se volverá a mencionar después.

[17] *Terencio:* véase n.4 . Se volverá a mencionar adelante.

[18] *Plauto:* véase n. 4. Se volverá a mencionar adelante.

[19] *Tulio:* Marcus Tullius Cicerón (vuelva a verse n. 1).

que es traducir los libros y cansaros
pintaros esta máquina confusa.   130
Creed que ha sido fuerza que os trujese
a la memoria algunas cosas déstas,
porque veáis que me pedís que escriba
arte de hacer comedias en España,
donde cuanto se escribe es contra el arte;   135
y que decir cómo serán ahora
contra el antiguo, y que en razón se funda,
es pedir parecer a mi experiencia,
no el arte, porque el arte verdad dice,
que el ignorante vulgo contradice.   140
     Si pedís arte, yo os suplico, ingenios,
que leáis al doctísimo Utinense
Robortelo,[20] y veréis sobre Aristóteles,
y aparte en lo que escribe de comedia,
cuanto por muchos libros hay difuso;   145
que todo lo de agora está confuso.
     Si pedís parecer de los que ahora
están en posesión, y que es forzoso
que el vulgo con sus leyes establezca
la vil quimera deste monstruo cómico,   150
diré el que tengo, y perdonad, pues debo
obedecer a quien mandarme puede,
que dorando el error del vulgo quiero
deciros de qué modo las querría,
ya que seguir el arte no hay remedio,   155
en estos dos extremos dando un medio.
     Elíjase el sujeto, y no se mire
(perdonen los preceptos) si es de reyes,
aunque por esto entiendo que el prudente
Filipo,[21] rey de España y señor nuestro,   160
en viendo un rey en ellas se enfadaba,
o fuese el ver que el arte contradice,
o que la autoridad rëal no debe
andar fingida entre la humilde plebe.
     Esto es volver a la comedia antigua,   165
donde vemos que Plauto puso dioses,
con en su Anfitrïón lo muestra Júpiter.[22]

---

[20] *Robortello* (1516-1567): filósofo nacido en Udine, entre cuyas obras se encuentran unos comentarios a la *Poética* de Aristóteles, obra considerada por la antigüedad como de máxima
autoridad para las reglas del teatro.
[21] *Filipo:* Felipe II, conocido como "el Prudente" y padre del rey Felipe III, quien reina en
el momento de escribir esto Lope.
[22] *Anfitrión ... Júpiter:* alusión a leyenda mitológica en la cual Zeus (Jupiter para los romanos) asume el aspecto de Anfitrión, para así engañar a Alcmena. Este asunto ha pasado a
numerosas comedias, siendo acaso la más célebre la titulada *Anfitrión*, de Plauto.

Sabe Dios que me pesa de aprobarlo,
porque Plutarco,[23] hablando de Menandro,
no siente bien de la comedia antigua.   170
Mas pues del arte vamos tan remotos,
y en España le hacemos mil agravios,
cierren los doctos esta vez los labios.

   Lo trágico y lo cómico mezclado,
y Terencio con Séneca,[24] aunque sea   175
como otro minotauro de Pasífae,[25]
harán grave una parte, otra ridícula;
que aquesta variedad deleita mucho.
Buen ejemplo nos da naturaleza,
que por tal variedad tiene belleza.   180

   Adviértase que sólo este sujeto
tenga una acción, mirando que la fábula
de ninguna manera sea episódica,
quiero decir, inserta de otras cosas
que del primer intento se desvíen;   185
ni que della se pueda quitar miembro,
que del contexto no derribe el todo.
No hay que advertir que pase en el período
de un sol, aunque es consejo de Aristóteles,
porque ya le perdimos el respeto   190
cuando mezclamos la sentencia trágica
a la humildad de la bajeza cómica.
Pase en el menos tiempo que ser pueda,
si no es cuando el poeta escriba historia,
en que hayan de pasar algunos años,   195
que esto podrá poner en las distancias
de los dos actos, o si fuere fuerza
hacer algún camino una figura,
cosa que tanto ofende a quien lo entiende;
pero no vaya a verlas quien se ofende.   200

   ¡Oh, cuántos deste tiempo se hacen cruces
de ver que han de pasar años en cosa
que un día artificial tuvo de término!
Que aun no quisieron darle el matemático;
porque considerando que la cólera   205
de un español sentado no se templa
si no le representan en dos horas
hasta el final jüicio desde el Génesis;

---

[23] *Plutarco* (50-125 d. C.): escritor griego, más conocido por sus *Vidas paralelas.*
[24] *Séneca* (4 a. C.-65 d. C.): hispanorromano, conocido, entre otras obras, por sus tragedias.
[25] *minotauro de Pasífae:* reina de Creta, Pasífae se enamoró de un toro blanco, procreando
   así al Minotauro.

yo hallo que si allí se ha de dar gusto,
con lo que se consigue es lo más justo.   210
   El sujeto elegido escriba en prosa,
y en tres actos de tiempo le reparta,
procurando, si puede, en cada uno
no interrumpir el término del día.
El capitán Virués,[26] insigne ingenio,   215
puso en tres actos la comedia, que antes
andaba en cuatro, como pies de niño,
que eran entonces niñas las comedias;
y yo las escribí, de once y doce años,
de a cuatro actos y de a cuatro pliegos,   220
porque cada acto un pliego contenía;
y era que entonces en las tres distancias
se hacían tres pequeños entremeses,
y ahora apenas uno, y luego un baile,
aunque el baile lo es tanto en la comedia,   225
que le aprueba Aristóteles, y tratan
Ateneo, Platón y Jenofonte,[27]
puesto que reprehende el deshonesto;
y por esto se enfada de Calípides,[28]
con que parece imita al coro antiguo.   230
Dividido en dos partes el asunto,
ponga la conexión desde el principio,
hasta que vaya declinando el paso;
pero la solución no la permita,
hasta que llegue la postrera escena;   235
porque en sabiendo el vulgo el fin que tiene,
vuelve el rostro a la puerta, y las espaldas
al que esperó tres horas cara a cara;
que no hay más que saber que en lo que
para.
   Quede muy pocas veces el teatro   240
sin persona que hable, por que el vulgo
en aquellas distancias se inquïeta
y gran rato la fábula se alarga;

---

[26] *Virués,* Cristobal de (1550-1609): autor de varias piezas de un patetismo exagerado. Combatió en Lepanto.

[27] *Ateneo, Platón y Jenofonte:* respectivamente, gramático y retórico griego (S. III a. C.); filósofo griego (¿428-348 a. C.), terminaría por conceder más importancia a su obra filosófica que a su obra creativa, ya que para él el arte es imitación de la realidad, y por tanto, mero reflejo engañoso, el cual, en todo caso, debe subyugarse a un valor ético; y escritor y filósofo griego (430-355 a.C.).

[28] *Calípides:* Kallippides: actor griego de tragedias, a quien el propio Aristóteles menciona en su *Poética.*

que, fuera de ser esto un grande vicio,
aumenta mayor gracia y artificio. 24●

Comience, pues, y con lenguaje casto
no gaste pensamiento ni conceptos
en las cosas domésticas, que sólo
ha de imitar de dos o tres la plática.
Mas cuando la persona que introduce 25●
persüade, aconseja o disüade,
allí ha de haber sentencias y conceptos,
porque se imita la verdad sin duda,
pues habla un hombre en diferente estilo
del que tiene vulgar, cuando aconseja, 25●
persüade o aparta alguna cosa.
Dionos ejemplo Arístides[29] retórico,
porque quiere que el cómico lenguaje
sea puro, claro, fácil, y aún añade
que se tome del uso de la gente, 26●
haciendo diferencia al que es político;
porque serán entonces las dicciones
espléndidas, sonoras y adornadas.
No traya la escritura, ni el lenguaje
ofenda con vocablos exquisitos, 26.
porque si ha de imitar a los que hablan,
no ha de ser por pancayas, por metauros,
hipocrifos, semones y centauros.

Si hablare el rey, imite cuanto pueda
la gravedad rëal; si el viejo hablare, 27●
procure una modestia sentenciosa;
describa los amantes con afectos
que muevan con extremo a quien escucha;
los soliloquios pinte de manera
que se transforme todo el recitante, 275
y con mudarse a sí mude al oyente.
Pregúntese y respóndase a sí mismo;
y si formare quejas, siempre guarde
el debido decoro a las mujeres.
Las damas no desdigan de su nombre; 280
y si mudaren traje, sea de modo
que pueda perdonarse, porque suele
el disfraz varonil agradar mucho.
Guárdense de imposibles, porque es máxima
que sólo ha de imitar lo verisímil. 285

---

[29] Es difícil determinar si se refiere a Arístides de Mileto, escritor griego del S. II a. C., a quien se le han atribuido los *Cuentos milesíacos*, o, como opina Juana de José Prades (véase bibliografía), al sofista Helio Arístides (117 o 129 a 189 d. C.).

El lacayo no trate cosas altas,
ni diga los conceptos que hemos visto
en algunas comedias extranjeras.
Y de ninguna suerte la figura
se contradiga en lo que tiene dicho;   290
quiero decir, se olvide, como en Sófocles[30]
se reprehende no acordarse Edipo
del haber muerto por su mano a Layo.
Remátense las scenas con sentencia,
con donaire, con versos elegantes,   295
de suerte que al entrarse el que recita,
no deje con disgusto al auditorio.
En el acto primero ponga el caso,
en el segundo enlace los sucesos,
de suerte que hasta medio del tercero   300
apenas juzgue nadie en lo que para.
Engáñe siempre el gusto, donde vea
que se deja entender alguna cosa
de muy lejos de aquello que promete.
Acomode los versos con prudencia   305
a los sujetos de que va tratando.
Las décimas son buenas para quejas;
el soneto está bien en los que aguardan;
las relaciones piden los romances,
aunque en octavas lucen por extremo.   310
Son los tercetos para cosas graves,
y para las de amor las redondillas.
Las figuras retóricas importan,
como repetición o anadiplosis;
y en el principio de los mismos versos   315
aquellas relaciones de la anáfora,
las ironías y adubitaciones,
apóstrofes también y exclamaciones.
    El engañar con la verdad es cosa
que ha parecido bien, como lo usaba   320
en todas sus comedias Miguel Sánchez,[31]
digno por la invención desta memoria.
Siempre el hablar equívoco ha tenido
y aquella incertidumbre anfibológica
gran lugar en el vulgo, porque piensa   325

---

[30] *Sófocles* (495-406 a. C.): autor de *Edipo rey*, personaje que mata a su padre y mantiene relaciones amorosas con su madre de forma subconsciente. El caso es más complicado de como lo describe aquí Lope.

[31] *Miguel Sánchez* (S. XVI-XVII?): dramaturgo conocido como "el Divino", muy alabado tanto por Lope como por Cervantes.

que él sólo entiende lo que el otro dice.
Los casos de la honra son mejores,
porque mueven con fuerza a toda gente,
con ellos las acciones virtuosas,
que la virtud es dondequiera amada;   330
pues que vemos, si acaso un recitante
hace un traidor, es tan odioso a todos,
que lo que va a comprar no se le vende,
y huye el vulgo de él cuando le encuentra;
y si es leal le prestan y convidan,   335
y hasta los principales le honran y aman,
le buscan, le regalan y le aclaman.

Tenga cada acto cuatro pliegos solos,
que doce están medidos con el tiempo
y la paciencia del que está escuchando;   340
en la parte satírica no sea
claro ni descubierto, pues que sabe
que por ley se vedaron las comedias
por esta causa en Grecia y en Italia;
pique sin odio, que si acaso infama,   345
ni espere aplauso ni pretenda fama.

Éstos podéis tener por aforismos
los que del arte no tratáis antiguo
que no da más lugar agora el tiempo,
pues lo que les compete a los tres géneros   350
del aparato que Vitruvio dice,
toca el autor, como Valerio Máximo,
Pedro Crinito, Horacio[32] en sus epístolas,
y otros los pintan con sus tiempos y árboles,
cabañas, casas y fingidos mármoles.   355

Los trajes nos dijera Julio Pólux,[33]
si fuera necesario, que en España
es de las cosas bárbaras que tiene
la comedia presente recibidas,
sacar un turco un cuello de cristiano,   360
y calzas atacadas un romano.

Mas ninguno de todos llamar puedo
más bárbaro que yo, pues contra el arte
me atrevo a dar preceptos, y me dejo

---

[32] *Vitruvio ... Valerio Máximo, Pedro Crinito, Horacio:* respectivamente, alusión al uso de construcciones escenográficas descritas por el célebre arquitecto romano, Vitrubio (S. I a. C.); escritor latino que recopiló en nueve tomos dichos y hecho retóricos y filosóficos; Pedro Riccio (Crinitus o Crinitio es la forma latinizada de su apellido), escritor florentino del S. XV, catedrático de elocuencia; véase n. 10.

[33] *Julio Pólux* (138-188 d. C.): gramático y retórico alejandrino. Escribió un diccionario de oratoria en diez tomos.

llevar de la vulgar corriente, adonde   365
me llamen ignorante Italia y Francia.
Pero ¿qué puedo hacer, si tengo escritas,
con una que he acabado esta semana,
cuatrocientas y ochenta y tres comedias?
Porque, fuera de seis, las demás todas   370
pecaron contra el arte gravemente.
Sustento, en fin, lo que escribí, y conozco
que aunque fueran mejor, de otra manera
no tuvieron el gusto que han tenido,
porque a veces lo que es contra lo justo   . 375
por la misma razón deleita el gusto.

Humanae cur sit speculum comoedia vitae,
  quaeve ferat juveni commoda, quaeve seni;
quid praeter lepidosque sales, excultaque verba,
  et genus eloquii purius inde petas;   380
quae gravia in mediis occurrant lusibus, et quae
  jucundis passim seria mixta jocis;
quam sint fallaces servi, et quam improba semper
  fraudeque et omnigenis faemina plena dolis;
quan miser infelix stultus, et ineptus amator,   385
  quam vix succedant, quae bene coepta putes.[34]

Oye atento, y del arte no disputes;
que en la comedia se hallará de modo,
que oyéndola se pueda saber todo.   390

FIN

---

[34]   "Que por qué es espejo de la vida humana la comedia,
y qué beneficios brinda así al joven como al anciano,
y qué más, amén de la gracia de sus sales, y cultas
                                                        [palabras,
así como pura elocuencia puede portar, preguntas,
mezcladas con sus ligerezas, qué asuntos serios guarda,
y entre bromas, qué cosas trascendentes encierra,
cuán falsos los sirvientes, cuán vil la mujer y
cuán llena siempre de engaño y falacias inconmesurables,
qué miserable, infeliz, tonto y necio al amante,
y cómo termina de forma tan diferente lo que bien
                                                        [comenzó."

CATALOGO

(Textos clásicos que figuran también en otras colecciones
de acuerdo a sus respectivos géneros)

Clásico orígenes

Lope de Vega, LA VILLANA DE GETAFE (ed. crítica de José M.ª Díez Borque).

Ramón Pérez de Ayala, EL OMBLIGO DEL MUNDO (ed. crítica de Angeles Prado).

Silverio Lanza, OBRAS COMPLETAS (ed. crítica de J.M. Domínguez Rodríguez, 3 tomos).

Varios, EL CUENTO HISPANOAMERICANO (ed. crítica de Fernando Burgos, 2 tomos).

Leopoldo Alas ("Clarín"), "VARIO"... Y VARIA: CLARÍN A TRAVÉS DE CINCO CUENTOS SUYOS (ed. crítica de Carolyn Richmond).

Varios, ANTOLOGÍA DEL TEATRO DEL SIGLO DE ORO (ed. anotada de Eugenio Suárez-Galbán Guerra).

Esteban Echeverría, EL MATADERO (ed. crítica de Fernando Burgos).

* * *

Tratados de Crítica Literaria

Serafín Vega González, LITERATURA Y DISIDENCIA EN LA OBRA DE SILVERIO LANZA (Premio "Silverio Lanza", 1983).

Iris M. Zavala, POÉTICA DE LA CARNAVALIZACIÓN EN VALLE INCLÁN.

Elda María Philips, IDEA, SIGNO Y MITO: EL TEATRO DE JOSÉ RUIBAL.

Gladys Vila Barnés, EL UNIVERSO NARRATIVO DE AUGUSTO ROA BASTOS.

Juan Carlos Tealdi, BORGES Y VIÑAS.

Juan Cano Ballesta, LITERATURA Y TECNOLOGÍA (LAS LETRAS ESPAÑOLAS ANTE LA REVOLUCIÓN INDUSTRIAL, 1900-1933).

Jaime Valdivieso, BAJO EL SIGNO DE ORFEO: LEZAMA LIMA Y PROUST.

Julio Vélez, LA POESÍA ESPAÑOLA SEGÚN EL SUPLEMENTO LITERARIO DE "EL PAÍS" (1978-1983).

Juan José Saavedra, SILVERIO LANZA, AUTOR IRÓNICO (Premio "Silverio Lanza", 1984).

Fermín Rodríguez, MUJER Y SOCIEDAD: LA NOVELÍSTICA DE CONCHA ALOS.

Bernd Dietz, MILLER, KEROUAC, BURROUGHS: TRES CALAS EN LA NOVELA NORTEAMERICANA DEL SIGLO XX.

David H. Darst, IMITATIO (POLÉMICAS SOBRE LA IMITACIÓN EN EL SIGLO DE ORO).

Juan Manuel Marcos, DE GARCÍA MÁRQUEZ AL POST-BOOM. 2.ª edición.

Fernando Burgos, LA NOVELA MODERNA HISPANOAMERICANA. 2.ª edición.

Varios, PROSA HISPÁNICA DE VANGUARDIA (ed. de Fernando Burgos).

Rafael Osuna, PABLO NERUDA Y NANCY CUNARD.

Mario Cánepa, LENGUAJE EN CONFLICTO: LA POESÍA DE CARLOS GERMÁN BELLI.

Varios, GENIO Y VIRTUOSISMO DE VALLE INCLÁN (ed. de John P. Gabriele).

Bruno Damiani, MORALIDAD Y DIDACTISMO EN EL SIGLO DE ORO (1492-1615).

Luis González Cruz, EL UNIVERSO CREADOR DE EUGENIO D'ORS.

Varios, VIOLENCIA Y LITERATURA EN COLOMBIA (ed. de Jonathan Tittler).

Armando Romero, GENTE DE PLUMA (ENSAYOS CRÍTICOS SOBRE LITERATURA LATINOAMERICANA).

Jorgelina Corbatta, MITO PERSONAL Y MITOS COLECTIVOS EN LAS NOVELAS DE MANUEL PUIG.

Varios, STUDIES IN MODERN AND CLASSICAL LANGUAGES AND LITERATURES, I (ed. de Fidel López Criado).

Juan Cano Ballesta, LITERATURA Y TECNOLOGÍA (LAS LETRAS ESPAÑOLAS ANTE LA REVOLUCIÓN INDUSTRIAL, 1900-1933).

Varios, LA INSULA SIN NOMBRE (HOMENAJE A NILITA VIENTOS, JOSÉ LUIS CANO Y ENRIQUE CANITO).

Varios, STUDIES IN MODERN AND CLASSICAL LANGUAGES AND LITERATURES, II (ed. de Ruth Mésavage).

Varios, STUDIES IN MODERN AND CLASSICAL LANGUAGES AND LITERATURE, III(ed. de Richard A. Lima).

Ineke Phaf, NOVELANDO LA HABANA.

Ana Rueda, RELATOS DESDE EL VACÍO (ESTUDIO SOBRE EL CUENTO ESPAÑOL E HISPANOAMERICANO ACTUAL).

Ricardo Gutiérrez Mouat, EL ESPACIO DE LA CRÍTICA: ESTUDIOS DE LITERATURA CHILENA MODERNA.

Varios, DIVERGENCIAS Y UNIDAD: PERSPECTIVAS SOBRE LA GENERACIÓN DEL 98 Y ANTONIO MACHADO (ed. de John Gabriele).

* * *

Tratados de Testimonio

José Lezama Lima, CARTAS (1939-1976) (AGOTADO).

A.C. Márquez Tornero, TESTIMONIO DE MI TIEMPO (MEMORIAS DE UN ESPAÑOL REPUBLICANO).

Richard Wright, ESPAÑA PAGANA.

Jorge Luis Borges, CARTAS DE JUVENTUD (1921-1922) (edición y estudio crítico de Carlos Meneses).

Julio Cortázar, CARTAS A UNA PELIRROJA (ed. de Evelyn Picón).

Teixiera de Pascoes y Miguel de Unamuno, EPISTOLARIO IBÉRICO (ed. de Joaquim de Carvalho, con prefacios del mismo y de Manuel García Blanco).

* * *

Paradiso de novela

David Viñas, LOS DUEÑOS DE LA TIERRA.

Alicia Guerra, VIAJERA HACIA LA MUERTE.

Alberto Omar, EL UNICORNIO DORADO (Premio Nacio-
al de Novela "Benito Pérez Armas", 1988).

Manuel Terrín Benavidez, GRANDEZA Y FIN DE LA MO-
IEDA ALTA.

Julio Vélez, EL BOSQUE SUMERGIDO (Premio Alcorcón
e Novela Corta, 1983).

Ángel García Fernández, ALARIDOS.

Alberto Omar, EL TIEMPO LENTO DE CECILIA E HIPÓ-
ITO (Premio "Novela Corta Ciudad de La Laguna", 1984).

Antonio Ferres, LA VORAGINE AUTOMÁTICA.

Manuel Lueiro Rey, UN RÍO QUE CAMINA.

Luis León Barreto, LOS DÍAS DEL PARAÍSO.

Rubén Cava, LA PUERTA DE MARFIL.

José Valenzuela, SOBRE VIEJOS VERANOS.

* * *

Las babas del diablo

Rafael Flores, CONVERSACIONES CON EL BUHO. (2.ª
edición).

Aroni Yanko, KABRAKÁN.

José Luis Rodríguez García, EL LABERINTO DE LOS ES-
PEJOS.

Ramón Pérez de Ayala, EL OMBLIGO DEL MUNDO, edición crítica de Ángeles Prado.

Gassan Kanafani, TRES HOJAS PALESTINAS Y OTROS RELATOS (trad. de Mohamed A. Elgeadi).

Óscar Peyrou, EL CAMINO DE LA AVENTURA (prólogo de Adolfo Bioy Casares).

Enrique Jaramillo Levi, DUPLICACIONES.

* * *

Ensayo y pensamiento filosófico

Luis Martínez de Velasco, IDEALISMO CRÍTICO E INMANENCIA EN EL PENSAMIENTO KANTIANO.

Francisco José Martínez Martínez, ENSAYOS FILOSÓFICOS-POLÍTICOS.

Francisco J. Martínez Martínez, ONTOLOGÍA Y DIFERENCIA: LA FILOSOFÍA DE GUILLES DELEUZE.

Luis Martínez de Velasco, IMPERATIVO MORAL COMO INTERÉS DE LA RAZÓN.

Varios, ANTONIO MACHADO Y LA FILOSOFÍA.

* * *

La Lira de Licario

Leopoldo de Luis (Premio Nacional de Poesía), DEL TEMOR Y DE LA MISERIA.

Antonio Hernández, COMPÁS ERRANTE.

Aureliano Cañadas Fernández, LENGUA PARA HABLAR SOLO (Premio "José Luis Gallego", 1984).

Armando Álvarez Bravo, PARA DOMAR UN ANIMAL (Premio de Poesía "José Luis Gallego" 1981).

Carlos Oquendo de Amat, 5 METROS DE POEMAS.

Concha Zardoya, LOS PERPLEJOS HALLAZGOS.

Rafael Catalá, CIENCIAPOESÍA.

Damián Ximénez, CARTAS DE ESPAÑA.

Antonio Gutiérrez, ADAMAR DEL AIRE.

Leonor Barrón, SOBRE PALOMAS Y TUS MANOS.

Rafael Flores, LA CARACOLA EN EL OÍDO.

Pascual Izquierdo, CISNE Y TELARAÑA.

José Manuel Guzmán, MIS DÍAS.

Javier Arnaldo, ELOGIO DE LA TRAGEDIA (Premio "José Luis Gallego", 1983).

Antonio Gutiérrez, VITAL PRESENCIA (LA LUZ).

Luis Alfonso Chiriboga, LOS JARDINES DEL CREPÚSCULO.

Carlos Álvarez, REFLEJOS EN EL IOWA RIVER.

José Luis Gallego, PROMETEO XX Y LIBERADO.

Francisco Guardado Lucas, TRIGAL CON CORNEJA (Premio "José Luis Gallego", 1982).

Jaime Ferrán, LIBRO DE ALFONSO.

Bernd Dietz, COMO TESORO DE DUENDE. EL ARTE DE LA SUSTITUCIÓN.

Francisco Matos Paoli, EL CANTO DE LA LOCURA.

Francisco Matos Paoli, SOMBRA VERDADERA.

Jesús Montoro, CIGÜEÑA ROJA, ÁNADE AZUL, JARDÍN DE INVIERNO.

Ángel Velasco, GEOMETRÍAS DE LA NO-MEMORIA.

Etelvina Astrada, LAS PENAS CAPITALES.

Aurora de Albornoz, Julio Rodríguez Luis, SENSEMAYA: LA POESÍA NEGRA EN EL MUNDO HISPANOHABLANTE.

Andrés García Madrid, ALBAQUÍAS.

Manuel de Albornoz Carreras, ALCÁZAR DE SUEÑOS.

NUEVA POESÍA CUBANA. ANTOLOGÍA, 1966-1986 (ed. de Antonio Merino).

Ramón Serrano, CRÓNICA DE LAS ÁNFORAS HALLADAS.

Encarnación Huerta Palacios, DESDE QUE ADÁN LLORÓ.

Fernando García Román, EL BARCO, EL TREN, EL AVIÓN (Premio "José Luis Gallego", 1987).

Constantino Domínguez, LA ÚLTIMA SINFONÍA.

J. Font-Espina, ANUNCIOS POR PALABRAS (Finalista premio "Juan Ramón Jiménez").

Jacque Canales, NIETZSCHE TAMBIÉN SE RÍE (Premio "José Luis Gallego", 1986).

William Wordsworth, POEMAS A ESPAÑA (edición bilingüe, trad. de Eduardo Borsoi).

César López, CONSIDERACIONES, ALGUNAS ELEGÍAS.

Andrés García Madrid, Ricardo Zamorano (ilustraciones), LAS HUELLAS.

Manuel Terrín Benavides, BALADA BAJO LA LLUVIA (Premio "José Luis Gallego", 1988).

* * *

El retablo de Maese Pedro

Varios, ANTOLOGÍA DEL TEATRO DEL SIGLO DE ORO (ed. anotada de Eugenio Suárez-Galbán Guerra).

Lope de Vega, LA VILLANA DE GETAFE (ed. crítica de José M.ª Díez Borque).

Ricardo de la Vega, DE GETAFE AL PARAÍSO O LA FAMILIA DEL TÍO MAROMA.

Manuel Villamor, FATIGOSO DERRUMBE.

* * *

Asomante de ensayo

Varios, CANCIÓN DE MARCELA (MUJER Y CULTURA EN EL MUNDO HISPANO) (ed. de David Valjalo).

Pilar Magro, Alfredo Tiemblo, EL CAMINO Y LA PREGUNTA.

José Félix Pérez Orive, ESPAÑA: HACIA UNA NUEVA CULTURA.

* * *